30
ANOS

CARLOS MARANHÃO

Roberto Civita: O dono da banca

A vida e as ideias do editor da Veja *e da Abril*

Companhia Das Letras

Grafia atualizada segundo o Acordo Ortográfico da Língua Portuguesa de 1990, que entrou em vigor no Brasil em 2009.

Capa
Alceu Chiesorin Nunes

Foto de capa
Jorge Rosenberg/ Abril Comunicações S.A.

Preparação
Cacilda Guerra

Índice remissivo
Luciano Marchiori

Revisão
Angela das Neves
Clara Diament

Dados Internacionais de Catalogação na Publicação (CIP)
(Câmara Brasileira do Livro, SP, Brasil)

Maranhão, Carlos
Roberto Civita : o dono da banca — A vida e as ideias do editor da *Veja* e da *Abril*. – 1ª ed. – São Paulo : Companhia das Letras, 2016.

ISBN 978-85-359-2802-0

1. Editores e indústria editorial 2. Empresários – Bibliografia 3. Grupo Abril 4. Mercado editorial – Brasil 5. Revista Veja I. Título.

16-06804 CDD-381.177092

Índice para catálogo sistemático:
1. Empresários : Biografia 381.177092

[2016]

EDITORA SCHWARCZ S.A.
Rua Bandeira Paulista, 702, cj. 32
04532-002 — São Paulo — SP
Telefone: (11) 3707-3500
Fax: (11) 3707-3501
www.companhiadasletras.com.br
www.blogdacompanhia.com.br
facebook.com/companhiadasletras
instagram.com/companhiadasletras
twitter.com/ciadasletras

Para Isabel, Teresa e Cecília

If you can do the things you love
And do them well
And have fun doing them
And also *be recognized, admired* (*and envied*)
And ever (*also*) *make money*
You are truly blessed

*I have been**

* Texto que Roberto Civita escreveu à mão na contracapa de uma agenda, em 2006, com anotações em inglês para um possível futuro livro de memórias. Em tradução livre: "Se você pode fazer as coisas que ama/ E fazê-las bem/ E se divertir ao fazê-las/ E *também* for reconhecido, admirado (e invejado)/ E sempre (também) ganhar dinheiro/ Você é verdadeiramente abençoado// Eu fui".

Sumário

PARTE I
A ÁRVORE DESFOLHADA I

22 de maio de 2013

Com o pai inconsciente, Roberta Anamaria fechou os olhos e concentrou-se para tentar reencontrá-lo lúcido e saudável. Por um pressentimento tão forte quanto inexplicável, intuiu que ele precisava lhe fazer uma pergunta. Não naquele lugar asséptico e frio onde estava havia mais de três meses, já sem conseguir se comunicar com ninguém, mas em Nova York, cidade que tanto adorava e na qual passara parte da infância, a juventude e o início da vida adulta. Ela teria que projetar sua imaginação para lá. Quantas e quantas boas conversas não haviam tido nos cenários que ambos conheciam tão bem? Perdera a conta. Como em tantas outras vezes, viu-se ao seu lado em um almoço no Harry Cipriani.

Refinado e com boa cozinha italiana, o restaurante funcionava dentro do Hotel The Sherry-Netherland, no número 781 da Quinta Avenida, em frente ao Central Park. Na visão da filha, lá estava ele, sorridente, de cashmere bege de gola rulê, blazer azul-marinho com botões prateados e calça cinza, figurino que normalmente escolhia na meia-estação americana quando não tinha compromissos de trabalho. Pediu *cotoletta alla milanese* e risoto ao açafrão. Ela acompanhou a escolha. Na carta de vinhos, optaram por um Chianti Classico. Comeram, beberam e conversaram sem pressa. Nenhum dos dois demonstrava urgência em entrar no assunto que os colocara frente a frente.

Depois da sobremesa habitual que dividiram — um zabaione, creme preparado com gemas, açúcar e vinho Marsala —, ele baixou um pouco a cabeça e finalmente indagou:

— Pooh... — disse. — *Pooh, am I dying*?

Ela segurou uma de suas mãos e a acariciou.

— Dé... — hesitou por um instante.

Tratavam-se com o nome abreviado do Winnie-the-Pooh, conhecido pelas crianças brasileiras como o Ursinho Pooh, e por uma forma aportuguesada de Dad, papai.

— Dé, você é um homem maravilhoso. Fez tudo o que quis na vida, realizou todos os seus sonhos profissionais e teve muitas mulheres. As pessoas não vão esquecê-lo. Mas, sim, você está morrendo.

Calado, as grandes mãos apertando as da filha, ele — que se considerava ora agnóstico, ora ateu — ainda a ouviu falar com suavidade:

— *And God exists*, Dé.

Deus existe? Sem a reação habitual — pois invariavelmente tinha resposta para tudo —, dessa vez nada comentou. Com um pequeno gesto, limitou-se a dar a entender que havia compreendido.

Aos 76 anos, o editor e empresário Roberto Civita estava se apagando lentamente. Como lhe afirmou a filha naquela imagem de despedida, ele realizara seus sonhos no trabalho e na vida pessoal. Ao menos a grande maioria deles. Ajudara Victor Civita, o "seu Victor", para ele simplesmente VC, do qual era o primogênito e seria o sucessor, a transformar a Abril na maior e mais importante editora de revistas da América Latina. Desde a morte do pai, em 1990, havia se tornado o número 1 da empresa, acertando, errando, surpreendendo, desafiando, contemporizando, atraindo admiradores, desafetos, gente leal, oportunistas. E perguntando, perguntando sem parar, em busca de explicações para suas dúvidas e angústias, com uma curiosidade infindável a respeito de qualquer assunto.

Muito tempo antes, participara do lançamento da *Quatro Rodas*, o primeiro produto jornalístico da casa (detestava a palavra "produto"). Dirigira a redação da revista *Realidade*, que nos anos 1960 causou uma revolução na imprensa nacional e, apesar de ter deixado de circular, seria uma marca indelével no universo editorial (odiava a palavra "marca"). Pouco antes, embora a princípio rejeitasse a ideia, engajara-se com entusiasmo em um projeto que levou a editora a ser conhecida no Brasil inteiro. Além de oferecer informação, conhecimento e entretenimento para milhões de leitores — objetivo com o qual a empresa iria sintetizar sua missão —, esse projeto, mais do que qualquer outro até ali, enriqueceu a Abril. O nome dele, no início, era tão desconhecido que precisava ser explicado mesmo para os diretores da casa, que dirá para os funcionários, para o mercado e para os potenciais leitores: fascículos. Graças ao seu estrondoso sucesso e aos fabulosos lucros que a novidade proporcionou, Roberto e a Abril tiveram condições de mergulhar na maior, mais arriscada e mais bem-sucedida aventura de sua história: a revista *Veja*.

Mais do que os três filhos, os seis netos, as três esposas, as namoradas e as amantes, ou os outros 51 títulos publicados regularmente pela editora por ocasião de sua saída de cena, sem contar dezenas que ficaram pelo caminho, a entrada no universo digital, os investimentos na área da educação, a descoberta e a formação de talentos, para não falar das incursões no mundo da televisão que por um triz não o levaram a quebrar — sim, mais do que tudo isso foi a revista *Veja*, durante 45 anos e cerca de 2300 edições, a suprema paixão e sua razão de ser.

Orgulhava-se de ter lido, anotado e avaliado cada uma delas, da capa à última página. Ao receber o primeiro exemplar saído da gráfica, ele o segurava firme para avaliar o peso — quanto mais publicidade tinha, mais grosso ficava — e dava uma folheada inicial. Os olhos se detinham inicialmente nos anúncios e na apresentação das matérias. Não disfarçava a satisfação de proprietário quando percebia, de relance, que a escolha de determinados assuntos e as angulações tinham seguido sua orientação e irritava-se caso flagrasse logo de cara qualquer erro. Ou se saía algo que não gostaria de ter visto publicado. Em seguida, empunhando a caneta, começava a ler, e a rabiscar se achasse necessário, os títulos, os subtítulos, as legendas das fotos e linha por linha dos textos. Perfeccionista, não permitia que nada lhe escapasse. Colocava pontos de exclamação e interrogação, circulava palavras, sublinhava frases e conferia números, em busca às vezes de pelo em ovo e na maioria dos casos de equívocos relevantes. O que queria era que as falhas não se repetissem, os acertos fossem reconhecidos — e que os responsáveis por ambos soubessem que quem engordava o boi era o olho do dono. Considerava a *Veja* a sua criatura, com a qual se envolveu inteiramente a partir da longa gestação, como se referia à fase que antecedeu o nascimento no distante setembro de 1968. Dizia — e parecia falar sério — que, com ela, brincava de Deus.

Bob, Rob, Robbie, Robert, Robertão, Roberto, dr. Roberto, ou simplesmente RC, era um homem alto, com uma invencível barriga que o incomodava. Desde a adolescência, usava óculos de modelo um tanto avantajado. Os cabelos começaram a cair a partir dos quarenta anos. Incomodava-se com a calvície, que tentava combater com o uso diário de um xampu que mandava preparar em uma farmácia de manipulação. Durante a semana, saía com um guarda-roupa inconfundível: terno escuro de dois botões, gravatas de cores vivas e camisas listradas ou azuis com colarinho branco e abotoaduras nos punhos que encomendava sob medida no ateliê da Turnbull & Asser, na Jermyn Street, rua de Londres que concentra lojas caras de moda masculina clássica. Gostava de calçar mocassins Gucci, número 43. No estilo, podia ser considerado mais um homem formal do que propriamente elegante.

Era um workaholic. Dizia, porém, que não trabalhava. "Eu me divirto", afirmava. De certa forma, tinha razão. Exceto nas reuniões de orçamento — para ele, enfadonhas — das quais se via obrigado a participar, evitava demonstrar mau humor ou cansaço. Sem procurar esconder os dentes encavalados, amarelecidos por fumar cachimbo compulsivamente durante mais de cinquenta anos, abria o sorriso em qualquer encontro por cortesia e temperamento. Mas a atitude podia mudar de imediato. Impaciente, esperava que o interlocutor prendesse sua atenção na abertura da exposição ou da conversa. Do contrário, interrompia na hora. "Espera, espera...", cortava. "O que eu quero saber é..." Ou fazia a pergunta direta: "*What's the story?*". Qual é a história? Nas apresentações que lhe preparavam em PowerPoint, determinava que fossem interrompidas no segundo ou terceiro quadro caso o tema não ficasse claro de imediato. Volta e meia, mandava refazer tudo. Não admitia que o texto projetado na tela aparecesse com qualquer cochilo de grafia, gramática ou algarismo.

Nunca se desligava. Nem no almoço, com convidados de fora, nem nos jantares ou em reuniões sociais e encontros familiares. Com uma Montblanc bordô, tomava nota das palavras-chave do que ouvia em folhas de papel guardadas em um bolso interno do paletó ou em bloquinhos que ficavam em cima da sua enorme mesa de trabalho. No escritório, uma secretária digitava as anotações no computador. Cada conversa ou reunião, fosse profissional ou pessoal, se transformava numa ficha. Acumulou cerca de 5 mil arquivos sobre seus encontros.

Durante décadas, em seu apartamento de 750 metros quadrados no bairro paulistano do Jardim Europa, com vista para os quatro cantos da cidade, nos endereços anteriores, na casa de praia e no sítio próximo a São Paulo, tinha um dicionário impresso à mão e gastava a maior parte dos fins de semana lendo revistas e jornais. Depois de esquadrinhar a edição da *Veja*, examinava diversas publicações da editora, cujas páginas arrancava e mandava para os respectivos diretores com observações, críticas e elogios. Enviava cópias de artigos que julgava relevantes, bilhetes manuscritos e e-mails breves, revisados palavra por palavra, com sugestões de matérias ou providências, na maioria interpretadas pelos destinatários como ordens transmitidas de maneira polida — e obedecidas com rapidez.

Carregava convicções inabaláveis. Era um defensor do capitalismo (preferia a expressão "livre-iniciativa"), da democracia representativa, da liberdade de expressão, do livre-comércio e do liberalismo econômico. Combatia a presença do Estado na economia e na vida dos cidadãos, a burocracia, os excessos na regulamentação, qualquer tipo de censura, os regimes autoritários, o socialismo, o comunismo, a esquerda e o Partido dos Trabalhadores (PT). Mas não gostava de julgamentos e procurava evitar o confronto. No campo do comportamento, sua postura era absolutamente liberal. Rejeitava qualquer tabu. Falava abertamente de sexo, inclusive com os filhos mal saídos da infância, não se distanciou das ex-mulheres nem de antigos envolvimentos e defendia o aborto. Podia contar piadas grosseiras na presença de senhoras e gabar-se de proezas eróticas. Educado na religião católica desde a conversão dos pais, dizia que deixara de crer em Deus no dia em que, revoltado, descobriu que eles lhe haviam escondido a origem judaica. No entanto, sentia-se de certo modo culturalmente judeu e, em determinados momentos da vida, foi aconselhar-se com rabinos. Temia a solidão e precisava ter sempre uma mulher ao seu lado. Mas nunca se viu sozinho ou desacompanhado. Não sabia mentir e normalmente engolia de boa-fé o que lhe diziam de forma persuasiva.

Como editor, pregava suas ideias com a convicção de um evangelista. Entendia que o desafio dos jornalistas era tornar interessantes os assuntos importantes e repetiu infatigavelmente que a Abril só tinha compromissos com o leitor e o país, não com governos, anunciantes ou amigos. Assim, seguindo o que assimilou na biografia de uma das personalidades que mais venerava, o americano Henry Luce, que em 1923 fundou a *Time* com Briton Hadden, pioneira entre os semanários de informação, modelo da *Veja*, suas revistas deveriam manter uma rígida separação entre Igreja e Estado. Ou seja, o editorial e o comercial. Empenhou-se para que essa lei fosse cumprida, o que geralmente acontecia. Defendeu a vida inteira, com ardor e convicção, um princípio que considerava inegociável: a liberdade de expressão.

Era um homem de grande cultura. Ele a adquiriu não só em sua formação escolar e universitária, destacando-se quase sempre como o primeiro ou segundo aluno da classe em instituições de ponta no Brasil e nos Estados Unidos, mas também por leituras que pareciam infindáveis. Dos cerca de 5 mil livros que tinha em casa e no escritório, é possível afirmar que leu a maioria. Estão em grande parte repletos de anotações e passagens sublinhadas. Seu interesse era diversificado e surpreendente. Tinha uma vasta quantidade de obras sobre política, economia, imprensa (só os que foram catalogados com essa classificação somavam 2104 volumes, na quase totalidade com sinais de manuseio), história, filosofia, linguística, psicologia, literatura, biografias (dezenas de Winston Churchill, uma de suas principais referências), teatro, música, religião (em especial o judaísmo), física, gastronomia, vinhos... Dicionários de todos os tipos, a começar pelos vinte tomos do *Oxford English Dictionary*, com suas 600 mil palavras, ao qual recorria regularmente desde o período universitário. E estantes de Shakespeare, um de seus autores favoritos e de quem declamava de cor extensos diálogos de *Júlio César*, *Romeu e Julieta*, *Macbeth* e outras peças. O último livro que terminou de ler, em um fim de semana no litoral norte de São Paulo, foi uma tradução inglesa de *Meditações*, do imperador romano Marco Aurélio. Marcou 58 trechos. Um deles: “Se não é certo, não faça. Se não é verdade, não diga”.

Foi uma pessoa poderosa. Ajudou a derrubar um presidente e conheceu a maior parte dos principais protagonistas da vida política e econômica do Brasil dos últimos quarenta anos. Acreditava que a educação deveria ser uma prioridade nacional e investiu nela tanto por convicção como por negócio. Na Abril Educação, chegou a ter uma rede de cursos de idiomas e de pré-vestibular. Engajou-se na Fundação Victor Civita, aberta pelo pai com o objetivo de contribuir na formação de professores, e criou cursos de aperfeiçoamento para jornalistas.

Para se entreter, quando não estava lendo, viajava, cozinhava, ia ao teatro, via filmes em casa e assistia a concertos (muitas vezes ia embora no intervalo).

Quase nunca, entretanto, relaxava por completo. Naquela tarde de maio, em coma, já não tinha consciência de que quebrara sua rotina de trabalho pela última vez cerca de três meses antes. Foi uma das derradeiras decisões que tomou antes de se internar no Hospital Sírio-Libanês: ver no Rio de Janeiro o desfile de Carnaval. Perguntou se a filha não queria ir junto. Ela tinha um segundo convite, feito pelos dois irmãos mais velhos, para passar aqueles dias em Trancoso, no litoral da Bahia, mas não era por isso que recusava a sugestão. Deu uma desculpa para permanecer em São Paulo, pois achava por intuição que o pai precisaria muito dela, como em internações anteriores, e seria melhor evitar qualquer uma das duas viagens.

Ela guardaria na memória a premonição e, com nitidez, a cena que vislumbrou do final do almoço. Foi o momento em que se viu levantando-se ao mesmo tempo que ele da mesa do restaurante coberta por uma toalha branca, ao lado de uma das janelas. Esperaram que um porteiro com uniforme azul abrisse a pesada porta lateral, ganharam a calçada e atravessaram a rua de mãos dadas. Então ele se soltou dela, entrou em passos lentos no Central Park, fez meia-volta, abriu os braços, lhe dirigiu um olhar e seu vulto desapareceu entre as árvores. Muitas coisas iriam embora junto com ele.

10 de fevereiro de 2013

O enredo da Acadêmicos do Salgueiro naquele Carnaval carioca era sobre o mundo das celebridades. "Vida de celebridade é um vai e vem", dizia a letra da música puxada no sambódromo da avenida Marquês de Sapucaí por Quinho, Serginho do Porto, Leonardo Bessa e Xande de Pilares. "Tá na capa da revista, o meu pavilhão/ E na cara dessa gente, o orgulho, a emoção." Como sugeriam esses versos, o desfile da escola de samba vermelha e branca tinha o patrocínio da *Caras*.

Apesar disso, o argentino Jorge Fontevecchia não estava pensando em assisti-lo ao vivo. O natural seria que ele fosse, como criador e acionista majoritário do semanário especializado em publicar reportagens normalmente autorizadas a respeito de namoros, noivados, casamentos, separações, viagens, festas, fofocas, residências e tragédias de gente famosa, ou mais ou menos famosa, sobretudo figuras da televisão, atores, cantores, modelos, estilistas, esportistas, certos políticos e endinheirados que gostam de aparecer. Enfim, aquelas pessoas que a partir dos anos 1990 passaram a ser chamadas justamente de celebridades. Não lhe custaria nada ir. Havia à sua espera o camarote da própria revista, com bufê farto, boas bebidas, garçons, recepcionistas e presenças confirmadas como a da apresentadora Xuxa. Além disso, ele já estava por perto. Separado da mulher, havia decidido tirar uns dias de férias, ao lado da namorada e de dois de seus três filhos, em um iate alugado que ficaria navegando ao largo da baía de Angra dos Reis, no litoral fluminense.

Fontevecchia, porém, não tinha qualquer espírito carnavalesco. Era um homem de 57 anos obcecado pelo trabalho. Com a *Caras*, que via como um produto editorial de entretenimento, ganhava dinheiro. Publicava edições lucrativas na Argentina, no Brasil, no Uruguai, em Portugal e em Angola. Mas ele entendia que sua principal missão jornalística e política era editar a revista semanal de informações *Noticias*, que considerava uma *Veja* argentina, e o jornal *Perfil*, com circulação aos sábados e aos domingos. Para dirigi-los, dava expedientes de até doze horas, de segunda-feira a sábado. Dizia que eram os momentos em que se sentia realmente feliz.

Nisso, como em várias outras coisas, achava-se parecido com Roberto Civita. Tinha idolatria por ele. Logo após sua morte, escreveria três artigos para homenageá-lo. Em um, chamou-o de "*mi héroe, mi maestro, mi mentor*". Em outro, de "gênio" e de "maior editor ibero-americano de todos os tempos". Frequentemente, percebia que imitava seu herói, mestre e mentor. Gostava de contar que, a exemplo dele, abria um sorriso de satisfação no momento em que, logo cedo, entrava no seu enorme escritório com móveis negros, uma biblioteca de 3 mil livros e uma estante-revisteira. Copiada da que conhecera na sala de Roberto — sala esta menor do que a dele —, servia para abrigar um exemplar de cada uma das cerca de quarenta revistas que estampavam o selo de editora que presidia, a Perfil. Em um ambiente anexo, havia uma longa mesa escura de reuniões com 24 cadeiras de espaldar alto.

Seu gabinete completo ocupava um andar inteiro de um prédio comercial no centro de Buenos Aires, a curta distância da Casa Rosada, sede do governo da Argentina. Ficavam naquela imensidão apenas ele e duas silenciosas secretárias. O prazer de Jorge Fontevecchia, além de trabalhar, era ler livros de filosofia, em especial do alemão Georg Friedrich Hegel (1770-1831). Julgava-se seu discípulo, um hegeliano. Seus outros interesses intelectuais abrangiam história e as teorias psicanalíticas de Freud e Lacan. Gostava de citar seus ensinamentos, em especial a relação que o francês Jacques Lacan fazia entre o hábito e o monge. Segundo Lacan, a pessoa vira monge ao vestir o hábito diariamente, nascendo daí uma sinergia entre sua função e sua persona. Com o austríaco Sigmund Freud, aprendeu que os criativos podem ser malucos, porque têm passagem de ida e volta para a loucura. Dado que a obra é a sua terapia, eles estariam aptos a ser doidos e sãos ao mesmo tempo.

Era mais ou menos esse o discurso com que Fontevecchia surpreendia os que supunham estar diante apenas do homem discreto e atarefado escondido atrás das multicoloridas páginas em papel cuchê de *Caras*. O Carnaval teria alguma coisa a ver com tais teorias e divagações? Talvez, embora a relação fosse um tanto complicada para um argentino. Sem entrarem nessa elucubração, seus filhos Alan e Agustino — Bruna, a mais nova, permanecia estudando em Londres — insistiram para que o pai fosse com eles ao sambódromo. Alan era responsável pela área digital da própria *Caras* em São Paulo, e Agustino trabalhava em Nova York, na revista *Forbes*. Eles lhe contaram que iriam desfilar no Salgueiro.

Fontevecchia fora à Marquês de Sapucaí uma única vez, em 1993, pouco depois do lançamento da *Caras* no Brasil. A revista tinha como acionistas a Editorial Perfil, investidores brasileiros e a pessoa física de Roberto Civita. Em termos legais, portanto, não pertencia à Editora Abril, que porém era responsável por sua impressão e distribuição. Como tecnicamente não estava sob o guarda-chuva de sua empresa, Roberto achava que a publicação podia seguir o próprio modelo editorial, sem submeter-se às regras da separação entre Igreja e Estado.

Roberto Civita acompanhava a *Caras* à distância, sem interferir. Em vinte anos de sociedade, enviou para Edgardo Martolio, diretor da edição brasileira, se tanto, uma dúzia de bilhetinhos ou e-mails breves com elogios e três com críticas. Em um deles, comentou uma matéria feita durante o inverno no chamado Castelo de Caras, em Nova York (existiam também a Ilha de Caras, em Angra dos Reis, e outros cenários especialmente montados, para os quais eram levados artistas e convidados, que ali, às vezes ao lado de produtos com rótulos e embalagens visíveis, davam entrevistas e posavam para fotos). Nevava em Nova York naqueles dias. Como muitas vezes acontece no mundo das revistas, a matéria ficou engavetada e demorou várias semanas para sair. Quando afinal foi publicada, era primavera no hemisfério norte. "Que maravilha o Castelo de Caras!", escreveu Roberto Civita para Mortolio logo que viu o número da revista. "Consegue ter neve mesmo quando ela já não cai." Desde então, a pauta da *Caras* ficou mais atrelada às quatro estações.

Outra das contribuições de Roberto para a *Caras*, que Fontevecchia jamais esqueceria, tinha sido dada justamente naquele Carnaval de 1993. Numa situação que se repetiria vinte anos depois, ele não pretendia assistir ao desfile carioca. Nunca vira nenhum, nem pensava ver. Roberto convenceu-o a mudar de ideia. "Você tem que ver — e ao vivo", afirmou pelo telefone com bastante ênfase, como costumava fazer quando queria convencer alguém a seguir seus conselhos. "Um desfile das escolas de samba vale por anos e anos de terapia." Falou de forma tão persuasiva que Fontevecchia acatou a sugestão e voou às pressas para o Rio. Embora fosse domingo de Carnaval, ele estava no escritório. Saiu de lá diretamente para o Aeroporto de Ezeiza, sem tempo de passar em casa. Trajava sua combinação habitual, mesmo nos fins de semana em que trabalhava: terno escuro, camisa social e gravata. Ao descer no Galeão, entrou no carro que o aguardava e, no caminho, trocou a roupa absolutamente inadequada para a ocasião por uma camiseta com o logo da revista, mantendo a calça bem vincada e os lustrosos sapatos pretos com cadarço. Com essa vestimenta, percorreu a pé a Marquês de Sapucaí ao lado da já naquela altura veterana atriz italiana Gina Lollobrigida, contratada para fazer "fotos exclusivas" da festa. O sócio tinha razão. Foi, para ele, uma experiência inesquecível.

Agora, em 2013, finalmente rendido pela insistência dos filhos, resolveu que era hora de retribuir o convite. Ligou para Roberto e fez praticamente uma intimação para que fossem juntos ao camarote da *Caras* no sambódromo. Roberto tampouco era um carnavalesco. Vira não mais do que uns poucos desfiles, no sambódromo ou pela televisão. No primeiro momento, pensou em recusar. Não lhe faltava uma justificativa perfeita para ficar de molho em São Paulo no feriado prolongado. Segunda-feira à noite, iria se internar para ser submetido na manhã seguinte a um procedimento que considerava simples: a colocação de um *stent*, através da virilha, na sua dilatada aorta abdominal. Procurava não demonstrar qualquer preocupação. Como todo processo invasivo no corpo, porém, o procedimento oferecia um pequeno risco de complicações. Segundo a literatura médica, de 2%. Na sua habitual autoconfiança, com a convicção de que nada poderia dar errado para ele, Roberto calculou que repousaria durante a Quarta-Feira de Cinzas no Sírio-Libanês e na quinta voltaria não apenas para casa como para a Abril. Até agendara uma reunião nesse dia com o presidente executivo da editora, Jairo Mendes Leal.

Na semana anterior ao Carnaval, os dois haviam jantado juntos no Piselli, um restaurante de cozinha italiana no bairro paulistano dos Jardins. Tiveram uma extensa e proveitosa conversa. Era um momento difícil. Desde 2011 a Abril vinha enfrentando uma queda persistente na receita de publicidade. Roberto acreditava que era uma crise passageira e que as perdas nas revistas impressas seriam compensadas com o crescimento na área digital. O acesso aos sites realmente aumentou, mas sem atrair o esperado volume de anúncios. De qualquer modo, para ele seria um erro mexer na estrutura e no quadro de funcionários da editora para compensar os números no vermelho. Continuou apostando numa retomada. Quando começou a ficar claro que ela não viria tão cedo e a curva negativa permanecia empinando, acabou sendo convencido pelo presidente executivo do grupo, Fábio Barbosa, a considerar a aplicação de algumas medidas duras. Ficou de bater o martelo ainda em fevereiro, no mais tardar em março.

Jairo e Fábio — ambos eram tratados na empresa pelo primeiro nome — tinham uma relação conflituosa e uma disputa crescente pelo poder. Quando Fábio foi contratado, no final de 2011, deixando a presidência do Banco Santander, Jairo não escondeu sua frustração. Com uma carreira de quase quatro décadas na editora, na qual entrara como office boy aos dezesseis anos, ele havia alcançado a presidência da Abril Mídia, tornando-se o responsável por todas as publicações da casa. Houve então uma inesperada mudança de organograma. Jairo passou a responder a Fábio, que como presidente da Editora Abril teria sob sua responsabilidade o grupo inteiro, englobando tanto a Abril Mídia como a Abril Gráfica e a DGB (Logística e Distribuição). Mais tarde, o desenho e os nomes dos negócios se inverteriam, com a Abril Mídia ficando acima das demais operações, mas a nova hierarquia permaneceria de pé. Até a posse de Fábio, que, apesar de não ter qualquer experiência no universo editorial, assumiu com o respaldo e a confiança de Roberto, Jairo vinha se movimentando para ser, ele sim, o executivo número um do conglomerado. Nessa posição, se a alcançasse, responderia somente ao principal acionista.

Não foi o que aconteceu. Apesar disso, parecia haver uma possibilidade de reviravolta no horizonte. Enquanto compartilhavam uma segunda rodada de *grappa* ao final do jantar, Jairo percebeu sinais de possíveis mudanças. Ele sabia que uma característica da personalidade de Roberto era se apaixonar e se desapaixonar por pessoas com a mesma velocidade. Entusiasmava-se por determinados profissionais e usava sua capacidade de sedução para contratá-los, muitas vezes com uma expectativa exagerada. Após algum tempo, vinha a inevitável decepção. Jairo concluiu que era o que poderia estar ocorrendo sobre o apego de Roberto por Fábio, ao interpretar uma frase que ouviu antes de ser pedida a conta do jantar: "Os dois que sabem tocar esta empresa para a frente somos eu e você". No rosto emoldurado por uma barba levemente grisalha, Jairo segurou o sorriso. Continuando a conversa, Roberto insinuou que sentia falta do espaço que cedera a Fábio e demonstrou vontade de reassumir algumas das funções decisórias que havia delegado. Mas não lhe repassou uma informação importante. Duas semanas antes, durante uma reunião, Fábio afirmara a Roberto que não poderia continuar trabalhando com Jairo, pois achava que este queria ocupar seu espaço e não via mais nenhuma possibilidade de composição. Roberto deixou registradas as palavras que ouviu de Fábio: "Ou ele ou eu". Sua tendência em um conflito como esse, ou diante da necessidade de tomar uma decisão difícil, era empurrar o assunto para depois. Foi o que fez. Tanto que falou para Jairo de um plano que tinha na cabeça: "Quero que você faça uma viagem para ver o que está acontecendo nas grandes editoras. Investigue as novidades e as tendências na área digital. Temos um tsunami pela frente, mas há alternativas". Jairo concordou com a última observação. "Também acho. Nosso conteúdo é muito forte e a internet vai abrir uma avenida de crescimento para a gente. O dinheiro não vem no primeiro momento, mas aparece lá na frente. Precisamos superar esse tranco e buscar os resultados." Roberto lhe deu a impressão de ter gostado do que ouviu. "Vamos continuar a conversa na quinta-feira", anunciou, anotando o compromisso em uma folha de papel que tirou do bolso. Só nesse momento falou da cirurgia. "Na quarta estarei em casa", previu. "Eu estou bem, com muita vontade de tocar a vida, e me sinto com 56 anos de idade", disse.

Na verdade, Jairo já sabia da internação, pois Roberta Anamaria tinha lhe contado. Ele e a única filha de Roberto haviam começado a namorar em 2005, logo depois de se conhecerem, e dois anos depois acertaram um acordo de união estável. Estabeleceram entre si que cada um continuaria morando na própria casa, encontrando-se quase todos os dias, e ficariam sob o mesmo teto nos finais de semana. Ambos vinham de casamentos desfeitos. Preocupados em evitar inevitáveis maledicências, jamais estiveram juntos nos habituais eventos da Abril, aos quais ele, um homem normalmente reservado, comparecia sozinho. Mantinham discrição sobre o relacionamento. Não apareciam em colunas sociais, muito menos na *Caras*. Até nos corredores da Abril — povoados de funcionários curiosos por natureza — a princípio existiam sobre o casal mais mexericos do que informações. A ponto de Fábio Barbosa só ter descoberto vários dias após se instalar no 23º andar do Novo Edifício Abril (NEA), sede da empresa, que seu mais importante subordinado direto era genro do patrão de ambos.

Na saída do Piselli, Roberto ainda lamentou que Jairo e Roberta não pudessem acompanhá-lo no sambódromo. Viajou então para o Rio na companhia apenas de sua mulher, Maria Antônia Magalhães Civita. Na cidade, se juntariam aos casais Fontevecchia, Martolio e Thomaz Souto Corrêa. Seu amigo e braço direito de mais de quatro décadas, tratado internamente por TSC, Thomaz tinha dois anos a menos que Roberto. Fora vice-presidente da empresa e seu principal executivo até se afastar da operação em 2003, quando trocou os ternos azuis ou bege, as camisas com colarinho de modelo italiano e os grandes nós de gravata por blazers e roupas casuais. Virou consultor e conselheiro da Abril sem deixar sua vasta sala retangular do 26º andar, cujo acesso exigia uma baldeação de elevador. Era a única do prédio, incluindo a de Roberto, capaz de rivalizar em tamanho com a de Fontevecchia em Buenos Aires. Ele dizia que precisava dela, onde dava expediente três vezes por semana, para ministrar seus cursos, palestras e sessões de crítica das revistas da editora, com uma média de doze participantes.

Roberto embarcou no fim da tarde de sábado. Domingo à noite, 10 de fevereiro, foi jantar no refinado restaurante português Antiquarius, no Leblon, com a mulher e as seis outras pessoas do grupo. De lá, seguiram em uma van para o sambódromo. Na segunda-feira, às 13h15, Roberto e Maria Antônia regressaram a São Paulo pela TAM, no que seria o último das centenas de voos que fez na vida, a tempo de almoçarem perto de casa, no Rufino's, onde dividiram, como sempre faziam quando iam a esse restaurante, um peixe assado. Embora pudesse não ser recomendável por causa da internação prevista para algumas horas mais tarde, tomaram uma garrafa de vinho branco italiano. Roberto, que bebia vinho todos os dias, no almoço e no jantar, não via razões para quebrar a rotina. Foram seus prazeres finais antes do calvário de 104 dias no hospital. Ele gostava de coincidências e se intrigava com as que lhe pareciam inexplicáveis. A última delas foi que um desfile de escolas de samba seria seu derradeiro compromisso social. Sessenta e três anos antes, chegara ao Brasil pela primeira vez, com a mãe e o irmão, ao encontro do seu destino. Os três desembarcaram de navio no cais da praça Mauá, na então capital da República, onde o pai os aguardava. Foram diretamente para o Hotel Glória, a aproximadamente três quilômetros de distância. A mãe deixou no apartamento reservado sua volumosa bagagem, pois levava todas as roupas que tinha — as dos meninos ficaram no navio, onde pernoitariam —, e encontraram um casal de amigos, que os levou à avenida Presidente Vargas, no centro da cidade.

Robert Frank Civita — era assim que seu nome aparecia no passaporte americano — estava com treze anos. Jamais esqueceria o espetáculo que o deslumbrou, mesmo sem entender aquelas músicas, aquela barulheira, aquelas fantasias e aqueles jatos gelados de lança-perfume que o deixaram meio tonto e ligeiramente eufórico. Era domingo de Carnaval, como em 2013.

PARTE II

A ÁRVORE GERMINADA

19 de fevereiro de 1950

Apesar do nome, o *SS Argentina* era um navio de bandeira americana. Lançado ao mar em 1929, chamava-se originalmente *Pennsylvania*. Oito anos depois, mudou de nome por iniciativa do presidente Franklin Roosevelt. Foi uma forma de agradar ao governo argentino no âmbito da denominada política de boa vizinhança que era seguida pelos Estados Unidos. Já tinha, portanto, a nova denominação quando começou a ser utilizado para transportar tropas americanas durante a Segunda Guerra Mundial, 200 mil soldados e oficiais no total. Terminado o conflito, entrou no estaleiro e passou por uma reforma para virar transatlântico. Operado pela Moore-McCormack, viria a ser usado até 1958 na rota entre os portos de Nova York e Buenos Aires, com escalas em Barbados, Rio de Janeiro, Santos e Montevidéu. Com 380 tripulantes, podia levar 359 pessoas na primeira classe (a passagem de ida e volta custava 1030 dólares, o equivalente em 2016 a 10 267 dólares) e 630 na turística (6280 dólares pela mesma atualização), em uma época em que viagens internacionais como essa custavam bastante caro. Estiveram a bordo, em diferentes ocasiões, os atores Henry Fonda e Clark Gable. Em 1948, o *SS Argentina* transportaria em seu porão para o Brasil uma grande novidade tecnológica que nunca havia sido vista por aqui: os primeiros aparelhos de TV que chegaram ao país. Eram da marca Philco e foram apresentados numa exposição no Hotel Quitandinha, em Petrópolis (RJ), atraindo enorme curiosidade dos visitantes.

Foi nesse navio cheio de histórias que Sylvana Civita embarcou com os dois filhos, Roberto e Richard. A viagem, que havia sido decidida cinco meses antes, mudaria o destino da família e do mercado editorial brasileiro. Foi determinada com um telegrama curto e direto que Victor Civita mandou para a mulher, em Nova York. Ao lê-lo, ela tomou um choque. Sylvana, segundo as ordens do marido, deveria vender tudo o que pudesse, embalar o resto e embarcar com os meninos para um país que desconheciam — o Brasil. "*Vostro padre è impazzito*", ela disse para os meninos, quando eles voltaram da escola. Seu pai ficou louco. A decisão tomada por Victor de iniciar no hemisfério Sul uma nova vida, aos 42 anos, de tão surpreendente e ousada, só poderia mesmo deixar sua mulher quase em estado de choque. Apesar disso, nada tinha de incoerente. Como havia feito outras vezes — e continuaria fazendo nas quatro décadas seguintes —, ele avaliou os prós e contras, confiou na intuição e apostou pesado no futuro que vislumbrava. Era seu estilo, movido pela paixão e pelo risco, que herdara do pai, Carlo, e transmitiria para o filho Roberto.

O italiano Carlo Civita, que ficou órfão na infância, nascera em 1878 na cidade de Reggio Emilia, na região da Emília-Romanha. Criado por duas tias em Mântua, na Lombardia, dentro do judaísmo, era uma criança solitária. Entretinha-se com livros, plantas e animais. Criava um macaco, um papagaio, doze corujas, todos de origem incerta, e alguns corvos que capturava no inverno com engenhosas armadilhas. Segundo contaria, domesticou todos eles. Juraria para os filhos que o macaco, de nome Debeb, era amestrado a ponto de trazer um chicotinho para que o dono o punisse quando fazia alguma travessura e por acordá-lo a cada manhã. Suas tias, a solteirona Ernesta e a viúva Adele, que fumava charutos toscanos e rachava lenha para colocar no fogo, moravam na vizinhança do templo israelita da cidade. Além de levar o pequeno Carlo a seguir os preceitos religiosos, elas o fizeram estudar contabilidade. Acreditavam que o garoto se daria bem na profissão. Foi o que aconteceu, mas por linhas tortas.

Formado, ele conseguiu um emprego de guarda-livros do rico latifundiário mantuano Ciro Fano. A mansão em que a família Fano residia era servida por criados de luvas brancas nas refeições e cocheiros de libré. Nessa suntuosa residência, Carlo conheceu Vittoria Carpi, dois anos mais moça do que ele, filha de Michelangelo Carpi e Amalia Fano. Uma das irmãs de Amalia, também chamada Vittoria, havia se casado com um primo, justamente o fazendeiro Ciro, patrão de Carlo. Não demorou muito para que Carlo se sentisse atraído pela sobrinha de Ciro. Como em um roteiro de novela, o romance incipiente se interrompeu quando Michelangelo Carpi resolveu ir para os Estados Unidos, levando a mulher e a filha. Michelangelo, que adotou o nome artístico de Vittorio Carpi — mais um na família, entre tantos Vittorios e Vittorias —, era barítono e destacou-se no papel de Figaro na ópera *O barbeiro de Sevilha*, de Gioachino Rossini. Tinha convite para lecionar canto lírico em um conservatório de Chicago e para cantar em teatros americanos. Carlo, atormentado com a prematura separação, não resistiu aos seus impulsos e resolveu ir atrás deles. Ou melhor, de Vittoria. O folhetim chegaria a um desfecho feliz. Casaram-se numa sinagoga em 1903 e foram morar em uma casa à beira-mar em Rockaway Beach, Nova York.

A essa altura, Carlo descobrira o lado empreendedor que legaria aos filhos. Começou a trabalhar como representante comercial de máquinas industriais, ferramentas e equipamentos de um ramo de serviço que estava nascendo: postos de gasolina para automóveis. Aos poucos, ganhou dinheiro e a confiança dos fornecedores com os quais fazia negócio. Já havia progredido quando, em 1904, nasceu o primeiro filho, uma menina, Vera — uma das poucas mulheres entre seus descendentes. Ela morreria sete meses depois. Em 1905, nasceria Cesare Augusto e, em 1907, Vittorio. Cesare Augusto reduziria o nome para Cesare e ficou conhecido também como César. Bem mais tarde, Vittorio viraria Victor. Victor Civita.

Em outro impulso, que inspiraria no futuro decisões semelhantes e ainda mais arriscadas de César e Victor, Carlo resolveu voltar para a Itália em 1909 com a mulher, os dois filhos pequenos e as mesmas representações de produtos que detinha nos Estados Unidos. Instalaram-se em Milão, onde em 1912 nasceria o último filho, Arturo, posteriormente Artur. À frente da firma C. Civita & C., ou CC&C, que vendia desde combustíveis até elevadores pneumáticos para postos de gasolina e oficinas mecânicas, Carlo enriqueceu.

No livro de memórias que escreveria em 1987, dezoito anos antes de sua morte, César se recordaria do pai como um homem simples, de ar camponês. "As cerejas bichadas são as mais gostosas", costumava dizer, em uma frase de duplo sentido, enquanto tirava o verme das frutinhas e comia as que os filhos tinham deixado de lado. Ao falar assim, tentava lhes passar a noção de que os prazeres podem estar escondidos. Ou que o risco, bem calculado, pode redundar em lucro. Anticlerical, gostava de citar uma frase que ouvira na escola de um velho professor em relação aos padres: "Raça iníqua, maligna e sem discernimento". Por causa de seu trabalho de representante, viajava muito. Quando voltava, cozinhava para a família dias a fio. Preparava pratos judaicos e especialidades de Reggio Emilia e Mântua: espaguete ao caldo de peixe, *tortelli* de ricota ou abóbora, talharim frito com ervilhas e parmesão, codorna e perdiz com polenta, pé de porco com lentilha (não sendo judeus ortodoxos, eles consumiam carne suína) e, seu prato favorito, uma complicada receita de bolo de carne de peru. Aproveitava tudo da ave, mesmo o estômago. Depois de enchê-lo de ar, pendurava no bico de gás. No dia seguinte, devidamente seco, o estômago serviria como bola de futebol para os meninos.

Enquanto Vittoria comandava a casa, Carlo lhes ensinava noções básicas do idioma hebraico. Nas principais datas religiosas do judaísmo, ele os levava ao templo de Via Guastalla. Ficavam em um dos lados, a mãe no outro, reservado às mulheres. Os meninos, que nada entendiam dos rituais, sofriam com o obrigatório jejum. Aguardavam aflitos o som do *shofar*, a corneta que anunciava o fim da função religiosa quando aparecia a primeira estrela no céu. Chegava afinal a hora de voltar e deliciar-se com o bolo de peru, acompanhado de vagem ao escabeche, berinjelas fritas e salada de erva-doce, antecedido por um *cappelletti in brodo*.

Assim corria a vida de César e Victor quando, durante a Primeira Guerra Mundial (1914-8), eclodiu a pandemia que ficaria conhecida como gripe espanhola. Foi a maior tragédia do início do século XX. Seu número de vítimas é incerto, mas acredita-se que possa ter matado cerca de 50 milhões de pessoas no mundo inteiro, ou mais do que três vezes o total de mortos na Primeira Guerra. Ninguém na família foi contaminado, embora vários colegas de escola dos rapazes tenham morrido por causa da terrível moléstia. Sãos e salvos, os dois, antes inseparáveis, passaram a se distanciar à medida que formavam suas próprias amizades e descobriam interesses individuais. Já revelavam personalidades diferentes. César era sério, pouco sociável e tímido. Victor, ao contrário, era alegre, extrovertido, espirituoso — e, ao contrário do primogênito, começava a fazer sucesso com as garotas. Sempre agitado e cheio de energia, tirava César da cama erguendo a pálpebra de um de seus olhos com o dedo e gritando: "Você está acordado? Vamos, somos homens!".

Quando eles estavam na adolescência — Victor com treze anos, César com quinze —, o pai considerou que chegara o momento de conduzi-los às ruelas nas imediações da Via Larga. Ficavam ali a Via Porlezza, a Via Soncino, a Via San Pietro all'Orto e a Via Disciplini. Eram esses os nomes de alguns dos mais conhecidos *postriboli* milaneses, os bordéis aos quais, dentro do costume na época, os pais levavam os filhos para a iniciação sexual. No caminho, Carlo comprou preservativos em uma farmácia e advertiu os dois rapazes sobre o perigo da blenorragia e da sífilis. Por um tempo, eles frequentaram o Via Disciplini, o mais caro da cidade, dirigido por uma certa Madame Bianchi. Ela os tratava com mesuras, apresentando-os a duas mulheres de cada vez. Permitia que ficassem apenas conversando, sem subir aos quartos se não quisessem. Não demorou para os irmãos entenderem o motivo de tanta consideração: eram educados e, mais importante, tinham dinheiro.

Carlo prosperava cada vez mais nos negócios. Passou a assinar as temporadas de ópera do Teatro alla Scala, onde encontrava a elite de Milão e estreitava suas relações comerciais. Durante muitos anos, ele e Vittoria ocuparam as poltronas 16 e 17 da fila I, de onde ovacionavam seus cantores favoritos, Tito Schipa, Feodor Chaliapin e Carlo Galeffi, e as divas Conchita Supervía e Toti dal Monte. A orquestra era geralmente regida por Arturo Toscanini, que no futuro se tornaria amigo da família. Quando os pais não podiam ir às récitas, os ingressos ficavam com César e Victor. Eles caprichavam no traje a rigor para assistir aos espetáculos: smoking, camisa engomada e sapatos de verniz.

Porém nem tudo era festa. Por decisão do pai, foram estudar contabilidade, como ele, no instituto técnico Carlo Cattaneo. Detestaram. Só o caçula Artur concluiria o curso. Foi lá que eles se viram pela primeira vez alvo de provocações antissemitas. Um grupo de alunos chegou a cercá-los, ofendeu-os e tentou lhes barrar a passagem. Para que se defendessem em caso de outro ataque, Carlo lhes deu um velho cinto de couro. Não precisariam usá-lo, pois não sofreram novas investidas nessa escola. Mais tarde, porém, elas voltariam.

Era um momento de convulsões políticas na Itália. Elas culminaram com a subida ao poder do líder do Partido Nacional Fascista, Benito Mussolini. Em 1922, na sequência da Marcha sobre Roma de dezenas de milhares de adeptos vestindo camisas pretas, Il Duce assumiu o cargo de primeiro-ministro. Foi o passo inicial no rumo da ditadura, durante a qual a Itália entraria na Segunda Guerra Mundial ao lado da Alemanha nazista. As leis raciais italianas, que resultaram na perseguição aos judeus no país, seriam promulgadas apenas no final da década seguinte, em 1938. Cerca de 10 mil judeus italianos foram enviados a partir daí a campos de concentração. Perto de 8 mil morreram. Mussolini, a exemplo de Hitler, contava com o apoio de grande parte da população, assustada diante do que se considerava "a ameaça vermelha" — o comunismo.

César e Victor mostravam-se preocupados com esse mesmo fantasma e ainda não vislumbravam o risco que judeus, como eles, correriam no regime fascista. Em um determinado dia, eles aderiram a uma das manifestações. No seu livro, sem entrar em detalhes, César fez esta revelação:

> Na Itália e na Europa, era tão grande o pavor ao comunismo que, naquela fase inicial, [os fascistas] angariaram vastos consensos. Naqueles felizes anos 1920, depois dos longos sofrimentos da guerra, o mundo burguês queria se divertir em paz: nós também vestimos a camisa preta e fomos para as ruas contra os "vermelhos".

Ao contrário de César, Victor jamais se referiu ao episódio.

Na Itália, o serviço militar era obrigatório. Ao completar dezoito anos, César serviu em um quartel de infantaria. Victor, apaixonado desde cedo por aviões, foi para a Aeronáutica. Mesmo de folga, envergava com orgulho o uniforme. Ao dar baixa, foi chamado pelo pai. Como já fizera antes com o filho mais velho, mandou-o para uma longa missão de trabalho nos Estados Unidos. Seria, na prática, a faculdade de quem nunca teria diploma de curso superior. Deu-lhe passagem de navio, um cheque e o contato de um amigo para qualquer necessidade. Queria que ele ganhasse fluência na língua inglesa, se familiarizasse com os costumes americanos e aprendesse a se virar sozinho. Durante onze meses, Victor visitou em 27 cidades as empresas que Carlo representava na Itália. Voltou, em 1929, com uma formação de homem de negócios e vendedor que lhe serviria pelo resto da vida. Ficaria trabalhando com o pai, ao lado de César, e o ajudaria a enfrentar um grave problema. Em 1932, Carlo investiu pesado em um ambicioso empreendimento imobiliário: a construção de um luxuoso complexo de apartamentos e escritórios vendidos na planta, localizado na Piazza Duse. O projeto não deu certo. Carlo perdeu ali parte da fortuna que havia acumulado.

César estava casado desde 1929 com Mina Consolo, sobrinha de um banqueiro e irmã de uma pintora. Teriam três filhos: Adriana, Carlo e Barbara. Victor permanecia solteiro, bonitão e conquistador. Quando se interessava por uma mulher, mostrava que dominava a arte da sedução tão bem quanto a prática comercial. Simplesmente não podia ouvir um não, fosse em um galanteio ou em uma venda. Nunca se cansaria de repetir: "A resposta mais fácil é sempre o 'não'. Se alguém diz 'não', imagina que os problemas terminaram. Mas um 'não' jamais deve ser aceito se não vier acompanhado de motivos imperiosos". Assim, limitou-se a segurar seu largo e inconfundível sorriso diante daquela refinada, rica e bela romana de cabelos claros e olhos azuis que rechaçou com energia sua audaciosa investida. Haviam acabado de se conhecer em Veneza e ele, encantado, sem pensar duas vezes, pediu-a em casamento.

10 de outubro de 1935

Victor e Sylvana casaram-se no Templo de Roma, em uma cerimônia judaica. Haviam se passado poucos meses desde aquela atrevida proposta inicial. Como se recusava a aceitar um "não", vindo de quem fosse — ainda mais da mulher pela qual sentira paixão instantânea —, ele repetiria o pedido ao se reencontrarem na mesma Veneza durante o Réveillon. Com sua conversa cativante e astuciosa, envolveu-a até ouvir a palavra que mais amava em todas as línguas que conhecia, italiano, inglês, francês, mais tarde português e um pouco de alemão: "sim". Sylvana recordaria que na manhã seguinte acordou incrédula pela resposta que dera ao inacreditável sedutor. Como ele conseguira arrancar seu consentimento? Parecia flechada de Cupido. Que homem galanteador, ardiloso, persuasivo. De qualquer modo, ela não se arrependeria. Nem ele.

O anúncio do *fidanzamento* foi publicado na imprensa romana. Tratava-se, afinal, do noivado da filha de um abastado e conhecido comerciante de tecidos, Amilcare Piperno. Sua loja se chamava "Piperno al Corso", numa referência à rua em que estava instalada, a Via del Corso, principal artéria do centro histórico da capital italiana, com um percurso que vai da Piazza del Popolo à Piazza Venezia. Ele adotaria a denominação no seu nome e passou a assinar oficialmente Amilcare Piperno Alcorso. A filha, em decorrência disso, mudou a identidade para Sylvana Piperno Alcorso, incorporando Civita com o casamento. Roberto Civita diria, décadas mais tarde, que o avô tomou essa resolução porque o sobrenome seria muito comum. César, porém, apontaria o motivo verdadeiro:

> Mesmo tendo sido bastante próximo de Mussolini — seus filhos eram amigos —, quando começou a campanha antissemita preferiu não desafiar a sorte. Aquele "Piperno" era vistosamente judeu demais, e então Amilcare optou pelo "Alcorso", menos arriscado.

Na descrição de César, a cerimônia do casamento foi luxuosa e se encerrou "com uma rica recepção" no palacete da agora família Alcorso, a Villa Camilluccia. Construída em Monte Mario, a mais alta das colinas de Roma — mas não incluída entre as sete da cidade, pois ficava fora dos seus antigos limites —, a mansão tinha dois andares, quatro colunas junto à porta de entrada e oito janelas na fachada. Durante o período de noivado, Victor hospedava-se lá. Ao se casar, ele aumentou seu patrimônio. Apesar dos problemas financeiros decorrentes do empreendimento da Piazza Duse, o pai lhe deu de presente um apartamento em Milão no qual o casal foi morar; o sogro, a mobília completa e obras de arte, sem contar o enxoval.

As dificuldades financeiras dos Civita começaram a desaparecer quando Carlo vislumbrou um novo negócio. Naquele mesmo ano de 1935, tropas italianas invadiram a Etiópia e ele mandou para lá um de seus funcionários, com a missão de descobrir que tipos de produto, entre os que representava ou teria condições de exportar, poderiam abastecê-las. César e Artur foram até Adis Abeba, a capital do país africano, para entregar as primeiras encomendas acertadas. A CC&C forneceu para o Exército de Mussolini, ao lado de diversos artigos, móveis de metal, geradores de eletricidade, casas pré-fabricadas e latinhas de parafina que serviam para cozinhar. Em seguida, passou a vender gasolina. Segundo César, era fácil encontrar à beira das estradas tanques vazios de combustível que exibiam o nome "Civita" pintado com tinta branca. Victor também faria duas viagens para lá, em 1937, acompanhando as entregas.

A invasão foi seguida da anexação do país. Nas palavras de Mussolini, ela representou "um lugar ao sol" para a Itália. Estima-se que, até o fim da ocupação, em 1941, morreram perto de 200 mil pessoas. Três anos antes disso, a família Civita já havia se retirado. Victor e Artur se encarregaram de fechar o escritório que César tinha aberto e liquidaram seus negócios na Etiópia. A decisão foi tomada por Carlo, que passava uma temporada nos Estados Unidos. Ele leu no jornal *The New York Times* o artigo de um militante fascista, identificado como cientista, pregando que judeus não poderiam mais ser considerados italianos. Foi a gota d'água. Carlo comprovou na leitura o crescente temor que o vinha preocupando nos últimos meses: como na Alemanha, na Áustria e em várias nações europeias, o antissemitismo estava disseminado em sua terra natal. Praticamente no mesmo momento, César e Victor chegaram a uma conclusão idêntica. Eles se encontravam em Gênova, onde tomaram conhecimento de um "Manifesto da raça", assinado por políticos e professores, com ataques aos judeus.

Não eram opiniões isoladas de compatriotas engajados no fascismo. O governo tomava as primeiras medidas discriminatórias, obrigando os estudantes judeus a frequentar escolas separadas e marcando os passaportes de suas famílias. Para os três irmãos surgiram dificuldades adicionais. Com base nas novas leis raciais que entravam em vigor, eles foram notificados de que não pertenciam mais às Forças Armadas da Itália, em que tinham servido. Ainda por cima, o que lhes acarretaria vários problemas burocráticos, haviam renunciado à cidadania americana para fazer o serviço militar — nasceram em Nova York, como se contou — e corriam o risco de se tornar apátridas. Chegara a hora de buscar um refúgio seguro.

Decorridas sete décadas, em uma das oito sessões de entrevista que tivemos para o projeto interrompido de um livro de memórias, Roberto fez uma reflexão sobre os dois momentos — a saída da família da Itália e a posterior vinda para o Brasil — que determinaram seu futuro.

> Na vida de todo mundo, há fatores que você não determina e são decisivos. O primeiro deles são os pais que você teve. Você não tem nenhum controle. Depois, onde e quando você nasceu. Também não controla nada. Isso já o coloca neste planeta com um monte de coisas definidas que escapam de sua vontade. As pessoas esquecem o quanto devem ao acaso. É muito. Não é nenhum mérito individual. Que mérito você tem de ter nascido de pais ricos? Que culpa tem de ter nascido na miséria? No meu caso, para começar, houve Mussolini e Hitler. Não fossem eles, meus pais não teriam saído da Itália. E eu não teria ido para os Esta-

dos Unidos. Como acabei no Brasil? Porque meu tio César insistiu para que meu pai viesse. Foi uma roleta que afetou minha vida. Anotei tudo isso para jamais esquecer como me tornei o que sou.

Ainda em 1935, por mais um capricho da sorte, César conheceu um jovem chamado Alberto, cuja família alugara um apartamento e um espaço comercial dentro do complexo da Piazza Duse, aquele mesmo que tantos prejuízos causara ao seu pai. Os desdobramentos desse encontro seriam fundamentais para mudar a trajetória dos Civita. Embora César fosse nove anos mais velho, ele e Alberto tornaram-se amigos. Alberto era o primogênito de Arnoldo Mondadori, que em 1907 — ano do nascimento de Victor, uma casualidade que Roberto, sempre obcecado por coincidências, guardaria na memória — fundara a empresa à qual deu o próprio nome. A Arnoldo Mondadori, que se transformaria na maior editora italiana e em uma das mais importantes do mundo, fora criada em Ostiglia, em Mântua, sua província natal — e de Carlo, em mais um acaso. Desde 1919, estava estabelecida em Milão. Funcionava justamente no térreo de um dos prédios da Piazza Duse. Mas ainda não era grande, tanto que o dono, como se disse, morava e trabalhava ali em imóveis alugados. Arnoldo compensava sua deficiente educação formal, pois só concluíra o equivalente ao curso primário, com sensibilidade para detectar as necessidades dos leitores, segurança na própria intuição e um ousado espírito empreendedor. Ele inspiraria muitas decisões de César e Victor. Convidado por Alberto, César passou a frequentar a editora, que àquela altura publicava, além de livros, revistas de contos policiais e *fumetti*, como são chamados na Itália os gibis infantojuvenis. Entre eles, começavam a fazer sucesso duas revistinhas com personagens nascidos poucos anos antes dos pincéis de Walt Disney: Topolino (Mickey Mouse) e Paperino (Pato Donald). Aos poucos a Mondadori crescia, graças em grande parte aos talentos que empregava. Na revista humorística *Il Settebello*, que logo seria lançada, por exemplo, trabalhava o desenhista romeno de origem judaica Saul Steinberg. Mais tarde, ele ficaria conhecido internacionalmente como um dos mais importantes cartunistas e ilustradores do século XX. Durante cerca de cinquenta anos, criaria 1200 cartuns e 87 capas para a prestigiosa revista *The New Yorker*. Algumas delas iriam virar ícones, sobretudo a célebre *View of the World from 9th Avenue*, de 1976. O desenho mostra um pedaço de Nova York e sua perspectiva atravessa o rio Hudson, passa por parte do território dos Estados Unidos, cruza o oceano Pacífico e indica no horizonte a China, o Japão e a Rússia. Foi interpretada como uma visão de Manhattan no centro do mundo. Poucas imagens modernas seriam tão conhecidas, reproduzidas e plagiadas. Steinberg se considerava, com razão, "um escritor que desenha".

Ao lado de Steinberg, davam expediente no escritório dois editores que mais tarde ganhariam fama no cinema: Cesare Zavattini, roteirista de *Ladrões de bicicleta* e *Humberto D.*, marcos do neorrealismo italiano, e Mario Monicelli, diretor de *O incrível exército de Brancaleone* e *Os companheiros*. Entusiasmado por conhecer em suas visitas à Mondadori figuras como essas, César pediu para ser contratado. "A empresa precisa de coragem, garra, iniciativa", disse sem meias palavras para Alberto, contrariando seu estilo contido. "Vocês precisam de um diretor capaz, inteligente e com imaginação como eu." Impressionado com a autoconfiança beirando a presunção do amigo, ele o apresentou para o pai. Arnoldo Mondadori, após submetê-lo a um teste, deu-lhe um lugar de estagiário. César afastou-se das asas de Carlo — Victor continuava envolvido com a firma — e engajou-se no mundo editorial, aprendendo a fazer revistas. Em três anos, viraria de fato diretor da editora. Ficaria ligado a ela por muito tempo, mas em 1938, com a concreta ameaça antissemita, teria que deixá-la para trás. Viu-se obrigado a se demitir.

Em consequência do iminente "Pacto de Aço" — ou Pacto de Amizade e Aliança entre Alemanha e Itália —, o fascismo iria se comprometer definitivamente com o nazismo. Não restavam dúvidas. Era preciso ir embora de imediato. Carlo já mandara um telegrama para Milão, com instruções precisas: os filhos deveriam vender tudo o mais rápido possível e preparar a partida. Exatamente como Victor determinaria a Sylvana onze anos depois, por razões diferentes. Enquanto preparavam sua fuga, os dois irmãos tentaram convencer Steinberg a também deixar o país. Ele se mostrou relutante e demorou para tomar a decisão. Com o crescimento do antissemitismo, já em pleno curso da guerra, no entanto, percebeu que não poderia mais ficar. Tentaria, como a família Civita, reiniciar a vida nos Estados Unidos.

No livro *Saul Steinberg: A Biography*, a escritora americana Deirdre Bair conta que na ocasião César e Victor deram ao ilustrador três grandes demonstrações de apoio. A primeira foi se cotizarem na compra de uma passagem de navio pela American Export Lines. Ele sairia de Lisboa. Ao chegar à capital portuguesa, a ditadura de António Salazar não autorizou sua entrada. Foi deportado para Milão, onde pegou um trem para Gênova e embarcou com destino a Nova York. No controle de imigração de Ellis Island, foi informado de que, como o visto ainda não fora concedido, teria que ficar exilado na República Dominicana, partindo para lá em outro navio. Permaneceria praticamente um ano no país caribenho. Só seria aceito nos Estados Unidos em 1942.

A segunda ajuda veio em dinheiro, com uma remessa mensal de cinquenta dólares (cerca de 730 dólares em 2016), mais tarde aumentada para setenta, a título de empréstimo. A terceira foi colocá-lo no mercado americano. César, através de seus contatos, conseguiu inicialmente que Steinberg passasse a publicar tiras diárias de quadrinhos em jornais dominicanos. Logo em seguida, ele venderia seus desenhos para as revistas *Life*, *Mademoiselle*, *Town & Country* — e finalmente *The New Yorker*, na qual o artista se consagraria. Os Civita se tornaram seus procuradores, com um contrato assinado que lhes dava direito a uma polpuda comissão de 30% sobre o valor recebido pelos trabalhos. Esse contrato tinha a validade de dois anos, com cláusula de renovação automática por mais um ano. De acordo com Deirdre Bair, o fundador e editor-chefe da *New Yorker*, Harold Ross, e os editores da revista reagiram com "espanto e horror" ao tomarem conhecimento do percentual, pois a comissão normal de agentes era de 10%, às vezes menos.

Steinberg, porém, apesar de se lamentar para a mulher do que era obrigado a pagar para eles, manteria o contrato até 1949. Achava que tinha uma perene dívida de gratidão com César e Victor. Permaneceriam amigos. Victor guardava em casa e no escritório da Abril uma coleção presenteada de seus desenhos e livros, um deles com a seguinte dedicatória assinada: "*With love*, Saul". Em 1952, Victor organizaria uma exposição de suas obras no Museu de Arte de São Paulo (Masp), então instalado na sede dos Diários Associados, na rua Sete de Abril, centro da cidade, junto com o diretor Pietro Maria Bardi e a mulher, a arquiteta Lina Bo Bardi. Steinberg esteve presente no vernissage e em seguida foi conhecer o Rio de Janeiro. Não gostou de nenhuma das duas cidades, queixando-se de ter sido picado todas as noites por mosquitos, e chamou ambas de "Bucareste tropical", numa referência à capital de seu país.

César e Victor haviam deixado a Itália menos de nove meses antes do início da Segunda Guerra Mundial, em 16 de dezembro de 1938. O plano era conseguir autorização para voltar a residir nos Estados Unidos. Na Milano Centrale, a principal estação ferroviária de Milão, César e Mina embarcaram para Bruxelas com Adriana, oito anos, Carlo, cinco, e Barbara, dois meses. Victor e Sylvana, em outro trem, partiram rumo a Paris. De lá, foram para Londres. Sylvana usava roupas muito pesadas ao passar pela imigração inglesa. Não chegou a chamar a atenção porque o inverno começaria na semana seguinte. Ela estava preocupada em disfarçar a gravidez, pois temia que, em razão disso, negassem o visto para a família, o que não aconteceu. Estava no sétimo mês de gestação do segundo filho, que daria à luz em um hospital londrino e se chamaria Richard. Seu marido carregava no colo o mais velho, que havia nascido dois anos e quatro meses antes, no dia 9 de agosto de 1936, em Milão, e ao qual deram o nome de Roberto.

7 de dezembro de 1947

O outono se aproximava do fim no hemisfério norte naquele domingo. A família Civita, onze pessoas no total, com exceção de César, estava reunida no casarão em estilo normando que havia alugado para morar, em New Rochelle, nos arredores de Nova York. A propriedade, no número 2 da Mount Tom Road, tinha um enorme jardim, cheio de árvores, plantas e flores, e um porão em que as crianças ficavam de castigo em caso de travessuras. Elas brincavam na varanda, depois de almoçarem. Os adultos ouviam pelo rádio a transmissão de um concerto da Orquestra Sinfônica da NBC, regida por Arturo Toscanini. Além de gostarem de música clássica, eles prestigiavam com sua audição o maestro de quem, conforme se relatou, haviam se tornado amigos. Como eles, Toscanini fugira da Itália para escapar do regime fascista. Sua casa, em Riverdale, ao norte de Manhattan, às margens do rio Hudson, era um ponto de encontro da comunidade italiana de exilados. Subitamente, o programa foi interrompido. Entrou no ar um locutor para anunciar uma notícia extraordinária.

A cerca de 8 mil quilômetros dali, o Japão desfechara um devastador ataque-surpresa em Pearl Harbor, base naval americana na ilha de Oahu, no Havaí. Era pouco antes das oito da manhã no horário local, começo da tarde na Costa Leste americana. Foram afundados ou praticamente destruídos dezenove navios da frota dos Estados Unidos ali ancorada. Cerca de 2400 pessoas morreram. No dia seguinte, o país declarou guerra ao Japão.

Roberto guardou aquele momento histórico, que levaria à entrada dos Estados Unidos na Segunda Guerra Mundial contra o Eixo — Alemanha, Itália e Japão —, pouco mais de dois anos após o início do conflito na Europa, como sua mais remota recordação da infância. Evidentemente, um menino de cinco anos não poderia entender o significado do que ocorria. Mas ficaria gravada na sua memória a imagem do *nonno* Carlo em silêncio na cadeira de balanço e a perplexidade dos pais e dos tios.

A iminência da guerra já havia provocado uma reviravolta na existência de todos eles. Tudo mudara naqueles últimos três anos desde a partida às pressas de Milão. César passara uma temporada em Paris, onde sua trajetória na Mondadori lhe rendeu bons frutos: começou a editar revistinhas infantis ao mesmo tempo que trabalhava no escritório local das empresas de Walt Disney e mantinha contatos comerciais com a importante agência Opera Mundi, que, ao lado de outros periódicos, publicava na França o *Journal de Mickey*. Ficou na capital francesa até receber o visto de residência nos Estados Unidos.

Victor, instalado em Nova York, permanecia ao lado do pai nos negócios de representação da firma, agora estabelecida na rua 45. Não por muito tempo. Logo seria convidado para assumir o cargo de gerente-geral da Makdon & Co., empresa especializada em embalagens para perfumes e cosméticos. Saiu-se tão bem no novo ramo que acabaria criando sua própria fábrica, a Charles Victor, que produzia expositores de acrílico. Tinha capital suficiente para abrir a sede em plena Quinta Avenida, número 550. Um de seus clientes era a Elizabeth Arden.

Quando as vendas das embalagens sofreram um declínio, o desassossego voltou a tomar conta de seu espírito inquieto. Ainda sem saber que novo rumo iria seguir, deixou preparado um currículo. Apresentava-se assim:

> Viagens intensivas, fluente em inglês, italiano e francês, além de conhecedor de espanhol e alemão. Executivo de vendas, com experiência de vinte anos, tanto nacional como internacional, catorze anos como alto executivo e negócios em quatro continentes. Promoveu o desenvolvimento de produtos em todas as suas fases, da primeira concepção ao planejamento de vendas. Criativo, enérgico e culto.

O mesmo tipo de ansiedade tomava conta de César. Com uma diferença. Ao contrário de Victor, ele descobrira sua verdadeira vocação e não pretendia se afastar dela. Decidira que, tão logo fosse possível, teria sua própria editora de revistas. Talvez na América do Sul, cujo mercado, pelo que pesquisara, lhe parecia promissor. A oportunidade de realizar o projeto surgiu mais uma vez das boas relações estabelecidas na Mondadori. Foi na editora que ele conheceu, em 1940, um visitante que lhe abriria uma porta fundamental: o americano Herman "Kay" Kamen, responsável por toda a comercialização dos personagens da Disney, com a qual tinha um contrato de exclusividade que lhe dava metade de tudo o que vendesse. Kay era considerado um gênio do que se chamaria de marketing desde que lançara, em 1933, o primeiro relógio Mickey Mouse. Mesmo com os Estados Unidos mergulhados na Grande Depressão, prometeu colocar um personagem Disney em cada lar americano — e quase havia alcançado tal objetivo ao morrer em um acidente aéreo em 1949. César procurou-o em Nova York e pediu que encaminhasse uma proposta com suas pretensões: gostaria de representar as empresas Disney na América do Sul, onde elas não tinham contatos nem concessionários. Como seus filmes eram populares na região, decerto Mickey, Donald e companhia estavam sendo reproduzidos livremente por editores oportunistas e espertos fabricantes de brinquedos sem o pagamento de direitos. Kay foi conversar com Roy Disney, o irmão de Walt que cuidava da administração do grupo. Não demorou a voltar com a resposta. Tudo certo, César poderia ir, por sua conta e risco, arcando com as próprias despesas. Do valor dos contratos que conseguisse acertar, haveria uma divisão meio a meio das receitas. Se fosse bem-sucedido, seus ganhos seriam bem maiores do que os obtidos por ele e Victor com a venda dos trabalhos de Steinberg.

César aceitou — e eis mais um membro da família partindo para uma aventura em terra desconhecida. Não era a primeira nem seria a última. Mas viria a se tornar a decisiva.

Com uma volumosa bagagem composta principalmente de caixas recheadas de catálogos preparados por Kay, modelos de contratos, filmes, revistas, ilustrações e a linha completa dos produtos Disney, César embarcou para a longa travessia marítima em direção ao Atlântico Sul a bordo do *SS Argentina*, que, quase dez anos depois, levaria sua cunhada e os dois sobrinhos para a mesma escala inicial: o Rio de Janeiro.

Na capital brasileira, onde não conhecia absolutamente ninguém, encontrou-se em primeiro lugar, por indicação de Roy, com o editor Adolfo Aizen. Russo que se naturalizaria brasileiro, Aizen seria um dos pioneiros no lançamento de revistas em quadrinhos no país. Foi o criador do *Suplemento Juvenil*, que circulava encartado em jornais, e posteriormente da Editora Brasil-América Ltda. (Ebal). Entre outros títulos, que seriam consumidos por gerações de crianças e adolescentes que cresceram na era do rádio, antes do surgimento da televisão, a Ebal traria para as bancas de revista heróis americanos como Mandrake, Flash Gordon, Superman, Tarzan, Dick Tracy, Príncipe Valente... Naquele momento, publicava também historinhas da Disney. Sem contrato. César entendeu-se com Aizen, que era judeu como ele, e acertaram um licenciamento formal. Fez o mesmo com mais alguns editores e fabricantes de brinquedos, balas, chocolates e roupas.

César se sentiu deslumbrado com a luz, as montanhas e as praias cariocas, mas decepcionou-se com São Paulo, a etapa seguinte. Viu a cidade como "um horrível formigueiro, fervilhante e desorganizado". Sabia, porém, de sua importância econômica. Além do mais, ao contrário do que acontecera em sua chegada no Rio, havia bons contatos à sua espera. Eram judeus italianos, refugiados como ele por motivos raciais, a exemplo do advogado Enrico Rimini e do empresário Marcello Frisoni. Eles conheciam pessoas influentes que poderiam ajudá-lo, como ninguém menos que o bilionário e poderoso Francisco Matarazzo Júnior, o conde Chiquinho, que sucedera o pai na direção do maior complexo industrial da América Latina. Após uma conversa regada a vinho, combinaram de lançar um concurso Disney. César seria apresentado ainda ao alemão Siegfried Adler, fundador de uma pequena fábrica de brinquedos que viraria um gigante do setor e, como os quadrinhos da Ebal, entraria na vida de milhões de crianças brasileiras: a Estrela, com a qual firmou um contrato de licenciamento.

Sem perda de tempo, César associou-se a Rimini e Frisoni. Abriram juntos um escritório na rua Conselheiro Crispiniano, 404, no Centro, para administrar os interesses da Disney em São Paulo. Um terceiro italiano refugiado, Renzo Massarani, cunhado de Rimini, ficou incumbido de atender os negócios no Rio. Cumprida a missão no Brasil, César seguiu viagem. Foi para Buenos

Aires. Ao desembarcar em mais uma grande cidade para ele desconhecida, viu-se tomado por uma sensação de amor à primeira vista. Ficou admirado com a "educação em moldes europeus" dos moradores, que eram "cordiais e gentis" e tinham "um marcado senso de humor". Como se não bastasse, impressionou-se com a vida cultural e artística da àquela altura efervescente e rica metrópole argentina, onde — o que o fez se sentir no meio dos seus — viviam cerca de 300 mil judeus.

Era às margens do rio da Prata que ele se encontrava naquele 7 de dezembro, quando o Japão atacou Pearl Harbor. Ainda sob o impacto da notícia, empenhou-se em investigar como pôde o mercado local e tomou a decisão crucial: iria se mudar de vez para a bela capital que tanto o encantara, mandando buscar a mulher e os três filhos. Em Buenos Aires, conduziria os negócios da Disney na Argentina, no Brasil e no Uruguai, sendo responsável por todas as operações na América do Sul. Não só: fundaria enfim a sua sonhada editora, como acionista majoritário, em sociedade com os patrícios Alberto Levi e Paolo Terni. César tornara-se amigo de Levi desde que se conheceram quando serviram o Exército. Considerava-o, apesar do gênio difícil, um homem inteligente, culto e espirituoso. Levi mudara-se para a Argentina antes dele. Quando César desembarcou em Buenos Aires, ele o esperava no cais. Levi o apresentou a Terni. Eram todos judeus que haviam deixado a Itália por causa do antissemitismo.

Na hora de escolher o nome da editora, César pensou em várias possibilidades. Queria associá-lo, de alguma forma, à juventude, pois afinal a empresa se especializaria, ao menos no início, em publicações dirigidas a crianças e jovens. Juventude, vida nova, mudanças, esperança... Ah, sim, o resultado não seria uma troca de estação? Talvez uma árvore germinada que cresceu e frutificou? Com essa associação de ideias, César se fixou na época do ano tão aguardada pelos europeus nos duros meses do inverno. Pronto, encontrara a solução. E foi assim que chegou ao simbolismo que buscava: o mês de abril, quando o hemisfério Norte acaba de entrar na primavera. Estava resolvido. No dia 21 de novembro de 1941 — primavera no hemisfério Sul — foi criada a Editorial Abril.

Os anos passaram. César dava duro para ocupar seu espaço no mercado e pagar os empréstimos que contraíra para montar o empreendimento. Seu primeiro lançamento foi uma coleção de livros infantis americanos chamada

Better Little Books, da Whitman Publishing. Adaptou o título para *Pequeños Grandes Libros* (PGL). "Trabalhamos como desesperados", diria. Ele era responsável por contratos, impressão e distribuição, esta última com Levi, e Terni revisava as traduções. Incluiu na coleção títulos da Disney. Como os livrinhos tinham poucas páginas, inventou um truque para fazê-los parecer mais grossos, aspecto que sabia ser essencial para qualquer publicação impressa: usou papel encorpado no miolo, o que os deixou volumosos. Acertou em cheio: as vendas atingiram 1 milhão de exemplares por ano. Em 1944, colocou nas bancas a revista *El Pato Donald*, que foi igualmente um êxito. Seguiu-se *Rayo Rojo*, gibi em formato vertical que, como logo será contado, iria se transformar, ao contrário de Donald, em um patinho feio que permaneceria escondido por mais de sessenta anos.

Diante dos progressos alcançados, César achou que chegara o momento de botar um pé no Brasil. O escritório paulista continuava funcionando, mas ele vislumbrava a extensão da sua firma argentina. Apostava que surgiria a médio prazo a chance de fazer revistas brasileiras. Para isso, antes de mais nada, seria necessário abrir mais uma editora, providenciar o registro e deixá-la pronta para operar. Foi a São Paulo com esse propósito na cabeça e se reuniu novamente com seus sócios Enrico Rimini e Marcello Frisoni.

Na história oficial da Editora Abril brasileira, ela teria sido fundada por Victor Civita em 12 de junho de 1950, com o lançamento da primeira revista, *O Pato Donald*. Mas os fatos são diferentes. Estão documentados. No dia 16 de dezembro de 1947 — ou seja, dois anos, seis meses e 26 dias antes —, foi registrado na Junta Comercial do Estado de São Paulo, sob o número 100 325, o contrato social de uma nova empresa, com sede na rua Líbero Badaró, 158, 22º andar, a poucos passos do viaduto do Chá. Ela tinha como sócios, ao lado de Rimini e Marcello Frisoni, o irmão deste último, Enrico Frisoni, e Piero Kern. De acordo com a Constituição de 1946, estrangeiros como eles não poderiam ser proprietários de uma empresa de comunicação. Por alguma razão, a exigência foi ignorada. O nome de César não apareceu na sociedade, pois ele não só era estrangeiro como não mantinha residência no país. Um pouco mais tarde, seria contratado um diretor brasileiro. "Com uma manobra, roubei Jerônimo Monteiro da *Gazeta Juvenil* e confiei-lhe a direção editorial", escreveria César, referindo-se ao jornalista e escritor paulistano, autor de vários livros de ficção científica. O capital registrado foi de 50 mil cruzeiros, equivalentes na época a 2500 dólares (cerca de 27 mil dólares em 2016).

No contrato da sociedade, foram estabelecidos seus fins:

> A atividade editorial, compreendendo a edição, compra e venda, importação e exportação de livros, opúsculos e todo e qualquer gênero de publicações, seja em oficinas próprias como em oficinas alheias, podendo adquirir imóveis, máquinas e toda e qualquer espécie de móveis, para realizar o objeto indicado, podendo outrossim adquirir direitos autorais, associar-se com outras empresas ou pessoas, estabelecer sucursais em qualquer parte do Brasil ou no estrangeiro, devendo entender-se esta enunciação como exemplificativa e não limitativa.

Por livre-arbítrio de César, a nova empresa que fundou foi batizada como Editora Abril Ltda.

12 de junho de 1950

Fundada a Editora Abril brasileira, César Civita voltou para Buenos Aires. A Abril argentina passava a absorvê-lo cada vez mais. Depois dos livrinhos infantis e das primeiras revistas em quadrinhos, ele estava pronto para colocar mais títulos nas bancas. Havia, porém, uma dificuldade: como dirigir simultaneamente as duas editoras? Não demorou a descobrir que se envolvera em uma tarefa complicada. O Brasil e a Argentina podiam ser vizinhos, mas tinham culturas, mercados e línguas diferentes. "Tudo nos une, nada nos separa" não passava de uma frase diplomática e irreal do presidente Roque Sáenz Peña, que ocupou a Casa Rosada entre 1910 e 1914, em relação aos brasileiros. Como se não bastasse, na época as comunicações eram bastante precárias.

César, um tanto exausto, achou que precisava dar uma respirada. Em junho de 1949, foi com a família para a Itália. Além de descansar, passear e rever amigos que haviam retornado após a queda do fascismo e o fim da guerra, combinara de se reencontrar com Victor em Roma. Quem sabe não o convenceria a aceitar uma ideia que vinha alimentando? Sem o marido, Sylvana fez uma viagem com Roberto e Richard para Paris e várias cidades italianas.

Sem condições de prever, é claro, os desdobramentos que essa viagem traria para todos, Roberto registrou suas impressões em um pequeno diário, que guardaria pelo resto da vida. São relatos, escritos em inglês, surpreendentes para um garoto de doze anos (Richard estava com dez). Mostram, antes de mais nada, o quanto ele sempre foi uma pessoa curiosa e observadora. Logo no início, anotou alguns preços vigentes em Paris, convertidos nos seus próprios cálculos para o dólar: diária no Hotel Ambassador, 7,50 dólares (em 2016, a diária mínima era de 550 dólares); croissant, oito cents; uma dose de vermute, dezessete cents; suéter de lã, oito dólares (comentou ao lado: "*Wow!*").

Admitiu que esperava mais de Paris (jamais morreria de amores pela capital francesa), embora tivesse gostado da arquitetura, do Museu do Louvre, dos Invalides e de ir a Versalhes. Não entendeu por que os franceses reverenciavam Napoleão Bonaparte como herói. "Ele foi um gênio, mas também um ditador", avaliou. Na Itália, considerou os jardins da casa do maestro Arturo Toscanini, em Isola Bella, onde se hospedaram, "mais bonitos do que os de Versalhes", e não se entusiasmou com Milão, a cidade natal que deixara dez anos antes no colo dos pais: "É muito barulhenta. Não gostaria de morar aqui". Em Veneza, encantou-se com a basílica de São Marcos e as pinturas de Tintoretto no Palazzo Ducale, mas ficou chocado ao percorrer suas masmorras: "Não imagino como pessoas podiam viver naqueles horríveis buracos. Isso mostra como a raça humana sempre foi cruel — e sempre será". Roma ocuparia várias páginas do caderninho. Em Pompeia, a cidade soterrada pelas lavas do Vesúvio, tudo pareceu interessá-lo: "Vimos as mansões dos ricos, com sistemas de água corrente. Havia anfiteatros, onde prisioneiros cristãos eram devorados por leões, casas de banho, calçadas e até a mais antiga instituição da humanidade, o bordel". Adorou a ilha de Capri e disse para si mesmo: "Quando eu crescer (se tiver dinheiro suficiente), virei novamente para cá". Reforçou seu propósito de garoto mal entrado na adolescência com a citação de uma frase do general americano Douglas MacArthur na Segunda Guerra ao deixar as Filipinas, então sob ocupação japonesa: "*I shall return*" — eu voltarei. Ambos cumpririam suas promessas.

Quando eles retornaram de Capri, César pôde finalmente ter a planejada conversa com Victor, marcada para Roma. Contou-lhe que a Editorial Abril estava crescendo na Argentina, graças sobretudo ao sucesso das histórias de Disney, já ocupava um espaço importante na área editorial e com certeza iria se desenvolver ainda mais. Não só com os quadrinhos, mas com um novo tipo de revista, dirigida ao público feminino: a fotonovela, ou *fotoromanzo*, como se chamava na Itália, onde o gênero fora inventado em 1947. Há dúvidas sobre qual teria sido a primeira, mas sua popularidade se deve em grande parte ao editor e produtor de cinema italiano Cino del Duca. Assim que surgiram os *fotoromanzi*, ele lançou duas revistas: a *Nous Deux*, na França, onde vivia, enriqueceu e tornou-se um conhecido filantropo, e a *Grand Hotel*, na Itália. Cada uma delas chegou a vender mais de 1 milhão de exemplares por semana nos anos 1950. A Mondadori logo entrou no mercado para concorrer com Del Duca. Conforme o nome sugeria, as fotonovelas (conhecidas na França como *roman-photos*) apresentavam histórias românticas, meio água com açúcar, mais ou menos na forma gráfica dos quadrinhos, com fotografias no lugar dos desenhos. Espécie de cineminha no papel, reunia a mocinha e o galã, ela em geral pobre e bonita, ele rico e bem vestido, com rivais dos dois lados para esquentar a trama, todos interpretados por atores fotogênicos em estúdio, e algumas reviravoltas na trama folhetinesca antes do inevitável final feliz.

Em 1948, a Editorial Abril começou a publicar sua primeira revista semanal desse segmento, a *Idilio*. A resposta do público argentino, a exemplo do que acontecia na Itália e na França, foi imediata e as vendas não demorariam a atingir a casa dos 350 mil exemplares, três vezes mais do que *El Pato Donald*. Eufórico com os ótimos resultados, César fez uma proposta ousada ao seu ex-patrão Arnoldo Mondadori. Que tal se eles produzissem juntos fotonovelas com atores italianos de sucesso internacional, como Gina Lollobrigida, Silvana Pampanini, Vittorio Gassman e Aldo Fabrizi? A sugestão foi estudada, mas acabou não saindo do papel. Esses atores, ao lado de outros, protagonizaram fotonovelas na Itália, mas elas não seriam exportadas para a Argentina.

Muito bem. Se estava acontecendo tudo isso na Argentina, por que não poderia vir a se repetir no Brasil? Victor ouviu o relato com interesse, embora não entendesse de imediato onde o irmão queria chegar. César então lhe informou que criara uma editora em São Paulo, com nome, registro e endereço, pronta para operar. Seria preciso que alguém a assumisse. E quem melhor do que Victor, com sua ousadia, alma de empreendedor e atração por desafios? Como se viu no relato de seu casamento com Sylvana, ele detestava receber um "não" — e detestava da mesma forma dizer essa palavra. O convite de César era bastante específico: mandariam as duas famílias de volta a Nova York e iriam juntos à Argentina e ao Brasil. Victor veria o mercado e as editoras dos dois países com os próprios olhos. Se ficasse interessado, fariam negócio. Do contrário, a vida seguiria.

Roberto diria décadas mais tarde que o pai ficou espantado tanto com a proposta como com os lugares a que César queria levá-lo. "VC era um homem cosmopolita e sofisticado. Para ele, as fronteiras do mundo limitavam-se a Milão, Cortina d'Ampezzo, onde esquiava, Paris, Londres e Nova York. Buenos Aires, Rio de Janeiro e São Paulo estavam completamente fora de seu horizonte." Mas ele se dispôs a conhecer as três, ciceroneado pelo irmão mais velho. Depois de passarem uma semana em Buenos Aires, foram para o Rio. Visitaram editoras — entre elas a Ebal, de Adolfo Aizen, e a Rio Gráfica, de Roberto Marinho, que além de dirigir o jornal *O Globo* atuava no ramo dos quadrinhos —, agências de publicidade e jornaleiros. Roberto lembraria:

> Meu pai não gostou da cidade. Chegou a dizer para César: "*Qui no se lavora*", aqui não se trabalha. Nem passou pela sua cabeça ter uma editora no Rio. Viajaram então para São Paulo. Chegou um tanto desconfiado, porque tinham lhe dito que na cidade não havia gráficas, não havia empresas de distribuição, não havia revistas. Mas ele se encantou. São Paulo lhe lembrou a Milão de sua juventude. E ele sentiu cheiro de trabalho.

Richard sempre acreditaria que Victor se envolveu com uma mulher na capital paulista, o que reforçou sua decisão de se estabelecer na cidade, mas jamais conseguiu descobrir quem era ela.

A então chamada "terra da garoa" crescia de forma assombrosa, como mostraria o jornalista e escritor Roberto Pompeu de Toledo no livro *A capital da vertigem*. Em 1950, o Recenseamento Geral do Brasil revelaria que sua população crescera 65% em dez anos, atingindo 2 198 096 habitantes. Destes, 13% eram estrangeiros (o percentual fora maior, mas continuava expressivo). Trabalhavam na indústria 420 071 pessoas, contra 193 387 nos serviços e 122 429 no comércio. Existiam 5277 estabelecimentos industriais, doze museus, 96 campos de futebol, 104 quadras de basquete, noventa quadras de tênis e 119 cinemas. Naquele ano, entraria no ar a TV Tupi, a primeira emissora de televisão da América Latina. No ano anterior, havia sido criada a Companhia Cinematográfica Vera Cruz, cujos estúdios se localizavam no município vizinho de São Bernardo do Campo. Em 1948, nascera o Teatro Brasileiro de Comédia (TBC), com uma companhia estável que reuniria os atores Cacilda Becker, Tônia Carrero, Fernanda Montenegro, Paulo Autran, Sergio Britto e Sérgio

Cardoso, entre outras estrelas, e diretores estrangeiros como o polonês Ziembinski e os italianos Adolfo Celi, Luciano Salce, Ruggero Jacobbi, Alberto D'Aversa e Gianni Ratto. Em 1951, seria realizada a primeira Bienal Internacional de Arte. O Masp funcionava desde 1947 em sua primeira sede, na rua Sete de Abril, e o Museu de Arte Moderna (MAM) abriu as portas em 1949 no mesmo prédio, pertencente aos Diários Associados, do magnata da imprensa Assis Chateaubriand.

Fascinado pela antiga província que se transformava em metrópole, Victor vislumbrou de alguma forma o futuro e tomou a decisão de adotá-la em troca de tudo o que deixaria para trás. Foi nesse momento que escreveu para Sylvana e informou o que resolvera fazer. Diria que, ao se desfazer de seus negócios, pôde trazer para o Brasil um bom capital. Ele contou numa entrevista para o livro *Victor Civita: Uma biografia*, de Luís Fernando Mercadante e Marilia Balbi, encomendado por Richard para comemorar seu octogésimo aniversário, em 1987, e que viraria uma raridade (foram impressos apenas cem exemplares): "Eu tinha 500 mil dólares no banco e no bolso. [...] Nunca fiz cálculos para saber quanto valeriam hoje, mas sei que em trinta dias eu comprometera 1,5 milhão de dólares. [...] Aí fui pedindo empréstimos, de um lado e do outro".

Os 500 mil dólares equivaleriam, em 2016, a cerca de 5 milhões de dólares; a dívida que contraiu em seguida, a 15 milhões de dólares. A maior parte do dinheiro foi obtida nos Estados Unidos através da International Basic Economy Corporation (Ibec), fundo criado pelo bilionário homem de negócios e político Nelson Rockefeller para financiar empreendimentos privados em determinados países do Terceiro Mundo. De acordo com seu filho Richard, no entanto, a maior parte do capital trazido por Victor veio de outra fonte: foi doado para Sylvana, como antecipação de herança, por seu pai, Amilcare Alcorso.

O restante ele conseguiu em bancos brasileiros. Entrava em cada agência com a cara e a coragem, abria o enorme sorriso que seria sua marca registrada e iniciava uma conversa sedutora que dominava como poucos quando queria conquistar o interlocutor — ou uma mulher. Victor era descrito pelo irmão como alguém que ficava "como um gavião em busca da presa, movendo continuamente o olhar por medo de deixar passar um personagem importante a cortejar, uma senhora bem situada a quem beijar a mão". Essas atitudes desapareciam em conversas a portas fechadas que o aborreciam ou se lhe traziam assuntos que não eram de seu interesse. Em tais ocasiões, sem esconder a impaciência, tamborilava na mesa, agitava-se na poltrona, pegava o telefone, apertava o botão de uma campainha para chamar a secretária e deixava claro que tinha coisas mais urgentes para fazer. Segundo César, Victor era "inteligente e muito ambicioso", mas também "arrogante, pouco diplomático e fazia-se temer". Além de "um calculista que não dizia uma palavra a mais se não queria se comprometer" e um homem "desconfiado, suspeitoso, sempre em guarda".

Na peregrinação pelos bancos, naturalmente, Victor exibiu sua simpatia, poder de persuasão e talento de vendedor, embora ainda não dominasse o português. Em uma das agências que visitou, a do Banco Ítalo-Belga, teve a satisfação de ser atendido por um gerente com fluência em italiano. Alegrou-se não apenas por isso. Eles se entenderam de imediato. O gerente, um pouco mais jovem do que ele, chamava-se Gordiano Oliviero Gaudêncio Rossi, tinha 37 anos e era brasileiro quase que por acaso. Seus pais tinham vindo como imigrantes para trabalhar em uma lavoura de café em Ouro Fino, Minas Gerais, não se adaptaram e acabaram voltando em pouco tempo com o bebê Gordiano para Castelnuovo di Garfagnana, província de Lucca, na Toscana. Foi lá que o menino cresceu e entrou na idade adulta. Terminada a Segunda Guerra, com a economia da Itália devastada, o pai resolveu emigrar. Como já tinha a nacionalidade, escolheu o Brasil. Veio com a mulher e três filhos.

Formado em contabilidade e com gosto pela área financeira, Gordiano arrumou emprego no banco em que conheceu Victor. Bem impressionado, como era de seu estilo, Victor confiou mais uma vez na intuição e não demorou a convidá-lo para trabalhar com ele. Ofereceu-lhe uma participação na sociedade. Com isso, matava dois coelhos. Teria com ele um profissional que, ao que tudo indicava, sabia lidar com dinheiro — e como sócio minoritário um brasileiro nato, conforme exigia a Constituição Federal. Iniciava-se aí uma parceria bem-sucedida. O afável Gordiano Rossi, capaz de frear desvarios através das quatro operações aritméticas — embora muitas vezes não fosse ouvido —, permaneceria em cargos de direção da Abril pelos trinta anos seguintes, até o dia 21 de julho de 1981, quando morreu na ativa, aos 68 anos. Seu filho Angelo atuaria na direção de várias áreas do grupo. Seu genro Edgard de Sílvio Faria seria diretor responsável da *Veja* e da editora. "Nos primeiros dez anos, quem fez esta empresa foram meu pai e o sr. Rossi", reconheceria Roberto por ocasião de sua morte, registrada com um erro de informação na seção "Datas" da *Veja*, em uma nota que o dava como nascido em Ouro Preto (e não em Ouro Fino).

Posteriormente, entraria na sociedade o grupo Smith de Vasconcelos. O principal acionista era o empresário Luís Afonso Smith de Vasconcelos. Sua filha Marta, que faria carreira política pelo Partido dos Trabalhadores (PT) como deputada federal, prefeita de São Paulo, senadora e ministra, lembraria de uma das alegrias da infância: o pai voltando para casa com revistas em quadrinhos que ela adorava ler, a começar por *O Pato Donald*. Com Rossi ao seu lado, Victor contratou os primeiros funcionários: a secretária Tatiana Mehlin, o jornalista Cláudio de Sousa, a redatora Terezinha Monteiro, filha do escritor Jerônimo Monteiro, que já estava por lá, e a francesa Micheline Gaggio Frank. Cláudio e Micheline ficariam várias décadas na editora. Todos dividiam uma sala no escritório do 22º e último andar da rua Líbero Badaró, 158, entre a praça do Patriarca e o largo de São Francisco. O prédio, que pertencia a uma empresa de seguro, sofrera uma inclinação em meados dos anos 1940, o que o levou a ganhar o apelido de "Cai-Cai". Era o endereço da Abril desde sua efetiva fundação, em 1947, mas só agora, mais de dois anos depois, passava a abrigar a primeira redação de uma revista.

Essa revista pioneira foi lançada em maio de 1950. Era um gibi em formato horizontal, calcado da edição argentina, por sua vez comprada do original vendido por um *syndicate* americano, distribuidora que vendia seus direitos para vários países. Na Argentina, onde saía com o selo da Editorial Abril, chamava-se *Rayo Rojo*. No Brasil, recebeu a tradução literal de *Raio Vermelho*. Ela apareceria nas bancas com os slogans "Revista mensal de grandes historietas" e "Única revista com mais de seiscentos quadrinhos", com uma advertência: "Para maiores de onze anos". Trazia as aventuras dos personagens A Pantera Loura — mostrada na capa em um vestidinho curto, levemente sensual, com estampa de onça, cabelos à altura dos ombros e punhal na mão para enfrentar um tigre —, Misterix e Kansas Kid. O expediente informava que ela estava sendo publicada por uma certa Editora Primavera, com o mesmo endereço da rua Líbero Badaró e o mesmo diretor contratado pela Abril, Jerônimo Monteiro. Provavelmente, a Editora Primavera não chegou a ser registrada, pois inexistem documentos sobre ela na Junta Comercial do Estado de São Paulo. A partir do número 5, em setembro daquele ano, o *Raio Vermelho* passou a ser publicado oficialmente pela Editora Abril. Ao assumi-lo, portanto, a Abril reconheceu implicitamente que já haviam saído quatro números sob sua responsabilidade, o primeiro dos quais antes de *O Pato Donald*. O expediente da revista continuou igual, na tipologia, no tamanho das letras e na colocação dentro de um quadradinho na página 35. Com uma única diferença: a denominação da editora. Na contracapa, eram anunciadas bolas de futebol "por preços especiais" e uma "caneta automática de fabricação americana". A bola número 5 (tamanho oficial) custava 130 cruzeiros, o equivalente a 65 exemplares da revista; a caneta, 25 cruzeiros (12,5 exemplares). No final do anúncio, vinham as instruções: o interessado deveria mandar um cheque ou vale postal, forma de pagamento usada pelos Correios, em nome de Victor Civita, endereçando o pedido para a rua Honduras, 671, em São Paulo, onde ele residia na ocasião. O *Raio Vermelho* circularia durante 53 edições, até 1953, quando foi morto, sepultado e esquecido. Como numa feitiçaria da Maga Patalójika, a Editora Primavera também desapareceu. Muito tempo depois, em 1989, o Grupo Abril abriria uma subsidiária na Espanha chamada Editorial Primavera. Não teve vida longa. Em 1994, seria fundada uma empresa com o mesmo nome na Argentina, em sociedade com a Perfil, que posteriormente a incorporaria.

Não há qualquer dúvida. Da mesma forma que a Editora Abril foi fundada em São Paulo no final de 1947 por César Civita, sua revista número 1 foi *Raio Vermelho*, e não *O Pato Donald*, que só sairia um mês e meio depois, no dia 12 de junho de 1950, com data de capa do mês de julho. Sua tiragem, alta para a época, foi de 82 370 exemplares. Victor Civita jamais explicaria os motivos que o levaram a reescrever a história da empresa. Mas certamente preferiu que ela não fosse lembrada por um lançamento malsucedido — e quis evitar que a glória de ter plantado a maior editora da América Latina fosse de seu irmão. A partir daí, ele regaria a árvore germinada com suas mãos e se orgulharia por colher os louros sozinho.

17 de junho de 1953

Durante muitos anos, o Hotel Esplanada, que funcionou entre 1923 e 1957, ao lado do Theatro Municipal, foi o melhor e mais elegante de São Paulo. Recebeu hóspedes famosos nesse período, como o tenor italiano Enrico Caruso, o comediante mexicano Cantinflas, a cantora Carmen Miranda e o escritor americano William Faulkner. Segundo se dizia, certa manhã, em meio a uma de suas habituais ressacas, o autor de *O som e a fúria* saiu à janela do apartamento, olhou os prédios ao redor e, um tanto perdido, perguntou em voz alta: "Mas o que estou fazendo em Chicago?".

Era lá que Victor, Sylvana, Roberto e Richard estavam morando na época do lançamento de *Raio Vermelho* e *O Pato Donald*. Para Victor, não poderia haver melhor localização. Ele atravessava a pé o viaduto do Chá e em menos de cinco minutos já estava no primeiro escritório da Editora Abril, na rua Líbero Badaró. Em 1951, a empresa passou a funcionar em três salas maiores, na também vizinha rua João Adolfo, 118, onde ficaria até 1968, espalhada por conjuntos em vários andares. A essa altura, porém, a família já se mudara para uma casa espaçosa na rua Honduras, esquina com a rua Maestro Elias Lobo, no Jardim América. Victor seguia para o trabalho dirigindo um Buick preto 1950, com quatro portas e câmbio automático, trazido dos Estados Unidos com a mudança.

Logo após a chegada, os dois rapazes foram matriculados na Graded School, escola americana onde estudavam principalmente alunos estrangeiros. As aulas, exceto as de português, história e geografia do Brasil, eram dadas em inglês. Roberto entrou no oitavo dos doze anos do curso, equivalente na ocasião ao quinto ano do Ensino Fundamental; Richard, no sexto. Seus filhos e netos também estudariam na Graded. Na época, o colégio ficava na rua Coronel Oscar Porto, no bairro do Paraíso. Eles iam sozinhos, de bonde, que subia a rua da Consolação, virava à esquerda na avenida Paulista e os deixava na avenida Brigadeiro Luís Antônio, de onde caminhavam até a escola.

Em Nova York, eles tinham estudado na Public School 166, na rua 89, entre as avenidas Columbus e Amsterdam. Perto dali, na rua 96, assistiam a aulas de catecismo em uma instituição religiosa chamada Joan of Arc, ou Joana d'Arc. Ambos foram educados dentro do catolicismo, ao qual Sylvana se convertera em 1947. Ela costumava levá-los à missa. Victor jamais foi com eles a uma igreja ou lhes falou de religião. No dia de sua morte, Roberto e Richard encontraram no cofre do apartamento em que morava uma carta que, ao lado de várias instruções, lhes contava que havia se convertido ao catolicismo em 1976. Em uma de suas gavetas, estava guardado um crucifixo. Em seu livro de memórias, o jornalista Arnaldo Niskier, membro da Academia Brasileira de Letras e judeu, afirma que César desaprovava a decisão de Victor de abandonar o judaísmo e lhe disse, em um dos encontros que tiveram, que "o pai deles jamais havia se conformado com isso". César permaneceu fiel à religião judaica. "Nós nunca aprovamos a atitude de Victor e família em ocultar sua origem", diria Barbara Civita, a filha mais nova de César e portanto prima-irmã de Roberto. "Mas essa é uma história antiga. Não quero falar do assunto", desconversou. Moradora em Buenos Aires e musicista clássica, ela gravou a obra pianística completa do compositor francês Darius Milhaud e deu concertos em vários países.

Durante a infância, os dois irmãos desconheciam suas raízes. Aos nove anos, Roberto fez a primeira comunhão. Ele tinha essa idade quando, em um domingo, ao voltar com Richard da igreja para casa, foi abordado por uma turma mais velha no Central Park. "Ei, judeu!", gritou um deles. E o ameaçou: "Judeu, reze o pai-nosso. Se não souber, vou te encher de porrada!". Roberto rezou, pois aprendera a oração nas aulas de catecismo, e os rapazes os deixaram ir embora. Ele entrou em casa esbaforido e nervoso. Disse a Sylvana, com a voz alterada: "Mãe, me chamaram de judeu. Por quê? Eu tenho cara de judeu?". Depois de alguns dias, os pais lhe contaram a verdade. Ele se revoltou: "Por que me deixaram passar por isso? Por que não me disseram antes? Por que me levaram para a Igreja católica? Não é daí que eu venho". Segundo contaria seu filho Victor Civita Neto, o Titti, ele se sentiu traído pelos pais, perdeu a fé e guardou uma mágoa perene em relação ao episódio.

Richard era coroinha e ajudava os padres, que celebravam a missa em latim, de costas para os fiéis. Permaneceria católico. Aos 76 anos, idade em que Roberto morreu, continuava rezando em inglês diariamente. A religião foi apenas uma das inúmeras diferenças entre eles. A partir da escola e pelo resto da vida, mantiveram uma relação de amor e ódio. Desde cedo, revelaram personalidades quase opostas. Richard era fechado, crítico, direto e muitas vezes agressivo; Roberto, extrovertido e igualmente crítico, mas em geral conciliador. Richard não procurava ser político ou diplomático, ao contrário de Roberto. Se Roberto tornou-se um inquisidor compulsivo, Richard tinha respostas prontas na ponta da língua. Roberto sabia lidar com palavras e ideias, Richard, com números e processos. Ambos em geral agiam como donos da verdade — só que a verdade de um frequentemente era oposta à verdade do outro.

Desde criança, Roberto se considerava — e fazia questão de dizê-lo — o mais inteligente e preparado dos dois. Por causa disso, esperava que a mãe reconhecesse sua superioridade intelectual sobre o irmão e fizesse dele o centro das atenções em casa. O pai procurava se manter neutro diante da rivalidade dos filhos. A mãe, na visão de Roberto, dava mais carinho a Richard do que a ele. Richard contaria: "Rob lhe perguntava: 'Por que não sou o mais querido?', ela não respondia. Rob não se conformava por não ser mais amado do que eu. Um dia, minha mãe lhe disse: 'Eu amo vocês de forma absolutamente igual. Você é melhor em algumas coisas, o Ricky é melhor em outras coisas. *E questo non cambia l'amore*'. Ele ficou louco ao ouvir essas palavras." Uma vez, no meio de uma discussão semelhante, Roberto lhe afirmou que, invariavelmente, tinha razão em tudo. Sylvana tentou fazê-lo descer das nuvens: "Quem dizia isso era Mussolini, que foi morto e pendurado no poste de cabeça para baixo em praça pública".

Poucas pessoas conheceram Roberto tão bem como Robert Blocker, que foi seu amigo por 63 anos. Nascido um ano antes do que ele em Santana do

Livramento (RS), na fronteira com o Uruguai, saiu de lá na infância com os pais americanos para viver em São Paulo. Depois de cursar dois anos de escola militar nos Estados Unidos, estudou administração na Universidade do Texas e fez carreira no Chase Manhattan Bank, em Nova York, em Porto Rico e na capital paulista, onde presidiria o Banco Lar Brasileiro, que pertencia ao mesmo conglomerado financeiro. Mais tarde, montaria sua própria empresa e a partir de 2004 foi viver em uma fazenda de duzentos alqueires no Texas, onde criava 350 cabeças de gado. Blocker foi casado com a consultora de moda Costanza Pascolato, mãe de suas duas filhas. Além de quase xarás — na verdade, tinham o mesmo nome quando Roberto usava documentos norte-americanos e ainda não se naturalizara brasileiro —, aparentavam certa semelhança física. Embora Blocker fosse oito centímetros mais alto, os dois tinham mãos, orelhas e nariz um tanto avantajados. Usavam grandes óculos de grau. A partir da maturidade, com os cabelos escasseando, adotariam penteados do mesmo estilo.

Na Graded, onde iniciaram a duradoura amizade, Blocker não demorou a perceber uma marcante característica da personalidade de Roberto: a necessidade de ser o número um em tudo, tanto na escola como na vida, e receber o devido reconhecimento. "Ele tinha uma inteligência privilegiada e cultura, absorvendo o que o pai e os professores lhe passavam, e demonstrava uma enorme vontade de vencer. Jogávamos basquete. Embora não fosse um ótimo atleta, compensava suas limitações com muita garra." Ao conviver com ele e sua família, Blocker identificou outro motivo para explicar a obsessão de Roberto em ficar no primeiro lugar da turma, formada por dezessete alunos. Era, a seu ver, o fato de que Sylvana parecia privilegiar Richard no dia a dia, o que o levou a se empenhar ao máximo para tirar as melhores notas e mostrar assim que merecia que o considerassem o mais dotado, o mais bem-sucedido, e portanto ganhar em troca mais afeto do que o caçula.

Roberto só não esperava encontrar uma competidora à sua altura na escola. Ela tinha cabelos escuros e curtos, usava vestidos sóbrios e, no final da adolescência, por causa do penteado, do figurino e do ar compenetrado, parecia uma mulher-feita. Chamava-se Olga Duntuch. Seus pais, judeus poloneses, conseguiram fugir da terra natal 24 horas depois que a Alemanha nazista invadiu o país, o que marcaria o início da Segunda Guerra Mundial. Arquiteto e poliglota, como viria a ser a filha, Alfred Duntuch escapou com a mulher e a pequena Olga, que completava quatro anos naquele dia, através da Hungria,

Romênia, Iugoslávia e Bulgária, até entrar na Turquia. Vendera tudo o que tinha e comprou diamantes, que carregou costurados na roupa. Usou parte deles para pagar os motoristas de carros, pequenos caminhões e ônibus que os transportaram clandestinamente na fuga. Em Ancara, obteve um visto brasileiro. Por uma rota extensa e complicada, foram para a África do Sul e finalmente para Recife, Rio de Janeiro e São Paulo. Nessa viagem, a maior surpresa da menina foi descobrir que existiam negros.

Com a venda dos diamantes que sobraram, a família pôde morar na alameda Jaú, na região dos Jardins. Alfred abriu um escritório de arquitetura e Olga foi matriculada na Graded, onde entrou com sete anos. Quando conheceu Roberto, em 1950, já era a melhor aluna da escola. Os dois ficaram na mesma classe, onde havia várias jovens bonitas e cobiçadas pelos colegas, entre elas Anne Marie Speyer, Ruth Fruchtlander e Ellen Richards, que viria a ser namorada de Roberto. Anne Marie se tornaria freira e as outras duas casariam nos Estados Unidos. Olga e Roberto viraram rivais, competindo pelas melhores notas e pela conquista da Golden Plaque, troféu oferecido ao final de cada ano letivo ao melhor aluno do colégio. Para a irritação de Roberto, ela ganhou o prêmio duas vezes consecutivas.

Quando se aproximava a formatura, iniciaram um namoro. Nas recordações de Olga, o relacionamento começou de forma inocente.

> A gente ficava de mãozinha dada no recreio. Duas ou três vezes por semana seu Victor me apanhava em casa para eu ir jantar com eles. Mais tarde, apareceram os abraços, os primeiros beijos. Não tinha sexo na jogada. Bem, no começo não tinha. Mais tarde é que nos soltamos. Eu devia estar com dezessete ou dezoito anos. Se ele teve alguma experiência antes de mim, eu não sei. Eu não tive. Ele foi meu primeiro namorado. E o primeiro homem da minha vida.

Olga estava apaixonada por Roberto e percebeu que a competição cada vez mais acirrada entre eles iria afetar o romance. Acreditava que, se levasse pela terceira vez a Golden Plaque — justamente a do último ano, a ser entregue na formatura —, ele não se conformaria. "Com certeza vai me largar", pensou. Urdiu então um plano. Em uma das provas finais, passou cola para uma colega. Sabia que o professor iria perceber, como de fato ocorreu. Na Graded, onde prevalecia a cultura americana, isso era uma infração muito grave. Ela foi punida pela direção da escola. Não seria reprovada, mas perdeu o direito de disputar o prêmio, que provavelmente seria seu. O troféu ficou com Roberto. "Poucas vezes o vi tão feliz", diria, mais de sessenta anos depois.

Naquele ano de 1953, o casal de namorados, junto com Blocker, foi responsável pela confecção do *Year Book*, nome do álbum de formatura do colégio. No expediente, com os nomes dos que participaram de sua elaboração, o de Roberto aparece no topo, como editor-chefe. Foi sua estreia editorial. Cada formando mereceu a publicação de duas fotos, com pequenas legendas. Na página de Roberto — que, como os demais, escreveu o próprio texto —, ele se descreve como "gênio da classe", que pretendia se graduar no MIT, o reputado Instituto de Tecnologia de Massachusetts, ou na também respeitada Universidade Rice, em Houston, no Texas, "e produzir bombas atômicas". Para concluir, registrou que seu "corpo abriga uma mente poderosa". Na festa de colação de grau, seguida de um baile, dia 17 de junho, Roberto e Olga dançaram a valsa. Ele de smoking, com um cravo na lapela, ela em um bonito vestido longo branco.

Em setembro, os dois estavam entre os 52 passageiros do voo da Braniff International Airways batizado de El Conquistador. A bordo de um Douglas DC-6, com quatro motores a pistão, embarcaram para os Estados Unidos. Era uma viagem de 27 horas entre o Rio e Nova York, com escalas em Lima, Guayaquil, Cidade do Panamá, Havana, Miami e Washington. Tinham sido aceitos em duas renomadas universidades americanas. Ela estudaria arquitetura em Cornell, no estado de Nova York. Ele, como previra na sua segunda opção, na Universidade Rice. Por um tempo, continuaram namorando à distância. Quando o envolvimento terminou, ela conheceu um engenheiro, com quem se casaria e teria filhos. Mudou seu nome para Olga Krell — assim ficaria conhecida como editora de revistas e uma das figuras mais famosas do mundo da decoração no Brasil.

Para surpresa dos pais e dos amigos, Roberto optou por cursar a faculdade de física nuclear. Entusiasmara-se pela área desde que lera uma reportagem sobre energia atômica na revista *Life*. Na Rice, uma instituição privada, recebeu bolsa de estudos plena. Foi um alívio para Victor, que naquele momento lutava para pagar os empréstimos e, ao contrário do Tio Patinhas, estava longe de poder nadar em dinheiro. Roberto entrou na faculdade apenas um mês depois de completar dezessete anos. Adiantado nos estudos, era o mais jovem da classe. E um dos menores, apesar de ter crescido até 1,80 metro, atingindo sua altura de adulto. Cercado de colegas grandalhões e de maior envergadura física, sentiu-se a princípio atrapalhado como o Pato Donald, dando às vezes a impressão de exibir alguns traços do personagem-símbolo da Abril. Em homenagem a ele, jamais comeria carne de pato, embora fosse um gourmet que gostava de provar qualquer iguaria.

Numa tentativa de projetar uma imagem de alguém mais velho, nas primeiras semanas da faculdade passou a fumar cachimbo. Tomou gosto às primeiras baforadas. Virou um prazer e, não demorou muito, um vício. Começava a fumar de manhã, após o calórico e gorduroso café da manhã ao qual logo aderiu, bem diferente da frugalidade matinal italiana — devorava ovos, bacon, cereais e dois copos de leite —, e ficava com um dos vários cachimbos que adquiriu pendurado na boca até a hora de dormir. Só parava durante as refeições. Revezava três por dia e os abastecia com uma mistura de fumos que comprava pelo correio na tabacaria Wally Frank, em Nova York. Fumaria compulsivamente por mais de cinquenta anos, em qualquer lugar. Como a maioria dos cachimbeiros, não tragava. Na Abril, seria visto algumas vezes entrando no elevador com o cachimbo aceso. Parou no dia em que o oncologista Fernando Gentil detectou sinais de um possível câncer em formação na sua língua. "Roberto, como você pode fumar desse jeito?", disse o médico. "Você não lê as matérias de saúde em suas revistas?"

Parou, mas não em definitivo. Volta e meia, abria mão da abstinência em casa, ao final do jantar. Foi uma privação para quem, ainda na faculdade, participava de concursos de cachimbo. Ganhava quem o mantivesse por mais tempo sem apagar. Os concorrentes recebiam uma onça de tabaco, o equivalente a 28 gramas, e dois palitos de fósforo. "Eu era capaz de deixá-lo aceso por 45 minutos", gabava-se. Quando perdia, não escondia a decepção. Para ele, não ser o número um — em qualquer coisa, incluindo concursos como esse — equivalia a ser o último. O mesmo aconteceu na faculdade. No segundo ano letivo, despontou em segundo lugar entre cerca de quatrocentos alunos. Achou péssimo, porque o primeiro colocado tinha notas bem mais altas do que as dele. Com isso, passou a acreditar que jamais se destacaria como físico. Muito pouco para ele, que almejava a medalha de ouro e a admiração, nunca uma posição simplesmente honrosa. Abandonou então o curso, desistiu da futura carreira e deixou de pensar nas extraordinárias contribuições que sonhava em dar ao mundo no desenvolvimento da energia nuclear.

De volta a São Paulo, comunicou a decisão aos pais e escreveu para diversas universidades americanas pedindo sua transferência. No lugar da área de ciências, pensava agora em algo diferente. Mas o quê? Lembrou-se de como era bom fazer o que gostava — e se divertir na tarefa. Ah, a palavra era exatamente essa: divertir-se. Adotou-a para sempre. Ao reencontrar pessoas, iria repetir incansavelmente uma saudação: "Olá! Tem se divertido?". E o que o tinha divertido de verdade até ali, além de participar de montagens teatrais na faculdade, brincar de mágico — habilidade que aprendeu na adolescência e eventualmente exibiria na vida adulta, em festas da família —, ler tudo o que lhe chegava às mãos, escrever poesias inocentes ou diários de viagens, obter notas altas e namorar? Veio o estalo. Sim, divertira-se de fato ao editar aquele álbum de formatura e, antes, ao cuidar do jornalzinho da escola.

Enquanto refletia sobre isso, recebeu um telegrama. Passados dois meses de sua partida de Houston, a Universidade da Pensilvânia informou que o aceitava como aluno. Entrou em estado de graça com a notícia. A UPenn, nome pelo qual era conhecida, fora fundada como faculdade em 1740, tendo sido presidida por Benjamin Franklin, um dos personagens históricos que ele mais admirava, e em pouco tempo se tornaria a universidade pioneira dos Estados Unidos. Fazia parte da Ivy League, denominação das oito instituições de ensino superior do nordeste do país reconhecidas por seu alto padrão de ensino e associadas a um certo elitismo.*

Matriculou-se simultaneamente em jornalismo e administração, cursos que lhe dariam a formação necessária para se tornar, em um breve futuro, o editor e empresário Roberto Civita.

* São elas: Universidade Brown, em Rhode Island; Universidade Columbia, em Nova York; Universidade Cornell, em Ithaca, Nova York; Dartmouth College, em Hanover, New Hampshire; Universidade Harvard, em Cambridge, Massachusetts; Universidade da Pensilvânia, na Filadélfia; Universidade Princeton, em Nova Jersey; e Universidade Yale, em New Haven, Connecticut.

1º de outubro de 1958

Enquanto Roberto estudava nos Estados Unidos, a Editora Abril foi progredindo passo a passo. Seu pai, a essa altura, era dono também da própria gráfica. Em 24 de outubro de 1950, havia inaugurado, graças aos empréstimos que contraíra, a Sociedade Anônima Impressora Brasileira (Saib). Ela fora montada, com uma impressora offset Webendorfer importada dos Estados Unidos, nas antigas instalações de uma tecelagem na rua Nova dos Portugueses, em Santana, um bairro então afastado, na Zona Norte de São Paulo. Para colocá-la em operação, Victor enfrentou dois problemas que, na época, eram complicados de resolver: conseguir uma linha telefônica e obter da Light, concessionária de energia elétrica no município, uma cota extra de quilowatts que permitisse a operação das máquinas. Seus pedidos seriam atendidos depois de muita insistência, pois ele continuava sem aceitar a palavra "não".

Richard, formado na Graded, estava trabalhando na Saib. Antes, tivera uma passagem pela auditoria da empresa Anderson & Clayton. Ali descobriu que, na contabilidade, é preciso fechar as contas com exatidão. "Se faltam cinquenta centavos, você precisa descobrir onde eles estão. Na primeira vez que apareceu essa diferença me ofereci para repor os cinquenta centavos do meu bolso, mas não aceitaram. Eu teria que refazer os cálculos até encontrar o buraco." Levaria o cuidado com a soma e a subtração para sua conduta pessoal: nunca admitiria de ninguém números aproximados ou respostas vagas. Negociar, contemporizar e fazer política seriam para seu pai e seu irmão, não para ele. Foi com tal postura que entrou na gráfica, onde recebia, como estagiário, o então vigente salário-mínimo para um menor de idade, que correspondia à metade do salário-mínimo normal.

Mesmo ganhando tão pouco, dava duro porque estava empenhado em aprender. Acordava às quatro da manhã, apanhava um ônibus elétrico na avenida Brasil, onde a família passara a residir, na altura da alameda Gabriel Monteiro da Silva, descia na praça da República, andava a pé até o vale do Anhangabaú, tomava uma segunda condução em direção a Santana e apanhava uma terceira para a poeirenta rua da gráfica. Seu expediente começava às sete da manhã e terminava às cinco e meia da tarde. Assimilou o que pôde em matéria de fotografia, retoque, chapas, linotipia, impressão e acabamento. Ao final de um ano, foi estudar gerenciamento gráfico em Pittsburgh, na Pensilvânia. Não gostou do curso e acabou se graduando em economia e engenharia na Universidade Columbia, em Nova York.

Victor havia lançado sua segunda revista. Ou terceira, considerando-se o *Raio Vermelho*. Como *O Pato Donald*, ela entraria para a história da editora. Chamava-se *Capricho*. Em formato pequeno, publicava a cada mês, em capítulos, três ou quatro fotonovelas. Segundo uma comparação de Roberto, era o que a Rede Globo faria na televisão, com a exibição de diferentes novelas em horários variados. O primeiro número, que foi para as bancas em junho de 1952, teve a tiragem de 90 mil exemplares rapidamente esgotada. Mas, a partir daí, a circulação caiu. Em setembro, rondava a casa dos 30 mil. Para tentar reverter a situação, Victor tomou duas decisões arriscadas, mais uma vez confiando em sua intuição: dobrou o formato da revista e em cada número passou a oferecer às leitoras uma história completa. A segunda mudança provocou espanto entre os editores da Mondadori italiana, que vendia seus *fotoromanzi* para a Abril. Ninguém fazia isso. Fotonovela, só em capítulos. O fato, porém, é que as duas providências funcionaram. *Capricho* tornou-se quinzenal e cresceu sem parar, a ponto de atingir em 1958 uma circulação paga de 506 mil exemplares, a maior do Brasil naquele momento. Na cola do seu sucesso, viriam outras revistas do gênero: *Meu Bem*, *Você*, *Ilusão* e *Noturno*. Algumas dariam certo, outras não. Em 1952, saiu *Mickey*.

Na Filadélfia, a 7600 quilômetros de distância, publicações como essas passavam longe do interesse de Roberto. Ele mergulhava na chamada imprensa séria e, por enquanto, não era a ela que a empresa de seu pai se dedicava. Esta se concentrava em oferecer entretenimento para mulheres e crianças, não no jornalismo propriamente dito. Na faculdade, Roberto obtinha notas altas, em geral as maiores da classe. Se não alcançava os cobiçados cem pontos, exigia explicações dos professores. Mudou de atitude, deixando um pouco de lado a presunção, no dia em que um deles lhe disse que deveria exigir mais de si mesmo, dando o máximo de sua capacidade, em vez de querer competir com os colegas o tempo todo. "Foi uma lição de vida para mim", reconheceria. Buscaria sempre a excelência, nele próprio e nos outros, o que muitas vezes lhe traria desapontamentos, como é inevitável entre os que perseguem o perfeccionismo. Considerava-se desde a escola, e mais ainda na faculdade, a exemplo do que aconteceria na trajetória profissional que o aguardava, preparado, competente e com capacidade superior à de qualquer um. Foi o que procurou mostrar em vários trabalhos que escreveu naquele período de universitário. Num deles, ao listar em uma folha datilografada o que já havia assimilado, resumiu em oito pontos alguns princípios básicos da apuração e do texto jornalístico. Com adaptações, iria adotá-los em suas futuras palestras e reuniões com editores e repórteres:

1. Óbitos — Ao receber uma notícia de falecimento, a primeira coisa a fazer é anotar o número e o nome de quem ligou. Seja cuidadoso e cheque tudo.
2. Palavras simples. Inglês simples. Palavras anglo-saxônicas. Frases curtas. Citações diretas.
3. Elimine os excessos e deixe de lado a verborragia.
4. Evite repetições, adjetivos hiperbólicos, superlativos e clichês.
5. Acidentes não "ocorrem", eles "acontecem". Quando for cobrir um deles, não pergunte aos sobreviventes: "Como você se sente por ter sobrevivido?". Pergunte: "O que aconteceu?". Deixe que o entrevistado fale e ele acabará expondo suas emoções.
6. Ao fazer um título, informe ao leitor o conteúdo da matéria e o atraia.
7. Seja específico.
8. Não editorialize.

Guardaria esse sucinto manual com zelo e orgulho. A oitava recomendação, é verdade, não seria observada pela revista *Veja*, que seguiria um modelo em que as opiniões da revista iriam se misturar às informações das matérias. Ele escreveria mais tarde, já exercendo postos de direção na Abril, uma série de artigos, discursos e roteiros de aula em torno do jornalismo. Ao lado do texto feito na faculdade — embora um tanto simplista e genérico, era correto em suas linhas gerais —, um dos que mais gostava de repetir e do qual distribuía cópias ficaria pronto anos depois. Foi publicado no caderno "Propaganda e Marketing" do jornal *A Gazeta Esportiva* em 28 de julho de 1985. Com o título "Como se lidera o mercado de revistas", seria um bom resumo das ideias que começara a amadurecer na faculdade.

1. Comece escolhendo o fundador de sua empresa, com extremo cuidado. Assegure-se de que seja um daqueles homens que não conheçam a palavra "impossível", e que seja movido por um combustível que envolva — em partes iguais — energia inesgotável, otimismo permanente, imaginação efervescente, sensibilidade polivalente, coragem leonina, visão astronômica, idealismo inabalável e entusiasmo contagiante.
2. Localize sua empresa em São Paulo, de preferência na década de 1950.
3. Decida — desde o início — que o seu principal compromisso é com o *leitor* (e não com o governo, seus amigos, os anunciantes ou sequer seus acionistas). Conte-lhe a verdade *sempre*. Preocupe-se com o que ele quer (e acrescente uma pitada do que ele precisa) saber.
4. Procure os melhores talentos que puder — de todos os cantos do país e do mundo. Pague-os bem, trate-os com carinho, treine-os permanentemente e dê-lhes liberdade para agir e desafios para se excederem.
5. Construa uma gráfica moderna. Mantenha-a tecnologicamente atualizada e preocupada com alta qualidade, grande flexibilidade e baixos custos. Em seguida, acrescente uma distribuidora nacional capilar e eficiente. E aprenda a conviver com computadores de todos os tamanhos.
6. Conheça o seu mercado. Fale com os seus leitores, ouça os jornaleiros, faça perguntas aos anunciantes, vire parceiro das agências de publicidade. E desenvolva o seu marketing de circulação, de assinaturas e de venda de espaço com base nas técnicas mais avançadas do planeta.
7. Leia *tudo*.

8. Faça publicações que o leitor se orgulhe de ter em casa e nas quais possa confiar. Se errar, admita-o. Se estiver certo, não recue — seja qual for a pressão.
9. Não venda sua opinião ou apoio — em nenhuma circunstância, por nenhum preço. O leitor deve saber — sempre — o que é jornalismo e o que é anúncio.
10. Faça revistas irresistíveis — fáceis de ler, bonitas, sintonizadas com as preocupações e interesses dos seus leitores, e sensíveis às mudanças em curso no Brasil e no mundo. E leve em conta que, na medida em que suas publicações forem inteligentes, honestas, confiáveis, úteis, equilibradas, justas e honrarem o seu compromisso com o leitor, a sua editora estará também contribuindo para o desenvolvimento de um país idem.

Naqueles três anos em que passou na Universidade da Pensilvânia, Roberto estudou sem parar. Além das faculdades de jornalismo e administração, fez cursos paralelos de arte, ciências, literatura grega, sociologia, demografia e até sobre a Bíblia — este último, segundo ele, por interesse cultural, não religioso. Nas folgas, lia muito. Considerava-se um leitor onívoro, aquele que devora tudo — e fascinava-se com as pessoas em que via essa característica. Frequentava teatros e ia a concertos. Guardaria em um baú todos os programas dos espetáculos assistidos nos Estados Unidos. Mais tarde, mandaria encadernar os programas e os ingressos das peças que viu a partir de 1959, no Brasil e no exterior, em um total de treze volumes. "Eu tinha uma vontade louca de aprender e não me dedicava a outra coisa, dentro da carga máxima que a universidade permitia", diria. Na faculdade de administração, ele mesmo se surpreendeu com as excelentes notas que recebia em uma matéria que, imaginava, não dizia respeito às suas habilidades: contabilidade, que o avô, o pai e os tios haviam estudado. Deu-se tão bem que um dos professores lhe sugeriu que se formasse na área. Não seguiu a recomendação, mas tirou o máximo proveito da disciplina. Passou a dar aulas particulares às vésperas dos exames para os colegas que tinham notas baixas. Cobrava quinze dólares de cada um. Com o dinheiro ganho, passava o fim de semana em Nova York. O conhecimento de contabilidade lhe permitiria no futuro entender balanços e lidar com números, apesar do aborrecimento que isso lhe causava.

Perto do verão americano de 1957, às vésperas da dupla formatura, Roberto se sentia meio perdido. Estudara intensamente, fora aprovado com louvor, mas e agora? Voltaria para o Brasil? Para fazer o quê? Ajudar o pai a publicar gibis e fotonovelas? Inventar seu próprio caminho? "Ele não sabia muito bem o que queria fazer na vida", contaria Fernando Casablancas, que se tornara seu melhor amigo na universidade. Fernando era o irmão mais velho de John Casablancas, que ganharia celebridade internacional como fundador da agência de modelos Elite Model Management. Como Robert Blocker, Fernando cultivou uma admiração quase incondicional por Roberto. Se Blocker dizia que só superava o colega da Graded na altura, Fernando achava que estava à frente dele em um único aspecto: a idade, pois era um ano e três meses mais velho. Via Roberto como uma pessoa magnânima, calorosa, capaz de aceitar um amigo em suas deficiências e valorizar suas qualidades. No entanto, podia magoar esse mesmo amigo na suposição de que ele aceitaria qualquer crítica sincera que lhe fizesse.

Roberto jamais esqueceria um conselho que ouviu de Fernando e que seria decisivo para sua vida. Enquanto os dois e seus colegas esperavam a hora da entrega do diploma, a Universidade da Pensilvânia fervilhava. Havia por todos os lados representantes de grandes empresas interessadas em recrutar estagiários entre os recém-formados. Já era uma tradição nos Estados Unidos. Os entrevistadores ouviam os alunos, faziam testes e chamavam os que consideravam mais aptos. No meio das corporações que caçavam talentos, estava a Time Inc., que publicava as revistas *Time*, *Life*, *Sports Illustrated* e *Fortune*.

Roberto não se inscreveu para nenhuma entrevista, nem da Time Inc. nem de outras companhias que estavam em busca de candidatos. No último dia do prazo estabelecido, Fernando lhe deu uma dura. Afirmou, sem meias palavras, que ele estava cometendo um erro sem tamanho. "Não desperdice essa oportunidade", disse.

> Na pior das hipóteses, você conhecerá pessoas interessantes e terá uns vinte minutos de conversa inteligente. Na melhor, você irá para a principal empresa editorial americana e aprenderá um monte de coisas que poderá aplicar na Abril ou em qualquer outro lugar.

Repetiu a argumentação com ênfase, mas Roberto não parecia inclinado a acatá-la.

No final de 2014, passados 57 anos daquela conversa, Fernando Casablancas convalescia de uma infecção em seu belo apartamento próximo ao

Museu d'Orsay, em Paris, decorado com obras de arte chinesas, japonesas e indianas, algumas delas milenares. Em um dos quartos, sua mulher, a francesa Anne-Marie, que fora uma deslumbrante modelo na juventude, como mostrava uma série de fotos penduradas no corredor, permanecia silenciosa na cadeira de rodas. Casados por meio século, os dois não tiveram filhos. Magro, alto, com um bigodão bem aparado e cabelos parcialmente grisalhos, Fernando aparentava menos do que os oitenta anos que iria completar. Nascido em Barcelona, morou com os pais na Inglaterra, na Bélgica e na Noruega antes de ir para os Estados Unidos e finalmente para a França. Depois de tirar os óculos e passar um lenço branco de linho nos olhos, recordou a resposta que ouviu de Roberto.

> Ele finalmente tirou o cachimbo da boca e me disse: "*O.k., why not?*". Sei que ficaria grato por minha insistência, sem a qual não iria para a entrevista, mas jamais falaria isso para mim. Às vezes, entre grandes amigos, certas coisas não precisam ser ditas. Ficam implícitas.

Roberto foi entrevistado não por um funcionário de segundo escalão, mas pelo editor-chefe da Time-Life International, Edgar Baker, que se autoescalara para o processo de seleção na Filadélfia. Baker ficou bem impressionado com o candidato e lhe deu uma passagem de trem para ir a Nova York, onde passou por alguns testes, foi ouvido por seis jornalistas e recrutadores, participou de um almoço com executivos e finalmente recebeu um convite: assinar contrato de *trainee*.

Faria então sua verdadeira pós-graduação. Durante um ano e meio, familiarizou-se com os principais setores da empresa: editorial, publicidade, assinaturas, gráfica e administração, com ênfase em *publishing*, ou seja, o conjunto do negócio das revistas. "Aprendi um pouco de tudo, desde reportagem até a venda de publicidade, da edição de fotos à distribuição das revistas, viajando de caminhão, durante a madrugada, a uma cidadezinha de Massachusetts para ajudar na entrega aos jornaleiros e assinantes", contaria. "Estagiar na melhor escola editorial do mundo foi um privilégio para mim." Segundo Fernando, ele absorveu os ensinamentos e a experiência como uma esponja. No final do programa, ouviu uma proposta para ficar. Ou melhor, para trabalhar em Tóquio como o número dois da sucursal da *Time*. Ficou excitadíssimo. Sua primeira reação foi contar para os pais por telefone a ótima novidade. Queria falar logo, mas teve que esperar. As ligações deviam ser agendadas, demoravam para se completar e a qualidade era ruim. Muitas vezes não se entendia bem a voz que vinha do outro lado do continente. Com o ouvido grudado no fone preto, ficou em silêncio quando percebeu que o pai não parecia compartilhar de seu entusiasmo. Disse que preferia conversar pessoalmente e lhe mandaria uma passagem aérea.

A viagem, dessa vez num Super Constellation, em uma rota diferente, durou 24 horas, três a menos da que fizera na ida para ir estudar nos Estados Unidos. Depois de decolar do aeroporto de Idlewild (atual JFK), em Nova York, o quadrimotor fez escalas em Ciudad Trujillo (hoje Santo Domingo), na República Dominicana, em Belém e no Rio de Janeiro antes de aterrissar em São Paulo. Roberto desembarcou excitado e ansioso em Congonhas, onde o pai o aguardava. No caminho, dentro do Dodge 1952 que Victor dirigia, começaram a conversar. "Você não acha que está na hora de vir para casa e começar a trabalhar?", provocou Victor, em italiano, língua na qual normalmente falavam, de acordo com a reconstituição do filho. "Mas eu vou trabalhar na *Time*, em Tóquio", disse Roberto. "O que você quer fazer, quer mudar o mundo?", continuou Victor. "Quero", confirmou. "Pois aqui você terá muito mais espaço para isso. Lá haverá uma enorme concorrência e você será apenas mais um. No Brasil, sua alavanca será maior. E você estará trabalhando em algo seu, não para os outros. Pense esta noite. Amanhã falaremos de novo."

Roberto acordou com olheiras. Praticamente não dormiu. Revirava-se na cama, enquanto a imagem da alavanca se gravava dentro dele. Era a primeira vez que se sentia insone. Ao retomarem a conversa, o pai foi direto ao ponto: "Já sabe o que quer fazer?". Ele balançou afirmativamente a cabeça. "Quero fazer três revistas", disse, afinal. "Uma revista semanal de informações, uma revista de negócios e uma revista masculina." Estava pensando na *Time*, na *Fortune* e na *Playboy*. Ou nos projetos ainda longínquos da *Veja*, que nasceria dez anos depois, em 1968; da *Exame*, que deixaria de ser um suplemento das publicações técnicas da Abril para ganhar vida independente em 1971; e da edição brasileira da *Playboy*, que adotaria esse título em 1978, após o lançamento com o nome de *A Revista do Homem* em 1975. "Hoje não estamos prontos", explicou Victor. "Mas vamos nos preparar. Eu prometo: se você vier, vamos fazer as três e muitas outras. Aliás, você vai fazer."

Passados alguns dias, Roberto retornou a Nova York, recusou formalmente o convite, arrumou sua mudança e voltou em definitivo para o país e para a empresa pelos quais acabara de optar. Antes do embarque, dessa vez em um navio cargueiro com destino a Santos, foi se despedir de Fernando, o amigo que lhe dera o conselho decisivo e de quem ficaria próximo até o fim. Quando isso veio a acontecer, decorrido mais de meio século, Fernando mandou preparar um cartão de Natal para distribuir às pessoas de suas relações. Trazia um texto do escritor francês Antoine de Saint-Exupéry, extraído de seu livro *Terra dos homens*, que lhe pareceu um resumo do relacionamento que ambos mantiveram por seis décadas:

> Nada, jamais, substituirá um companheiro perdido. Ninguém pode recriar velhos companheiros. Nada vale o tesouro de tantas recordações comuns, de tantas horas más vividas juntos, de tantas desavenças, de tantas reconciliações, de tantos impulsos afetivos. Não se reconstroem essas amizades. Seria inútil plantar um carvalho, na esperança de ter, em breve, o abrigo de suas folhas. Assim vai a vida. A princípio enriquecemos. Plantamos durante anos, mas os anos chegam em que o tempo destrói esse trabalho, arranca essas árvores. Um a um, os companheiros nos tiram suas sombras. E aos nossos lutos mistura-se então a mágoa secreta de envelhecer...

Em Nova York, Fernando também se despediu de Roberto. Haviam lhe oferecido o mesmo cargo na *Time* em Tóquio. Ele aceitou, iniciando ali sua carreira em empresas editoriais dos Estados Unidos.

No dia 1º de outubro de 1958, quarta-feira ensolarada, um jovem de 22 anos, com roupas, cabeça e sotaque americanos, entrou no prédio de número 118 da rua João Adolfo e subiu até o nono andar para ingressar na Editora Abril. Ela tinha 44 funcionários. Quarenta e cinco agora. O Brasil vivia um momento de euforia e esperança. Com Pelé, Garrincha e Didi, nossa seleção de futebol conquistara na Suécia a primeira Copa do Mundo. João Gilberto havia lançado, em um disco de 78 rotações, a música "Chega de saudade", que marcaria o nascimento da Bossa Nova. O presidente Juscelino Kubitschek construía Brasília. Chegava às ruas o DKW-Vemag, primeiro carro produzido com 50% de peças brasileiras, e o Fusca estava prestes a entrar na linha de montagem. Nos lares da classe média, os aparelhos de TV ganhavam espaço. As mulheres ingressavam cada vez mais no mercado de trabalho. Não faltavam assuntos e leitores interessados no que Roberto Civita faria com tenacidade, prazer e paixão pelos 55 anos seguintes: revistas, à sombra de uma árvore que começava a frutificar.

24 de agosto de 1960

O Hotel Claridge, que mais tarde mudaria seu nome para Cambridge, tinha um bar acolhedor, em estilo inglês, e um restaurante bem frequentado. Como ficava no início da avenida Nove de Julho, praticamente ao lado do prédio da rua João Adolfo onde funcionava a Editora Abril, era lá que Roberto Civita costumava almoçar com convidados ou diretores da empresa. Victor preferia comer em casa. Não era difícil ir de carro desde o centro da cidade até seu apartamento na avenida Higienópolis, 375, décimo andar, onde passara a morar, e retornar em pouco tempo ao escritório ao fim de uma rápida sesta. O trânsito, que fluía razoavelmente apesar dos congestionamentos nos horários de rush, permitia tal comodidade. Naquele quase final de 1959, porém, em vez de passar em casa, VC concordou em dividir uma mesa no Claridge com RC — começavam a ser tratados na empresa pelas iniciais, entre eles com as pronúncias inglesas "vici" e "árci" — para conversarem com o alemão Juan Corduan. Ele era executivo da área comercial da Volkswagen do Brasil, que acabara de lançar o Fusca nacional com motor 1200 cc.

Os três falaram durante a refeição dos dois assuntos que mais lhes interessavam: a Abril e a indústria automobilística. A Abril iria comemorar, na história oficial, seu décimo aniversário. No portfólio, tinha agora *Manequim*, a primeira revista brasileira de moda com moldes de roupa. A leitora que sabia costurar os recortava para fazer seus próprios vestidos. Com o lançamento, a editora entrou no jornalismo de serviço e finalmente colocava nas bancas uma publicação sem balõezinhos, marca registrada dos quadrinhos e das fotonovelas. Sylvana teve uma participação direta na sua criação. Por sugestão do marido, foi a Milão para conhecer a Mondadori e ver como a importante editora italiana fazia revistas do gênero. Lá mesmo ela produziu a foto de capa do número 1. Só mais tarde os editores se dariam conta do desastre: a modelo loira escolhida por Sylvana posou vestindo um pesado mantô azul de lã, chapéu e luvas brancas. Ou seja, estava preparada para enfrentar o inverno europeu, não o brasileiro. Sem falar que no Norte e no Nordeste, onde a revista também foi distribuída, aquela roupa causaria espanto. No segundo número, numa tentativa de corrigir a gafe, surgiu uma seção chamada "Onde o calor continua". Sylvana também passou a assinar — apenas com o prenome — o "Jornal da moda...", assim mesmo, com reticências. Escreveu na coluna de estreia: "A moda é a tirana das mulheres e segui-la continuamente é um trabalho dos mais difíceis".

Apesar do tropeço na capa, a nova mensal decolou. Com uma tiragem inicial de 120 mil exemplares, chegaria a alcançar no futuro uma vendagem quase quatro vezes maior e seria publicada pela Abril até 2014, quando foi transferida, junto com outros títulos, para a Editora Caras. Sua rentabilidade sempre dependeria das bancas, junto posteriormente das assinaturas, dada a escassez de publicidade. Isso se devia à imagem que a *Manequim* adquiriu de ser "revista das costureiras" — profissionais que, na visão das agências de propaganda, consumiriam apenas produtos baratos. Havia tão poucos anúncios que, nas capas internas dos primeiros números, só a segunda fora vendida. Provavelmente um reclame, como ainda se dizia, bonificado, ou seja, a agência comprou uma página interna e obteve, de graça, o direito de vê-la colocada em espaço mais nobre. Em edições seguintes, o mesmo anúncio sairia no meio das matérias. Não por acaso, era da máquina de costura Singer. Quase todo o restante da publicidade se restringia aos quadrinhos e às fotonovelas da editora. Dentre as reportagens mais interessantes, destacava-se a série "Assim se veste...", também com reticências. Foram fotografadas, com vestidos longos e rodados, as jovens atrizes Eva Wilma, Odete Lara e Maria Fernanda, além da cantora Inezita Barroso.

Para se tornar mais conhecida, a nova revista criou um concurso nacional que elegeria "a manequim de *Manequim*". Exigia-se que as candidatas tivessem pelo menos dezoito anos e "no mínimo" 1,60 metro de altura. A vencedora receberia como prêmio uma viagem para Buenos Aires, com passagem aérea oferecida pela Real Aerovias e todas as despesas pagas, mais um contrato de trabalho com a Abril. No número 8, saiu o resultado. Ganhou a modelo gaúcha Lúcia Curia, de 21 anos. Linda, classuda e elegante, Lúcia — cujo nome completo não foi publicado — faria carreira na Itália, onde desfilou para o estilista Valentino e ficou conhecida pela pronúncia italiana de seu nome ("Lu*tia*"). Depois, seria contratada por Coco Chanel em pessoa para trabalhar na sua *maison* em Paris. Segundo Roberto, seu primo Carlos, filho de César, o irmão mais velho de Victor, "apaixonou-se perdidamente" por ela. "Carlos vinha duas vezes por mês de Buenos Aires para encontrá-la, mas ela queria viver a vida e casamento não estava em seus planos." Mudaria de ideia em 1986, quando se tornaria a terceira e última mulher do banqueiro, embaixador e ministro Walther Moreira Salles.

Outra iniciativa ajudou a *Manequim* a pegar. Foi a promoção "Quase pronto", grafada no anúncio de forma errada: "Quasipronto". A leitora podia fazer seu vestido de acordo com o molde publicado, comprando o tecido e os aviamentos necessários da própria Abril. Eram vendidos pelo sistema de reembolso postal, remoto precursor do e-commerce. Numa época em que havia dificuldade para se encontrar uma série de artigos e produtos fora dos grandes centros, a encomenda chegava para o comprador na agência dos Correios, onde podia ser retirada após o pagamento.

Durante o almoço no Hotel Claridge, depois de ouvir algumas dessas histórias sobre a Abril, Juan Carduan passou a falar dos planos da Volkswagen. A indústria automobilística, nascida havia pouco tempo, encontrava-se em crescimento. Ao lado dos carros importados, ganhavam as ruas modelos montados no ABC Paulista (Santo André, São Bernardo do Campo e São Caetano do Sul, na vizinhança da capital), como o Simca Chambord e o Renault Dauphine, sem contar os pioneiros da DKW e da própria Volks. Com 70 milhões de habitantes, o Brasil inteiro reuniria em 1960 uma frota de 310 mil veículos licenciados (um para cada 226 pessoas). Era uma quantidade expressiva para o país de então. Mas quase uma insignificância perto do que viria nos anos e décadas posteriores. Em 2014, o Brasil teria 86,7 milhões de veículos (um para 2,3 pessoas). Naquele momento, entretanto, o que viraria um pesadelo no deslocamento das pessoas nas metrópoles representava uma esperança de progresso. Os cerca de 13 mil quilômetros de rodovias existentes em todo o território nacional em 1956, quando surgiu a indústria automobilística, triplicariam em três anos. Em 2015, alcançariam a extensão de mais de 200 mil quilômetros, projeção que no início da segunda metade do século XX soaria inimaginável. A estrada principal, a via Dutra, que ligava São Paulo ao Rio de Janeiro, tinha pista simples, salvo em alguns pequenos trechos.

O total de carros que já eram produzidos, de qualquer modo, chamava a atenção. Depois de citar seus números, o diretor da Volkswagen perguntou: "Por que vocês não fazem uma revista sobre automóveis?". Victor e Roberto não estavam preparados para responder. Nunca haviam pensado nisso. Pois que pensassem. Se resolvessem fazer, Corduan garantiria três páginas mensais de publicidade durante o primeiro ano. Três páginas asseguradas de antemão? Isso tilintou como o som de moedinhas de ouro aos ouvidos de Victor, que abriu o habitual sorriso e na mesma hora mandou o filho estudar o assunto.

A primeira providência de Roberto, determinada pelo pai, foi mandar buscar exemplares da revista *Quattroruote*, que vinha sendo publicada na Itália desde 1956. Ela poderia servir de modelo caso o projeto decolasse. Ao planejar uma nova revista, a Abril — a exemplo de outras editoras, dentro e fora do Brasil — geralmente se basearia em fórmulas editoriais, comerciais e publicitárias testadas e vitoriosas nos Estados Unidos ou na Europa. Seria assim, para citar dois casos, com a *Veja* (inspirada na *Time* e na *Newsweek*) e a *Exame* (*Fortune*). Uma segunda estratégia da empresa seria obter o licenciamento de títulos consagrados, com o pagamento de royalties, entre eles *Playboy*, *Elle* e *Cosmopolitan* (aqui batizada de *Nova*, só viria a adotar o nome original americano em 2015). *Quattroruote* era especializada em carros, automobilismo e turismo.

Na época, as pesquisas de mercado para analisar a viabilidade de um lançamento editorial eram bastante intuitivas. Para Victor, mais uma vez, valia acima de tudo o que seu faro indicava. A aposta no crescimento da indústria automobilística e na construção de estradas, o que estimularia viagens rodoviárias tanto de negócios quanto de lazer, é que foi o fator determinante. Se ele estivesse certo, uma revista que se especializasse nesses assuntos poderia cair no gosto dos donos de Fuscas e Simcas ou dos que sonhavam em adquirir um deles. Ela os atrairia nas bancas e, desse modo, ao contrário do que ocorria com a *Manequim*, poderia conquistar anunciantes. Os mais óbvios seriam as montadoras — a começar pela Volkswagen, que prometera patrocinar as tais três páginas mensais — e os fabricantes de acessórios e autopeças.

O termo ainda não era usado, mas a Abril estava descobrindo o conceito que norteia uma revista: a segmentação. Nos anos 1960, as revistas ilustradas de interesse geral, voltadas para um público diversificado, começariam a entrar em lento processo de declínio. É o que aconteceria no mercado americano com a *Life* e a *Look*, abatidas com o desenvolvimento da televisão (e sobretudo pela disseminação das transmissões em cores) e os altos custos de distribuição de suas gigantescas circulações. No Brasil, motivos semelhantes iriam vitimar, anos mais tarde, as semanais *O Cruzeiro* e *Manchete*. Seus espaços, lá e aqui, seriam preenchidos pelas segmentadas, dirigidas a tipos específicos de leitores. Foi desse modo que ocuparam seus nichos publicações do porte de *Good Housekeeping* (voltada para donas de casa), *Cosmopolitan* (para solteiras mais preocupadas com a carreira, a realização pessoal e o prazer do que em casar e ter filhos), *Elle* (para mulheres sofisticadas em dia com as tendências da moda), *Playboy* (para homens hedonistas com certas preocupações intelectuais) e, o principal interesse imediato de Victor, *Quattroruote*.

Por que então não fazer uma publicação como essa? A primeira providência foi simples: traduzir literalmente o título e registrá-lo. Pronto, seria *Quatro Rodas*. O passo seguinte foi montar a equipe. Victor logo pensou na pessoa que lhe parecia a mais indicada para comandá-la: o jornalista Luís Carta, italiano de Gênova. Elegante em seus ternos e blazers bem cortados, Luís Carta era um homem agradável na convivência e admirado por sua competência profissional. Viera para o Brasil em 1950, com os pais e o irmão mais velho. O pai, Giannino Carta, cuja profissão seria seguida pelos dois filhos, fora contratado pelo jornal *O Estado de S. Paulo* como editor da seção que seria mais tarde conhecida como editoria internacional, a mais importante do periódico. Depois de ter sido correspondente da revista *Manchete* na Itália, em 1959 Luís foi para a Abril, onde ajudou a criar a *Manequim*, ponto de partida de sua fulgurante carreira na empresa, da qual se tornaria diretor editorial.

Luís, sem dúvida, precisaria ter um papel importante em *Quatro Rodas*, mas ele próprio iria sugerir outro nome para chefiar a redação: seu irmão, que tivera uma trajetória parecida com a dele. Demetrio Giuliano Gianni Carta, conhecido como Mino Carta, também nascera em Gênova, mas numa data que nunca revelaria com precisão. Nas orelhas de seus livros *O castelo de âm-*

bar e *O Brasil* está escrito — sem dúvida com a aprovação do autor — que ele veio ao mundo entre 6 de setembro de 1933 e 6 de fevereiro de 1934. Em todas as redações que iria dirigir, os funcionários lhe davam os parabéns no dia 6 de setembro. Muito jovem, aos dezessete anos (ou quem sabe aos dezesseis) fora correspondente esportivo do jornal italiano *Il Messaggero* durante a Copa do Mundo de 1950, realizada pela primeira vez no Brasil, contínuo e articulista da revista paulista *Anhembi* e em seguida redator da principal agência de notícias da Itália, a Ansa. Ele estava agora de volta à sua terra. Trabalhou em Turim, no diário *Gazzetta del Popolo*, e em Roma, novamente em *Il Messaggero*. Roberto diria que ele foi o primeiro a aprovar seu nome, mas essa decisão, evidentemente, cabia ao pai. Como estava de partida para uma de suas viagens à Europa, Victor marcou uma conversa com Mino na capital italiana.

O encontro, de acordo com Victor, aconteceu em novembro de 1959 em um bar da Via Veneto, cenário do filme *A doce vida*, de Federico Fellini, que seria lançado dois meses depois. Segundo Mino, a reunião ocorreu em um restaurante, onde almoçaram. "Sabia que Mino pensava em voltar para o Brasil, depois de uma permanência de quase quatro anos na Itália", lembraria Victor. "Apresentei-lhe então uma ideia que sabia daquelas capazes de conquistar-lhe o entusiasmo. Tratava-se de editar uma nova revista da Abril. Expus os motivos do plano ambicioso de uma publicação dedicada inteiramente ao automobilismo e ao turismo." Mino era um homem de estatura pequena, algo que o incomodava. Elegante, irônico, mordaz, de gênio explosivo, tinha grande cultura e texto tão inconfundível como o corte de seus paletós de tweed com reforço de couro nos cotovelos. Adorava a culinária e os vinhos italianos, para ele indiscutivelmente superiores aos franceses. Conhecedor de história da arte, pintava quadros figurativos. Em 1957, realizara em Milão sua primeira exposição individual. Além de jornalista de reconhecida competência, considerava-se um bom designer de revistas. Apesar da pouca idade — tinha 25 ou 26 anos, dependendo da data de nascimento correta —, estava sem dúvida habilitado para aceitar o convite. Exceto por um detalhe: não apenas não entendia nada de carros como simplesmente não sabia dirigi-los.

Victor achou essa carência irrelevante. Ele queria ter na Abril o talento jornalístico de Mino, que por certo contrataria com facilidade profissionais entendidos em motores e embreagens. Para ajudar a seduzi-lo com a proposta, adiantou que, se a revista mensal desse certo, em breve a editora faria uma semanal ilustrada, inspirada na *Paris Match* e na *Oggi* italiana. Mino aceitou o convite. Quando começou a montar a redação, usou a informação dada por Victor para convencer alguns jornalistas a trabalhar com ele. "*Quatro Rodas* é só o ensaio de uma coisa nova que está por vir. Você não vai se arrepender", disse por exemplo para José Hamilton Ribeiro, repórter da *Folha de S.Paulo*, ao lhe fazer uma proposta para se integrar à equipe. Com a ajuda de Roberto, Mino preparou no apartamento do editor de arte Attilio Baschera o "boneco" de *Quatro Rodas*, que foi distribuído para as agências de publicidade e usado internamente como modelo da revista em gestação.

No dia 24 de agosto de 1960, uma quarta-feira, Victor foi à recém-inaugurada Brasília entregar o primeiro dos 30 mil exemplares do número 1 de *Quatro Rodas* para o presidente Juscelino Kubitschek. A revista trazia um mapa colorido e desdobrável da via Dutra. Nas páginas internas, havia uma matéria com informações completas sobre a estrada: postos de serviço, oficinas mecânicas, hotéis, bares e restaurantes. A reportagem saiu sem o crédito dos autores: Mino Carta e Roberto Civita. Os dois percorreram os 406 quilômetros da Dutra, em uma Kombi dirigida por Roberto, parando na ida e na volta em cada estabelecimento para colher os dados e fazer a avaliação. Durante a audiência com JK, Victor ouviu risadinhas incrédulas de alguns assessores. Em um país quase sem estradas e com poucos modelos de carro, como a revista encontraria assunto após os primeiros números? Mas encontrou, porque seriam rasgadas novas rodovias e lançados novos automóveis.

Por quatro motivos, *Quatro Rodas* entraria para a história da Abril.

1. Foi a primeira publicação de caráter jornalístico da editora, com reportagens e serviço.

2. Desde o início, ela seria marcada pela independência editorial. Quando decidiu fazer testes de longa quilometragem, desmontando o carro para verificar o desgaste das peças, a revista passou a comprar o veículo com seus próprios recursos. Já o teste de desempenho na pista, por ocasião do lançamento, era realizado com um carro cedido pela fábrica. Montadoras insatisfeitas com os resultados apontados nas matérias chegariam a suspender a publicação de anúncios.

3. Foi a primeira revista dirigida por Mino Carta, que teria na empresa uma marcante e atribulada trajetória, encerrada de forma traumática. A faísca

inicial, aliás, se deu quando o número de estreia ficou pronto. Roberto, em um hábito do qual nunca iria abrir mão, mandou-lhe um exemplar cheio de anotações e críticas. Com um único elogio, se é que se podia chamar assim: "*Best double page in the whole magazine*". Melhor página dupla em toda a revista. Era um dos prometidos anúncios da Volkswagen.

4. No número 1, Victor Civita assinou — literalmente, com letras cursivas como faria sempre, a haste direita do "V" cobrindo nome e sobrenome, este sublinhado pela curva esquerda do "C" — sua primeira "Carta do Editor". Também pela primeira vez, apareciam no expediente de uma revista seu nome e cargo (editor e diretor, nessa ordem) e o de Roberto (diretor de publicidade). Victor concluiu o texto de apresentação com duas frases proféticas: "Muitos outros caminhos serão descobertos e explorados num futuro próximo. Espero que poderemos contar com a sua companhia e com o seu entusiasmo durante toda a fascinante viagem que agora começa". Com a revista nas bancas, Roberto foi procurado por uma agência de publicidade para patrocinar todos os mapas que viessem a ser publicados. Ele pediu um tempo para decidir e respondeu que não aceitaria a proposta. "Aquilo era o nosso *panache*, o penacho, as plumas do chapéu de Cyrano de Bergerac", compararia. "Não podíamos vender aquele diferencial. Mas a oferta mostrou que estávamos fazendo a coisa certa. Tanto que a revista está aí até hoje e os mapas continuaram sendo feitos por muito tempo", disse em 2012.

Em seis meses, a circulação de *Quatro Rodas* disparou com a velocidade dos carros vistos em suas páginas. Passou de 30 mil para 70 mil exemplares por mês. Nos corredores do prédio da rua João Adolfo, em meio a um clima de euforia, havia um zum-zum em torno do lançamento de mais uma revista. Mais do que qualquer outra, iria mexer com a cabeça e os hábitos das mulheres.

Outubro de 1961

Uma das frustrações no casamento de Victor e Sylvana, que durou quase 55 anos, foi não terem gerado uma filha. Haviam até decidido como se chamaria: Claudia, sem acento, na grafia italiana. Por isso, segundo contariam repetidas vezes, deram esse nome à esperada revista que a Abril lançou em outubro de 1961. Ela se tornaria a mais importante, influente e rentável publicação feminina da história da imprensa brasileira.

O título, porém, não se originou exatamente do sonho irrealizado dos pais de Roberto e Richard. A bem da verdade, pode-se dizer que foi copiado. Ele existia desde maio de 1957, quando César Civita — cuja Editorial Abril navegava de vento em popa — lançou uma revista voltada para uma nova leitora argentina. Nas suas palavras, dirigia-se "a uma mulher inteligente, de classe média alta, com bom gosto e dotada de certa cultura". Batizou-a de *Claudia*. Não se sabe a razão da escolha. A revista tratava de assuntos domésticos, educação dos filhos, moda, consumo — e de temas que eram tabus tanto em seu país quanto no Brasil, como sexo e aborto. Adotara como modelos a italiana *Arianna*, criada pela editora Mondadori, e a americana *Ladies' Home Journal*. Fundada em 1883, a *Ladies'* logo alcançaria a maior circulação nos Estados Unidos entre as publicações dirigidas à mulher. A *Claudia* da Argentina seria dirigida por Mina Civita, mulher de César, que faria seu trabalho "com inteligência", de acordo com ele. Em meados dos anos 1960, a jornalista Adriana Civita, filha mais velha do casal, passou a escrever mensalmente artigos sobre o papel da mulher como esposa, mãe e profissional. *Claudia* chegou a vender 150 mil exemplares por edição, o que a levou a liderar, por vários anos, o segmento das femininas no país.

César viajava com certa regularidade de Buenos Aires a São Paulo e gostava de dar palpites na Abril brasileira, até porque era seu fundador e permanecia na sociedade. Victor em geral não os acatava, pois se sentia seguro na forma como conduzia seus negócios. "Meu tio nunca deixou de tratar meu pai como o irmão menor e fazia questão de dizer que ele é que sabia das coisas", recordaria Roberto. Numa dessas visitas, sem esconder o orgulho, César lhe falou do sucesso de *Claudia*. Dessa vez, Victor achou que o irmão vinha com uma boa ideia, prestou atenção no que ouviu e começou a pensar em fazer algo semelhante. Ele constatava que, com o crescimento da classe média e da indústria nacional, as famílias brasileiras estavam consumindo mais. Queriam comprar eletrodomésticos para a casa e dar uma melhor educação para os filhos. As mulheres entravam no mercado de trabalho. Preocupavam-se com a realização pessoal e seus direitos. Interessavam-se em seguir as tendências da moda, sem ficar prisioneiras dela, manter-se ligadas ao que acontecia no mundo e encontrar uma amiga de confiança para conversar sobre assuntos íntimos como saúde, sexo, orgasmo, fidelidade e menstruação, alguns dos quais não se abordavam com as mães.

Victor teve a percepção de que a pauta de sua próxima revista deveria se orientar por aí, a partir de uma largada cautelosa à qual se seguiriam avanços graduais. Deu-lhe o mesmo nome de *Claudia*. Ela seria a tal amiga que a mulher brasileira procurava encontrar. Escolheu Luís Carta como primeiro diretor. Ele tinha 25 anos. No expediente, acima do nome do irmão mais novo de Mino, aparecia o do Editor e Diretor Victor Civita. Ele sempre se identificaria assim em todas as publicações da Abril. Fazia questão das iniciais maiúsculas. Na porta que dava acesso à sua sala, tanto na rua João Adolfo como, a partir de 1968, na sede da marginal do rio Tietê, colocou uma placa com as funções invertidas: Diretor e Editor. Nunca se nomeou presidente ou CEO, designação inexistente na época. Um pouco abaixo, vinham os nomes da "assistente geral" Sylvana Alcorso (sem o sobrenome do marido) e da secretária de redação Micheline Gaggio Frank. Roberto figurava, como na *Quatro Rodas*, na função de diretor de publicidade. Por ora, não ocuparia formalmente posições editoriais. "Eu não tinha muito a acrescentar à revista e não lembro, em relação à *Claudia*, de qualquer contribuição minha", reconheceria com franqueza e rara modéstia.

Casada com um argentino que lutara na Guerra Civil Espanhola, a francesa Micheline havia trabalhado na Abril de Buenos Aires, onde César lhe apresentou a Victor, que a convidou a se transferir para São Paulo. Chegou no dia do lançamento de *O Pato Donald* e tornou-se a quarta funcionária contratada pela editora. Começou na *Capricho* e foi para a *Claudia*, cuja redação ficou instalada no mezanino do prédio. A partir daí, as revistas passaram a se espalhar por diversos andares. No nono, permaneceram as salas de Luís Carta, Gordiano Rossi, Victor e Roberto. Ficavam ali também as telefonistas, a copa, a publicidade e, no final do corredor, a redação da *Quatro Rodas*. Todos os abrilianos, como seriam chamados, se conheciam pelo nome. No último dia do mês, pontualmente, recebiam o salário em dinheiro vivo entregue dentro de envelopes. Victor, nos primeiros tempos, incumbia-se de fazer o pagamento de mesa em mesa, recolhendo os recibos assinados. Em meados da década de 1950, transferiu a tarefa para um funcionário da tesouraria. Só em 1963 é que os salários começaram a ser depositados em conta-corrente no Banco Lar Brasileiro, que mantinha uma agência na vizinhança. Nunca atrasaram, mesmo durante as graves crises de endividamento que a empresa enfrentou.*

A partir do surgimento da *Quatro Rodas* e da *Claudia*, os salários dos jornalistas da Abril atingiram um patamar que os colocava acima da média do mercado. Como compensação lhes era exigida exclusividade. Isso não existia em São Paulo, onde os profissionais, para conseguir um ganho razoável, tinham mais de um emprego, muitas vezes em órgãos do governo, o que poderia configurar, nos padrões vigentes no século XXI, um conflito de interesses — conceito ainda inexistente. Em março de 1963, um jornalista de 25 anos e cabelos encaracolados que estava em *O Estado de S. Paulo* recebeu um recado de um dos seus chefes, o italiano Giannino Carta. Giannino, ou Gianni, era pai de Mino e Luís, conforme se contou. "Meu filho Luís gostaria de conhecê-lo", disse ao jovem paulista da cidade de Mirassol, que tinha na ocasião quatro ga-

* O pagamento dos salários atrasou apenas uma vez. Foi em março de 1990, após o congelamento dos depósitos bancários decretado pelo Plano Collor. Houve um atraso de quatro dias úteis. A Abril, na ocasião, mandou uma carta para cada funcionário com um pedido de desculpas.

nha-pães. Era redator do *Estadão*, onde fazia igualmente crônicas para o Suplemento Feminino, remuneradas à parte, escrevia a coluna "Eles e Elas" na revista *Visão*, espécie de precursora das seções de "Gente" na imprensa brasileira, e editava uma publicação chamada *O Volante*, da Viação Cometa, com capas criadas pelo artista plástico Wesley Duke Lee, que se tornaria um de seus maiores amigos. Chamava-se Thomaz Souto Corrêa. Luís levou-o para a Abril, onde Thomaz foi contratado como redator-chefe da *Claudia*, ganhando em apenas um lugar mais do que recebia nas suas quatro fontes de renda anteriores juntas.

Ele ocuparia cargos executivos na empresa pelos quarenta anos seguintes. Ao deixar as operações, tornou-se consultor editorial. No auge da carreira, seus pares o consideravam o maior "revisteiro" do Brasil. Seria também presidente do Conselho Executivo da Fédération Internationale de la Presse Périodique (FIPP). Apesar do nome francês, a FIPP tinha sede em Londres e em 1999, quando ele assumiu o cargo, reunia cerca de 3 mil editoras de 37 países. Ao iniciar sua trajetória no mundo das revistas, porém, sentira-se um completo estranho no ninho. Logo no primeiro dia, Luís Carta encarregou-o de cuidar de duas ou três matérias que sairiam na edição seguinte. "Então amanhã eu te dou", prometeu Thomaz. "Amanhã?", espantou-se seu chefe, com quem iniciaria o aprendizado da feitura de revistas. "Você não está mais em jornal. Os prazos aqui são outros. Antes de me entregar, você terá que estudar, pesquisar, falar com pessoas."

Foi sua primeira lição. A seguinte seria dada alguns dias depois, quando descobriria uma palavra que jamais ouvira alguém pronunciar no *Estadão*: leitor, no singular. No jornal, havia leitores, no plural — homens, mulheres, adultos, idosos. *Claudia* tinha leitor, ou melhor, leitora — e era para ela que a revista se dirigia. Um editor precisaria conhecê-la para lhe oferecer as matérias que desejava ou necessitaria ler, mesmo que não soubesse. Se acertasse no alvo, ela iria gostar da revista e manter-se fiel, aguardando a edição seguinte. A área da publicidade, separada da editorial, poderia então ir atrás de anunciantes interessados em falar com aquele tipo de pessoa e lhe vender seu produto.

Como identificá-la? Luís apontou o caminho para seu redator-chefe: ir para as bancas, bater papo com os jornaleiros, abordar as compradoras. E ler as cartas que chegavam à redação. Naquele mesmo ano de 1963, uma delas lhe despertou a atenção. Vinha de uma escritora, tradutora e psicóloga chamada Carmen da Silva. Gaúcha da cidade de Rio Grande, vivera em Buenos Aires e

Montevidéu, separara-se do marido — assumia-se como desquitada, condição malvista na sociedade brasileira — e morava agora no Rio de Janeiro. Oferecia-se para escrever na *Claudia*, com o objetivo de incentivar a mulher a ser "protagonista de sua própria vida" e não mais um "barco à deriva". Não é todos os dias que um jornalista recebe uma carta como essa. Thomaz percebeu que atrás do envelope selado escondia-se muito mais do que uma simples leitora e propôs uma reunião com ela, oferecendo a passagem aérea para que viajasse a São Paulo. Terminado o encontro, junto com Luís, ficou acertado que Carmen escreveria todos os meses a coluna "A arte de ser mulher", que durante 22 anos — até sua morte, em 1985 — abordaria com transparência todos aqueles temas considerados tabus: do sexo à aceitação do próprio corpo, do machismo ao envelhecimento.

Os textos de Carmen da Silva em defesa do feminismo, apesar das previsíveis reações desfavoráveis que despertavam no meio religioso e entre os mais conservadores, foram fundamentais para a construção da imagem de uma revista moderna, corajosa e identificada com os anseios das brasileiras no século XX. Ela costumava escrever que independência não significava autossuficiência e que a mulher, sem renunciar à realização profissional, não poderia abrir mão de seu papel de mãe e esposa.

Descobrir Carmen e apostar nela foi apenas o início do duradouro e decisivo papel que Thomaz exerceu na *Claudia*. Na pequena redação, ele trabalhava ao lado do cartunista Reginaldo Fortuna, que tinha o cargo de "redator principal", de Micheline Gaggio Frank e da secretária Ulla Buckup, irmã do ator John Herbert. Thomaz e Fortuna escreviam ou reescreviam a revista inteira. Em 1965, Thomaz se tornou diretor de redação. Na mesma ocasião, foi montado um estúdio para fotografar os produtos testados, de pequenos utensílios a eletrodomésticos, e pratos cujas receitas eram preparadas na Cozinha Experimental de Claudia. A criação da Cozinha foi uma das primeiras realizações de Olga Krell — a colega e namorada de Roberto na Graded School — na Editora Abril. Victor a contratou depois de seu retorno ao Brasil, já formada em arquitetura. Olga chamou para trabalhar com ela a cozinheira e editora Edith Eisler, que durante uma época, por falta de sala, deixava a máquina de escrever ao lado do fogão e datilografava suas receitas perto das panelas fumegantes. Nenhuma delas saía na revista antes de ser provada em almoços na própria Cozinha Experimental. Victor e Roberto costumavam levar convidados para essas refeições.

Mas havia um problema com os pratos. Na sua feitura, por exigência de Sylvana e Victor, não podiam entrar alho e cebola, ingredientes que ambos abominavam. Nem, mais tarde, no restaurante que seria criado no terraço da sede da marginal Tietê, onde foi instalada a gráfica. Esse restaurante, conhecido como Roof, teto ou telhado em inglês, ganharia fama entre os convidados — publicitários, jornalistas, empresários, políticos — por oferecer uma comida de hospital. Seu nome foi calcado no Roof Abril, que César Civita construíra em 1967 no 14º e último andar do prédio em que funcionava sua empresa em Buenos Aires, com uma ampla vista para o rio da Prata. Por sua vez, César se inspirara em Adolfo Bloch, a quem conhecera em sua primeira viagem ao Brasil. O fundador da Bloch Editores e da revista *Manchete* lhe contou que ter um restaurante próprio era um excelente meio de fazer negócios. "Adolfo era um gênio das relações públicas", escreveria César.

> Ao lado de sua gráfica, construíra um grande galpão e ali oferecia uma refeição gratuita, a qualquer hora do dia ou da noite, a amigos e conhecidos, especialmente se estavam ligados de alguma maneira ao governo — na época, o Rio de Janeiro ainda era a capital. Assim ele granjeou inúmeros amigos entre os políticos, que lhe arrumavam empréstimos em condições irrisórias e montanhas de anúncios publicitários para os seus periódicos.

Ao contrário dos restaurantes da Abril argentina e da Bloch, o da Abril jamais se destacaria pela qualidade da cozinha. Sua fama, em menor grau, permaneceria viva no Terraço Abril, aberto no 23º andar do prédio na marginal Pinheiros para o qual a editora se mudaria em 1997. Àquela altura, completavam-se sete anos da morte de Victor e Sylvana. A falta de temperos saborosos, porém, sobreviveria ao casal. Roberto almoçava lá praticamente todos os dias, em uma sala exclusiva, atendido por dois garçons, que lhe entregavam um cardápio com a quantidade de calorias dos pratos disponíveis. O cardápio apresentado aos seus convidados não trazia essa informação. Eram servidos vinhos italianos e chilenos com preço médio, em 2012, de 25 dólares a garrafa. As mesmas restrições aos ingredientes, com a consequente falta de sabor, eram seguidas em casa. Motorista de Victor e cozinheiro da família nos fins de semana, quando as empregadas folgavam, Baltazar Munhoz Gonçalves contornava a proibição, sem que os patrões percebessem, deixando a cebola de molho na água durante uma hora para disfarçar o cheiro. "Para dar um certo gosto aos pratos, eu esfarelava nela uns cubinhos de caldo de frango", revelaria.

Exceto nos temperos da Cozinha Experimental, Thomaz tinha cada vez mais liberdade para cuidar da revista, que, mais de cinquenta anos depois, permaneceria na liderança entre as publicações femininas do Brasil. Sob sua orientação, foi publicada uma série de edições produzidas no exterior com a própria equipe. Entre elas, com bons resultados de venda e publicidade, *Claudia Roma*, *Claudia Paris* e *Claudia Nova York*. Cada uma trazia reportagens sobre moda, culinária, decoração e comportamento dessas metrópoles, além de entrevistas e perfis de algumas de suas personalidades. Eram enviadas equipes de pelo menos seis profissionais da redação, sem contar as manequins — o termo "modelo" não estava em voga. Embora as passagens fossem obtidas através de permuta com companhias aéreas, devidamente citadas nas matérias — prática então comum na imprensa e que a Abril só iria abolir na década de 1990 —, essas edições custavam caro.

Roberto costumava bancá-las como um investimento que considerou necessário. A essa altura, ele estava à frente da área comercial e tinha uma crescente participação editorial. As edições internacionais eram previamente discutidas por ele com Luís e Thomaz. Quando aprovou um especial sobre Israel, chamou Thomaz à sua sala. Foi uma das primeiras conversas formais que tiveram. "Quero lhe dar uma notícia ruim e uma notícia boa", disse Roberto. "A ruim é que você não poderá ir para Israel. A boa é que vou mandá-lo para uma visita em Nova York." Thomaz nunca esqueceria que esfregou as mãos de satisfação ao ouvir que John Mack Carter o aguardava para um programa de duas semanas.

Mack Carter era o editor da *Ladies' Home Journal* — a inspiradora da *Claudia* argentina e da brasileira —, uma das chamadas sete irmãs do jornalismo feminino dos Estados Unidos, ao lado de *Better Homes and Gardens*, *Family Circle*, *Good Housekeeping*, *McCall's*, *Redbook* e *Woman's Day*. No Colégio Mackenzie, onde estudara desde o segundo ano primário, Thomaz aprendera inglês e francês. Adquiriu também um razoável conhecimento de latim. Com facilidade para línguas, não teve maiores dificuldades para se entender com o jornalista americano, que lhe cedeu durante o estágio uma sala ao lado da sua. Nas conversas que se seguiram, Mack Carter aprofundou tudo o que Thomaz ouvira de Luís sobre a importância de se conhecer a leitora. "Sem isso, você não poderá fazer uma boa revista", ele lhe disse logo que chegou. E mostrou como deveria fugir de uma armadilha, com um ensinamento que Thomaz e Roberto iriam incorporar à cultura da Abril: "Nossa redação fica em Nova York, mas nossa leitora está no Meio-Oeste, no Sul... Se bobear, você faz uma revista para nova-iorquinas e perderá seu público em todas as outras regiões do país". Victor pensava exatamente a mesma coisa e criou um mantra sobre isso: toda matéria publicada na *Claudia* e em outras revistas femininas deveria levar em conta como "dona Mariazinha, de Botucatu" iria reagir a ela. Referia-se a uma leitora-símbolo, que moraria, em sua imaginação, nessa cidade do interior de São Paulo.

Além dos conceitos sobre a leitora, Thomaz assimilaria na *Ladies' Home* algumas técnicas sobre a carpintaria das revistas. Eram práticas e simples, mas ninguém as usava no Brasil. Uma delas consistia em mandar imprimir cartolinas, no formato das páginas da publicação, com as colunas já desenhadas para nelas colocar o texto e as ilustrações das matérias. Até então, o diagramador fazia isso na prancheta, em cima da cartolina em branco, traçando as linhas com uma régua-tê. Perdia-se muito tempo nesse processo. Era tudo manual. Os títulos precisavam ser montados letra por letra, cada uma cortada com tesoura, colada e ajustada à mão com outra régua. Na hora de marcar as fotos, o editor de arte ia até um cantinho escuro da redação, com um pano preto na frente, chamado prisma. Projetava os slides na cartolina e desenhava em cima da imagem para indicar à gráfica seu corte correto. Com o diagrama pré-impresso, ficou um pouco mais fácil. "Tudo óbvio, mas a gente não sabia que isso existia", ele diria.

Quando *Claudia* foi para as bancas de todo o país — incluindo as de Botucatu —, Roberto tinha 25 anos, a mesma idade de Luís e Thomaz quando estes entraram na Abril. Ele já estava em definitivo no Brasil havia três anos, mas não perdera — e jamais perderia inteiramente — o sotaque americano. Para se aprimorar na língua portuguesa, decidiu formar o que chamava de "coleção de palavras". Iria cultivá-la até o fim da vida. Anotava as palavras novas em pequenas folhas de papel, que guardava em envelopes. Às vezes, colocava o significado e a etimologia; às vezes, apenas o vocábulo. Em algumas, caso de "paroquial" ou "histriônico", acrescentava uma recomendação para si mesmo ("Use!"). Transcrevia também frases curtas e expressões que o encantavam (como "guizo no gato" ou "vaca de poucos úberes"). O método o ajudou a melhorar seus conhecimentos do português. Desde então, passou a exigir em todas as revistas ou nas correspondências internas da empresa um absoluto respeito às regras do idioma e à precisão semântica. Nem sempre isso aconteceu, o que seria para ele um permanente motivo de incômodo.

26 de março de 1962

Pouco antes de Roberto Civita voltar dos Estados Unidos, no segundo semestre de 1958, Sylvana deu a notícia para uma vizinha. A família Civita morava no décimo andar do edifício Nobel, na avenida Higienópolis. A da vizinha, no nono. Apesar de serem de gerações diferentes, as duas começavam a se dar bem. Sylvana tinha 47 anos. Sua nova amiga, Leila Francini, 25. Boas cozinheiras, trocavam receitas e truques domésticos. Sylvana lhe ensinou, por exemplo, que óleo de oliva misturado com cânfora pode ser usado como hidratante para a pele. Leila lhe mostrou como cultivar orquídeas, sua paixão desde a adolescência.

É possível que Sylvana tenha deixado escapar intencionalmente o comentário sobre a proximidade do retorno do filho. Ela achava que aquela moça loira, de tipo mignon, apesar do gênio forte, era simpática, prendada e de boa formação. Sabia montar uma mesa e decorar a casa com arranjos de flores. Com sangue italiano ainda por cima. E uma confortável situação financeira, como a que a própria Sylvana desfrutava quando Victor se casara com ela, 23 anos antes, e a sogra ao desposar Carlo, no comecinho do século. O pai de Leila, Severino Francini, havia enriquecido com sua metalúrgica no bairro do Brás, a Util S.A., e com uma firma de importação e venda de fornos industriais alemães. Dirigia as empresas em um escritório no prédio que havia construído em outra região da cidade, a Barra Funda, e ao qual dera o nome de sua mulher, Anna Maria, nascida em Milão. Italiano de Arezzo, na Toscana, ele se formara em economia e contabilidade. Politizado, procurava ler todos os jornais do dia. "*Tutti gli gazzetti*!", enfatizava Leila, que sempre misturaria português, italiano e às vezes inglês em suas frases exclamativas. Mesmo não sendo judeu, Severino deixara a Itália assustado com a ascensão do fascismo e radicou-se em São Paulo, onde nasceriam Leila e, nove anos depois, o caçula Osvaldo. Ela foi estudar no Colégio Santa Marcelina, onde não se adaptou à disciplina imposta pelas freiras. "Levantavam minha saia antes da aula para ver se a liga que segurava a meia estava na altura certa", contaria. "Eu era uma menina de espírito livre e odiava aquelas chatices." O pai, que procurava atender a suas vontades, tinha boas relações na colônia e transferiu-a sem dificuldade para o Colégio Dante Alighieri.

Ficou na escola por pouco tempo. Com o fim da Segunda Guerra, Severino resolveu voltar ao país natal e comprou uma *villa* nos arredores de Florença. Leila lembraria com saudade do jardim que cuidava em companhia da mãe. Na Itália, conheceu um jovem de bela estampa, cabelos negros e olhos azuis, descendente de nobres e com refinada educação. Chamava-se Franco Bruno di Noepoli. Eles casaram e, como em um desenho animado de Walt Disney, foram morar em um castelo. O conto de fadas, porém, não terminaria com final feliz. Franco acordava muito cedo para ir caçar com os amigos em sua propriedade na Toscana. Passava o dia fora. À noite, batia na porta do quarto de Leila e entrava para lhe dar um beijo no rosto. Em seguida, recolhia-se para dormir nos aposentos da mãe, com quem moravam.

Franco e Leila ficariam dois anos sob o mesmo teto, mas em cômodos diferentes, até que uma tia paterna, durante uma visita, percebeu que ela se encontrava tomada por uma profunda tristeza e prostração. Avisou Severino, que foi imediatamente atrás da filha. Apesar da resistência de Franco e de sua mãe, tirou-a de lá e tomou a decisão de se mudar novamente para São Paulo com ela, a mulher e o filho. Leila viajou com o passaporte de solteira, sem usar o que tinha com o nome de casada. Foi o que lhe permitiu passar pela imigração. Segundo as leis vigentes, precisaria de autorização do marido para deixar o país. Decorrido um certo tempo, Severino iria requerer junto ao Vaticano a nulidade do casamento. Seria uma ação complicada. Segundo o advogado George Antunes de Abreu Magalhães, especialista em direito canônico, a Igreja católica não prevê a hipótese da anulação de um matrimônio. "Isso significaria tornar inválido um casamento que preencheu os requisitos que o elevaram à condição de sacramento, o que seria um conceito análogo ao divórcio, não aceito pelo catolicismo", explicou o advogado, sem se referir a esse caso específico. Já a declaração de nulidade pode ser obtida, através de um demorado e minucioso processo, desde que a autoridade eclesiástica competente conclua que o vínculo matrimonial entre as partes nunca existiu. Entre os motivos levados em conta, incluem-se a dependência exacerbada dos pais ou de um dos pais e a não consumação do casamento. Foram exatamente esses os argumentos apresentados por Severino e aceitos anos depois, na conclusão do processo. "Espero que agora você possa reconstruir sua vida", ele disse para a filha quando enfim foi obtida a nulidade.

O fato de Leila ter vindo de um primeiro casamento, traumático ainda por cima, não impediu que Sylvana a visse como candidata a nora. Com a nulidade, afinal, ela seria novamente, do ponto de vista legal, uma mulher solteira. A possível futura sogra tampouco se incomodou ao saber que ela era três anos e meio mais velha do que seu primogênito. Aos seus olhos, pareciam ter a mesma idade. Procurou, no entanto, disfarçar qualquer interesse. "Quando encontrar meu filho, tome cuidado", advertiu. "Não quero desmanchar minha amizade com você e por isso vou lhe dizer: ele é muito *donnaiolo*" — em italiano, é a palavra usada para mulherengo. "Ele não presta", Sylvana comentou rindo certo dia.

Leila soube da chegada de Roberto por conversas da criadagem. Encontrou-o pela primeira vez na garagem do condomínio, onde Victor os apresentou. Sua impressão foi de que se tratava de um homem bem-apessoado, bonitão e sorridente. Sim, Sylvana talvez tivesse razão: levava jeito de *donnaiolo*, de fato, tanto que notou um imediato interesse na forma como a olhava. Ele logo puxou conversa, falando em inglês. Não demorou para convidá-la para jantar. Victor aprovou o início do relacionamento, pois não gostava que o filho se envolvesse com moças americanas. Não apenas ele. O *nonno* Carlo, que estava vivendo em Buenos Aires, perto de César, também acreditava que o neto Roberto deveria se afastar delas.

"Entendo que elas possam se apaixonar por um rapaz inteligente e simpático como você, mesmo que não seja um Adônis, fisicamente falando", escreveu-lhe em italiano numa carta datada de 26 de julho de 1954. Roberto guardou a correspondência a vida inteira em seu baú. Em seguida, Carlo afirmou que as americanas pensavam de forma diferente das europeias e, em especial, das italianas. Até louvou seu espírito independente, mas lembrou que isso não ia ao encontro "de quem viveu em um ambiente mais afetivo como o nosso, em que fomos educados, tanto seus avós e seus pais como você". Para que não restassem dúvidas, citou um antigo provérbio: "*Moglie e buoi, dei paesi tuoi*", algo como uma recomendação de que mulher e gado devem ser escolhidos em sua aldeia.

Em outras palavras, Carlo o aconselhava a namorar italianas — e casar com uma delas. Assim foi. Sylvana continuava insistindo, meio a sério, meio de brincadeira, para que a vizinha abrisse o olho. "Agora é tarde", Leila respondeu. "Estou apaixonada e não vou conseguir largá-lo." Aos 22 anos, Roberto já se tornara um conquistador experiente. No decorrer da vida, aprimoraria esse dom. "Não era com a aparência que conseguia o que queria, apesar de ela ter melhorado com o passar dos anos", diria Fernando Casablancas. "Era com seu charme. Seduzir, para ele, nunca deixou de ser só um problema a mais para resolver. E ele resolvia." Desde a época da Graded, Robert Blocker admirava-se igualmente com as façanhas do amigo. "Numa festa ou reunião social, quando estava interessado em uma mulher, fazia como Aristóteles Onassis", revelaria, mencionando o bilionário armador grego, baixinho, gorducho e considerado feio, que viveu com a soprano Maria Callas, casou-se com Jacqueline Kennedy e teve todas as mulheres que desejou. "Roberto concentrava nela toda a sua atenção, sem desviar os olhos, como se ninguém mais estivesse presente ao redor." O estilista italiano Ugo Castellana, que durante décadas esteve próximo da família Civita, achava que, qual um hipnotizador, ele dominava a arte de encantar seu alvo com uma voz cadenciada e envolvente. "Era uma voz de veludo", descreveria. "Se eu fosse mulher, também teria me apaixonado por ele."

Roberto e Leila se casaram no Uruguai. Como o processo no Vaticano permanecia em curso e não existia divórcio no Brasil, ela estava impedida de formalizar a união no país. Eles viajaram para Montevidéu acompanhados dos respectivos irmãos. No dia da chegada, instalaram-se no hotel em quartos separados: Roberto com Richard, Leila com Osvaldo. "Dormir juntos antes de casar, naquele tempo, nunca", ela afirmaria. "Mesmo para quem já tinha sido casada." No dia seguinte, 26 de março de 1962, alugaram um carro e foram para San José de Mayo, a cerca de oitenta quilômetros de distância, para assinar os papéis. Leila usava um tailleur verde que Castellana fizera para ela por sugestão de Sylvana. Voltaram a Montevidéu e, com várias conexões, foram para Roma, onde passaram a lua de mel.

Em São Paulo, iriam morar em um apartamento de três dormitórios na avenida Angélica, próximo da residência dos Civita. Ganharam o apartamento como presente de Severino. Leila achou o imóvel "um tanto moderno" e não demorou a demonstrar o desejo de se mudar. Seu pai então lhes comprou um casarão de três andares, construído em um terreno de mil metros quadrados, com piscina, na rua Joaquim Nabuco, 868, Brooklin Paulista. O imóvel foi encontrado e sugerido por Richard. Como na *villa* florentina de sua juventude, ela tinha agora um amplo jardim para cuidar. No quintal, mandou erguer uma estufa, onde chegou a cultivar cerca de mil orquídeas. Estavam nessa espaçosa residência quando nasceram seus três filhos: Giancarlo Francesco, o Gianca, em 1963; Victor, o Titti, em 1965; e Roberta Anamaria, Pooh para o pai, Bonnie para os outros familiares, em 1966. "Foi onde passamos muitos anos felizes e alguns anos infelizes", recordaria Leila. "Ele ainda me faz falta. Eu o amava muito, loucamente."

Bem antes que o casamento de quinze anos terminasse, os interesses de Roberto transcenderam as orquídeas, a casa, a esposa e os filhos. Incluíam as mulheres, naturalmente, mas elas também podiam ficar em segundo plano. Ele parecia estar vivendo dentro das páginas de suas revistas, nas quais, conforme repetia tantas vezes, divertia-se como se brincasse de Deus. Com Gianca no colo da mãe e Titti a caminho, iria mergulhar de cabeça em um projeto que lhe daria condições de fazer as publicações com que sonhava — pagando o preço do seu distanciamento de todos eles.

PARTE III
A ÁRVORE FRUTIFICADA

18 de maio de 1965

A reunião começou pontualmente às nove horas. Sentados em torno da mesa, quinze homens se apertavam em suas cadeiras naquela quarta-feira de inverno, 8 de julho de 1964. Em sua maioria, cada um viera de um lugar do mundo. Por vontade própria ou pelo destino, acabaram se radicando em São Paulo e agora trabalhavam juntos no prédio da rua João Adolfo onde funcionava a Editora Abril. Entre os presentes, oito ocupavam cargos de direção. Destes, só um era brasileiro nato, e mesmo assim fora criado na Itália. Outro havia nascido em Nova York. Um em Londres, outro em Viena, um no interior da Argentina, outro em Gênova. E dois em Milão. A empresa, que naquele momento publicava *Manequim*, *Quatro Rodas*, *Claudia*, *Intervalo* (semanário sobre TV), fotonovelas e quadrinhos, começava a mudar de rumo. Ganhava uma alma cosmopolita, em função da origem e da cabeça de seus principais executivos, numa época em que o país não estava aberto para o mundo e a capital paulista, molhada quase todos os dias pela garoa, perdia seu ar provinciano e explodia como a maior metrópole do Brasil. A diversidade de seus principais profissionais empurrava a outrora pequena editora de *O Pato Donald* na direção da ousadia e na busca de caminhos novos.

Victor Civita, o senhor de Nova York, presidia o encontro, que começou no horário marcado porque ele detestava atrasos. Acabara de voltar de uma viagem de um mês pela Itália, onde fora se reciclar e ver de perto o que acontecia de importante na área editorial. Fez várias visitas. Uma delas o deixou particularmente impressionado. Na Fratelli Fabbri Editori, em Milão, descobriu que haviam inventado um jeito diferente de vender cultura em um país que iniciava sua recuperação econômica dos estragos da Segunda Guerra. Ou seja, em um mercado no qual as pessoas tinham pouco dinheiro para gastar. A editora havia sido criada em 1947 — no mesmo ano que a Abril — pelos irmãos Giovanni, Dino e Ettore Fabbri. Ela decolara com o lançamento de enciclopédias, uma Bíblia, uma obra sobre a história da arte e uma série de discos de música clássica — tudo em *fascicoli*. Só na Itália, os tais *fascicoli* haviam alcançado uma extraordinária venda de 600 milhões de exemplares. A iniciativa dera tão certo que já fora reproduzida em catorze idiomas.

Fascicoli? A plateia para a qual VC apresentava a novidade, exibindo os exemplares que trouxera na mala, não entendeu de imediato o que ele falava. Na verdade, ninguém conhecia sequer a palavra, que seria traduzida como fascículos. Como a perplexidade continuava, ele explicou melhor. Cada fascículo tinha umas vinte páginas e era vendido semanalmente nas bancas a preço baixo. O leitor comprava, levava para casa e guardava. Depois de mais ou menos vinte edições em ordem numérica, sem poder pular nenhuma, ele adquiria uma capa dura e mandava encaderná-las, formando assim o primeiro volume. A obra completa reuniria oito volumes. Isso significava que uma coleção levaria cerca de três anos para ficar pronta. Era complicado. E trabalhoso. Mas se alcançara tanto êxito na Itália e em vários países, por que não poderia emplacar no Brasil?

Ninguém na sala concordou. Os brasileiros nunca haviam ouvido falar de fascículos. Quem teria paciência e disciplina para comprá-los, semana após semana? Onde mandariam encadernar? Por acaso existiam encadernadores no Brasil em quantidade suficiente para a possível demanda? Quantos compradores não desistiriam depois dos primeiros números? E se esses primeiros números vendessem pouco, obrigando mesmo assim a editora a não interromper a coleção por uns bons 36 meses, para honrar seu compromisso junto aos minoritários leitores fiéis, com uma enorme perda financeira? Qual seria o custo de uma grande campanha publicitária para divulgar um produto com o qual o público-alvo não tinha a menor familiaridade? Mais ainda: as encadernações formariam livros, e livros não veiculavam anúncios; portanto, ao contrário das revistas, a receita dependeria unicamente da venda avulsa. Como se não bastasse, para garantir o fluxo semanal, a gráfica teria que imprimir pelo menos quinze números antes do lançamento do primeiro. Como antecipar a tiragem, se seria um exercício de adivinhação calcular a venda e o encalhe? Enfim, era risco que não acabava mais.

Nada disso abalou a confiança de Victor, que estava com 57 anos. "É uma coisa que devemos fazer, e será um sucesso", ele afirmou. "O que vocês acham?" Todos foram contra: os milaneses Roberto e Artur Civita, irmão mais jovem de Victor, o londrino Richard Civita, o argentino Domingo Alzugaray, o genovês Luís Carta, o vienense Pedro Paulo Poppovic, o mineiro criado na Itália Gordiano Rossi e os demais sete participantes da reunião. "Então tomarei uma decisão democrática", comunicou VC com o costumeiro sorriso. "Como tenho 51% dos votos, está resolvido: vamos fazer." Determinou em seguida que seria preciso escolher o primeiro fascículo: uma enciclopédia para estudantes, que na Itália se chamava *Conoscere*, ou uma Bíblia ricamente ilustrada. "Eu prefiro a enciclopédia, que vamos chamar de *Conhecer*, mas vocês resolvem." Saiu da sala e deixou que os catorze diretores e funcionários avessos à sua proposta deliberassem a respeito. "Já que tínhamos perdido, resolvemos bancar os rebeldes e ficamos com a Bíblia", contaria Roberto, 27 anos na época. "Muito bem", aprovou VC ao retornar à cabeceira da mesa. "Começamos com a Bíblia e depois lançamos a enciclopédia. Mãos à obra."

Roberto foi designado pelo pai para dirigir a operação. Assumiria o cargo de diretor de publicações da editora. Com ele, trabalharia Pedro Paulo Poppovic. No Brasil desde os três anos de idade, quando a mãe, ao se separar, o trouxera de Viena para São Paulo, onde morava o avô, Poppovic era um homem corpulento, com sobrancelhas espessas e voz rouca. Sociólogo, formara-se na Faculdade de Filosofia, Ciências e Letras da Universidade de São Paulo (USP), da qual se tornou professor. Insatisfeito com o salário, conseguiu um emprego na Abril, inicialmente na área de distribuição e logo depois no editorial. Permaneceria lá, com um breve intervalo, durante dezesseis anos. A primeira providência que Roberto e ele tomaram foi examinar as edições da Bíblia existentes em português. Eram traduções do século XIX, com textos arcaicos, de difícil compreensão para o leitor moderno.

Para Victor, isso não tinha tanta importância. "Não é para ler", ele disse. "Será uma obra para dar status, para as pessoas exibirem na estante e para sentirem orgulho. Vamos fazer um livro maravilhoso." Desse modo, escolheu como título *A Bíblia mais bela do mundo*. Seria ilustrada com reproduções de quadros de Michelangelo, Leonardo da Vinci, Rafael, El Greco e inúmeros outros pintores, em um total de mais de 3 mil imagens, mil delas coloridas. As capas em imitação de pergaminho teriam na lombada fios dourados. Um luxo. Fora assim na Itália, seria assim no Brasil.

"Não concordei com sua opinião de não dar importância ao texto", diria Roberto. "Eu queria uma obra que pudesse ser lida por qualquer leitor." Pai e filho tinham prioridades diferentes. Victor era um empresário que o jornalista Elio Gaspari, diretor adjunto da *Veja* entre 1979 e 1988, chamaria de schumpeteriano. Isto é, adepto das teorias de Joseph Schumpeter (1883-1950), economista austro-americano que lecionou na Universidade Harvard. Para Schumpeter, o empresário empreendedor, motor de toda atividade econômica, não busca a remuneração usual do capital investido, mas o lucro acima da média do mercado, o que possibilita novos investimentos. O economista, que como Victor tinha uma personalidade sedutora e admirava as mulheres, escreveu: "Sem inovação, não há empreendedores; sem investimentos empreendedores, não há retorno de capital e o capitalismo não se propulsiona". Roberto, antes de ser um empresário, era um editor, tinha alma jornalística e acreditava que o lucro vinha como consequência de um trabalho bem-feito.

Na universidade, ele fizera um curso sobre o Antigo e o Novo Testamento do ponto de vista literário e tinha ficado "fascinado" — palavra que adorou usar a vida inteira — com a versão que se tornou conhecida como a Bíblia do King James, ou Rei Jaime, realizada por cinquenta estudiosos e publicada em 1611. Segundo um professor lhe diria, foi a única vez na história em que um comitê criou uma obra-prima. Até que ela fosse impressa e virasse um clássico do idioma, as edições existentes na Inglaterra eram traduzidas para o latim. Essa célebre Bíblia seria o livro mais publicado da língua inglesa. Eles, os britânicos, podiam ter resolvido seu problema havia mais de trezentos anos, mas no Brasil a questão permanecia em aberto. O que fazer? Não tinham muito tempo pela frente, pois o lançamento estava previsto para meados do ano seguinte. A solução foi proposta pelo jornalista Marcos Margulies, que Poppovic acabara de empregar para ajudá-lo a editar os fascículos. Judeu polonês e sobrevivente do Gueto de Varsóvia, ele era um poliglota erudito. "Embora arrogante, pretensioso e difícil de lidar, conhecia línguas e a história das religiões", lembraria Poppovic. Através dele, souberam que um dominicano ligado à Pontifícia Universidade Católica (PUC) de São Paulo, o frei Luiz Bertrando Gorgulho, estava apto para encarregar-se da tarefa. Não sozinho, evidentemente. O próprio frade indicou um grupo de religiosos brasileiros que naquele momento realizava estudos bíblicos em Jerusalém.

Foram todos contratados para traduzir a Bíblia, desde o Gênesis até os Evangelhos, diretamente do sânscrito, do aramaico, do hebraico e do grego para o português do Brasil. Formavam um clero preparado e numeroso, que junto mal caberia no altar de uma igreja: no final do trabalho, estavam envolvidos na tradução, na revisão literária e na revisão crítica trinta padres, frades, cônegos e monsenhores, licenciados ou laureados em ciências bíblicas. Em boa parte eram especialistas em exegese, professores e doutores em teologia. Os textos das traduções passavam pelo crivo do frei Gorgulho e pela caneta implacável de Margulies, antes da edição final sob a responsabilidade de uma equipe formada por um diretor de redação, um chefe de arte, um assistente de arte, três redatores e dois pesquisadores. "Roberto foi fundamental nesse processo, pois deu a orientação básica e criou esse desenho das redações, cuja estrutura seria mantida nos lançamentos seguintes dos fascículos", reconheceria Poppovic.

Quando se aproximava a data do lançamento, só uma parte das traduções estava pronta. "Vivíamos perigosamente", admitiria Roberto. Naqueles dias, ele se reuniu com o publicitário Roberto Duailibi, da agência Standard Propaganda, para preparar a campanha que anunciaria a chegada da Bíblia. "Criamos a quatro mãos." Os comerciais foram veiculados na televisão, no rádio, em jornais e revistas da Abril. Roberto Civita calculou que, em valores corrigidos, teriam exigido um investimento de 1 milhão de dólares. Poppovic, com voz ativa nas reuniões de orçamento, endossou a estimativa. Um dos anúncios trazia este título, abaixo da reprodução da capa de estreia: "Neste 1º fascículo começam as 2880 páginas e 3000 ilustrações de *A Bíblia mais bela do mundo*. Já nas bancas!".

Os profissionais da Abril envolvidos no projeto sabiam, conforme haviam aprendido com a editora dos irmãos Fabbri, que se jogava o cacife na mesa já no número 1. Tratava-se de uma aposta na base do tudo ou nada. Os fascículos tinham uma curva de vendas, que se repetia com pequenas variações. "Ela desce devagar, durante dez semanas, e se estabiliza, mas a questão é a quantidade de exemplares vendidos no lançamento", explicaria Roberto. "É ficha na roleta. Precisa ter colhão." Poppovic exemplificaria:

> Se de cara vende cem, cai para noventa, oitenta, setenta e vai até cinquenta. Nesse caso, ganha-se muito dinheiro. O que não podia era começar com cinquenta, porque logo se desceria para 25 ou até menos. Seriam umas 150 semanas de prejuízo colossal, pois o plano da obra teria que ser cumprido sem interrupção.

Como se estava diante de algo novo, sem qualquer referência anterior no mercado nacional, não havia parâmetros para decidir qual seria a tiragem. Na falta de informações prévias ou comparações, Poppovic fez uma conta meio aleatória. Existiam 18 mil bancas no país. O encalhe normal das revistas era de pelo menos 10%. Como 18 mil equivalem a 10% de 180 mil, por que não sair com esses 180 mil exemplares? Seria fascículo que não acabava mais. Um risco e tanto. Apesar de sua habitual ousadia, Victor balançou. "Você ficou louco?", espantou-se. "Cento e oitenta? Nunca!" Houve uma longa discussão e no fim Poppovic provocou: "O senhor não queria fazer? Nós não queríamos. Agora aguenta". Ele respirou fundo e aguentou.

A Bíblia mais bela do mundo foi para as bancas numa terça-feira, 18 de maio de 1965. Na quinta, estava praticamente esgotada. Richard Civita, que dirigia a gráfica, desfechou às pressas uma operação para reimprimir o que fosse possível. Alguns executivos, entre eles Poppovic, ajudaram a distribuir os fascículos no final de semana em seus próprios carros. Para surpresa geral, o número 1 vendeu em torno de 200 mil exemplares. A curva baixou além do previsto, mas ainda assim 50 mil leitores completariam a edição. Não restava dúvida: a aposta estava ganha e uma imensa pilha de fichas foi arrastada para o cofre da Abril.

Em outra frente, a editora foi atrás de encadernadores. Ela não conseguiu apurar quantos estavam em atividade no Brasil. Mas eram em número insuficiente para a necessidade que surgia. A empresa então resolveu patrocinar cursos intensivos de formação de profissionais, divulgados através de anúncios publicados em jornais. Foram habilitados por volta de 5 mil encadernadores, para os quais não faltaria trabalho. Surgiu assim um mercado para essa atividade. O comprador das capas duras deixava na banca seu pacote com vinte e poucos fascículos e apanhava o volume pronto no prazo de uma ou duas semanas. Cada jornaleiro dispunha de uma relação de encadernadores, mandava as encomendas para eles, recebia o pagamento dos leitores mediante a entrega e ganhava uma comissão.

Enquanto os volumes iniciais da Bíblia ficavam prontos, uma segunda redação era montada para produzir *Conhecer*. A partir daí, os fascículos passaram a ser publicados pela Abril Cultural, editora especialmente criada para esse fim. Com esse selo, sairiam os fascículos seguintes e posteriormente os livros, enquanto a Editora Abril continuaria com o negócio das revistas. As duas empresas tinham os mesmos acionistas. Embora a obra original italiana viesse pronta, foi preciso não só traduzi-la como reescrever grande parte dos textos e redigir os verbetes de assuntos brasileiros. *Conhecer* mirava como público-alvo os estudantes do antigo curso secundário. Despertou também o interesse de seus professores, que o utilizavam nas aulas como material pedagógico, na época relativamente escasso. Eles encontravam ali textos bem cuidados que abrangiam ciências biológicas, ciências exatas, história, geografia, religião, arte, biografias e outros campos do conhecimento. Para a tarefa, foram recrutados professores titulares da USP, ainda chamados de catedráticos. Eles elaboravam a pauta inicial, indicavam a bibliografia e aprovavam ou corrigiam a forma final dos verbetes, redigidos por pesquisadores e ajustados no tamanho estabelecido por redatores, que depuravam o estilo. A venda do primeiro fascículo, lançado em setembro de 1966, superou a da Bíblia, alcançando a marca de 332 mil exemplares.

A Abril saberia explorar até a última pepita a fabulosa mina de ouro que encontrara. No ano seguinte, viria a coleção *Gênios da pintura*, com reproduções bem impressas de quadros famosos de 96 grandes artistas. Vendeu muito bem (144 mil exemplares), considerando-se que livros de arte não tinham forte apelo comercial. O consultor da série foi o diretor do Museu de Arte de São Paulo (Masp), Pietro Maria Bardi, um dos inúmeros colaboradores estelares que dariam brilho, prestígio e alta qualidade aos fascículos. Saiu a seguir a enciclopédia *Medicina e saúde*, com mais um estouro nas bancas (450 mil exemplares). Esse recorde logo seria batido com o fenômeno mais espetacular em toda a história da Abril: o fascículo inicial da coleção *Bom apetite*, lançado no dia 6 de junho de 1968. Jamais seria atingida, pela editora ou qualquer concorrente, uma vendagem sequer próxima do seu primeiro número. Esgotaram-se nas bancas — e somente nas bancas, deve-se repetir, pois não havia assinaturas — 1 milhão de exemplares.

A "enciclopédia semanal de forno e fogão", como era apresentada, trazia receitas adaptadas e provadas. Com o mesmo problema que acontecia na *Claudia*: cebola e alho continuavam vetados por Sylvana, que aparecia no expediente com a função de "consultora de cozinha internacional". Rainha-mãe da Abril, ela em geral seria obedecida em seus caprichos e orientações. Mas nem sempre. Várias receitas foram publicadas com os ingredientes proibidos. "Dona Sylvana, em bom português, enchia o saco", brincaria Poppovic. Nas suas lembranças, ela lhe ligava com frequência e dava a ordem em seu português de sotaque italiano: "Pedro Paulo, pelo amor de Deus! Você não vai me fazer um prato com alho!".

A partir do final daquele ano, por linhas tortas, o conteúdo dos fascículos daria um notável salto de qualidade. Após o Ato Institucional nº 5 (AI-5), decretado pelo governo militar em 13 de dezembro, houve um vasto expurgo na Universidade de São Paulo e em outras instituições oficiais de ensino superior no Brasil. Só na USP, 65 professores seriam aposentados compulsoriamente. Muitos deles foram contratados naquele momento para colaborar nas coleções, como o filósofo José Arthur Giannotti, o sociólogo e futuro presidente da República Fernando Henrique Cardoso e os historiadores Américo Lacombe, Boris Fausto e Sérgio Buarque de Holanda (que se demitiu em solidariedade aos colegas punidos). Inúmeros intelectuais foram chamados na mesma ocasião pela Abril, entre os quais o crítico literário Antonio Candido e o maestro Júlio Medaglia.

"Fui aposentado aos 37 anos e com um salário baixo, tendo três filhos pequenos e uma casa para sustentar", lembraria Fernando Henrique. Ele ficou grato à Abril pela oportunidade de trabalho que recebeu. Em agosto de 2006, quando Roberto fez setenta anos, FHC lhe mandou um cartão manuscrito:

> Meu caro Roberto, faz tanto tempo que nos conhecemos que perdi a conta. Desde quando ajudei a publicação de alguns fascículos, escrevendo verbetes, eu me perguntava: como é possível esse pessoal, que nem nasceu aqui, dar guarida a gente que está contra tudo isso? Era a época de chumbo da ditadura.

Perseguidos políticos encontrariam abrigo sob aquela árvore. Em 1972, quando começava a ser preparada a série de livros Os Pensadores, o historiador marxista Jacob Gorender foi encarregado de fazer traduções. Não lhe faltavam credenciais para tal trabalho. Autodidata, era um homem de vasta cultura, conhecia filosofia, escrevia bem e dominava o alemão, o francês e o inglês. Mas havia uma dificuldade prática. Gorender cumpria pena no Presídio Tiradentes, na região da Luz, depois de ter sido preso e torturado pelo aparelho da repressão. Antigo militante e membro do Comitê Central do Partido Comunista Brasileiro (PCB), ele fora expulso da organização e ajudara a fundar o dissidente Partido Comunista Brasileiro Revolucionário (PCBR). Mesmo condenado e sem que seu nome pudesse aparecer, Gorender recebia na cadeia as obras que iria traduzir. Eram entregues por sua mulher, Idealina da Silva Fernandes, dentro de uma sacola de supermercado. Nas visitas ao marido, ela apanhava os textos prontos e os levava na mesma sacola à redação da Abril Cultural, cujo endereço mudara para a rua do Curtume, na Lapa. Quando chegava com a encomenda, os funcionários a olhavam intrigados. Os pagamentos saíam em seu nome e, portanto, imaginava-se que ela fosse a tradutora. Por ser uma senhora de aparência modesta, que se vestia com simplicidade, provocava comentários nos corredores. Poppovic, um dos poucos que sabiam de quem se tratava e conhecia sua história — era filha de um dos fundadores do PCB —, chegou a ouvir: "Nossa, a dona Idealina mal sabe português. Parece uma empregada doméstica. Como consegue traduzir tão bem?".

Depois de sair da cadeia, Gorender foi contratado como pesquisador da editora e trabalhou em outros fascículos. Um de seus colegas era a portuguesa Maria Adelaide Amaral, que no intervalo dos verbetes esboçava seus primeiros textos teatrais. Ela se consagraria como autora de dezenas de peças, novelas e minisséries da Rede Globo. Um de seus trabalhos iniciais, levado aos palcos no final dos anos 1970, foi *A resistência*. Abordava o drama vivido por uma redação de revista atingida por demissões em massa. A trama se baseava em acontecimentos reais que ocorreram em determinados momentos na Abril Cultural e na Editora Abril — e se repetiriam ciclicamente na imprensa nacional. Os personagens mostravam em cena o desenho de um "passaralho", que teria sido inventado na redação dos fascículos e se popularizaria nos meios jornalísticos. Tratava-se da imagem de um órgão sexual masculino com asinhas. Quem fosse atingido por ele perderia o emprego. Seria dicionarizado no *Houaiss*, que lhe atribuiu uma origem fluminense jamais comprovada: "Regionalismo: Rio de Janeiro. Uso: informal, jocoso. Dispensa relativamente numerosa de empregados. Etimologia: *pássar*o + car*alho*".

A temida figura alada, porém, sequer alçara voo em direção à empresa, que vivia um período de euforia em que tudo parecia dar certo. Um dos pontos altos daquela sequência de ousadias foi justamente a coleção Os Pensadores. Reunia os livros fundamentais dos mais importantes nomes da história da filosofia, desde os pré-socráticos até autores do século XX, encadernados com capa dura. Foram publicados 52 volumes, mais quatro de biografias, em oito edições diferentes. Muitos daqueles filósofos não tinham nenhum texto editado no Brasil. Entre os que haviam saído, as traduções, em sua maioria, eram como as da Bíblia: praticamente ilegíveis. Com a supervisão do professor José Arthur Giannotti, foram encomendadas versões com linguagem atualizada, encomendadas a intelectuais como José Américo Motta Pessanha (a de Montesquieu ficou a cargo de Fernando Henrique Cardoso e Leôncio Martins Rodrigues). A série teve início com os pré-socráticos. Vendeu 150 mil exemplares, algo assombroso em qualquer lugar do mundo. Algumas traduções foram compradas em Portugal e adaptadas para a linguagem brasileira. Poppovic adquiriu os direitos de uma delas, do alemão Martin Heidegger, na Guimarães Editores, em Lisboa. Antes de assinarem o contrato, os portugueses lhe pediram a garantia de uma tiragem mínima. "Pois não, quanto os senhores querem?", ele provocou, com prazer. "Pelo menos 1200 exemplares", responderam. Essa era a tiragem média de livros de filosofia em Portugal. Levava anos para esgotar. "Vamos tirar 100 mil, estaria bem assim?", propôs Poppovic, sentindo que tripudiava, para a perplexidade dos portugueses. Antes das obras de filosofia, a Abril Cultural transformara autores clássicos em best-sellers. Na coleção Imortais da Literatura Universal — que seria reeditada com outros nomes, sempre em vistosas encadernações —, houve a venda recorde de 192 mil exemplares do romance *Os irmãos Karamazov*, de Dostoiévski.

Vender livros como esses naquela quantidade era uma façanha editorial comparável ao que havia acontecido, quatro anos antes, com a música clássica. Quando se pensou em trazer para cá fascículos com discos eruditos, mais uma vez originários da Itália, Roberto Civita — que gostava de concertos sinfônicos, ao contrário do pai, apreciador de ópera, como o avô — foi pesquisar o mercado e visitar gravadoras. Constatou que, no final da década de 1960, eram vendidos por ano no país 150 mil discos do gênero, incluindo valsas de Strauss, aberturas operísticas e arranjos de composições famosas, como os de Ray Conniff. Apesar da quantidade baixa, a Abril comprou a licença da coleção, que teria 48 números, e fez outra campanha de 1 milhão de dólares. Ela incluiu, na véspera do lançamento, um domingo, a apresentação de recitais gratuitos em seis capitais retransmitidos por emissoras de televisão. Foi executado o *Concerto para piano e orquestra nº 1*, de Tchaikóvski. Era essa a peça do primeiro fascículo de Grandes Compositores da Música Universal, acompanhado de um LP de dez polegadas. Sozinho, vendeu quase o dobro que todos os discos clássicos comercializados durante um ano no Brasil inteiro: 270 mil cópias.

Antes que a coleção chegasse às bancas, foi necessário resolver duas questões. Primeiro, convencer empresas como a Philips a aumentar a produção de toca-discos — ou vitrolas, como se dizia —, já que a quantidade de aparelhos existentes na época parecia insuficiente. Segundo, contornar a proibição de se vender disco em banca de jornal. É que disco paga imposto, ao contrário de livros e revistas. Victor procurou o ministro da Fazenda, Antonio Delfim Netto, com quem mantinha boas relações. A solução encontrada foi o pagamento prévio da tributação, na fábrica, deixando o produto isento na banca. Delfim, a propósito, colecionaria não só Grandes Compositores como todos os 48 discos da História da Música Popular Brasileira, que recuperou gravações raras de nomes como Noel Rosa, Pixinguinha e Chiquinha Gonzaga, sem contar os sucessos de Chico Buarque e Milton Nascimento. Quarenta e seis anos após seu surgimento, esses discos continuavam sendo encontrados em lojas especializadas, feiras de LPs e sites de música. As duas séries seriam reeditadas, com os vinis no formato padrão de doze polegadas.

Outra coleção que atraiu a atenção de Delfim Netto, na fase em que mandava e desmandava na economia, foi Os Cientistas. Curioso, ele usou os kits e fascículos da série para fazer experiências, que para sua surpresa deram certo. Como *Grandes personagens da nossa história*, História da Música Popular Brasileira e *Nosso século* — que envolveu um impressionante levantamento de mais de 4 mil fotos, realizado durante cinco anos por trinta pesquisadores, a um custo estimado em 2 milhões de dólares —, ao lado de outras, Os Cientistas foi inteiramente criada pela Abril.

Poppovic teve a ideia de fazer Os Cientistas quando constatou que os Estados Unidos, desde o choque provocado no país com o lançamento pela União Soviética do primeiro satélite artificial, o *Sputnik*, em 1957, decidiram mudar o método de ensino de física, química e biologia. As escolas passaram a privilegiar as experiências em laboratório, dando-lhes maior ênfase do que à teoria. Por que não fazer algo semelhante no Brasil? Ele tentou tocar no assunto com Victor ao encontrá-lo no saguão do sexto andar do prédio da marginal Tietê, onde ficava a diretoria da empresa. Nesse saguão, sentada a uma mesinha, ficava de plantão uma jovem recepcionista, magra e bonita, com uniforme verde. Victor jamais deixava de cumprimentá-la e, galante, costumava lhe dirigir um elogio. Por isso, só ao entrarem no largo elevador é que ele prestou atenção ao que Poppovic tinha a propor. Quando chegaram ao térreo, antes de entrar no Ford Galaxie que o aguardava, o dono da Abril lhe deu o sinal verde, sem perguntar quais seriam os custos: "Faz, pode fazer. Tenha uma boa tarde".

E foi feito. Começava ali uma operação complexa. Para montar os kits com 52 experiências diferentes, seria criada uma pequena fábrica que produziria os equipamentos necessários. A empresa desenvolveu uma balança de plástico bastante precisa, comprou milhares de tubos de ensaio e importou do Japão 300 mil pequenos microscópios, que foram desmontados e vendidos em seis partes junto com os kits quinzenais. Na caixinha que permitiria a demonstração da Lei de Mendel, na área da genética, vinha um punhado de ervilhas, lisas e rugosas, plantadas especialmente para esse fim pela Escola Superior de Agricultura Luiz de Queiroz, em Piracicaba (SP). A coleção, apresentada na Feira do Livro de Frankfurt em 1972, despertaria o interesse de editores de vários países. "Um grupo alemão e outro da Turquia chegaram a comprar os direitos, mas seus departamentos jurídicos vetaram o lançamento, com medo de que alguma experiência provocasse um acidente e desse margem a um processo", diria Roberto. "Felizmente, nunca tivemos nenhum problema no Brasil."

O sucesso dos fascículos deu à Abril popularidade e prestígio dentro de variadas faixas da população brasileira, que se aproximava dos 95 milhões de habitantes: donas de casa que queriam aprender a cozinhar ou preparar pratos diferentes; estudantes empenhados em passar no vestibular e seus professores; jovens e adultos em busca de instrução; apreciadores de literatura; universitários que não encontravam determinadas obras em nenhum outro lugar; famílias que haviam ascendido à classe média e desejavam exibir nas estantes das pequenas salas de seus apartamentos tomos com capa dura dourada que mostrariam o apreço que tinham por religião, cultura e arte; e pais de classe média e classe média baixa empenhados em dar uma melhor educação para os filhos. Naquele período do chamado "milagre econômico", durante a ditadura, houve aumento de renda e milhares de pessoas ganharam acesso a bens antes inacessíveis. Depois da geladeira, da TV e do Fusca, queriam um símbolo de consumo que lhes desse um verniz cultural. Os livros com belas encadernações cumpriam tal papel, mesmo que nunca fossem abertos. As pesquisas da editora mostraram que essa era a principal motivação de metade dos compradores. A metade restante dividia-se entre estudantes e leitores em geral. Este último contingente era significativo. Se os levantamentos foram precisos, significava, por exemplo, que 30 mil brasileiros leram Platão e perto de 40 mil leram Dostoiévski.

"O que fizemos foi uma revolução cultural no Brasil", se orgulharia Roberto. "Conseguimos tornar acessíveis para centenas de milhares de famílias obras de arte, literatura e conhecimento com uma qualidade gráfica e editorial que os leitores simplesmente não conheciam." No último almoço que tiveram, poucas semanas antes da sua derradeira internação, ele e Poppovic relembraram histórias daquele período e deram boas risadas. Fizeram as contas. Saíram 151 títulos de fascículos, incluindo as reedições, publicados ao longo de quase vinte anos, com raros fracassos. Foram a grande contribuição da Abril para a cultura e a arte do país, além de terem sido um inestimável subsídio na formação de milhões de estudantes de todos os níveis. Como se não bastasse, graças a eles a empresa conseguiu bancar inúmeros projetos editoriais que logo se realizariam. Entre eles, o maior de todos. "Pedro Paulo, foi a melhor época de minha vida", disse Roberto no final do almoço em sua sala de refeições no Terraço Abril, levantando um brinde.

Natal de 1965

Em meados de 1965, Roberto teve uma ideia. Pensou em fazer uma revista semanal ilustrada, de assuntos gerais, para ser encartada como brinde nas edições de domingo de jornais brasileiros. Ela teria algumas reportagens, muitas fotos, vários colunistas, horóscopo, passatempos — e, esperava, uma infinidade de anúncios. Sem grandes pretensões no conteúdo editorial, seria uma publicação de entretenimento, leve e fácil de ler. Não se tratava de um projeto original. Existiam revistas com essas características em inúmeros países. A mais famosa e bem-sucedida era a *Parade*, criada em 1941 nos Estados Unidos. Popularizou-se a tal ponto que chegaria a circular dentro de setecentos jornais americanos, com uma tiragem de 25 milhões de exemplares e alto índice de leitura, o que explicava seu êxito publicitário. Victor lhe deu o sinal verde e Roberto foi atrás de parceiros. Sem eles, o negócio não sairia do papel. Para que a *Revista de Domingo* desse certo — imaginou logo esse nome —, a Abril precisaria se associar a um jornal do Rio de Janeiro e a outro de São Paulo. Garantidas as duas maiores praças do país, o resto sem dúvida viria na sequência. Os três possíveis sócios montariam uma empresa para editar, imprimir e comercializar a revista, cujas receitas seriam divididas proporcionalmente entre eles e, numa escala menor, com os demais diários participantes. Parecia uma fórmula engenhosa, em que todos ganhariam e a Abril, como dona da gráfica encarregada da impressão, ganharia ainda um pouco mais.

Com esse plano na cabeça, Roberto foi ao Rio conversar com o jornalista Alberto Dines, que era o editor-chefe do prestigioso *Jornal do Brasil*. Eles mantinham boas relações. No encontro, Roberto soube não apenas que o título *Revista de Domingo* já fora registrado pelo *JB*, que pensava em criar um suplemento com esse nome, como também que o próprio Dines guardava na gaveta os estudos de um semanário nos moldes da *Parade*. Roberto não se incomodou com isso, pois seu objetivo era uma associação. Se eles já tinham coisas engatilhadas, melhor ainda. Dines mostrou-se receptivo e a coisa avançou. Dias depois, ambos se reuniram com o diretor executivo do jornal, Manuel Francisco do Nascimento Brito, que acendeu a luz verde: estaria dentro. Encontrado o primeiro parceiro, Victor e Roberto procuraram então o diretor de *O Estado de S. Paulo*, Júlio de Mesquita Filho. Com sua postura altaneira e sem demonstrar simpatia pelos visitantes — considerava-os empresários algo arrivistas, não jornalistas da estirpe dele e de sua família —, o dr. Júlio, que era assim conhecido, descartou de imediato a proposta. Disse que o nonagenário *Estadão* "jamais, em nenhuma hipótese", encartaria em suas volumosas páginas de fim de semana, recheadas de classificados, uma revista que sairia simultaneamente em outros órgãos de imprensa. Nem quis entrar nos detalhes da proposta. Segundo Roberto, o encontro durou dois minutos. "De certa forma, ele nos enxotou da sala", diria.

Descartado qualquer entendimento com o soberbo matutino da rua Major Quedinho, Roberto engatou um plano B e rumou sozinho para o prédio com pastilhas coloridas na fachada onde funcionava a *Folha de S.Paulo*, na alameda Barão de Limeira. A *Folha* podia não ter naquele momento o peso de seu principal concorrente, mas começava a crescer. Lá, ele se sentiu bem recebido e tratado como um par, não um intruso, pelo diretor Octavio Frias de Oliveira. Seu Frias, como era chamado, ouviu-o com atenção, fez várias perguntas e selou um acordo verbal, garantindo sua participação. O empreendimento tornava-se viável. Entusiasmado, Roberto iniciou a montagem da redação que faria a revista.

Os preparativos foram cercados de sigilo. Na rua João Adolfo, o projeto ganhou o código IG, iniciais de "interesse geral". Foram recrutados para a equipe alguns jornalistas que trabalhavam na *Quatro Rodas*. Entre eles, estavam o diretor de redação Paulo Patarra, o diretor de arte George Duque Estrada (que não demoraria a ser substituído por Eduardo Barreto Filho) e os repórteres Luís Fernando Mercadante, Carlos Azevedo e José Carlos Marão. Eram jovens talentos nos quais Roberto apostava. Do Rio, para reforçar o grupo, foi chamado Murilo Felisberto, profissional em ascensão responsável pelo Departamento de Pesquisa e Documentação do *Jornal do Brasil*. "Deixaram o Murilinho e o Patarra competindo para ver qual dos dois comandaria a redação", contaria Marão. O pequeno e magérrimo Patarra levaria a melhor e Murilo Felisberto acabaria indo para o *Jornal da Tarde*, vespertino que o *Estadão* lançaria em janeiro, tendo como diretor de redação Mino Carta. Este deixara a *Quatro Rodas* para produzir no *Estadão* a *Edição de Esportes*, um dominical que seria embrião do *JT*.

Patarra foi militante do clandestino Partido Comunista Brasileiro (PCB), o Partidão. Roberto só viria a saber disso mais tarde, mas já desconfiava. Meses antes, os dois haviam viajado juntos à Alemanha, a convite da Volkswagen e da Mercedes-Benz, para visitar suas fábricas. Era comum que jornalistas aceitassem esse tipo de oferta. Nos anos 1990, a Abril, ao publicar um código interno de conduta, passaria a ser mais rígida a respeito do assunto, proibindo que seus funcionários aceitassem favores semelhantes. Durante a viagem, além de ver de perto as montadoras e testar seus carros, os dois puderam se conhecer um pouco melhor. Em Berlim, atravessaram o Muro, que desde 1961 dividia o setor ocidental e o oriental da antiga capital alemã, e deram uma espiada no lado de lá. Com uma câmera Minolta, Roberto fez fotos em lugares proibidos, mas não tiveram problemas com a *Volkspolitizei* [polícia do povo] da Alemanha Oriental. Patarra aproveitou para dar uma provocadinha no filho do patrão. "Cadê a miséria do comunismo?", cutucou-o. Embora com ideologias opostas, os dois tinham uma relação respeitosa e admiração mútua. Tanto que Roberto endossou os nomes escolhidos por Patarra para preparar o número zero, experimental, da futura revista.

O lançamento estava marcado para outubro. Com um mês de antecedência, foi impresso um comunicado, em papel cuchê, para dar a notícia ao mercado publicitário. Assinado pelos três sócios, participava "a uma voz" o nascimento da nova revista. Quando o comunicado ficou pronto, o telefone de Roberto tocou. Era seu Frias, pedindo que ele desse um pulo até a *Folha*. Ele foi direto ao ponto: "Roberto, não vou mais entrar nisso". Não lhe explicou as razões, mas seria fácil deduzir: na ponta do lápis, concluíra que o suplemento tiraria publicidade de seu jornal. "Foi como ter levado uma bordoada", lembraria Roberto.

Em estado de choque, segundo suas palavras, ele voltou à Abril e entrou direto na sala do pai. Havia uma redação contratada, um departamento comercial vendendo anúncios e um número zero preparado. Com a desistência da *Folha*, não restava nenhum jornal de peso em São Paulo para entrar no projeto. Sem um sócio no centro econômico do país, nada feito. Simplesmente, tudo acabava ali. "O que eu faço agora?", perguntou. "Faça uma revista", respondeu Victor. Roberto nunca se esqueceria dessa frase. "Ele me disse 'Faça uma revista' desse jeito, em três palavras, na lata, sem hesitar."

Ao saber o que acontecera, Patarra não se mostrou surpreso. No livro *Realidade: História da revista que virou lenda*, publicado em 2013, o jornalista Mylton Severiano da Silva, apelidado de Myltainho, afirmaria que ele achava que "os jornalões iam dar o cano". Na sequência, descreve um diálogo entre Victor e Patarra que este lhe teria narrado:

> "E agora, Patarrinha, o que fazemos?"
>
> Estavam no nono andar, na salona de VC, guardada por duas belas secretárias. VC tinha sotaque e musicalidade mais para italiano e chamava Paulo de Patarrinha em duas ocasiões: quando acertavam em cheio ou quando tudo dava errado. "Fazemos uma revista mensal de reportagens", respondeu Paulo à queima-roupa.

Todos os personagens citados morreram, mas a versão de Roberto parece a mais plausível. Só ele tinha a informação da desistência de Frias e, por critérios lógicos, hierárquicos e familiares, iria transmiti-la em primeiro lugar para Victor. O pai, por sua vez, já dissera ao filho o que deveria ser feito — uma revista — e não precisaria consultar mais ninguém. Roberto reproduziria a conversa inúmeras vezes durante sua vida, sem mudar as frases. Ao repetir histórias, o que não se cansava de fazer, mantinha a coerência da narrativa. Naquele momento, o que Victor e Roberto não sabiam era que tipo de revista poderia sair no lugar da que fora abortada. Nas lembranças de José Carlos Marão, a indefinição perduraria de outubro a dezembro. "Foram quase dois meses de angústia. A gente recebia um bom salário — a Abril pagava bem, exigindo dedicação exclusiva — e não fazia nada. Até que começaram a falar em uma revista mensal."

Naquele período de incerteza, amadureceu a opção de uma revista de reportagens. Seu maior defensor era Patarra. Personalidade multifacetada, ele foi descrito de várias formas pelos amigos e colegas: homenzinho de cabeça enorme e estranhíssima, alienígena, generoso, rápido, justo, guru, espevitado, criativo, desbocado, audacioso, apreciador de uísque — e um hábil articulador político. Praticava a tática leninista aprendida no Partidão de dar dois passos para a frente e um passo para trás. Foi assim que convenceu sua equipe e o próprio Victor, com o pragmatismo cultivado durante anos de militância, de que seu lugar na redação seria o de redator-chefe e não o de diretor de redação. Para este cargo, a Abril havia pensado inicialmente em Murilo Felisberto, que, como se contou, teria uma passagem curta pela empresa. Outra opção foi o escritor Hernâni Donato. Intelectual sem formação jornalística, com um perfil político moderado, poderia ser um contraponto a uma redação bastante jovem e vista internamente como um tanto maluca. Devagar, agindo nos bastidores, Patarra conseguiu miná-los e passou a ser visto como favorito ao cargo.

Era um disfarce. Ele concluíra com frieza que ocupar a função seria um erro. Estava consciente de que não conseguiria impor à nova revista, cujo título estava para ser escolhido, uma pauta ousada de matérias, como defendia que ela deveria ter. Precisaria do respaldo de quem viesse a ocupar um posto acima. De mais a mais, grandes reportagens exigiriam investimentos, em função de viagens, tempo de elaboração e salário dos jornalistas que faltava contratar. Achava que não lhe dariam o borderô suficiente para tanto. Um profissional de fora, na sua visão, tampouco serviria. Ele se tornaria um intermediário entre a redação e a empresa. Não teria poder nem autonomia para decidir, sem consultas, questões financeiras e de linha editorial. Para o astucioso Patarra, havia apenas uma pessoa em condições de desempenhar esse papel.

Por sua iniciativa, foi marcado um almoço, às vésperas do Natal, para discutir a questão antes que ela fosse levada para Victor. Em torno da mesa, no Clube Nacional, lugar discreto e elegante que funcionava em um casarão no Pacaembu, sentaram-se Patarra, Murilo Felisberto, ainda concorrendo, o diretor editorial Luís Carta e Roberto. Patarra guardaria em caixas de papel fotográfico da Kodak centenas de anotações e documentos sobre sua vida profissional. Elas foram doadas para Myltainho, que morreu em 2014, aos 74 anos, seis anos depois de Patarra, que tinha a mesma idade. Em um desses registros, Patarra rememora que, ao final do almoço, depois de comerem peixe e beberem vinho branco, pediram licor. Com todos a essa altura bastante relaxados, ele então entrou no assunto e começou a expor os "defeitos eliminatórios" que, na sua opinião, um diretor de revista não poderia ter: ser velho ou jovem demais; ser autoritário ou não ter autoridade alguma; ser ruim de texto ou beletrista; reacionário ou comunista de carteirinha; meter-se em tudo ou ficar aboletado vendo a banda passar; ser escrachado ou pedante de punhos de renda; falar demais ou manter silêncio absoluto. Levadas ao pé da letra, tais restrições tirariam do páreo o próprio Patarra, militante do PCB; Murilo, visto por alguns como pedante; e o acadêmico Hernâni Donato, que não estava presente, em quem poderia caber a carapuça de beletrista. Luís, como diretor editorial, já tinha atribuições maiores. Quem sobraria?

"Fala logo, porra!", cobrou Roberto. Com a língua cada vez mais solta, Patarra percebeu que era o momento de dizer o que queria. Não usou meias palavras. "A Abril não é nada. De bom só tem a *Quatro Rodas*. Que não é o carro-chefe pra ambição do Victor Civita. Se a Abril quer vencer, precisa apostar num produto." Sua franqueza desconcertou Luís Carta, responsável pela *Claudia*, que sequer fora citada, e outras publicações. "Pra dirigir a revista, só tem um nome", arrematou Patarra. "É você, Robert!"

Roberto era Robert, como constava em seus documentos. Só depois de se naturalizar, no final de 1967, é que ele entraria com um processo para aportuguesar o nome, que voltaria a ser o mesmo com que fora registrado em Milão ao nascer. Patarra deixou escrito, como transcreveria Myltainho:

> Lembro-me de um Luís Carta nocauteado. Com o filho do dono diretor de redação, pra que diretor editorial em cima da revista? Lembro-me de um Murilo boquiaberto com o ovo de colombo que eu acabava de botar. E de um Robert entre agradecido e assustado. Lembro-me daqueles quatro moços, eu o mais velho aos 32 anos, cientes de que [a nova revista] tinha um diretor. O melhor que se podia ter inventado. Competente como jornalista, ainda por cima filho do dono, portanto com poderes acima de qualquer mortal.

Victor aprovou a sugestão. A redação, instalada no 12º andar do prédio da João Adolfo, três acima da diretoria da empresa, começou a receber os novos contratados. À equipe já reunida para a *Revista de Domingo* — Mercadante, Azevedo e Marão — se incorporaria, aos poucos, um time de estrelas. Dele fariam parte o editor de texto Sérgio de Souza, os secretários de redação Woile Guimarães e Micheline Gaggio Frank, os redatores Myltainho e Otoniel Santos Pereira, os repórteres José Hamilton Ribeiro, Narciso Kalili, Lúcio Nunes, Roberto Freire e Hamilton Almeida Filho, o pesquisador Duarte Lago Pacheco e os fotógrafos Roger Bester, Jorge Butsuen, Luigi Mamprin e Geraldo Mori. Para a sucursal do Rio, que também atendia a outras revistas da Abril, foram recrutados Milton Coelho da Graça, Paulo Henrique Amorim e Alessandro Porro, ao lado dos fotógrafos Nelson di Rago e Walter Firmo. Quase todos chamados por Patarra e avalizados ou sugeridos por Roberto, que passou a despachar em uma sala ao lado da redação, com seus cachimbos, suas canetas e seu arquivo de aço, onde guardava em pastas suspensas recortes e folhas datilografadas que poderiam servir de temas de matérias. "Tive o privilégio de juntar uma extraordinária redação", Roberto diria mais de quarenta anos depois. "Acho que nunca houve na história do Brasil um grupo de pessoas de maior talento do que aquele. Foi uma festa, a coisa mais divertida que se poderia fazer vestido." Patarra deixaria anotado: "Nossa equipe teve a sorte (e a sabedoria também) de ser chefiada por um homem de bem, dono de tudo aquilo. E que ficava fascinado com a criatividade e a coragem daquele bandinho de jornalistas brasileiros, um melhor do que o outro".

Faltava decidir o título da publicação. Como não houve consenso, sete possíveis nomes foram escritos em uma lousa à entrada da redação: *Panorama*, *Repórter*, *Veja*, *Horizonte*, *Reviver*, *Viver* e *Realidade*. Alguns foram descartados quando se descobriu que já tinham registro. No final, ficaram no páreo *Veja*, *Horizonte* e *Realidade*. Em cima da hora, ao perceberem que a escolha de *Veja* poderia causar problemas legais por ser a tradução literal da semanal ilustrada americana *Look*, sobraram duas possibilidades. Victor preferia *Horizonte*, mas não fechou a questão. "Se a gente vender bem as três primeiras edições, até 'Merda' é um bom título", ele chegou a brincar.

Vingou o nome inspirado no de uma ilustrada francesa fundada em 1946 (*Réalités*, que deixaria de existir em 1979). Iria se chamar, portanto, *Realidade*. Ela estava destinada a marcar uma época na história da imprensa brasileira, mexer com a cabeça da geração da qual foi contemporânea e tornar-se uma duradoura referência mesmo entre jornalistas e leitores que ainda nem haviam nascido.

12 de abril de 1966

O Brasil de 1966, com seus 87 milhões de habitantes, era um país profundamente diferente do que se tornaria cinquenta anos depois. Havia uma frota de 1,1 milhão de carros (quase vinte vezes superior a 1960), ou um para cada 79 pessoas. O total de telefones instalados era de 1,5 milhão de aparelhos. Decorrido meio século, a população chegaria a 205 milhões e a quantidade de veículos, como se disse, ultrapassaria o número de 86,7 milhões — semelhante à de telefones fixos, sem contar, é claro, os 281 milhões de celulares, que naquele mesmo ano de 1966 apareceriam pela primeira vez na série de TV *Jornada nas Estrelas* como um invento de ficção científica. Mais da metade dos brasileiros morava no campo. O índice de analfabetismo era de cerca de 40%. A taxa de mortalidade infantil chegava a 98 para cada mil nascidos vivos. A de fecundidade, a seis filhos por mulher. A expectativa de vida mal ultrapassava os cinquenta anos. Só 13% dos 13,5 milhões de domicílios estavam ligados a uma rede de esgoto.

Os militares estavam no poder havia dois anos naquele Brasil tão carente de necessidades básicas. Ficariam mais dezenove. Desde 1964, cerca de 2 mil funcionários públicos e 421 militares haviam sido demitidos, aposentados ou passados compulsoriamente para a reserva pelo regime e 386 pessoas tiveram seus mandatos cassados ou os direitos políticos suspensos por dez anos, entre elas os ex-presidentes João Goulart, Jânio Quadros e Juscelino Kubitschek. Ainda se tratava, como definiria o jornalista Elio Gaspari, de uma ditadura envergonhada. Dias muito piores viriam. O Congresso Nacional permanecia aberto. Existiam dois partidos: a Aliança Renovadora Nacional (Arena), de sustentação ao governo, e o Movimento Democrático Brasileiro (MDB), chamado de oposição consentida. O Judiciário funcionava. Ainda não havia censura à imprensa institucionalizada, embora juízes de primeira instância pudessem determinar a apreensão de jornais e revistas. Entretanto, certos assuntos quase nunca eram abordados, como virgindade, aborto, orgasmo, drogas, homossexualidade, racismo e discussões religiosas. Evitava-se falar dessas coisas consideradas delicadas em família e em reuniões sociais. Divórcio não existia. Seria instituído onze anos depois. Na separação, os casais se desquitavam e não podiam mais se casar legalmente. As mulheres desquitadas eram malvistas e certos colégios católicos não aceitavam a matrícula de seus filhos. Não se conhecia o conceito de politicamente correto ou dos direitos das minorias. Músicas tocadas nas rádios ou em bailes de Carnaval referiam-se à "mulata assanhada", à "nega do cabelo duro" e à cabeleira do Zezé, seguida da pergunta "Será que ele é, será que ele é?".

Fumava-se bastante, praticamente em qualquer lugar, até em algumas salas de cinema, sem se pedir licença. Nas redações dos jornais e revistas, em meio a nuvens de fumaça e tocos de cigarro jogados no chão, ouvia-se o matraquear incessante das ruidosas máquinas de escrever. Os jornalistas costumavam sair do trabalho na madrugada para beber e conversar. Eram quase todos homens. Muitos não tinham formação universitária. Podiam ser contados nos dedos os que conheciam uma língua estrangeira. O exercício da atividade seria regulamentado apenas em 1969, quando passaria a exigir o diploma da faculdade de jornalismo para o registro dos novos profissionais.

Ao ser montada, a equipe da *Realidade* tinha mais ou menos esse perfil. Era masculina, boêmia e autodidata. O editor Sérgio de Souza, respeitado por seu texto impecável e pela habilidade em melhorar com o lápis bem apontado os escritos alheios, não completara o então curso secundário. Tampouco Narciso Kalili, que os colegas consideravam "um dos mais malucos, impertinentes e brilhantes repórteres daquela equipe". José Carlos Marão não concluíra as faculdades de direito e filosofia. José Hamilton Ribeiro fora expulso da faculdade de jornalismo. "Era uma turma mais intuitiva que estudiosa [...], anárquica, indisciplinada", descreveria Carlos Azevedo em seu livro de memórias.

> Uma turma que faltou às aulas para ir ao cinema, ao circo, ao estádio de futebol ou, no caso de vários, simplesmente por necessidade, para ganhar a vida no trabalho duro, que podia ser de mensageiro, datilógrafo, bancário, ou de suar numa mesa de sinuca, de baralho, ou, ainda, apostar nos cavalos sonhando com a grande bolada.

A menção ao circo não foi gratuita. Em um deles, que rodava entre o sul de Minas Gerais e o interior de São Paulo, nasceu Hamilton Almeida Filho, conhecido como Haf ou Hamiltinho. Seu pai era palhaço e a mãe, trapezista. Seria criado por uma avó e estudaria até a segunda série do antigo ginásio. Enfant terrible, designação que era usada para os jovens inconformistas, criativos e incorrigíveis, ganharia fama de repórter brilhante. Pelas deficiências de sua formação, no entanto, ao escrever confundia "auspício" com "hospício" e trocava cedilha por dois esses, segundo revelaria o insuspeito redator Myltainho, que era seu amigo e o considerava "um dos maiores repórteres" que conheceu. Myltainho, aliás, não terminou a faculdade.

Com todas as suas lacunas na escolaridade, os jornalistas da *Realidade* tinham formação política. Em sua maior parte, militavam na esquerda, da mais moderada à mais radical. "Só o Luís Fernando Mercadante, o José Hamilton Ribeiro e eu poderíamos ser considerados o que hoje se chama de social-democratas", diria José Carlos Marão no final de 2014. Pertencia ao PCB, a exemplo de Patarra, o carioca Milton Coelho da Graça. Na Ação Popular (AP), originária da Juventude Universitária Católica (JUC), atuava o psicanalista, escritor e repórter Roberto Freire, apelidado de Bigode. Em uma cisão posterior, uma parte da AP se transformaria na Ação Popular Marxista-Leninista (APML), de linha trotskista, e outra se incorporaria ao Partido Comunista do Brasil (PCdoB), atrelado ao maoismo. De acordo com Marão, Bigode indicou a contratação do pesquisador Duarte Brasil Lago Pacheco Pereira, que assinava Duarte Pacheco, alto dirigente da AP e anos depois condutor político do jornal alternativo *Movimento*. Os dois logo recrutariam para a organização, entre outros, os colegas Sérgio de Souza, Narciso Kalili e Carlos Azevedo. Este último optaria pela clandestinidade dois anos mais tarde. Segundo ele, Bigode "trouxe a semente política" para a redação.

Fora do grupo, ninguém se expunha. Naquele momento já era necessário ter cuidado dentro e fora da empresa, onde ninguém se identificava como esquerdista. E muito menos como adepto do comunismo. Os militares haviam dado o golpe de 1º de abril de 1964 sob o pretexto de extirpá-lo do Brasil. As discussões se travavam em âmbito interno, entre quatro paredes. Podiam ser acaloradas. "Tínhamos grandes divergências, porque ao contrário de nós, do PCB, eles defendiam a luta armada", afirmaria Milton Coelho em 2015. "A redação era um ninho de stalinistas, maoistas, cristãos de esquerda e esquerdistas etílicos", registraria Patarra. "Na Abril, a base de apoio à ALN [Aliança Libertadora Nacional, liderada por Carlos Marighella] tinha vários jornalistas, Myltainho entre eles." Para os que chegavam, Patarra repetia um discurso semelhante: "Chamamos você porque sabemos que é de esquerda e bom caráter", disse para Myltainho, que assegurava ter ido ganhar na *Realidade*, como redator, um salário cinco vezes maior do que recebia na *Folha de S.Paulo*, onde era subeditor de política. Em seguida, Patarra lhe deixou clara a regra do jogo: "Mas isso não basta para trabalhar na equipe. Precisa também ser bom de bola".

Eram de fato craques, que marcariam com sua ousadia um período relativamente breve e marcante na história da Abril e da imprensa brasileira. A empresa tinha na ocasião pouco menos de trezentos funcionários. Já publicava 21 títulos diferentes. Um semanal (*Intervalo*, mais os fascículos de *A Bíblia mais bela do mundo*), dois quinzenais (*O Pato Donald* e *Zé Carioca*) e doze mensais. Os demais eram bimestrais, trimestrais, semestrais ou anuais. A editora, que poucos anos antes se limitava a produzir quadrinhos e fotonovelas, se tornara relevante no mercado, sendo vista com atenção — e preocupação — pelos concorrentes, entre os quais a Bloch Editores, que tinha em *Manchete* o seu carro-chefe, os Diários Associados, conglomerado de Assis Chateaubriand, dono de *O Cruzeiro*, a Editora Vecchi, a Ebal e a *Seleções do Reader's Digest*. Como já foi dito, ao contrário do que acontecia em praticamente todas essas empresas e nos jornais diários, a Abril exigia dedicação exclusiva de seus jornalistas. Nem daria para ser diferente. Os repórteres da *Quatro Rodas* e da *Claudia* faziam viagens frequentes e não poderiam, mesmo sem a proibição, ter um segundo emprego. No caso da *Realidade*, isso seria impossível. Cada matéria demandava pelo menos um mês de elaboração, entre pesquisas, entrevistas, deslocamentos, trabalho de campo, redação do texto e acompanhamento da edição final. Às vezes, mais tempo do que isso.

Com sua formação em universidades americanas, paixão por revistas, obsessão pela leitura, muitos planos na cabeça e o apoio do pai, Roberto Civita se considerava capacitado, aos 29 anos, para dirigir o ambicioso projeto. Enfronhara-se na empresa nos últimos sete anos e meio, mas agora é que iria mergulhar de fato na liderança de uma operação editorial. Teria enfim a sua própria revista. E que revista. "*Realidade* foi seu primeiro bebê. Era dele, não de VC. Rob teve todo o mérito", diria Richard, cuja rivalidade com o irmão mais velho, iniciada na infância, se acentuaria quando se tornaram adultos. "A Abril foi obviamente feita por VC, nos anos mais difíceis do início da implantação da empresa. Ele criou os alicerces, com a ajuda de Gordiano Rossi na parte financeira. Mas Rob fez as revistas jornalísticas, começando por *Realidade*. VC não teria feito."

Poucas vezes em sua vida profissional Roberto se sentiu tão feliz. "Eu estava fazendo a revista e não me preocupava com mais nada", lembraria. "Tive a sorte de ter um irmão que cuidou da gráfica e das finanças. Meu pai ficava com todo o resto. Para mim, era maravilhoso." Victor gostava de seu entusiasmo, mas não entendia por que o filho fazia questão de participar de reuniões de pauta tão longas no bar do Hotel Claridge. "Por que você perde tanto tempo falando com a redação? Por que não decide e manda fazer?", ele lhe perguntou. "Porque você pode mandar escrever, mas não vai sair certo, bom", respondeu. "As pessoas têm que comprar a ideia. Elas sentem que estão participando e isso faz toda a diferença." Roberto, porém, demorou a identificar o terreno em que estava pisando. Não percebia que comandava gente politicamente engajada — do lado oposto ao seu — e em parte com vida dupla. Ele diria que em seus anos nos Estados Unidos não conheceu um único esquerdista. Achava que uma pessoa inteligente e informada não poderia ser comunista. Manteve essa opinião até o fim da vida. Jamais, é verdade, demitiria alguém ou vetaria contratações por razões políticas. Muitos anos mais tarde, ele rememoraria o que observou naquele momento:

> A revista seria o resultado da conjugação de muitos talentos e energia. Eram talentos diferentes, com visões do mundo diferentes. Havia uma preponderância da esquerda, disfarçada. E também militância clandestina. Eu não percebi. Só me dei conta mais tarde das armadilhas. Eu não tinha sensibilidade para ver contrabandos nas matérias. Eles me driblavam.
>
> Não me considerava uma pessoa ingênua. [Fez uma pausa reflexiva antes de continuar.] Mas eu era. Anos depois, comecei a dizer para mim mesmo: ih, Roberto, aqui você foi enganado, ali você foi tapeado. Fiz um curso sobre pensa-

mento político em Pensilvânia com o professor Strauss-Hope, um dos grandes professores da minha vida, que deu algumas aulas sobre comunismo que jamais esqueci. Falava do comunismo como religião. Fiquei muito marcado. Cheguei aqui, depois de estudar em três universidades diferentes e ter trabalhado na *Time*, e nem me ocorreu que poderia existir no Brasil um pensamento de esquerda que eu considerava retrógrado. O mundo levaria trinta anos para testemunhar o fracasso do comunismo. Para mim, é inimaginável que ainda exista gente acreditando nisso. Eu achava que o Brasil precisava mudar. Ainda acho, aliás. Com essas ideias na cabeça, encontro uma turma de esquerda disfarçada e se dá, digamos, uma simbiose. O que eles chamavam de moral burguesa, por exemplo, para mim era sinal do atraso do país. Debatia-se se podia haver controle da natalidade... Minha visão era liberal em relação aos costumes. Já estava convencido de que a livre-iniciativa é o único caminho para o progresso e o desenvolvimento. Você não pode ter, na minha concepção, um país livre e democrata com capitalismo de Estado. A livre-iniciativa faz parte da equação da democracia. Minha visão do que precisava mudar se casou com a visão deles, sem que eu percebesse. Houve uma convergência entre a minha visão do mundo e a deles. [Fez outra pausa.] Jamais tinha pensado nessa convergência. Dela, vejo somente agora, resultou a *Realidade*.

Havia uma clara diferença. Roberto queria uma revista de grandes reportagens, com cardápio variado, preocupada em tratar de temas que a imprensa brasileira não publicava. Seu projeto era mostrar iniciativas que davam certo, personagens inspiradores, fatos desconhecidos do público, descobertas científicas, inovações tecnológicas que mudariam a vida das pessoas e tabus na área de comportamento. Os editores e repórteres, em sua maioria, pretendiam ir além. Entendiam que também precisariam expor nas matérias as desigualdades do país e os problemas do mundo. Se não desse para dizer que o Brasil não era uma democracia, um caminho seria fazer reportagens sobre países vizinhos que viviam sob ditadura, como o Paraguai. Já Roberto considerava que, apesar de tudo, o governo militar, naquele período inicial, funcionava junto com os outros dois poderes e estava dando um jeito de consertar a economia nacional. Mais tarde, afirmaria que, no seu início, durante o governo Castello Branco e até a edição do AI-5, em 1968, os militares conduziam o país no caminho correto.

Para discutir a pauta da revista, a partir do número zero, se realizavam duas demoradas reuniões. A primeira delas, cada vez na casa de um dos jornalistas, não tinha a presença de Roberto. Eram regadas a uísque nacional, comprado através de uma vaquinha. Podia durar duas, três, quatro horas. Se o grupo não chegava a um consenso, Patarra aprovava ou rejeitava as sugestões. Todos combinavam uma estratégia para defender as propostas mais polêmicas na segunda e decisiva reunião, marcada ora no bar do vizinho Hotel Claridge — com o uísque agora por conta da Abril —, ora na própria redação, onde se bebia café da garrafa térmica, preparado na copa do nono andar. Depois que Patarra dava as linhas gerais de cada ideia mais polêmica, um dos presentes apresentava argumentos para defendê-la. Roberto, que presidia o encontro, dizia meio irônico, meio a sério, repetindo as palavras do pai no dia em que decidiu lançar os fascículos contra a vontade dos seus diretores: "Vamos resolver democraticamente. Mas não se esqueçam de que tenho 51% dos votos". Ele evitava usar seu direito de veto. Em geral, aprovava o que via como relevante para a edição e apresentava as suas próprias sugestões, que trazia por escrito, em um hábito que nunca abandonaria. "VC vai me comer", afirmou mais de uma vez ao ser convencido de que um assunto espinhoso deveria ser tocado. "Mas é uma boa matéria. Vamos fazer."

Segundo José Hamilton Ribeiro, logo ficou claro para a redação que Roberto, apesar das divergências internas, era um homem preparado, com sólida formação e cultura geral superior à daquela equipe majoritariamente autodidata. "Eu falava para alguns colegas que, se não fosse filho do dono e estivesse no mercado, ele poderia ser contratado para o mesmo cargo por sua competência", diria. Para ele, sua participação foi relevante em dois aspectos.

> De um lado, equilibrava a pauta, evitando que fosse contaminada por lamúrias e contestação. Na base mais da conversa do que da autoridade, colocava na revista assuntos com enfoque positivo e preocupava-se em dar respiros para o leitor. De outro lado, tinha autonomia para bancar gastos e aprovar despesas, mesmo de viagens internacionais, que custavam muito caro. Depois ele se acertava com o pai.

Com as exceções de José Hamilton, Marão e Mercadante, além de Patarra, os repórteres demoraram a aceitar o "51", como se referiam a Roberto nos corredores, numa alusão à frase que repetia para lembrar quem controlava a empresa e não à conhecida marca de aguardente. "Embora nem sempre reconhecessem, ele tinha boas sacadas de matérias de comportamento e sociedade", recordaria Marão. Algumas resistências e opiniões mudariam com o tempo. Em suas memórias, Carlos Azevedo escreveria:

> É preciso que se diga, pelo menos aparentemente ele segurava a barra. E também dava sugestões, jogava suas ideias na mesa, como todos. Dava para ver que [...] se entusiasmava com a criatividade, a ousadia do grupo. Afinal, [...] estava se divertindo muito, como nós.

Outra mudança de julgamento foi a do editor de texto Sérgio de Souza. Certa vez, ele reconheceu para o jornalista Juca Kfouri, de quem foi amigo: "Era um puta jornalista".

O cardápio do número 1 foi o primeiro fruto da convergência a que Roberto se referiu. Resultou não só das reuniões de pauta como de conversas durante o almoço em restaurantes próximos da Abril, entre eles o Almanara da rua Basílio da Gama, o Gigetto e o Roperto, sem contar as esticadas após o expediente no Bar Léo, no Paribar e no Redondo. Roberto não participava desses encontros. A fórmula encontrada foi o que ele chamaria de *smörgåsbord*, bufê escandinavo que reúne peixes, frutos do mar, carnes, saladas, embutidos, queijos e várias iguarias. "Claro que ninguém se serve de tudo", compararia. "Mas você encontra naquela mesona pelo menos uma meia dúzia de pratos que despertarão seu apetite. Com a revista era a mesma coisa. Havia ali uma variedade de assuntos, escolhidos de forma equilibrada, para atrair a atenção de diferentes perfis de leitor."

Havia mesmo de tudo um pouco. Uma das reportagens mostrava o cotidiano de uma plataforma da Petrobras em Sergipe. Outra, a hostilidade contra os soldados brasileiros que participavam da Força Interamericana da Paz na República Dominicana. Falava-se do culto a Nossa Senhora Aparecida e, de forma bem-humorada, do consumo da cachaça. Roberto Campos, que conduzia a economia do país, era apresentado como "um dos mais discutidos e menos conhecidos homens públicos brasileiros". Foi uma óbvia pauta de seu xará, que o admirava e de quem, em 1994, receberia esta dedicatória no exemplar que lhe foi oferecido de sua caudalosa autobiografia *A lanterna na popa*, com 1420 páginas, que mal chegou a folhear: "Com agradecimentos pela solidariedade na luta contra a irracionalidade no país de Macunaíma". Político e jornalista igualmente polêmico, Carlos Lacerda escreveu como colaborador para a revista sobre as revoluções brasileiras a que assistira em um texto que terminava assim: "As revoluções que eu vi, não vi".

Do exterior, foram comprados os direitos de publicação de duas reportagens de impacto. "Os dias da criação", a primeira, apresentava as impressionantes imagens conseguidas por um fotógrafo sueco, em sete anos de trabalho, de fetos humanos no útero materno, entre 25 dias e quatro meses após a concepção. Eram fetos que seriam abortados, "extraídos cirurgicamente, por várias razões médicas", segundo a explicação do fotógrafo. O aborto já era legalizado na Suécia. "As suecas amam por amor", a segunda, trazia uma entrevista, vista como escandalosa, da repórter italiana Oriana Fallaci com a atriz Ingrid Thulin sobre liberdade sexual e igualdade de direitos entre homens e mulheres.

Nunca se viram fotos como aquelas, publicadas originalmente um ano antes na revista *Life*, com data de capa de 30 de abril de 1965. A edição americana vendeu 8 milhões de exemplares em apenas quatro dias. Roberto, pessoalmente, negociou os direitos da reportagem. Tampouco jamais se lera no Brasil declarações como as dadas pela musa de filmes dirigidos por Ingmar Bergman. "Fazemos o amor com facilidade, colocamos no mundo filhos ilegítimos e compramos anticoncepcionais como compramos cigarros", ela revelou em determinado trecho. E mais adiante: "Pode-se ir ao quarto de um homem para tomar um uísque sem ir para a cama. Ou ir, quem sabe?".

A entrevista de Ingrid Thulin causaria um choque naquele ano em que os filmes de sucesso em cartaz no país eram os inocentes *A noviça rebelde*, *O que é que há, gatinha?* e *Esses homens maravilhosos e suas máquinas voadoras*. Entre as novelas, estavam sendo exibidas *Em busca da felicidade* (TV Excelsior), *A inimiga*, *Calúnia* (TV Tupi) e *Eu compro esta mulher* (TV Globo). Houve fortes reações, a começar pelas dos leitores. As cartas contrárias à entrevista enviadas para a revista superaram as favoráveis. "Protesto, como jornalista, mulher, esposa, mãe e avó", dizia uma. "Em nome da mulher paranaense e cristã, vimos protestar contra a reportagem sobre uma cínica atriz sueca", dizia outra, assinada por um grupo de senhoras. Depois de passar os olhos na edição, o dono dos Diários Associados, Assis Chateaubriand, resolveu atacar de sua trincheira.

Ele acusou a Abril, e de quebra as Organizações Globo, de ser testa de ferro do grupo Time-Life. "A revista inteira tem um nível de despesas totalmente fora de um orçamento nacional", escreveu no artigo intitulado "Um cavalo de Troia vermelho no Brasil". Pelos seus cálculos, "esta reportagem do feto envolve mercadoria no valor mínimo de 6 mil dólares", o equivalente a cerca de 44 480 dólares em 2016. "Qual o magazine que poderá pagar, em moeda norte-americana, uma tal quantia, em nosso país?", perguntou.

Roberto não respondeu à acusação, que no fim não deu em nada. Ele recordaria:

> Quando nasceu, *Realidade* era tão bem impressa, tão diferente, tão ousada, que o Chateaubriand achou que não poderia ser uma revista feita no Brasil. Quando alguma coisa era muito bem-feita, original, a reação instintiva no Brasil era que devia ser importada. Podia ser roupa, comida — ou revista. Fiquei orgulhosíssimo. Depois do grupo Time-Life, disseram que nossa empresa era financiada pelo ouro de Moscou, pelo Vaticano, pelo Departamento de Estado americano e pela máfia italiana. Não sei de onde vinham as insinuações, mas eram reflexo de xenofobia e da necessidade de encontrar uma teoria conspiratória para o sucesso. Quando o que se faz dá certo, parece haver um instinto automático em muitas pessoas para procurar as razões do êxito fora das circunstâncias e da competência. A teoria conspiratória torna tudo simples.

Houve mais uma matéria do número de estreia que provocou falatório. Mas de outro tipo, com efeito retardado. Dentro de três meses, seria disputada a Copa do Mundo na Inglaterra. A seleção brasileira de futebol, que se sagrara campeã em 1958 e 1962, tentaria o tri. Em uma decisão ousada, a revista resolveu publicar o que chamou de "reportagem-sonho": um detalhado relato ficcional para antecipar a conquista do título. Na épica narrativa romanceada, o Brasil ganhou todas as partidas. Uma das vitórias foi contra a Itália. Pelé marcou o terceiro gol de fora da área, "e o goleiro italiano ficou sentado no chão, de boca aberta". Em seguida, na semifinal, cairia a Espanha. "A goleada foi espetacular. Não saiu nada errado." No segundo dos quatro gols, o centroavante Coutinho deu "um chapéu no zagueiro espanhol que provocou aplausos e gritos da torcida". A final, para injetar mais emoção ao texto, foi diante dos donos da casa. Dois a dois, jogo dramático. Até que...

O passe foi excelente. Pelé levou seu marcador na velocidade, o goleiro deixou a meta desesperado, porém mal teve tempo de olhar a bola indo para o fundo das redes. Um silêncio gelado baixou sobre Wembley, enquanto no gramado os jogadores brasileiros rolavam de alegria, um bolo em cima de Pelé. A pequena torcida brasileira gritava e agitava a bandeira. Começavam ali, realmente, as comemorações do tri.

Dentro de campo, na vida real, o Brasil seria eliminado logo na primeira fase, após duas derrotas. Trechos da "reportagem-sonho" seriam reproduzidos com sarcasmo no *Jornal do Brasil*. Aquela edição de estreia viraria relíquia de colecionador. A capa, em que a primeira das quatro chamadas era "Foi assim que ganhamos o tri", seria um ícone da história da revista. Trazia uma foto de Pelé sorridente, envergando na cabeça o *busby* usado pelos guardas da rainha. Foi feita em Buenos Aires, antes de um jogo do Santos. Saiu sem crédito e jamais se identificou o autor. Sabe-se que Pelé sorriu 92 vezes para o fotógrafo argentino contratado por Sérgio de Souza — a quem é atribuído o texto ficcional, que tampouco foi assinado. As primeiras 36 poses se perderam, porque o fotógrafo se esquecera de colocar o filme em sua câmera de 35 milímetros. Preocupado com a falha, Sérgio bateu algumas chapas por conta própria. Houve erro na fotometragem e os cromos ficaram escuros. Como não havia tempo para refazer, o diretor de arte Eduardo Barreto Filho escolheu o menos pior, corrigindo na gráfica com os limitados recursos disponíveis muito antes da invenção do tratamento digital de imagens.

A revista foi para as bancas no dia 12 de abril, uma terça-feira. Tinha 138 páginas, 42 delas de publicidade. Com poucas exceções, em mais uma evidência das mudanças sofridas pelo país, os anúncios eram de empresas e produtos que deixariam de existir: Banco Nacional de Minas Gerais, Banco de Crédito Real, as companhias aéreas Varig e Paraense, os carros Rural Willys, Kombi e Itamaraty, TV Excelsior, lojas Mesbla, roupas McGregor, ternos de tergal, camisa Volta ao Mundo... Uma venda de 100 mil exemplares seria considerada satisfatória e lucrativa pelos cálculos da Abril, mas Victor e Roberto resolveram arriscar. Apostaram em uma tiragem elevada: 275 mil. Esgotou em uma semana. Ninguém sabia muito bem disso, mas naquele Brasil carente e conservador havia um expressivo contingente de leitores esperando por uma revista como *Realidade*. Era só o começo. Ela continuaria a surpreendê-los e sua circulação iria disparar.

Réveillon de 1966

O sucesso da *Realidade* foi instantâneo. Depois do primeiro número esgotado, as vendas cresceram sem parar em cinco meses consecutivos. A segunda edição, lançada em maio, vendeu 284 mil exemplares; a de junho, 352 mil; a de julho, 400,5 mil; a de agosto, 416 mil; a de setembro, 424 mil. Houve uma pequena queda no último trimestre do ano, mas os números se estabilizariam em um patamar alto nos dois anos seguintes. Em 1967, a venda média chegaria a 343 mil. Em 1968, a 359,7 mil. Ela se tornou nesse período a maior revista em circulação no país.

Comprovar a circulação paga, sobretudo com números elevados, como era o caso da *Realidade*, sempre foi a chave do negócio. A receita de uma publicação depende da venda em bancas, da quantidade de assinaturas e do volume de publicidade. Nos anos 1960, a Abril não tinha uma operação de assinaturas montada. Portanto, precisava que o leitor fosse ao jornaleiro e comprasse suas revistas a cada semana ou a cada mês, atraído pelo prestígio do título, pelo impacto da capa e pelos assuntos apresentados. Na teoria, quanto maior a venda, maior a quantidade de anúncios — e maior o preço de tabela do espaço publicitário. Na prática, o círculo pode não ser tão virtuoso. Revistas populares, ainda que vendam muito, atraem pouca publicidade. Em geral barata. Os anunciantes e as agências entendem que os leitores desse segmento têm baixo poder aquisitivo. Acontece o mesmo com as revistas infantis. E ocorreu com a *Manequim*, conforme se relatou. Os mídias, profissionais das agências que escolhem os veículos em que sairão os anúncios de seus clientes, trabalham com o chamado custo por mil. Ou seja, quanto pagarão por leitor. É o que determina o valor real de uma campanha de publicidade. Assim, se a revista A cobra 10 mil por uma página e vende 10 mil exemplares, seu custo por mil será um. Já se a revista B cobra 20 mil e vende 40 mil exemplares, seu custo por mil, apesar da tabela maior, será 0,5. Em outras palavras, o caro pode ficar barato. E vice-versa. Esse é um exemplo teórico e simplificado, pois no cálculo leva-se em conta, adicionalmente, o tipo de consumidor que se quer atingir (se o anúncio for de um produto masculino e a publicação tiver um contingente expressivo de mulheres, digamos, o custo por mil será recalculado em cima de uma base expurgada).

Até o início daquela década, tudo isso era aleatório e empírico. Não existia tiragem comprovada. Existia "mentiragem", como se dizia no mercado. Os editores declaravam a venda que bem entendiam e as agências a reduziam, de forma igualmente arbitrária, em pelo menos 30%. Mesmo quando divulgavam uma informação correta, eles não tinham como comprová-la. Em meados da década de 1950, *O Cruzeiro* se transformou na maior revista do Brasil. Dizia-se que uma de suas edições chegara a vender 700 mil exemplares. Na ocasião, a Abril sustentava que a líder do mercado era a *Capricho*, com uma circulação de 500 mil, pois publicações como *O Cruzeiro* alardeavam números inflados. Mas como convencer as agências? Victor Civita costumava visitá-las com frequência e não perdia nenhuma oportunidade de apontar o que considerava exageros nas estimativas da concorrência. Certa noite, ele ofereceu uma festa para os principais diretores de mídia de São Paulo, em uma boate, e de lá os levou para a gráfica da Abril. A *Capricho* estava acabando de ser impressa e os visitantes puderam ver, no relógio da máquina, a contagem de 600 mil, correspondente à tiragem total. Embora a demonstração parecesse convincente, não seria possível repeti-la com cada revista, a cada edição. De qualquer modo, não se tratava de uma prova irrefutável. Afinal, tiragem — o total de exemplares rodados — é uma coisa. Circulação — o total de exemplares vendidos — é outra. Uma tiragem pode se esgotar, mas pode também encalhar e virar papel picado.

Victor começou então a se movimentar para convencer editoras, agências de publicidade e grandes anunciantes a se unirem na criação de uma entidade independente para medir, em um sistema de auditoria, a circulação real de revistas e jornais. Foi uma exaustiva batalha, iniciada com atraso em relação ao que existia no exterior fazia tempo. Nos Estados Unidos, o Audit Bureau of Circulations (ABC) operava desde 1914. Organizações semelhantes seriam formadas nas duas décadas seguintes em vários países europeus. A Argentina criou uma delas em 1946. Enfim, em 1957, durante o I Congresso Brasileiro de Propaganda, foi fundado no Rio de Janeiro o Instituto Verificador de Circulação (IVC), com uma estrutura tripartite formada por editores, agências e anunciantes. Ficou um tempo literalmente no papel até começar suas operações, ainda parciais, em 1962.

Seu efetivo funcionamento seria iniciado no dia 24 de abril de 1964, com a primeira reunião da Junta Diretora, na sede da Associação Paulista de Propaganda, mais tarde Associação dos Profissionais de Propaganda (APP Brasil), no centro de São Paulo. Roberto foi eleito segundo secretário — a presidência ficou com um executivo da Shell, representando os anunciantes —, mas, sendo ele quem era, sem vocação para coadjuvante, tratou de ocupar a cabeceira da mesa, em mangas de camisa, cachimbo na mão, e na prática liderou o encontro. O ambiente estava atulhado de papéis, xícaras de cafezinho e maços de Minister, lembrando um cenário da futura série de TV *Mad Men*. Não demoraria para que o IVC, pela coincidência das iniciais e o interesse da Abril em vê-lo em ação, viesse a ser chamado no meio, jocosamente, de Instituto Victor Civita. Independente e com credibilidade, o IVC teria um papel relevante no processo de frutificação da árvore da editora. Ela agora podia demonstrar, através de levantamentos auditados, a forte circulação de suas principais revistas. E com isso dispor de argumentos convincentes para conseguir o que de fato buscava: faturamento em publicidade. As publicações que não se filiassem ao IVC teriam dificuldades crescentes para receber anúncios.

Ao final daquela demorada reunião, Roberto começaria a elaborar um discurso que viraria um de seus mantras. Ele passou a pregar repetidamente que, sem a livre-iniciativa e a concorrência comercial, não haveria publicidade. Sem publicidade, afirmava, não existiriam tantos veículos de comunicação, que dependem da propaganda para chegar ao público de graça, no caso dos meios eletrônicos, ou a um custo razoável, no caso dos impressos. Da mesma forma, sem a publicidade seria difícil lançar produtos, vendê-los, promover a concorrência e gerar as economias de escala que resultam em maior qualidade e menores custos. "Seria, acima de tudo, virtualmente impossível sustentar uma imprensa livre, vigorosa e independente, alicerce — como sabem todos os ditadores — do primado da lei e da democracia", concluía.

Essa combinação de fatores — grande circulação, seguida do afluxo de publicidade, resultando em boas receitas — ajuda a explicar o sucesso da *Realidade*. Ele só foi alcançado, porém, porque a revista conquistou leitores com o alto nível e a ousadia de suas reportagens. Juntaram-se as condições para uma "tempestade perfeita", na análise feita em um artigo pelo jornalista, professor e estudioso da imprensa Carlos Eduardo Lins da Silva. Ou seja, conforme ele relacionou, juntaram-se ao mesmo tempo um grupo de talentosos jornalistas, um público ávido por compreender as transformações de sua época, um mercado que comportava iniciativas arrojadas e uma empresa jornalística com saúde financeira e disposta a correr riscos. Lins da Silva resumiria: "O fato é que não houve antes e provavelmente nunca haverá nada parecido".

Roberto dava uma explicação semelhante. Para ele, a revista captara "o espírito da época, aquilo que os alemães chamam de *zeitgeist*". Em outras palavras: "Pegamos a onda perfeita no momento perfeito". Nesse aspecto, sua opinião coincidia com a da redação, formada "por um bando de malucos de esquerda", no dizer de Myltainho. No que eles divergiam era sobre o cenário que, na concepção de Roberto, contribuiu para a tal tempestade:

> De 1965 a 1968, se fez uma revolução macroeconômica no Brasil, sob o comando dos ministros Roberto Campos e Octavio Gouveia de Bulhões. Foi uma época de pouca repressão e muita reformulação econômica, que abriu caminho para o primeiro grande boom econômico, o chamado "milagre brasileiro". Nós mesmos, os jornalistas da revista, éramos parte da revolução de costumes que acompanhou essa época de euforia. Todos tínhamos cerca de trinta anos, todos casados. No fim do primeiro ano de *Realidade*, dois terços da redação estavam descasados, e já com outras mulheres.

O casamento de Roberto foi um dos poucos que se mantiveram, ao menos no período em que ele dirigiu a revista. "A cada reunião de pauta alguém se apaixonava por alguém, dentro da equipe", testemunhou Marão. "Houve paixões por secretárias, por novas repórteres, por colaboradoras eventuais, pela mulher dos outros."

O "espírito da época" levou a revista a desafiar o puritanismo e a hipocrisia nos costumes. Mas algumas de suas matérias, lidas cinco décadas depois, surpreendem pelo oposto disso. Usavam uma linguagem que, mesmo naquela ocasião, soaria ofensiva para determinadas minorias. É preciso ressaltar, porém, que os trechos que se seguem não foram escritos no século XXI. Em uma reportagem sobre o cotidiano dos policiais, assinada por Narciso Kalili, no número 3, sairia este olho, designação do texto colocado abaixo do título (nesse caso, antecedendo-o): "São Paulo tem 80 mil prostitutas, 30 mil ladrões, quase mil hotéis clandestinos, 4 mil bicheiros e milhares de malandros e viciados, homossexuais, cáftens, vigaristas, vagabundos. Este é o mundo do crime. O mundo onde vive" — em seguida vem o título "O tira". Trocando em miúdos, os homossexuais foram comparados a criminosos e contraventores. Pôr prostitutas ao lado de ladrões e vigaristas também não fazia sentido, pois pelo Código Penal vigente elas não exerciam uma atividade ilícita. A matéria reproduzia, sem ressalvas, frases dos entrevistados como "esse preto é perigoso", "mulher é bicho burro" e "mulher-macho". A linhas tantas, o próprio repórter afirma: "Três dos grandes problemas para os homens que defendem a lei: o jogo, os entorpecentes e o homossexualismo, que se espalham por toda a cidade e são caminhos para quem procura um criminoso".

Em 1968, a revista publicaria uma matéria do repórter Hamilton Almeida Filho sobre o que chamou de "o mundo triste e desumano dos homens que negam sua condição de homens". O tema era a homossexualidade. Mais uma vez, *Realidade* escorregaria no enfoque — embora novamente não se possa esquecer da moral e dos conceitos vigentes. "Nenhum homossexual admite ser o seu homossexualismo uma doença. No máximo admite ser um vício, se for necessário usar um termo mais forte", dizia. Mais adiante: "A homossexualidade é considerada do ponto de vista psiquiátrico como neurose de caráter e enquadrada nas chamadas personalidades psicopáticas". Foram dois momentos infelizes de uma publicação que marcaria época por denunciar a intolerância.

A revista também seria lembrada por muitos, inclusive leitores que naqueles anos não tinham idade para acompanhá-la ou nem haviam nascido, como uma publicação que desafiava o regime militar com suas matérias políticas. Estudantes de jornalismo fariam perguntas recorrentes a respeito durante as incontáveis palestras dadas por integrantes da equipe original. *Realidade*, no entanto, não foi apenas contestatória, atrevida e corajosa. Publicou capas com Fidel Castro, Che Guevara, Luís Carlos Prestes e o líder estudantil Luís Travassos, é verdade, mas nenhuma delas causou problemas ou levou as edições a serem apreendidas. Essas reportagens eram precedidas de ponderações críticas, em tom editorializado. No caso, em textos à parte, caracterizados como editorial, não no corpo das matérias. Assim, na entrevista de Prestes, secretário-geral do proscrito PCB, por exemplo, a revista advertia em uma "nota de redação" de página inteira que suas palavras deveriam "ser entendidas como uma advertência aos ingênuos, aos que acreditam numa democratização do comunismo de obediência russa".

Nos primeiros números, *Realidade* publicou perfis com tom positivo, sem ironias nas entrelinhas, do presidente Humberto de Alencar Castello Branco e do seu já escolhido sucessor Artur da Costa e Silva. No perfil do marechal Castello Branco, cujo título era "Este é o Humberto", podia-se ler o seguinte: "Sete vezes avô, ele vai se transformando num velhinho simpático, que dosa a severidade com um pouco de bom humor e sabe que não é preciso ser chato para ser austero". O título da matéria sobre o general Costa e Silva trazia uma saudação: "Feliz aniversário, seu Artur". A foto principal mostrava uma fila indiana de generais fardados que iam cumprimentar o ministro da Guerra (o cargo viraria o de ministro do Exército), que impusera seu nome, com o apoio da linha dura do regime militar, para ocupar a presidência da República ao final do mandato de Castello Branco. Sua eleição indireta seria realizada pelo Congresso Nacional, expurgado por uma série de cassações de mandatos parlamentares, em 3 de outubro seguinte, dia de seu nascimento — daí o título. Ele foi descrito como

> homem emotivo e sensível, capaz de passar horas brincando com os netos, de chorar diante do Muro de Berlim como aconteceu em sua recente viagem ao exterior, de se preocupar com a saúde dos empregados de sua casa e de cantar, a todo pulmão, o "Parabéns a você" numa festinha de aniversário.

Mais adiante, vinha um aviso profético: "Se ficar bravo, seu Artur vai chutar os obstáculos. E chutar forte".

No ano seguinte, Costa e Silva voltaria a figurar na revista. Igualmente de forma favorável. "Sereno, forte política e militarmente, nas suas dez primeiras semanas de governo Costa e Silva cuidou de administrar", dizia o texto. E logo depois, numa comparação com seus antecessores:

> Pode-se dizer que no tempo de Juscelino Brasília tinha ar de festa, clima de feriado nacional, pioneirismo e heróis. Quando veio Jânio, acabou-se a festa: bandeiras foram arreadas, a cidade levou um susto. Jango chegou no bojo de uma crise. E, de crise em crise, Brasília passou a viver de sobressaltos. Com Castello, a capital respirou austeridade. Agora, vive dias de Costa e Silva, diferente dos quatro: um homem comum, capaz de sonhar, espera que um povo inteiro sonhe outra vez, pensando num destino melhor.

As três matérias — duas sobre Costa e Silva e uma sobre Castello Branco — foram da autoria de Luís Fernando Mercadante. Ele era admirado entre os colegas e por Roberto pela elegância no trato, nas roupas e no texto. No seu casamento, teve como padrinhos os políticos Carlos Lacerda e Bilac Pinto, próceres da União Democrática Nacional (UDN), partido metido até o pescoço no golpe de 1964. Embora o considerassem "de direita", os jornalistas da redação engajados na esquerda tinham respeito por ele. Carlos Azevedo, o repórter que militaria na clandestinidade ao aderir ao PCdoB, chamou-o em seu livro de "nosso irmão". O escritor Fernando Morais, também identificado com a esquerda, escreveria a seu respeito:

> Mercadante parece sempre ter acabado de sair do banho e de se escanhoar — mesmo depois de um dia e meio de incessante trabalho. [...] Lá está ele, escanhoado, recendendo a lavanda e com os cabelos permanentemente aparados. [...] Não é porém o charme que faz os homens se roerem de inveja de Mercadante. É, acima de tudo, o seu talento.

Mercadante não escreveu apenas histórias, digamos, humanas sobre os dois ditadores. O número 1 trazia com destaque sua reportagem de onze páginas sobre os pracinhas brasileiros engajados em uma "força de paz" que havia realizado, sob a liderança dos Estados Unidos, uma intervenção na República Dominicana. Com ela, a revista ganharia o primeiro de seus oito prêmios Esso, o mais importante do jornalismo nacional. Essa foi igualmente a primeira cobertura internacional da *Realidade*. Havia naquele momento um clima interno que misturava otimismo e ansiedade às vésperas de seu lançamento. Por isso, quando ele e o fotógrafo Walter Firmo desembarcaram de Santo Domingo, como se fossem soldados retornando da guerra, Roberto Civita e Paulo Patarra foram esperá-los no Aeroporto de Congonhas. Mal saiu da alfândega, Mercadante disse para seus chefes que já tinha o título na cabeça. Era forte: "Brasileiros *go home*". Roberto balançou a cabeça. Preferia que fosse menos contundente, mas acabou cedendo. "Ele encaixou", diria o repórter. "Isso fazia a coisa dar certo." O "Brasileiros *go home*" desagradaria aos militares, assim como um dos seus trabalhos seguintes, mostrando a vida e as brigas dos cunhados João Goulart e Leonel Brizola em seu exílio no Uruguai.

Mais do que os temas políticos, os assuntos de comportamento é que causariam dores de cabeça para a editora. "Como Dom Quixote, nós atacamos os moinhos de vento", diria Roberto.

> Os moinhos eram os tabus: sexo, aborto, divórcio, religião... Ninguém falava disso. Não por causa da censura, mas como resultado da moralidade vigente e de cultura hipócrita que existia no Brasil. Dizia-se: isso não se fala, isso não se publica. Decidimos falar e publicar.

Aqui, mais uma vez, é preciso pôr determinados fatos em perspectiva. A *Realidade* era praticamente contemporânea da pílula anticoncepcional, que ajudou na liberação das mulheres e permitiu que o sexo viesse a ser praticado por prazer, sem o risco de uma gravidez indesejada. No entanto, a sociedade brasileira no geral continuava conservadora e havia, até entre os jovens das classes A e B das grandes cidades, um considerável desconhecimento sobre sexo e reprodução humana.

A desinformação ficou comprovada com uma pesquisa que sairia na edição de agosto de 1966. Mil moças e rapazes, com idade entre dezoito e 21 anos, alunos de cursos pré-vestibular de São Paulo e Rio de Janeiro, responderam a um extenso questionário elaborado pelo psiquiatra José Ângelo Gaiarsa. Os "resultados de inquietar", conforme assinalou a revista, serviram de base para a reportagem "A juventude diante do sexo". Uma parte considerável dos entrevistados ignorava que o homem libera milhões de espermatozoides em cada relação sexual e que a mulher amadurece um único óvulo por mês. Eles não tinham conhecimentos básicos sobre menstruação e só 27%

delas sabiam que a ereção do órgão sexual masculino se dá em razão da congestão com sangue. Foi também surpreendente a constatação de que os jovens eram muito mais recatados do que seus pais poderiam imaginar. Um terço das paulistanas declarou que jamais havia beijado o namorado (entre as cariocas, 7%). E 56% dos pesquisados afirmaram que nunca tinham feito carícias íntimas no parceiro. Não foi incluída nenhuma pergunta sobre virgindade ou iniciação sexual. Apesar dos cuidados e de um certo pudor no questionário, a matéria, ilustrada com fotos inocentes, causaria controvérsia e sérios contratempos para a editora.

Ao final do longo texto, a revista anunciou que no número seguinte seriam publicadas as conclusões da pesquisa. Não foram. Logo que a *Realidade* chegou às bancas, a Abril recebeu uma intimação do juiz de Menores da Guanabara, Alberto Cavalcanti de Gusmão. Com base em uma lei vigente, advertiu que mandaria apreender a nova edição caso ela trouxesse a prometida sequência. Nas suas palavras, o artigo inicial era "obsceno e chocante". Diante da ameaça, a editora recuou. Em um comunicado, informou aos leitores que, evidentemente, não concordava com a opinião do magistrado, pois "ao nosso ver, não pode haver obscenidade num artigo que é apenas o retrato fiel do comportamento e das atitudes de uma parte representativa da juventude brasileira". No entanto, "para não entrar em choque com o Juizado de Menores da Guanabara", decidira "suspender temporariamente" a parte final do trabalho, "até que os tribunais superiores se pronunciassem". A revista publicaria 29 cartas a favor e nove contra a reportagem. "Consideramos um artigo desse quilate como ultraje ao pudor e um desrespeito à Igreja", dizia uma delas. "Tenho uma filha de dezessete anos e dois filhos de treze e dezesseis. Nunca consegui fazer-me entender com eles a respeito de problemas sexuais", dizia outra, "pois tendo sido educado em meio aos tabus convencionais de nossa sociedade nunca pude romper a barreira do acanhamento e abordar a questão como deveria. Sua revista fez isso por mim." *Realidade* não voltaria ao assunto, mas logo se envolveria em mais um vespeiro de consequências mais graves.

Enquanto isso, ela iria incursionar em mais dois delicados terrenos: o racismo e a religião. "Existe preconceito de cor no Brasil", afirmava o título de uma matéria. A foto de abertura retratava o repórter Narciso Kalili, branco e judeu, fingindo que namorava na praça da República, no centro de São Paulo, uma moça negra. Ao lado deles, duas mulheres apareciam com expressão perplexa diante da cena, uma delas com a mão na boca. Kalili foi um dos mais destacados repórteres da revista. Tinha fama de não cumprir os prazos de entrega dos textos e de escrevê-los com mais do dobro do tamanho combinado, brigando quando os editores os cortavam, mas era reconhecido pela capacidade de trabalho e pela criatividade. Em uma de suas reportagens de maior repercussão, apresentou aos leitores um grupo católico ainda pouco conhecido: os frades do convento paulista dos dominicanos, empenhados em mudar a imagem da Igreja católica. "Para eles, o sacerdote não pode viver numa comunidade sem se interessar política, econômica, jurídica e socialmente por ela", afirmava. Os religiosos não escondiam seu posicionamento político. "A juventude já foi enganada demais, pelos adultos e pela própria Igreja", dizia frei Agostinho. "Sou jovem e minhas aspirações são as de todo rapaz. Engajar-me no processo histórico, ser um dos colaboradores na tarefa de promoção do homem, até o dia em que o povo das ruas cantará o seu canto de paz", declarava frei Rafael.

Publicada a reportagem, com o título de "Revolução na Igreja", três dos frades, por sugestão de Kalili e de Roberto Freire, que frequentava regularmente o convento, foram convidados para serem colaboradores da revista: Carlos Alberto Libânio Christo, o frei Betto; Humberto Pereira, o frei Patrício; e Gabriel Romero, o frei Norberto. Ao contrário de Pereira e Romero, que largariam o hábito e se tornariam jornalistas, frei Betto continuou na ordem, ganhando notoriedade posteriormente como escritor, articulista e conselheiro de dirigentes do Partido dos Trabalhadores (PT), entre eles o presidente Luiz Inácio Lula da Silva. Ele foi escalado para fazer uma reportagem sobre a "Colômbia dividida" às vésperas da histórica visita do papa Paulo VI ao país. Só em raríssimas ocasiões um pontífice saía do Vaticano. A reportagem seria assinada com seu nome verdadeiro. Causou duas confusões. A primeira seria apenas curiosa. Ao voltar, frei Betto fez sua prestação de contas e foi devolver o dinheiro que sobrara. Patarra não aceitou e lhe deu uma bronca, porque estaria abrindo um precedente: nas viagens, os repórteres gastavam toda a verba recebida, às vezes pediam um reforço e nunca entregavam o troco. "Rapaz, não tenho nada a ver que você não vai pra noite, não enche a cara, não sai com mulher. Mas não vem prestar contas, não", o chefe lhe disse.

O problema maior viria depois. Entre os mais de cem prelados que estariam na Colômbia incluía-se dom Helder Câmara, arcebispo de Olinda e Recife, conhecido por sua oposição ao regime militar e suas posições de esquerda. "Por não aceitar a sua linha de ação social", registrava a matéria, a hierarquia da Igreja colombiana não lhe reservara acomodações para acompanhar a visita papal. Como desagravo, ele teria recebido um convite de Isabel Restrepo de Torres para se hospedar em sua casa. Ela era mãe do padre-guerrilheiro Camilo Torres, que pegara em armas contra o governo e morrera quando combatia ao lado do Exército de Libertação Nacional. Preocupado com as repercussões da notícia, dom Helder pediu que dom Paulo Evaristo Arns, bispo auxiliar de São Paulo, solicitasse um desmentido à revista. Não o escolheu por acaso. Dom Paulo tinha boas relações com Roberto Civita, que, apesar de se considerar agnóstico, o convidava de tempos em tempos para almoços em que trocavam ideias sobre política e religião. Depois do café, cada um fumava seu cachimbo. Na redação ninguém sabia, mas Roberto havia mandado para dom Paulo o texto original de frei Betto, pois achava o assunto bastante sensível e pedira sua opinião. O mesmo texto fora lido previamente pelo advogado Edgard de Sílvio Faria, genro de Gordiano Rossi, sócio minoritário da Abril. Dr. Edgard, como o chamavam, era o diretor responsável da editora e dirigia sua área jurídica. Ele aprovou a matéria, embora "com diversas correções", segundo Patarra deixaria registrado.

Já as observações de dom Paulo, que provavelmente incluíam a menção ao convite da mãe do padre-guerrilheiro, chegaram com atraso. "Reverendo dom Paulo", escreveu-lhe Roberto, "infelizmente, o caderno em questão já tinha sido impresso e não foi possível efetuar as modificações necessárias." A solução encontrada foi publicar uma carta, assinada por dom Helder. Dizia o seguinte:

> Não tenho conhecimento, conforme afirma na reportagem "Colômbia dividida espera o papa", de nenhuma restrição à minha pessoa, por parte da hierarquia colombiana. Não recebi nenhum convite para hospedagem em Bogotá, por parte da sra. Isabel Restrepo de Torres, mãe de Camilo Torres.

O caso não terminaria bem para dom Helder. Na edição seguinte, a revista publicaria outra carta, esta assinada pelo frei-repórter, desmentindo o arcebispo de Olinda e Recife de forma categórica:

> A sra. Isabel Restrepo de Torres entregou-me em mãos o convite a dom Helder. Enviei-o a este prelado e, antes mesmo da circulação do número de agosto de *Realidade*, ele respondeu-me confirmando o recebimento. Tenho comigo uma cópia assinada do convite da sra. Isabel Torres e o original manuscrito da confirmação de dom Helder.

A religião renderia uma série de pautas para a *Realidade*. Algumas provocariam quase tanto barulho quanto a dos dominicanos ou a da Colômbia. Foi o que aconteceu com as discussões sobre o celibato na Igreja católica e o depoimento de um sacerdote americano, publicado originalmente na revista americana *The Saturday Evening Post*: "Sou padre e quero casar". Mas houve espaço também para abordagens bem-humoradas, entre elas, em agosto de 1967, a de um artigo que anunciava: "A falência do diabo". Na capa, o modelo que aparece fantasiado de demônio, prestes a dar um tiro na cabeça, era o próprio autor da matéria: Narciso Kalili. Três edições antes, o mesmo Kalili posara como um drogado que autoaplica uma injeção na veia do braço para ilustrar a reportagem "Ele é um viciado". Na redação, dizia-se que, quando sua matéria não ia para a capa, ia ele pessoalmente. Além de humor, a temática religiosa inspiraria um marcante momento poético. Para o sexto número, estavam sendo preparadas sete páginas com pequenas parábolas do budismo, do judaísmo, do islamismo, do confucionismo e do cristianismo.

Uma das fotos escolhidas para ilustrar essa matéria chamou a atenção de Roberto. Era o close de um rosto feminino, em parte coberto por um véu. Uma lágrima escorria do seu olho esquerdo. Ao ver a imagem ampliada, ele afirmou, entusiasmado: "Esta é a capa". Os que estavam por perto discordaram. Achavam um tanto fria, e que não era vendável. "Deixam eu usar meus 51% desta vez?", perguntou por perguntar, pois estava convencido de sua decisão e não voltaria atrás. Acertou em cheio. Essa seria a edição citada no primeiro parágrafo deste capítulo que venderia 424 mil exemplares. "A lágrima é tão perfeita que vi uma garotinha tentando enxugá-la", escreveu um leitor. Esse recorde seria batido uma única vez, e ainda assim por pouco. Em novembro de 1967, a capa com a chamada "Jânio: afinal, a verdade sobre a renúncia" seria comprada por 430 mil leitores.

No final de 1966, Roberto lançou mão novamente de seus 51% quando se discutiu, em clima acalorado, mais uma escolha de foto. Cerca de seis meses antes, "em longa conversa ao pé da lareira, numa noite de inverno", conforme ele recordaria em um editorial sem citar os nomes dos participantes, surgira a ideia de fazer uma edição especial sobre a mulher brasileira. A pauta foi bastante variada. Trazia uma entrevista sobre liberdade sexual com a atriz de teatro Ittala Nandi, então com 24 anos, na linha da que havia saído com a sueca Ingrid Thulin no número 1, uma pesquisa sobre o que pensavam as mulheres e, para citar apenas algumas, reportagens enfocando freiras, mães de santo, mães solteiras, desquitadas e uma parteira do interior gaúcho. O debate na redação girou em torno da foto que deveria abrir esta última matéria. O título estava escolhido: "Nasceu!". Duas fotos concorriam. A primeira mostrava o bebê já numa banheira, soltando seu choro. A segunda registrava o momento exato de seu nascimento, com a parteira puxando-o pelo pescoço do corpo da mãe. Algumas pessoas opinaram que essa deveria ser simplesmente descartada. Bastante realista, por certo chocaria uma expressiva parcela de leitores — e talvez causasse problemas com as autoridades, a exemplo do que acontecera com a pesquisa "A juventude diante do sexo". Mas houve quem a defendesse, argumentando que, ao lado do título, iria compor uma página dupla marcante.

Coube a Roberto desatar o nó. Entraria a primeira na abertura da matéria e a segunda mais à frente, bem na dobra da quinta e sexta páginas, o que diminuiria o possível choque. "Meus colegas previam que, mesmo ali, daria encrenca", diria ele. As fotos em preto e branco, com luz natural, foram o primeiro trabalho para a revista de autoria da suíça Claudia Andujar, que emigrara para o Brasil em 1955. José Hamilton Ribeiro se lembraria dela como uma mulher "grande, bonita, de corpo imaginado e festejado pela redação inteira, discreta, tímida, sensível". Claudia se casaria com outro fotógrafo colaborador da revista, o afro-americano George Love, autor da foto de capa daquela edição: o retrato de uma jovem e bela loira de olhos azuis, sob uma lente de aumento. As imagens seguiram para a gráfica. Assim que viu o caderno impresso, Victor disse para Roberto: "Essa foto da criança nascendo vai nos dar problemas". Acertou mais uma previsão. Na semana do Natal, a revista já estava nas mãos de metade dos leitores e do juiz de Menores de São Paulo. No dia 30, uma sexta-feira, quando a equipe encerrava o expediente e se preparava para as comemorações do Ano-Novo, veio a notícia que estragaria o Réveillon de todo mundo: o juiz havia determinado que a edição número 10 da *Realidade* fosse imediatamente apreendida.

1º de outubro de 1968

Foi um desastre. Diante da ordem judicial, os 231 mil exemplares da edição número 10 da *Realidade* que ainda não tinham saído da gráfica seriam confiscados. Cerca de outros 200 mil, já postos à venda, seriam recolhidos das bancas. Quase todos iriam para a picotadeira. Isso porque, logo após a decisão do juiz de Menores de São Paulo, o juiz de Menores da Guanabara também determinaria a apreensão. Escaparia apenas uma pequena parcela do reparte. Alguns jornaleiros venderiam a "revista proibida", como diziam aos fregueses conhecidos, por baixo do pano, com preço cinco vezes maior do que o marcado na capa. Passados 43 anos, em maio de 2010, a Abril rodaria uma edição fac-similar. Seria comercializada nas bancas por razões legais, pois o departamento jurídico da empresa entendia que, se pelo menos um número especial da revista não fosse impresso a cada cinco anos, a editora correria o risco de perder o registro do título. Entre tantas opções, Roberto Civita fez questão de que a edição fosse a apreendida, com data de janeiro de 1967. O fac-símile teve uma tiragem de 32 740 exemplares e vinha acompanhado de um suplemento de 32 páginas, em formato menor, que Roberto mandou preparar. Trazia um resumo da história da revista, reproduzia algumas capas marcantes e falava dos bastidores da apreensão. Apesar de pequeno, o suplemento deu um trabalhão para os responsáveis pelo projeto, o diretor de serviços editoriais Alfredo Ogawa e a editora Patricia Hargreaves. "Dr. Roberto mandou refazer tudo três vezes até ficar satisfeito", contaria Patricia. Dos exemplares originais, uns poucos sobreviveriam em sebos.

Roberto se sentiu em grande parte responsável pelo que aconteceu. Ele admitiria que tomou uma decisão errada e ficou arrependido por ter optado pela publicação da foto mais explícita do parto, mesmo em tamanho relativamente discreto. Perceberia, tarde demais, não ter levado em conta o risco nem avaliado as reações moralistas que tal tipo de imagem poderia despertar. Em um primeiro momento, como registraria bem mais tarde, ficou "atordoado". Nem ele nem ninguém, entretanto, sabia exatamente o que levara os dois juízes a determinar a apreensão. Especulava-se que poderia ter sido o conjunto da edição. Talvez o estopim tivesse sido uma das chamadas de capa ("Eu me orgulho de ser mãe solteira"). Ou quem sabe as "Confissões de uma moça livre", na entrevista da atriz Ittala Nandi, que começava assim: "Sabe por que uma amiga minha, aos quinze anos, resolveu ir dormir pela primeira vez com um homem? Porque ela queria ser escritora, e achou que sem a tal experiência não teria conseguido enfrentar, de forma realista, o tema amor".

"Entrei em ação para tentar descobrir os bastidores da proibição", diria Roberto, que após algumas investigações chegou à verdadeira história. Ignora-se quais foram as suas fontes. Ele apurou que o cardeal arcebispo de São Paulo, dom Agnelo Rossi, viu a revista, esconjurou a foto do parto e ligou indignado para o governador do estado, Laudo Natel, que transmitiu a queixa ao juiz de Menores de São Paulo, Artur de Oliveira Costa. O juiz lavrou a ordem de apreensão. Para ele, a edição continha "algumas reportagens obscenas e profundamente ofensivas à dignidade e à honra da mulher, ferindo o pudor e, ao mesmo tempo, ofendendo a moral comum, com graves inconvenientes e incalculáveis prejuízos para a moral e os bons costumes". O juiz da Guanabara era aquele mesmo Alberto Cavalcanti de Gusmão que ameaçara mandar recolher a revista se fosse publicada a segunda parte da pesquisa sobre sexo e juventude.

Como mais da metade da tiragem ainda estava na gráfica, a revista não pôde ser distribuída para outras cidades. Na prática, portanto, a proibição foi nacional. Disparador do gatilho, dom Agnelo seria mais tarde considerado conivente com a ditadura militar e negaria que frades dominicanos — entre os quais frei Betto — tinham sido torturados no Departamento de Ordem

Política e Social (Dops), onde os visitou e viu o estado deplorável em que se encontravam. Eles estavam presos e sendo interrogados pela suspeita de ligações com o líder da clandestina ALN, Carlos Marighella, que aderira à luta armada contra o regime. De acordo com frei Betto, os religiosos, "todos quebrados", lhe disseram que haviam sido torturados. Um delegado teria afirmado para o cardeal: "Não, eminência, eles caíram da escada". Sempre segundo frei Betto, o cardeal "saiu do Dops e disse à imprensa que não houve tortura". Em 1970, dom Agnelo seria substituído na arquidiocese por dom Paulo Evaristo Arns e alçado à cúpula do Vaticano pelo papa Paulo VI, que o nomeou prefeito da Congregação para a Evangelização dos Povos, órgão da Cúria Romana encarregado das questões referentes à propagação da fé católica no mundo inteiro.

Depois da treva, esperou-se um longo tempo pela luz. Como o Tribunal de Justiça do estado rejeitara um mandado de segurança impetrado pelo advogado da Abril, a empresa recorreu ao Supremo Tribunal Federal (STF). Passados quase dois anos, em 1º de outubro de 1968, o STF finalmente colocou o processo em julgamento. Coube ao ministro Aliomar Baleeiro dar o voto decisivo. Político, jurista e jornalista baiano, Baleeiro fora um destacado expoente da UDN, o conservador partido de Carlos Lacerda. Como deputado federal eleito na Bahia e em seguida no Distrito Federal, ele integrara a Banda de Música da UDN, assim chamada por sua estridente e afinada oposição aos governos de Getúlio Vargas, Juscelino Kubitschek e João Goulart. Nessa condição, apoiou o golpe de 1964 e votou no Congresso Nacional pela eleição do marechal Castello Branco, que o nomeou para o STF. O relator do processo da *Realidade* foi o ministro Temístocles Cavalcanti. Em seu parecer, Cavalcanti se baseou na Lei de Imprensa, de 1953, que dispunha: "Não poderão ser impressos, nem expostos à venda ou importados, jornais ou quaisquer publicações periódicas de caráter obsceno, como tal declarados pelo juiz de Menores, ou, na falta deste, por qualquer outro magistrado". A seu ver, não existia um critério objetivo para declarar se uma publicação seria ou não obscena. Na dúvida, entendeu que a edição da *Realidade* seria — e votou contra a liberação.

Baleeiro discordou. Ele foi ao cerne da questão ao lembrar que o conceito de obsceno, imoral ou contrário aos bons costumes "é condicionado ao local e à época". Citou vários exemplos para sustentar sua argumentação. O biquíni

("Seria inconcebível em qualquer praia do mundo ocidental há trinta anos"). Um clássico da literatura universal ("Seria mandado para um hospício de alienados o juiz que apreendesse, hoje, *Madame Bovary* ou denunciasse Flaubert, mas este, há um século, foi a julgamento"). E a homossexualidade ("Na passagem do século, Oscar Wilde sofreu pena de cadeia por esse motivo, enquanto, quase na mesma época, nada padeceram, na França, Marcel Proust, André Gide e outros").

> Por que então a atitude discriminatória contra a *Realidade*? Aliás, nas mãos de adolescentes, andam obras didáticas com gravuras mais minuciosas e explicativas, quando cursam biologia. Certo, *Realidade* não é indicada para crianças ou alunos de aula primária. Isso não impede que desejem e possam lê-la adultos. Mas duvido muito que os colegiais, hoje, ainda levem a sério a cegonha.

Em um voto que seria considerado histórico para a liberdade de expressão, arrematou:

> Concluindo, pervaguei a vista pelo exemplar de *Realidade* anexo aos autos — o que foi objeto da apreensão — e não lhe atribuo o caráter de publicação obscena, imoral, sórdida ou contrária aos bons costumes. [...] Reconhecendo direito líquido e certo [...], dou provimento ao recurso.

A maioria o acompanhou e a revista foi liberada. "Embora tarde demais para salvar a edição ou reparar os pesados danos materiais causados pela proibição, a decisão do Supremo lavou nossa alma e nos deu forças para continuar pelo mesmo caminho", comemoraria Roberto.

Naqueles 21 meses decorridos entre a apreensão determinada pelos juízes e a decisão do STF, muita coisa aconteceu na vida da *Realidade*. No mesmo momento da liberação do número 10, a maior parte da redação pareceu se inspirar nos estudantes franceses que saíram às ruas no célebre Maio de 1968, formando barricadas em Paris, para atacar a ordem estabelecida. Ou nos seus colegas brasileiros que se mobilizavam contra o regime militar, assunto que rendeu algumas matérias simpáticas a eles. Os jornalistas se revoltaram e resolveram sair em demissão coletiva. Eles se mostravam insatisfeitos desde a escolha do jornalista e escritor maranhense Odylo Costa, filho como diretor de redação. Odylo substituiu Roberto, que em outubro de 1967 deixou o cargo que ocupara durante um ano e meio para se tornar diretor de publicações da Abril, passando a ser o responsável editorial por todos os títulos da editora. A maior parte da redação defendia uma solução interna e não aceitou a contratação de Odylo. Ele duraria pouco na função. Depois de apenas cinco meses, iria ser trocado pelo repórter Alessandro Porro, que trabalhava na redação. Apesar disso, mais uma vez a equipe se rebelou. Dessa vez, com reações que beiraram a violência. Sérgio de Souza, que para José Hamilton era "ao mesmo tempo um anjo e uma fera", um "misto de rebelde e santo", ameaçou Porro de agressão caso aceitasse ser promovido. Porro desistiu. A direção ficaria por quatro meses nas mãos de Luís Carta e outros quatro nas de Patarra, mas a essa altura o ambiente interno se deteriorara.

Como resultado das sucessivas rebeliões, onze jornalistas se demitiram no mesmo dia: Sérgio de Souza, Woile Guimarães, Mylton Severiano da Silva, José Carlos Marão, Roberto Freire, Eduardo Barreto, Granville Ponce, Otoniel Pereira, Lana Novikow, Marcos Polé e Octavia Yamashita. Um pouco antes, por motivos diferentes, Duarte Pacheco, Narciso Kalili, Carlos Azevedo e Hamilton Almeida Filho já haviam decidido sair. Patarra, por sua vez, iria para outra área da empresa. Tudo somado, a redação ficaria sem dezesseis pessoas de seu grupo original. No ano seguinte, alguns mudariam de ideia e voltariam a trabalhar na revista, entre eles Sérgio e Marão. A solução encontrada pela Abril foi chamar Milton Coelho da Graça, repórter da sucursal do Rio de Janeiro que havia sido deslocado para a *Quatro Rodas*. Milton virou redator-chefe, mas foi mal recebido. No dia em que ele iria assumir, Sérgio voltou a mostrar seu lado belicoso. Ficou na porta do prédio esperando sua chegada. A essa altura, como as demais revistas da empresa, *Realidade* mudara-se para a sede própria que a Abril acabava de concluir na marginal Tietê. Ao encontrá-lo, Sérgio o chamou de "interventor". Milton não respondeu à provocação e seguiu para a sala que lhe estava reservada. Sérgio não demorou a se demitir pela segunda e última vez.

Quando Milton Coelho iniciava seu trabalho, foi para as bancas a edição que trazia na capa a entrevista com Luís Carlos Prestes feita por Patarra. O secretário-geral do proscrito PCB era para os militares a própria encarnação do mal, o símbolo de tudo o que eles combatiam. Tão logo a revista começou a circular, agentes do Dops foram à editora e anunciaram na portaria que queriam falar com Milton. O funcionário ligou para a redação. Ao saber que o procuravam, Milton fugiu do prédio pelos fundos, pulou uma cerca e ficou refugiado na casa de um amigo por alguns dias. "Eles pensavam que meu nome fosse o pseudônimo do Patarra", ele diria. Após alguns dias, apresentou-se a Roberto e reassumiu seu posto. "Eu nunca lhe disse que atuava no PCB, mas ele sabia que eu era um homem de esquerda", contaria. Alguns anos depois, Milton seria preso e torturado pelo Destacamento de Operações de Informações — Centro de Operações de Defesa Interna (DOI-Codi). Em seguida, foi julgado e condenado pela Justiça Militar por fazer um jornal clandestino, chamado *Notícias Censuradas*, que publicava matérias que haviam sido vetadas na imprensa. Roberto foi visitá-lo no presídio da rua do Hipódromo, na Mooca, ofereceu-lhe assistência jurídica e atendeu a seu pedido de ser demitido para que pudesse receber o Fundo de Garantia. Cerca de um ano mais tarde, quando o jornalista foi libertado, Roberto o recontratou.

No período em que foi redator-chefe, Milton Coelho respondeu a um diretor com quem se atritou. Era o jornalista Paulo Mendonça, conhecido no jornal *O Estado de S. Paulo*, de onde viera, por suas posições políticas conservadoras. Mendonça trabalharia na primeira equipe da *Veja*, como crítico de teatro. Victor e Roberto acreditavam que, naquele momento, *Realidade* precisava de um profissional com esse perfil para contrabalançar a forte presença da esquerda que se mantinha na redação. Milton deixaria a revista por causa disso. Como outros demissionários, acabaria voltando mais tarde. Mas nessa segunda fase — a primeira durou de abril de 1966 a dezembro de 1968 —, que se estenderia por algum tempo até a revista diminuir de formato e se transformar numa espécie de *Seleções*, com matérias leves e de fácil leitura, *Realidade* perdeu o seu vigor.

O ponto alto daquela sucessão de ousadias que agora iriam ficar no passado começou a se materializar em um dia do verão de 1968, quando Patarra chamou José Hamilton Ribeiro para uma conversa. José Hamilton, então com 32 anos, era um homem alto e magro, nascido em Santa Rosa de Viterbo, no interior paulista. Jamais perderia o sotaque e um certo jeitão caipira. Sem ter se filiado a qualquer partido, tinha simpatia moderada pela esquerda e amigos comunistas. Quando estudava jornalismo, fora expulso da Faculdade Cásper

Líbero, junto com seu colega Patarra, depois de comandar uma greve. Trabalhara na *Folha de S.Paulo* e na *Quatro Rodas*. Conseguia ler revistas e jornais em inglês, mas falava mal a língua e tinha dificuldade para entendê-la quando conversavam com ele. Ainda assim, como se virava no idioma, distinguia-se dos colegas monoglotas. Como eles, José Hamilton sabia que Roberto, embora já não dirigisse a redação, havia bancado o mais ambicioso, arriscado e caro projeto da história da *Realidade*: mandar um repórter para cobrir, com olhos brasileiros, a Guerra do Vietnã. Em outras palavras, acompanhar ao vivo o acontecimento mais importante que ocorria no mundo e o maior conflito desde a Segunda Guerra Mundial, com os Estados Unidos empenhados em derrotar os comunistas na antiga Indochina, dividida entre seus aliados do Vietnã do Sul e seus inimigos do Vietnã do Norte. Era uma cobertura arriscada. Quem seria incumbido dela? Ou melhor, convidado? Afinal, nenhum jornalista tem a obrigação de aceitar uma missão em que correrá risco de vida. Patarra já tinha um nome na cabeça. "Precisávamos escolher alguém que não fosse politicamente engajado", diria. "Na *Realidade*, todos eram, inclusive eu. O Zé, porém, não tinha partido. Ele era moderado."

Restava consultá-lo: José Hamilton toparia ser escalado? O repórter levou um susto. Estava acostumado a escrever sobre coronéis do Nordeste, retratar pessoas comuns e fazer matérias científicas, sua especialidade, mas não alimentava o mais remoto plano de um dia acompanhar uma guerra. Na mesma hora, porém, deu-se conta de que aquele era um convite irrecusável para um grande repórter. "Preciso de 24 horas para pensar", respondeu. Ele foi para casa e consultou sua mulher, Maria Cecília. "É loucura, não vá", ela lhe disse. Mas ele decidiu ir e ela, com o coração na mão, resignou-se. (O mundo daria muitas voltas e, 35 anos depois, uma das duas filhas de Maria Cecília e José Hamilton, Ana Teresa Ribeiro, a Teté, lhe contaria que seu marido, o jornalista Sérgio Dávila, da *Folha de S.Paulo*, recebera um convite semelhante: cobrir a Guerra do Iraque. "Diga para ele que é uma loucura e que não vá", ela repetiu para a filha o que dissera para o marido. O genro também não acatou o conselho e seguiu para o front. Voltou ileso.)

No final de fevereiro, José Hamilton partiu para a grande viagem de sua vida. Fez escalas em Paris e Tel Aviv antes de chegar a Nova Delhi, onde aguardou durante alguns dias a liberação do visto. No dia 6 de março, ele desembarcou em Saigon, a capital do Vietnã do Sul. Lá permaneceu duas semanas como correspondente de guerra, junto das tropas americanas. A cobertura terminaria de forma trágica. Em seu último dia no Vietnã, 20 de março de 1968, ele pisou numa mina e perdeu uma parte da perna esquerda.

As notícias internacionais chegavam aos jornais e revistas pelo teletipo. Tratava-se de um aparelho pesado e barulhento, utilizado por agências noticiosas como United Press International (UPI), Associated Press (AP) e Reuters. Elas transmitiam os textos por meio de um teclado datilográfico. A mensagem era registrada no posto receptor sob a forma de letras impressas. Dada a diferença do fuso horário, as primeiras informações sobre o que acontecera com seu repórter foram lidas pela equipe de *Realidade* no dia seguinte. Como sempre, havia pouca gente na redação. Só ficavam lá, durante o expediente normal, os editores e os diagramadores. Os repórteres, quando não estavam fazendo entrevistas e pesquisa de campo, ou participando do fechamento final de suas reportagens, escreviam em casa. Levavam com eles máquinas de escrever Olivetti Studio 44, emprestadas da Abril, pois nas apertadas instalações da rua João Adolfo sentiam dificuldade para se concentrar. Assim, poucos colegas leriam na hora o preocupante e curto telegrama transmitido pela agência France Press (AFP). Eles ficariam sabendo das primeiras e vagas informações pelos telefonemas que foram disparados para todos, espalhando rapidamente a péssima novidade. A notícia era esta: "SAIGON, 21 (France Press) — Urgente — O jornalista brasileiro José Hamilton Ribeiro, de *Realidade*, foi ferido ontem num pé ao explodir uma mina, quando seguia as operações da 1ª Divisão de Cavalaria dos Estados Unidos".

O ferimento era grave? Ele estava consciente? Havia risco de vida? Onde o repórter se encontrava? Após uma longa e angustiante espera, a Abril entraria em contato com o encarregado de negócios na embaixada brasileira em Saigon, Rogério Corção, que tampouco pôde dar, no primeiro momento, mais informações. O diplomata era filho do escritor e pensador católico Gustavo Corção. No dia seguinte, viria um telegrama mais detalhado:

> DA NANG, 22 (France Press) — O jornalista brasileiro José Hamilton Ribeiro foi levado hoje para um hospital americano na cidade costeira de Qui Nhon, a quatrocentos quilômetros ao norte de Saigon, depois de ter sido ferido ao norte da

zona de combate por uma mina, que cinco soldados haviam pisado antes dele. A pequena mina antipessoal de oitenta milímetros arrancou parte de sua perna esquerda, abaixo do joelho. Ontem à noite, José Hamilton disse a seu guia e companheiro no Vietnã, o fotógrafo japonês Keisaburo Shimamoto: "Estou bem, não se preocupe comigo". Ele lhe fez o sinal com o polegar levantado, no 18º Hospital Cirúrgico, na cidade de Quang Tri, logo abaixo da zona desmilitarizada. Hoje à noite, o encarregado de negócios da embaixada brasileira em Saigon, Rogério Corção, disse à France Press: "Ele está se recuperando, e resistindo muito bem".

José Hamilton passou quinze dolorosos dias em hospitais no Vietnã e submeteu-se a quatro cirurgias. "Nunca imaginei que fosse sofrer tanto na minha vida", escreveria. De lá, foi removido para um hospital em Tóquio e finalmente levado a um centro militar de reabilitação em Chicago, onde terminou o tratamento e recebeu uma perna mecânica. Até que ela fosse colocada, ele precisou esperar quatro meses e passar por outras onze cirurgias. Maria Cecília viajou para lá, por conta da Abril, e ficou ao seu lado. Victor Civita aproveitou uma viagem aos Estados Unidos e foi visitá-lo. Depois de ouvir de viva voz sua dramática descrição de tudo o que passara desde a explosão da mina, o dono da Abril mudou de assunto e explicou que Roberto não pudera ir porque se encontrava na Europa. Fora se familiarizar com um modelo de revista que a editora pretendia lançar naquele mesmo ano. "Olha aqui o que vamos fazer", anunciou Victor, retomando a efusividade habitual, enquanto tirava da pasta de couro que carregava os estudos da capa. Ninguém sabia qual seria o título da semanal. No espaço reservado para o logotipo da nova publicação, havia apenas quatro letras, em forma de código: BACD. Extenuado e ainda sob o efeito de fortes anestésicos, José Hamilton tinha dificuldade para raciocinar. Apesar disso, percebeu acertadamente que o nome seria curto. Embora Roberto não gostasse da escolha, seu pai já havia tomado a decisão. Ela se chamaria *Veja*.

9 de janeiro de 1968

Ele queria que se chamasse *Panorama*. O pai optara por *Veja*. Mas isso não importava tanto. O fundamental para Roberto Civita era que se aproximava a realização do sonho alimentado desde a conclusão do seu estágio na *Time*. No início do segundo semestre de 1967, ele achou que, decorrido perto de uma década, chegara a hora de fazer a sua própria semanal de informações. Duas razões foram fundamentais para a editora decidir abraçar o maior empreendimento de sua história. A primeira era que ela estava capitalizada e vinha enriquecendo havia dois anos com o extraordinário êxito dos fascículos. Naquele ano — da Guerra dos Seis Dias no Oriente Médio, da criação do cruzeiro novo, das músicas "Ponteio", "Domingo no parque" e "Alegria, alegria" e das coleções *Gênios da pintura*, *Medicina e saúde* e *Mãos de ouro* —, a empresa tivera mais um ótimo desempenho. Alcançara um faturamento bruto de 28 milhões de dólares, o equivalente a perto de 200 milhões de dólares em 2016. Somava-se a isso o sucesso de várias revistas, que geravam receitas consideráveis. A segunda razão era *Realidade*. Estava vendendo quase quatro vezes mais do que a circulação inicialmente projetada de 100 mil exemplares, que já seriam suficientes para torná-la rentável. Além do lucro, dera à Abril prestígio jornalístico, em parte compartilhado por *Quatro Rodas* e *Claudia*, e certo peso político. Como se não bastasse, a aceitação junto a tão expressivo contingente de leitores mostrava que havia público no Brasil — e não era pequeno — interessado em assuntos da atualidade que o ajudassem a entender melhor o país e o mundo em que vivia.

Essa era exatamente a missão de uma semanal de informações, dentro da fórmula inventada por dois recém-formados pela Universidade Yale, Briton Hadden e Harry Luce, que em 1923 lançaram a *Time*. Ela se propunha a apresentar, de forma organizada, os fatos mais marcantes da semana. No decorrer dos anos, a revista passou a tratar as notícias em perspectiva, dando ao leitor uma moldura que pudesse torná-las mais compreensíveis, com a preocupação de narrar não o que acontecera, mas o que estava acontecendo. Ela nasceu com uma tiragem de 12 mil exemplares. Deu tão certo que não parou mais de crescer. Agora, enquanto a Abril se preparava para tentar seguir seu modelo vitorioso, a *Time* ultrapassava uma circulação de 3,5 milhões de exemplares por semana, concentrada maciçamente nas assinaturas. Em 2014, apesar da revolução da internet, do irreversível avanço digital e das dificuldades enfrentadas pelos meios impressos, ainda era a maior *newsmagazine* do planeta, com cerca de 3,3 milhões de cópias a cada sete dias.

Para quem se faria a nova revista? O que os leitores iriam querer encontrar em suas páginas? Quanto ela poderia vender? Quanta publicidade iria atrair? Que tamanho deveria ter a redação? Como se faria a distribuição, praticamente simultânea, por um território da extensão do Brasil, com estradas precárias, escassas ferrovias e linhas aéreas insuficientes? O que tudo isso custaria? Perguntas como essas ocupavam a mente de Roberto. Em meio a tantas dúvidas, ele também tinha certezas. Acreditava que a Abril estava preparada para esse tremendo salto. Tinha recursos, gente, organização. A questão imediata seria confirmar tal percepção com estimativas confiáveis e projeções sólidas. Tudo para chegar a dois números: o da circulação almejada e o da quantidade de anúncios, necessários para atingir o ponto de equilíbrio. Se fossem alcançados — e não tinha dúvida de que seriam —, a revista emplacaria.

Para deslanchar a operação, era preciso antes de mais nada calcular esses números. Não se demorou para identificar quem seria o encarregado de fazer as contas e colocá-las no papel. Ele estava ali mesmo na rua João Adolfo. Era um jovem executivo de 28 anos. Discreto, aplicado e minucioso, Raymond Cohen entrara na empresa apenas um ano antes, como estagiário. O próprio Victor Civita o selecionara. Judeu nascido no Cairo, de ascendência francesa, ele emigrara com os pais para o Brasil em 1956 após a Guerra de Suez. Fez carreira rapidíssima. Em poucos meses, se tornou supervisor comercial dos fascículos e, não tardaria, foi promovido a gerente de planejamento da Divisão Revistas. Victor mandou chamá-lo em sua sala. Fechada a porta, disse que iria lhe confiar uma tarefa sigilosa. Deveria preparar o plano financeiro da nova revista, tratando as questões editoriais com Roberto e as administrativas com Richard. A palavra final, naturalmente, caberia a ele, Victor. Cohen não se assustou com o desafio. Mesmo sem muito tempo de casa, sabia com quem iria lidar. Considerava seu empregador um homem flamboyant — na língua inglesa, que ambos dominavam, vistoso e algo empolado —, charmoso, visionário, arrojado e em geral acessível. Já admirava Roberto, em quem via um editor articulado, meticuloso e "ungido com o dom da palavra". Richard, porém, lhe parecia o oposto do irmão e do pai, exceto pelo "tamanho do nariz", numa comparação que guardava para si: "Patrão, chefão, mandão, mão na massa na gráfica e na administração. Fazia questão de mostrar que era o dono da empresa e não o seu líder".

Os três, como premissa, lhe exigiram absoluta confidencialidade. Ninguém mais, fora desse pequeno grupo, saberia no que ele estava mergulhado. Como a revista, para todos os efeitos, continuava pagã, sem nome de batismo, pois Victor preferiu não revelar sua escolha, Cohen escreveu um codinome com caneta vermelha numa capa de cartolina em que colocaria seus estudos manuscritos: "Projeto Falcão". Em folhas de papel quadriculado tão largas que precisou dobrá-las, fez três simulações de circulação, entre 200 mil e 350 mil exemplares. "Vamos de 250 mil", decidiu Victor ao receber seus estudos. Para ele, essa seria a venda média quando a revista atingisse a altitude de cruzeiro e se estabilizasse. A tiragem do lançamento seria bem maior, mas essa decisão ficaria para depois. Naquela altura, as revistas da Abril que mais vendiam eram, em números arredondados, *Capricho* (500 mil), *Realidade* (400 mil), *Contigo* (360 mil), *Noturno* (230 mil), *Intervalo* (220 mil), *Claudia* (150 mil) e *Quatro Rodas* (80 mil). Entre as concorrentes, destacavam-se *Seleções* (350 mil), *Manchete* (180 mil) e *O Cruzeiro* (150 mil).

A partir da base aprovada de 250 mil exemplares, Cohen projetou quinze páginas de publicidade por edição entre setembro, mês marcado para o lançamento, e dezembro de 1968. Para 1969, estimou três possibilidades: quinze, vinte ou 25 páginas de anúncios. Em 1970, antecipando com otimismo a aceitação da revista, elas saltariam para trinta. Se fosse assim — e todos os envolvidos achavam que seria —, logo no seu terceiro ano de vida o semanário teria seu investimento amortizado. E que investimento. No dia 13 de dezembro, uma quarta-feira, ele o apresentou a Victor, Roberto e Richard. Seria, juntando tudo, um desembolso financeiro — inicial — de 5,054 milhões de cruzeiros novos, ou exatamente 1 569 565 dólares, o equivalente em 2016 a cerca de quase 11 milhões de dólares. Victor respirou fundo, escancarou o costumeiro sorriso e mandou ver. "Vamos lá", disse.

Jogo feito, Victor e Roberto partiram para o passo seguinte: escolher o diretor de redação. Chegaram a um rápido consenso. Para eles, essa parecia uma aposta segura. O homem que julgavam apto para ocupar o cargo seria o seu já conhecido Mino Carta. Durante quatro anos, ele comandara *Quatro Rodas* sem saber guiar automóveis, sendo incapaz, segundo admitiria com a habitual ironia, de "distinguir um Fusca de uma Mercedes, muito menos biela de bronzina". De lá, saíra para dirigir a *Edição de Esportes*, jornal semanal de *O Estado de S. Paulo* que circulava domingo à noite na capital paulista, com a cobertura dos jogos de futebol do final de semana, e serviria como um embrião do *Jornal da Tarde*. O *JT*, que Mino também dirigiria a partir de seu lançamento, em janeiro de 1966, era um vespertino moderno, ousado e criativo. Em comum com o austero, altivo e influente *Estadão* tinha somente os proprietários, a aristocrática família Mesquita. O patriarca, Júlio de Mesquita Filho, no ocaso de seu longevo reinado, preparava o primogênito, Júlio de Mesquita Neto, para ocupar o trono no *Estadão*. O filho caçula, Luís Carlos Mesquita, cuidava da *Edição de Esportes* e da Rádio Eldorado, também pertencente ao grupo. O do meio, Rui Mesquita, ficou à frente do *JT*. Mino mantinha relações cordiais com todos eles e dizia que fizera um acordo claro de trabalho: desfrutava de ampla liberdade técnica para editar o jornal, mas sua orientação política cabia ao clã, representada por dr. Rui, como era chamado o diretor responsável. Conforme Roberto comprovara ao se sentir enxotado na reunião em que lhes fora oferecer sociedade na natimorta *Revista de Domingo*, os Mesquita não viam os Civita como seus pares. Julgavam que eram arrivistas. Tirar Mino de lá não deixava de ter um gosto de vingança para Victor e Roberto.

"Eu considerava o Mino o melhor jornalista brasileiro e, com o aval de meu pai, fui convidá-lo", diria Roberto. Mino reuniu-se com os dois, na sala de Victor, e afirmou que estava interessado no projeto. Muitos anos depois, escreveria que naquela ocasião, enquanto negociava, pretendia "precaver-se contra a sanha invasiva" de Roberto, "o qual, vítima de sua própria avassaladora arrogância, pontificava a respeito de tudo, desde os meandros da natureza humana até as mais atualizadas técnicas jornalísticas". Como esses pensamentos ficaram só na cabeça de Mino, Roberto ignorava os sentimentos que ele alimentava desde então a seu respeito. Na época, nutria por ele respeito e uma grande admiração profissional. Mais do isso, considerava-o um amigo. Costumavam jantar juntos, em companhia das mulheres, Leila e Daisy.

Durante as tratativas para voltar à Abril, Mino apresentou a seguinte proposta em relação à divisão de tarefas: os Civita definiriam as características e os objetivos da publicação, mas no dia a dia eles não iriam interferir e só poderiam discutir cada edição quando estivesse impressa. "Os donos da casa aquiesceram", registrou Mino. Roberto confirmaria: "No início, vigorava mesmo esse acordo. Ele propôs e nós aceitamos. Gostávamos dele e confiávamos nele". Mas faria uma ressalva: "Mino tem razão quando diz que tinha independência. Mas não tinha autonomia". Para exemplificar a diferença, lembrou do período em que dirigiu a *Realidade*:

> Eu sentava na redação e fechava a revista: escolhia a foto, o título, o subtítulo, a legenda, editava o texto, fazia a capa e fazia a pauta. Com os diretores de redação, sem estar presente no dia a dia, o que eu fiz foi estabelecer as grandes linhas. Se não concordávamos, não tinha jogo.

Na prática, como os fatos e as revelações posteriores dos dois lados deixariam claro, a relação entre Mino e a família Civita recomeçou mal. As diferenças, no entanto, ficaram inicialmente submersas e demoraram a vir à tona. No dia 9 de janeiro de 1968, Mino despediu-se da família Mesquita, deixou o prédio da rua Major Quedinho onde funcionava a S.A. O Estado de S. Paulo, com um painel do artista plástico Emiliano Di Cavalcanti na fachada retratando uma oficina de jornal, e seguiu mais uma vez em direção à relativamente próxima rua João Adolfo. Por pouco tempo, aliás, pois a editora logo se mudaria para a sede da avenida Otaviano Alves de Lima, a marginal Tietê, no bairro da Freguesia do Ó, em que estava instalada sua moderna gráfica.

No refrigerado sexto andar, com uma coleção de obras de arte brasileiras espalhadas pelo corredor principal, se alojaria a diretoria da empresa. Era a

RAÍZES DA FAMÍLIA

Os avós paternos de Roberto Civita, Carlo e Vittoria, em 1909, na varanda da casa em Rockaway Beach, Nova York, com os dois filhos mais velhos, Victor (abraçado pelo pai) e César (em pé); seu pai, Victor, diante do primeiro carro, em Milão, 1925, e à saída da cerimônia judaica de seu casamento com Sylvana, em Roma, em 10 de outubro de 1935; e sua mãe, Sylvana, ao lado do pai dela, Amilcare Piperno Alcorso, nos anos 1940.

DA INFÂNCIA À JUVENTUDE

Roberto com um ano em Milão, sua cidade natal, em 1937; atrás de Richard, no inverno americano de 1945, em Nova York; e já de óculos, em 1959, com Richard e Sylvana, na praia do Guarujá (SP).

PRIMEIRO DA CLASSE

Às vésperas da formatura na Graded School de São Paulo, em 1953, com Robert Blocker, de quem seria amigo pelo resto da vida, e Olga Duntuch, sua colega e namorada (ela ficaria conhecida como Olga Krell, sobrenome do futuro marido, ao se tornar jornalista especializada em arquitetura e decoração); no anuário da escola, seu primeiro trabalho como editor, apresentou-se — ainda com o nome Robert — como "gênio" e dono de uma "mente poderosa", que pretendia no futuro construir uma bomba atômica; abaixo, ele, o irmão e a mãe aparecem na lista de passageiros do *SS Argentina*, que os trouxe para o Brasil, em fevereiro de 1950.

LISTA DE PASSAGEIROS PERMANENTES do Vapor Norte Americano Argentina de 11154 toneladas de registro e pessôas de tripulação, procedente de Nova York com dias e horas de viagem, sob o comando de Thomas Simmons consignado neste pôrto a Moore McCormack Lines

SERVICO DE IMMIGRACAO

Pôrto SANTOS 23 de Fevereiro de 1950

Fls. 1-1

MOORE McCORMACK (Navegação) S/A
agentes da
MOORE-McCORMACK LINES, INC.

A lista deverá ser escrita em caractéres inteligiveis, sem omissões, emendas ou rasuras e ocupar sua folha respectiva.

Os nomes não deverão ser agrupados, mas colocados seguidos á ordem numérica á margem.

Nenhum nome poderá sêr omitido.

N.	Nome e cognome	Sexo	Idade	Estado civil	Nacionalidade	Profissão	Parentesco com o chefe da família	Religião	Instrução	Última residência: Localidade	Última residência: País	Pôrto de procedência	Destino ou residência	Classe	N. da passagem	Passaporte N.	Expedição: Data	Expedição: Lugar
1.	Rita Elizabeth Koar	F	23	C	N.Amer.	Domest	Mai	C	Sim	NovaYork	E.U.A	NovaYork	Rua [illegible] 200			165674	20-12-49	Washington
2.	Julia Ann Koar	F	[illegible]	S	N.Amer.	****	Filha	C	Sim	do	do	do	do			16567[illegible]	20-12-49	Washington
3.	William Hawley Koar 3rd	M	2	S	N.Amer.	****	Filho	C	***	do	do	do	do			165674	20-12-49	Washington
4.	Marina Pinheiro Lima	F	28	S	Brazil	Funcionaria	So	C	Sim	do	do	do	Alameda Franca 997			041440	11-10-43	Sao Paulo
5.	Sylvana Civita	F	38	C	N.Amer.	Domest	Mai	C	Sim	do	do	do	Rua Libero Badaro 158			68562	3-1-50	Washington
6.	Richard Civita	M	17	S	N.Amer.	Estud	Filho	C	Sim	do	do	do	do			43093	1-4-49	Washington
7.	Robert Civita	M	13	S	N.Amer.	Estud	Filho	C	Sim	do	do	do	do			43094	1-4-49	Washington
8.	Silvio D'Amico Sobrinho	M	37	C	Brazil	Alfaiate	So	C	Sim	do	do	do	Rua Conego Eugenio Leite [illegible]			041332	30-9-48	Sao Paulo
9.	Maria Jose Esper	F	52	C	Libaneza	Domest	Mai	C	Sim	do	do	do	Rua Dr. [illegible] Malta 304 Jacarie			427	16-6-48	Sao Paulo
10.	Regina Esper	F	26	S	Brazil	Proffessora	Filha	C	Sim	do	do	do	do			037614	10-5-48	Sao Paulo
11.	Julieta Mafouf	F	33	S	Brazil	Comer	So	P	Sim	do	do	do	Rua Anhangabau 1050			052492	1-7-49	Sao Paulo
12.	Enrique Schelby	M	28	S	Brazil	Comer	So	C	Sim	do	do	do	Rua Saturno 392			052371	22-6-49	Sao Paulo

Comissario

"Whose body lodg'd a mighty mind."

ROBERT CIVITA

Bob Civita — Yearbook editor . . . Ex-president of Student Council . . . class genius . . . magician . . . perennial MC . . . goes for basketball and women . . . aspires to graduate from M.I.T. or Rice and hatch A-bombs . . .

MINISTÉRIO DA INDÚSTRIA E DO COMÉRCIO
DEPARTAMENTO NACIONAL DE REGISTRO COMERCIAL
CADASTRO NACIONAL DE EMPRESAS

JUNTA COMERCIAL DO ESTADO DE SÃO PAULO

C M

FICHA DE CONTROLE (BREVE RELATO)
SOCIEDADE POR QUOTAS

EDITORA ABRIL LTDA.

NÚMERO DE INSCRIÇÃO: 100 325
SESSÃO 16.12.47

SESSÃO

SESSÃO

SEDE
MUNICÍPIO Capital
ENDEREÇO Rua Libero Badaró, 158 - 22 and.

INÍCIO DAS ATIVIDADES
09.12.47

TEMPO DE DURAÇÃO

CAPITAL INICIAL
50.000,00

			CAPITAL
ENRICO FRISONI			24.000,00
PIERO KERN	"	"	8.000,00
MARCELO FRISONI	"	"	8.000,00
ENRICO RIMINI			10.000,00

OBJETO
Atividades editoriais, edição, distribuição e publicação de livros, exemplares, etc.

O COMEÇO ESQUECIDO

Oficialmente, a Editora Abril foi fundada em 1950 por Victor Civita. Na verdade, ela nasceu três anos antes, no dia 16 de dezembro de 1947, quando César, seu irmão mais velho, registrou-a na Junta Comercial de São Paulo em nome de quatro sócios. César sempre afirmou que era o fundador, algo que Victor e sua família jamais reconheceram.

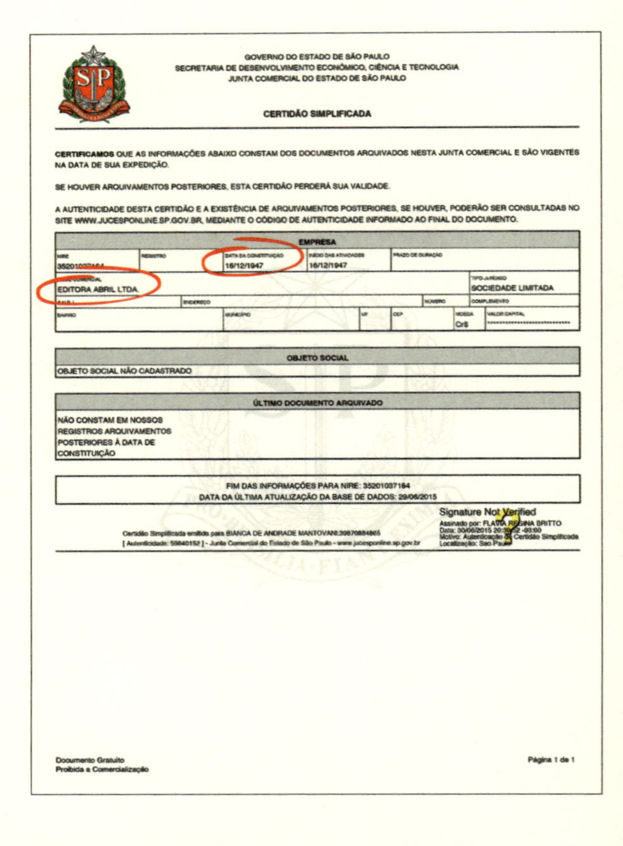

GOVERNO DO ESTADO DE SÃO PAULO
SECRETARIA DE DESENVOLVIMENTO ECONÔMICO, CIÊNCIA E TECNOLOGIA
JUNTA COMERCIAL DO ESTADO DE SÃO PAULO

CERTIDÃO SIMPLIFICADA

CERTIFICAMOS QUE AS INFORMAÇÕES ABAIXO CONSTAM DOS DOCUMENTOS ARQUIVADOS NESTA JUNTA COMERCIAL E SÃO VIGENTES NA DATA DE SUA EXPEDIÇÃO.

SE HOUVER ARQUIVAMENTOS POSTERIORES, ESTA CERTIDÃO PERDERÁ SUA VALIDADE.

A AUTENTICIDADE DESTA CERTIDÃO E A EXISTÊNCIA DE ARQUIVAMENTOS POSTERIORES, SE HOUVER, PODERÃO SER CONSULTADAS NO SITE WWW.JUCESPONLINE.SP.GOV.BR, MEDIANTE O CÓDIGO DE AUTENTICIDADE INFORMADO AO FINAL DO DOCUMENTO.

EMPRESA

NIRE	REGISTRO	DATA DA CONSTITUIÇÃO	INÍCIO DAS ATIVIDADES	PRAZO DE DURAÇÃO
35201037164		16/12/1947	16/12/1947	

FIRMA COMERCIAL	TIPO JURÍDICO
EDITORA ABRIL LTDA.	SOCIEDADE LIMITADA

ENDEREÇO	NÚMERO	COMPLEMENTO

BAIRRO	MUNICÍPIO	UF	CEP	MOEDA	VALOR CAPITAL
				Cr$	******************************

OBJETO SOCIAL

OBJETO SOCIAL NÃO CADASTRADO

ÚLTIMO DOCUMENTO ARQUIVADO

NÃO CONSTAM EM NOSSOS REGISTROS ARQUIVAMENTOS POSTERIORES À DATA DE CONSTITUIÇÃO

FIM DAS INFORMAÇÕES PARA NIRE: 35201037164
DATA DA ÚLTIMA ATUALIZAÇÃO DA BASE DE DADOS: 29/06/2015

Signature Not Verified
Assinado por: FLAVIA REGINA BRITTO
Data: 30/06/2015 20:3?:?2 -03:00
Motivo: Autenticação de Certidão Simplificada
Localização: Sao Paulo

Certidão Simplificada emitida para BIANCA DE ANDRADE MANTOVANI:39870884865
[Autenticidade: 59840152] - Junta Comercial do Estado de São Paulo - www.jucesponline.sp.gov.br

Documento Gratuito
Proibida a Comercialização

Página 1 de 1

"PUBLICADO MENSALMENTE PELA EDITORA ABRIL LTDA. DIREÇÃO DE JERONIMO MONTEIRO. R. LÍBERO BADARO, 158, S. PAULO. COPYRIGHT PELA EDITORA ABRIL LTDA. TODOS OS DIREITOS RESERVADOS. DISTRIBUIDOR. FERNANDO CHINAGLIA, AVENIDA PRESIDENTE VARGAS, 502, RIO DE JANEIRO NÚMERO AVULSO Cr.$ 2,00. NUMERO ATRAZADO Cr.$ 2,50."

RAIO VERMELHO - 35

O GIBI NÚMERO 1

Qual foi a primeira revista da Abril? Não, não foi *O Pato Donald*, que desde sua chegada às bancas, em julho de 1950, virou um símbolo da empresa. Em maio do mesmo ano, Victor Civita já havia lançado o gibi *Raio Vermelho*, que teria 53 edições. Saiu de circulação em 1953 e nunca mais se falou dele.

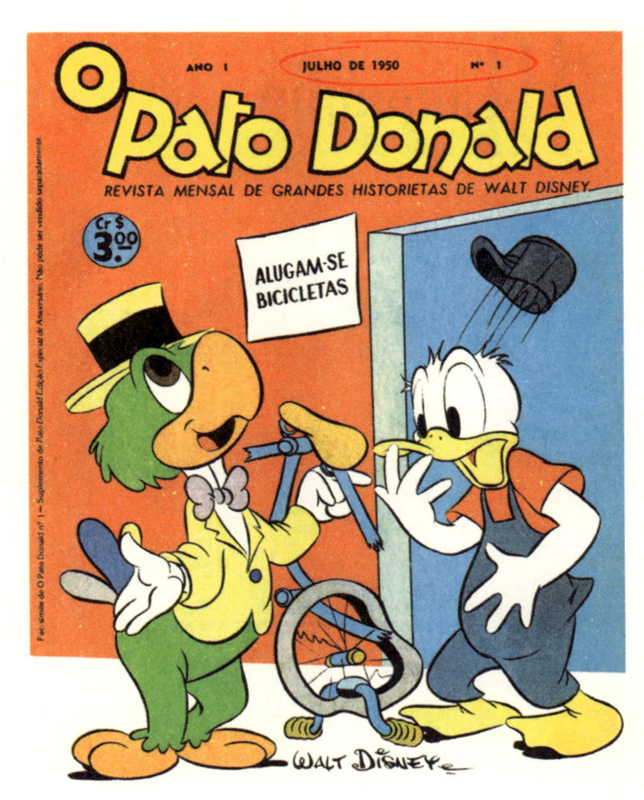

O PATO DONALD

PUBLICADO MENSALMENTE PELA EDITORA ABRIL LTDA., DIREÇÃO DE JERONIMO MONTEIRO. RUA LÍBERO BADARÓ, 158, S. PAULO. TODOS OS DIREITOS RESERVADOS. DISTRIBUIDOR: FERNANDO CHINAGLIA, AVENIDA PRESIDENTE VARGAS, 502, RIO DE JANEIRO. NÚMERO AVULSO CR$ 3,00. NÚMERO ATRAZADO CR$ 3,50.

PARA AS MULHERES

Depois dos quadrinhos, a editora entrou no segmento das revistas femininas. *Capricho*, que a partir de 1952 passou a publicar fotonovelas, foi um sucesso absoluto e chegou a vender mais de 500 mil exemplares por edição. Em 1959, surgiu *Manequim*, que trazia moldes de roupas para a própria leitora fazer. Mas nenhuma outra rivalizaria com o prestígio de *Claudia*, a mais importante revista dirigida às mulheres da história da imprensa brasileira. Desde sua criação, em 1961, Sylvana e Victor Civita não se cansaram de repetir que a batizaram com o nome da filha que nunca tiveram. César Civita, porém, já publicava a sua *Claudia* na Argentina desde 1957.

PARA OS HOMENS

Em 1960, quando lançou a *Quatro Rodas* — título traduzido da revista italiana na qual se inspirou —, a Abril passou a ter uma publicação de caráter jornalístico, com reportagens, matérias de serviço e independência editorial. No nº 1, apareceram pela primeira vez os nomes de Victor Civita (editor e diretor, como se autointitulava) e de Roberto (diretor de publicidade, um de seus cargos iniciais na empresa). A redação era chefiada por Mino Carta, responsável pela contratação da equipe de profissionais que mais tarde iria iria em boa parte para a *Realidade* e para a *Veja*. Na edição de estreia havia um roteiro sobre a via Dutra, a principal estrada do país, com pista simples, percorrida numa Kombi pelos autores do texto não assinado: Roberto e Mino.

Ano 1 - Número 1
Agôsto de 1960

SUMÁRIO

CARTA DO EDITOR

QUATRO RODAS aparece por três motivos.

Primeiro, porque a indústria automobilística brasileira brotou e expandiu-se tão ràpidamente nos últimos quatro anos, que o nosso país já se tornou um dos grandes produtores de automóveis e caminhões. Êste progresso, êste mercado — êste espantoso índice de confiança — *exigem* a cobertura jornalística de uma publicação séria e objetiva.

Segundo, porque os proprietários e os compradores de carros no Brasil *necessitam* de uma publicação que lhes forneça informações completas e compreensíveis sôbre manutenção, consertos, serviços e características dos automóveis novos e "velhos".

Terceiro, porque belíssimos recantos do nosso país estão *esperando* para serem descobertos ou valorizados turìsticamente por aquêles que possuem carro e um louvável espírito de aventura. Apenas aguardam, para reunir a família, saltar para o volante e partir, que alguém lhe diga como aquêles recantos podem ser alcançados confortàvelmente.

Acredito que você concordará que a redação de QUATRO RODAS conseguiu cobrir bem estas três áreas neste primeiro número.

Muitos outros caminhos serão descobertos e explorados num futuro próximo. Espero que poderemos contar com a sua companhia e com o seu entusiasmo durante tôda a fascinante viagem que agora começa.

Victor Civita

Na capa: um modêlo Karmann-Ghia. Motor e chassi Volkswagen, carroçaria realizada pelo construtor Karmann, de Osnabrueck, sôbre um protótipo do "carrozziere" Ghia, de Turim. A foto conta a história da capa. Do alto da plataforma de um caminhão de consertos cedido pela C. M. T. C., o fotógrafo René Rouff, de QUATRO RODAS busca o ângulo exato para focalizar as linhas impecáveis do carro e do modêlo.

Editor e Diretor, **VICTOR CIVITA** — Diretor Responsável, GORDIANO O. G. ROSSI — Chefes da Redação, MINO CARTA e LUÍS CARTA — Chefe de Arte, ATTILIO BASCHERA NETTO — Secretário, VICTOR ANTONIO GOUVEIA — Colaboraram neste número: FRANCISCO DE BARROS JR., IRINEU FABICHAK, LAURO DE BARROS SICILIANO, NELSON PANNAIN, NELSON SARRA, RENÉ VAN DER SCHULENBERG, STELLIO VIEIRA, TEODORO LAUSI SACCO — Fotógrafos: OSWALDO PALERMO, RENÉ ROUFF, SALOMÃO SCLIAR — Desenhista: FERNANDO VENERO — PUBLICIDADE: Diretor, ROBERTO CIVITA — Representante em São Paulo, ALFRED WILLIAM NYFFELER Representante no Rio de Janeiro, PIERRE D'AVIGNON — CIRCULAÇÃO E PROPAGANDA — Chefe, MAURY DEMANGE — QUATRO RODAS é uma publicação da EDITÔRA ABRIL LTDA. — Redação, Publicidade, Correspondência: Rua João Adolfo, 118 — Tel.: 37-9111 — São Paulo, Caixa Postal 2372. — Departamento de Assinaturas: Rua João Adolfo, 118 — 8.º andar — sala 801 — São Paulo — Assinatura anual: Cr$ 360,00 (vale postal). — Sucursal no Rio de Janeiro: Av. Presidente Vargas, 502 — 18.º andar — Tel.: 32-3575 — Todos os direitos reservados — Impresso na S. A. I. B. — S. A. Impressora Brasileira — Distribuição para todo o Brasil: Fernando Chinaglia S. A.

5

Quarta, 8 Julho — 28.a Semana

09:00hs: - sr. VC entrou em reunião com os srs. Arthur - Robert - Richard - Rossi - Cláudio - Domingo - J. Carta - Maduar - Mino - Natale - Nicolski - Prof. Souza - Sandro - Luiz Celso - s/ Enciclopédias em fascículos.
12:30hs: - sr. VC tel. sr. Cesar, em Buenos Aires
16:00hs: - sr. VC tel. sr. [illegible]
18:20hs: - sr. VC rec. tel. sr. H. Donato

O DIA DA REVOLUÇÃO

A história da Abril começou a mudar às nove horas da manhã do dia 8 de julho de 1964, quando Victor Civita presidiu uma reunião para comunicar aos seus diretores que pretendia lançar um tipo de publicação semanal absolutamente desconhecida no Brasil: os fascículos. Todos foram contra. Na condição de acionista majoritário da empresa, ele ignorou a opinião dos executivos e determinou que o projeto fosse tocado. Assim, dez meses depois, sairia o primeiro número de *A Bíblia mais bela do mundo*. Iriam se seguir mais 150 títulos de fascículos, incluindo relançamentos. Muitos deles atingiriam vendas inimagináveis no mercado, como a série *Bom apetite*, com 1 milhão de exemplares. Os fascículos levaram cultura, arte, conhecimento e diversão a preços acessíveis a um vasto número de leitores, enriqueceram a Abril e lhe deram condições de mergulhar em empreendimentos que a transformaram na maior editora de revistas da América Latina.

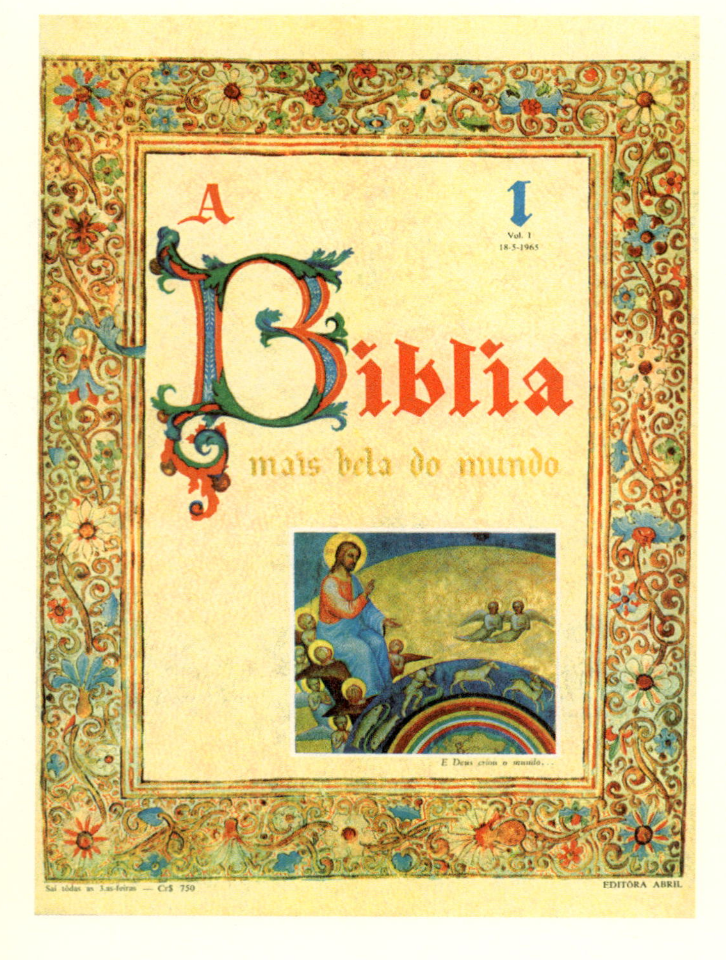

ANOS DOURADOS

Mesmo décadas após seu desaparecimento, a *Realidade* continuaria a ser lembrada — inclusive por leitores e jornalistas que não tinham nascido na época em que ela circulava — como uma das melhores e mais lendárias revistas que o Brasil já teve. Muitas de suas reportagens marcaram época. Roberto Civita (acima) dirigiu pessoalmente a redação em seus primeiros dezoito meses, o período mais glorioso da publicação. "Houve uma convergência entre nós", ele diria, referindo-se ao fato de que, sendo um convicto defensor da livre iniciativa e opositor do comunismo, chefiou editores e repórteres de esquerda, alguns dos quais com militância em organizações clandestinas. Na equipe, repleta de jovens rebeldes e talentosos, poucos haviam feito curso superior. Na imagem abaixo, Roberto Civita com Eduardo Barreto (de costas), Paulo Patarra (sentado na mesa) e Woile Guimarães (de pé). À esquerda, a capa do nº 1.

NASCE A *VEJA*

Fotografada na gráfica da Abril, esta é uma parte da redação original da *Veja*, cujo número de lançamento saiu com a data de capa de 11 de setembro de 1968.

1. George Duque Estrada; 2. Adílson Pereira. 3. Léo Gílson Ribeiro; 4. Eliane Machado; 5. Anthony de Christo; 6. Nello Gandara; 7. Guiomar Ferreira; 8. Luís Gutemberg; 9. Sérgio Oyama; 10. Raimundo Pereira; 11. José Ramos Tinhorão; 12. Raul Cruz Lima; 13. Ênio Squeff; 14. Geraldo Mayrink; 15. Antônio C. Augusto; 16. Tárik de Souza; 17. Glauco Carvalho; 18. Celso Ming; 19. Guilherme Velloso; 20. Carlos Souliê do Amaral; 21. J.A. Dias Lopes; 22. Tão Gomes Pinto; 23. Dirceu Brisola; 24. Roberto Pereira; 25. Bettina Scheier; 26. Ademar Assaoka; 27. Talvani Guedes; 28. Henrique Caban; 29. Roberto Müller; 30. Maria da Penha Délia; 31. Caio Fernando Abreu; 32. Hayle Gadelha; 33. Cláudio Lachini; 34. Luís Trimano; 35. Américo Ietto Filho; 36. Hélio de Almeida; 37. Silvio Sena; 38. Thereza Linhares; 39. Leia Ancona Lopez; 40. Geisa Mello; 41. Laerth Pedrosa; 42. Ulysses Alves de Souza; 43. Neide Martins; 44. José Maria Mayrink; 45. Hélio Nogueira da Gama; 46. Eda Maria Romio; 47. Geraldo Guimarães. 48. Gabriel Manzano; 49. Roberto Muggiati; 50. Alexandre Daunt Coelho; 51. Beatriz Horta; 52. Mino Carta; 53. Isa Basbaum; 54. Cecília Finger.

A identificação foi originalmente publicada em 2008 no nº 43 da revista *Esquinas*, da Faculdade Cásper Líbero, de São Paulo, num trabalho de Eduardo Duarte Zanelato e Jacqueline Manfrin, alunos do terceiro ano de jornalismo.

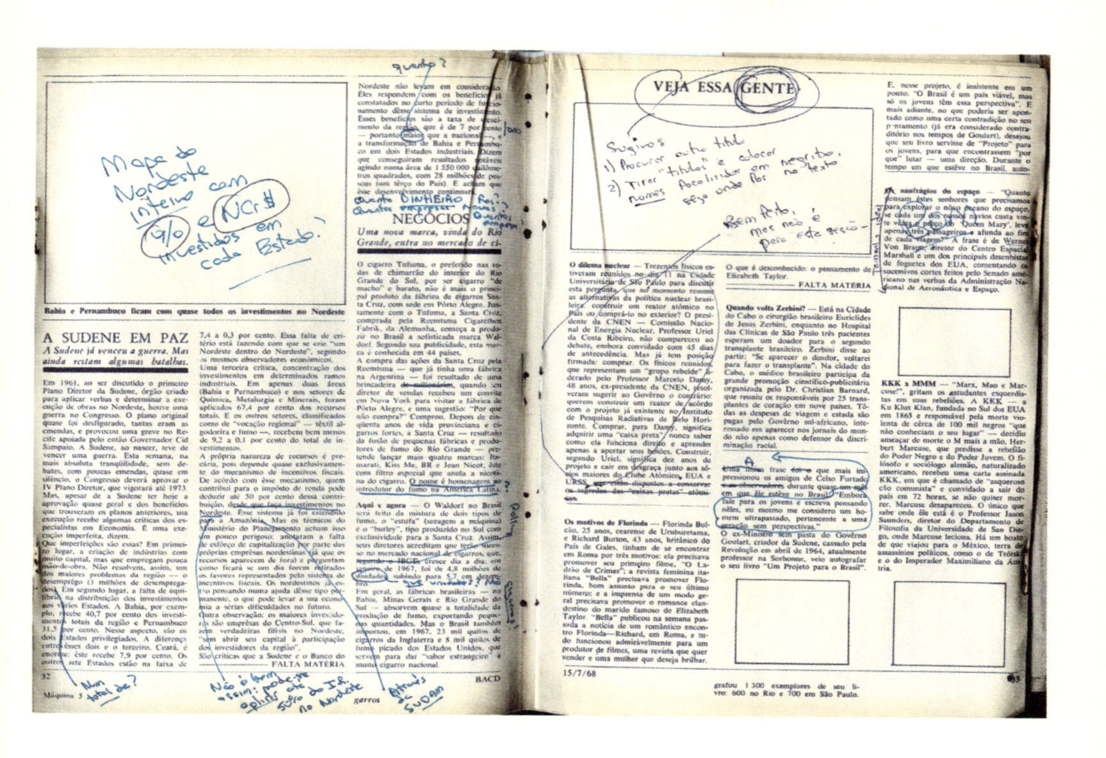

VEJA ESSA GENTE

Bahia e Pernambuco ficam com quase todos os investimentos no Nordeste

A SUDENE EM PAZ

A Sudene já venceu a guerra. Mas ainda restam algumas batalhas.

NEGÓCIOS

Uma nova marca, vinda do Rio Grande, entra no mercado de cigarros

CARTA DO EDITOR

A FRANÇA SE AGITA DE NÔVO

veja E LEIA

O FUTURO DE PORTUGAL

Por quem chora Ana Maria Palmeira?

Seu marido, Vladimir, é um líder fugido

PRIMEIRAS CANETADAS

A edição nº 3 da *Veja*, com a mulher do líder estudantil Vladimir Palmeira na capa, anotada por Victor Civita, e um dos seus números zero que passaram pelo crivo de Roberto. Entre suas intervenções, está a escolha do único nome de seção que não mudaria: “Gente”.

MOMENTO RARO

Esta é a única imagem existente nos arquivos da Abril em que Roberto Civita e Mino Carta aparecem juntos, aqui entre o prefeito de São Paulo, Olavo Setúbal, e Victor Civita. Sala de reuniões de VC, 1975.

LONGE DOS HOLOFOTES

Elio Gaspari (ao lado de Mino Carta, provavelmente em 1975) e José Roberto Guzzo (em 1972) sempre foram avessos a fotos e entrevistas. Guzzo dirigiu a *Veja* de 1976 a 1991, tendo Elio como seu adjunto entre 1979 e 1988. O período em que trabalharam juntos foi o mais brilhante da história da revista. Na gestão de Guzzo, a circulação paga subiu de 175 mil para 910 mil exemplares por semana.

NO ROOF

A diretoria da empresa, em 1970, na cobertura da sede da marginal Tietê.

1. Victor Civita; 2. Gordiano Rossi; 3. Luís Carta; 4. Mino Carta; 5. Edgard de Sílvio Faria; 6. Richard Civita; 7. Roberto Civita; 8. Roberto Frota; 9. Pedro Paulo Poppovic; 10. Roberto Hempel; 11. Álvaro Machado; 12. Hernani Donato; 13. Antônio Almeida Prado; 14. Artur Civita; 15. Domingo Alzugaray; 16. Edson França; 17. Menahem Moussa Politi.

BUENOS AIRES, 1962

Na casa de César Civita em Acassuso, na Grande Buenos Aires. Em pé: Celia Civita, Artur Civita, Barbara Civita, Carlo Civita, César Civita e Adriana Civita; à frente: Victor Civita, Sylvana Civita, Carlo Civita (pai de César, Victor e Artur), Vittoria Civita e Mina Civita. Na outra foto, César Civita com seu sobrinho Roberto, anos 1980.

O PRESIDENTE

Registrado em 1958 como o 45º funcionário da Abril, Roberto fazia questão de usar o crachá número 1 da empresa.

PERTO DA CISÃO

Em agosto de 1977, Richard e Roberto permaneciam na Abril ao lado do pai, administrando e editando dezenas de revistas. Menos de dois anos depois, eles romperiam e a empresa seria dividida.

ÚLTIMO DESEJO

Quando Victor Civita morreu, no dia 24 de agosto de 1990, os filhos abriram suas gavetas em busca de instruções, e encontraram uma carta com o seguinte pedido: ele queria estar na capa da *Veja*. Junto, estava uma de suas decisões finais como editor: a escolha da própria foto para ilustrá-la.

única área do edifício, em cujo teto seria colocado um luminoso com a cada vez mais viçosa arvorezinha verde, a desfrutar do conforto de uma temperatura amena. O sétimo e último andar foi reservado para a *Veja*. Com grandes vidraças que davam para o rio, era abafado e às vezes parecia um forno. Projetado por Richard, que supervisionou sua construção, o prédio inteiro deveria ter ar-condicionado central. Terminada a obra, porém, não havia mais dinheiro. Àquela altura, os recursos da Abril estavam sendo inteiramente consumidos pela sua nova publicação e faltou verba para comprar os aparelhos. No Departamento de Documentação (Dedoc), que funcionava no segundo andar, o jovem gerente Juca Kfouri, no meio de uma tarde de calor insuportável, mandou todos os seus funcionários para casa, pois alguns deles pareciam estar prestes a desmaiar. Em um domingo de fechamento de *Placar*, o redator-chefe Hedyl Valle Júnior pediu autorização por escrito para a secretária — a única mulher presente — e trabalhou só de cueca. Na *Veja*, haveria uma noite em que Elio Gaspari também iria se despir parcialmente. Ficou sem camisa, suando em bicas, enquanto escrevia a reportagem de capa sobre a escolha do general Ernesto Geisel como presidente da República. De qualquer modo, o desconforto térmico seria o menor dos problemas que os dois andares vizinhos enfrentariam pelos anos seguintes.

8 de setembro de 1968

Educada por pais ricos italianos para ser dona de casa e encontrar a felicidade no lar, ao lado do marido e dos filhos, Leila Francini se lembraria daqueles frenéticos meses como o período em que seu casamento com Roberto começou a entrar em crise. As crianças eram pequenas. Em 1968, Gianca completaria cinco anos; Titti, três; e Roberta, dois. Se dependesse da vontade do marido, o casarão da rua Joaquim Nabuco, onde moravam, abrigaria mais gente. Ele desejava outros dois filhos. A mulher não quis. Achava três um número suficiente. Como ele insistia, o sogro resolveu interferir. "Você pensa que minha filha é *coniglia*?", Severino Francini lhe perguntou, usando a palavra italiana para coelha. "Pare, aproveitem um pouco a vida." Mas a vida de Roberto, naquela altura, estava cada vez mais submersa na Abril — e, em especial, na semanal em gestação. Os meninos se ressentiam da ausência do pai. "Eles ficavam a semana inteira esperando a hora de brincar com o Dé", Leila rememoraria.

> Quando vinha o sábado, ele em geral ia para a editora. No domingo, não saía do lado da piscina, com aquela revistarada toda e um monte de papéis, lendo, rabiscando, rasgando páginas, escrevendo bilhetinhos para Deus e o mundo. Só parava quando eu exigia, aos gritos: "Basta, Rob! Basta!". Começava aquilo de manhã

e não parava antes do anoitecer. Só interrompia para comer, para tomar um *bicchiere* de vinho, e em seguida recomeçava tudo de novo. Tinha virado um louco, um tarado pelas revistas. Com os preparativos da *Veja* então...

Para Gianca, os raros momentos de congraçamento familiar aconteciam no jantar.

Minha mãe nos vestia com pijama e penhoar. Se meu pai chegava a tempo, sentávamos nós cinco à mesa. Ele na cabeceira, ela à sua direita, Roberta à sua esquerda, eu e o Titti nas cadeiras seguintes, frente a frente. Os dois conversavam entre eles em italiano. Aprendi a entender a língua de ouvido, sem nunca ter estudado. Os jantares eram muito formais, com serviço à francesa. Nosso mordomo José trazia a bandeja à esquerda de cada um para que a gente, desde cedo, aprendesse a se servir com os talheres. Era assim também na casa dos meus avós Victor e Sylvana, mas não de meus avós Severino e Anna Maria, onde os pratos eram colocados na mesa. O mesmo estilo à francesa foi adotado no Roof, o antigo restaurante da marginal do Tietê. Nos fins de semana, havia churrasco perto da piscina. Meu pai passava o tempo todo lendo. Nós pedíamos: Dé, vamos fazer isso; Dé, vamos fazer aquilo. Mas ele não desgrudava das revistas. Por isso, aprendemos a brincar sozinhos.

Titti não guardou da infância nenhuma brincadeira com o pai.

Ele não conseguia lidar com criança, com a inocência, a falta de abstração. Não dizia gugu, dadá. Não se jogava no chão, não dava beijinho, não mordia nosso pé. Foi assim com a gente, foi assim com os netos. Só muito mais tarde, no analista, eu viria a tomar consciência de que a brincadeira dele não era com os filhos. Era fazer revista.

Dessa época, as reminiscências de Roberta se limitam à relação com a mãe, que foi se tornando tensa no decorrer dos anos, enquanto o pai permanecia inteiramente absorvido em suas leituras. Ela se sentia mais ligada à avó Sylvana. "Com meu avô Victor, tive pouca convivência. Quando íamos ao seu apartamento, ele dizia ao me encontrar: '*Ciao*, menina, como está?'. E a conversa ficava por aí."

Richard, que ainda não se casara, volta e meia apanhava os sobrinhos para passear. Levava-os ao zoológico, ao cinema e a parques de diversões. Gostava de fotografá-los, como faria no futuro com os próprios filhos. De acordo com as contas que se deu ao trabalho de fazer, guardou exatamente 5396 fotos dos filhos e dos sobrinhos. Ele acredita que cumpriu um papel do qual o irmão mais velho abriu mão por passar os fins de semana envolvido na leitura de suas revistas. "Foi assim a vida inteira", diria. "E danem-se os filhos, danem-se as mulheres." Apesar disso, Richard jamais deixou de reconhecer a competência profissional de Roberto. "Foi um grande editor e escrevia muito, muito bem."

Leila e os filhos passaram o mês de fevereiro de 1968 ainda mais longe do marido e do pai. Ele e Mino foram conhecer na Europa e nos Estados Unidos o funcionamento das principais revistas internacionais de informação. Em Milão, visitaram a editora Mondadori, com a qual a família Civita conservava suas boas relações e que editava *Panorama* — o título que Roberto desejava para a semanal. Em Paris, estiveram na *L'Express*. Em Hamburgo, na *Der Spiegel*. Finalmente, em Nova York, tiveram a oportunidade de ver de perto a *Time* e a *Newsweek*. Queriam entender como essas publicações estavam organizadas editorialmente. Qual era a estrutura interna? Quantos jornalistas empregavam? Quais eram as atribuições dos repórteres, redatores, editores assistentes, editores, redatores-chefes e diretores? Em que horário trabalhavam? Como recrutavam pessoas? Como eram as reuniões de pauta para decidir sobre os assuntos da semana? Como concebiam as matérias? Uma vez prontas, quem as lia, aprovava e editava? A quem cabia a incumbência de escolher fotos e ilustrações? Como montavam o espelho, que determinava a colocação na revista das reportagens e dos anúncios?

Envolvidos na sua rotina corrida, os profissionais das revistas em que passaram alguns dias — três ou quatro em cada uma — não puderam dar toda a atenção que eles esperavam. Assim, Roberto e Mino mais observaram e chegaram às próprias conclusões do que receberam respostas prontas. Da *Spiegel*, por exemplo, não assimilaram quase nada, exceto os rituais. Mas do que eles lhes serviriam na realidade brasileira? Em uma manhã de segunda-feira, puderam acompanhar a reunião de pauta. Ficaram impressionados com a formalidade. Às dez horas, cerca de vinte editores, que aguardavam sentados em torno de uma mesa extensa, levantaram-se de suas cadeiras respeitosamente com a entrada pontual no recinto dos dois diretores de redação. Por que dois? Os visitantes voltaram da Alemanha sem saber muito bem como a dupla dividia suas funções. Quando a reunião se iniciou, o boneco da edição já estava pronto, com os anúncios colocados nas devidas páginas. Roberto ficou espantado, porque no Brasil a publicidade entrava e saía enquanto as matérias eram fechadas, não raro no último prazo. Continuaria sendo assim pelas décadas seguintes. Mino sentiu-se absolutamente perplexo, pois não entendia uma palavra de alemão.

Em Paris, para compensar, eles teriam momentos proveitosos. Sobretudo pela oportunidade de encontrar dois jovens jornalistas que lá trabalhavam. Ambos estavam com 24 anos. Um era o paulistano José Roberto Guzzo. Ele fora redator do matutino *Última Hora* e repórter do *Jornal da Tarde*, onde Mino o conhecera. Com uma bolsa de estudos, havia se mudado para a França e passara a atuar como correspondente do *JT*. Após conversarem às margens do Sena, Mino o convidou para uma das mais altas funções da futura revista: a de editor internacional. Guzzo ficou surpreso, mas se encantou com o projeto que lhe foi apresentado.

> Naquela idade você ainda é meio bobinho, mas eu tinha uma enorme vontade de aprender. E o Mino era um grande incentivador, apaixonado por jornalismo, por escrever bem, por aplicar lógica nas matérias. Defendia que os textos fossem claros, bem explicados, que se abandonasse a linguagem empolada e chata dos jornais, e se buscassem assuntos de interesse do leitor.

Tais diretrizes demorariam para aparecer na nova revista, mas durante sua extensa trajetória jornalística, J. R. Guzzo — como assinaria as próprias reportagens — iria segui-las com maestria.

O outro encontro aconteceu na redação do *L'Express*. Durante uma conversa com o diretor Jean-Jacques Servan-Schreiber, conhecido jornalista, escritor e político que em 1953 fora um dos fundadores do semanário, Roberto e Mino receberam a informação de que uma brasileira era funcionária da revista. Eles pediram para conhecê-la. JJ, seu nome de guerra, levou-os então ao departamento de pesquisa e lhes apresentou uma loira bonita e articulada chamada Dorrit Harazim. Nascida em Zagreb, capital da Croácia, na ocasião incorporada à extinta Iugoslávia, ela emigrara com os pais na infância, morara no Rio Grande do Sul e fora viver em Paris. No *L'Express*, cuidava das pesquisas sobre a América Latina. Dorrit era poliglota. Com suas habilidades linguísticas e uma paixão por viagens, pensara em ser aeromoça. Além do servo-croata e do português, tinha fluência em francês, inglês e alemão. Sem sotaque, dizia-se. Roberto, que se encantava com pessoas que dominavam dois ou três idiomas — que dirá cinco —, levou-a para almoçar na companhia de Mino. Em um restaurante próximo à avenida dos Champs-Elysées, eles lhe falaram da revista que iriam lançar e fizeram uma proposta para que se juntasse à equipe. Dorrit, que nunca soubera da existência da Editora Abril, mostrou-se ainda mais surpresa do que Guzzo. Afinal, haviam acabado de se conhecer e eles não estavam em condições de avaliar suas qualificações jornalísticas. Além disso, retornar para o Brasil não estava em seus planos. Ela ficou de pensar melhor, agradeceu, despediu-se e esqueceu do convite.

Enquanto Guzzo começava a preparar a mudança, Roberto e Mino trocaram suas conclusões sobre os cinco estágios, como chamaram com exagero as rápidas visitas às semanais de informação. Roberto mostrou certa ansiedade com o desafio à frente, mas Mino estava confiante. "Vai ser fácil", disse Mino, segundo Roberto. "Faremos melhor do que eles. Não se preocupe." Roberto afirmaria: "No duro, não tínhamos a menor noção do que nos esperava. Mas, nos nossos trinta e poucos anos, tínhamos uma enorme confiança, aquela que nasce da ignorância, de quem não sabe o que virá. Se a gente soubesse, talvez não fizesse".

Ao regressar a São Paulo, Roberto passaria a dar ainda menos atenção à família. Em casa, quando não estava às voltas com suas revistas e a papelada costumeira, fazia longas reuniões com Mino e alguns diretores da empresa. Como o projeto em andamento permanecia cercado de sigilo, preferia não realizá-las na editora. No início, os dois se debruçaram sobre o organograma da redação. Quantas pessoas seriam necessárias? Acabaram se fixando em um número elevado: 147 jornalistas, sem contar a área que seria conhecida como a de produção editorial, que engloba revisores e preparadores de texto. Era praticamente a metade do total de funcionários empregados pela Abril inteira em 1966, quando a *Realidade* foi lançada. Em 2013, a edição impressa da *Veja*, no seu 45º ano de vida, o último sob o comando de Roberto, teria noventa jornalistas contratados, também sem incluir a produção editorial.

Em vista do tamanho da equipe que pretendiam montar, Roberto e Mino perceberam que não poderiam recrutá-la em sua totalidade no mercado. Por dois motivos. Em primeiro lugar, era gente que não acabava mais. Nenhum dos dois conhecia tamanha quantidade de gente qualificada. Em segundo, o custo seria muito elevado. Afinal, teriam que oferecer aumento de salário para quem estava empregado nas empresas concorrentes. Desse modo, concordaram que o melhor a fazer seria dividir a redação. Uma parte dela com editores experientes e outra com jovens repórteres que passariam por um processo de recrutamento, seleção e treinamento. Roberto já percebera essa necessidade e tivera a ideia de criar um curso para os novatos antes mesmo da viagem que fez com Mino e de ser calculado o tamanho da equipe. "Não copiei o curso de nada que eu tivesse visto", ele se vangloriaria. "Eu o inventei sozinho." Como a profissão não estava regulamentada, qualquer cidadão, em tese, poderia exercê-la. Não se exigia para o registro do Ministério do Trabalho o diploma de uma faculdade de jornalismo, cujo nível de ensino — com ênfase nas disciplinas teóricas, em detrimento da prática — ele considerava, como consideraria sempre, aquém das exigências da editora. Roberto tomou a iniciativa de redigir um anúncio, que mandou publicar na *Realidade* e na *Claudia*. Orgulhava-se a tal ponto desse seu texto que, quando morreu, foi encontrada uma cópia recortada dentro de uma das envelhecidas carteiras inglesas de couro em que guardava documentos, cartões de crédito e fotos de familiares. Saiu nesta forma, em duas colunas das revistas:

> Você quer ser jornalista?
>
> A Editora Abril procura jovens para esta fascinante carreira.
>
> Se você acha que tem talento para escrever e possui diploma universitário, apresente-se.
>
> A Editora Abril — responsável pela publicação de *Realidade*, *Claudia*, *Quatro Rodas* e uma série de outras revistas de âmbito nacional — está à procura de jovens interessados numa carreira jornalística.
>
> Procuramos homens e mulheres inteligentes e insatisfeitos, que leiam muito, sempre perguntem "por quê" e queiram colaborar na construção do Brasil de amanhã.
>
> Se você tem diploma universitário (seja qual for a especialização), gosta de escrever, e está com vontade de trabalhar muito numa profissão que pode lhe proporcionar grandes satisfações morais e materiais, escreva-nos dizendo: quem é você, em que se diplomou, quantos anos tem, onde nasceu, seu estado civil, no que já trabalhou e no que trabalha.

Em seguida, você receberá um questionário detalhado e — posteriormente — um comunicado marcando entrevista, ainda antes do fim do ano, nas cidades de São Paulo, Rio, Salvador, Recife, Brasília, Porto Alegre, Belo Horizonte ou Curitiba.

Após a entrevista, os candidatos escolhidos serão convidados a São Paulo (a Editora Abril custeará passagens e estada dos candidatos residentes fora da capital paulista) para um curso intensivo de atualidades e jornalismo, durante noventa dias, com início em janeiro de 1968.

O resto depende de você.

Escreva para

Diretor Editorial

Editora Abril

Caixa Postal 2372

São Paulo

Cerca de 1800 pessoas, dos quatro cantos do país, responderam ao anúncio. Foram entrevistadas duzentas e aprovadas cem. Quem não morava em São Paulo ficou hospedado no Hotel Excelsior, na avenida Ipiranga. Todos os participantes recebiam uma ajuda de custo. Pelo programa elaborado por Roberto, durante o período da manhã eles assistiam a palestras sobre temas variados, de política a ciência. A orientação coube ao professor José Salomão David Amorim, da Universidade de Brasília. Entre outros, deram aulas os ministros Delfim Netto e Jarbas Passarinho, o deputado Ulysses Guimarães, o governador do Maranhão, José Sarney, o jurista Miguel Reale, o publicitário Roberto Duailibi e o cardeal Agnelo Rossi. Sim, o cardeal que se escandalizara com a foto do parto na edição especial de *Realidade* sobre a mulher brasileira e desencadearia as reações que levariam à apreensão da revista. Ocorre que, depois disso, Victor e Roberto, preocupados em aparar as arestas, tinham ido visitá-lo no palácio episcopal e se entenderam de alguma forma.

O curso foi aberto no dia 4 de março de 1968, seis meses antes da data prevista para o lançamento da revista, em um auditório do edifício Itália, que ficara pronto em 1965, com seus 46 andares, e se localizava na vizinhança do Hotel Excelsior. Victor, Roberto e Mino recepcionaram os alunos na porta. À tarde, depois das aulas, o grupo era transportado em Kombis até a nova sede da Abril, na marginal Tietê. O prédio, que abrigava a gráfica, encontrava-se em fase de acabamento. No sétimo andar, reservado para a redação, realizava-se a parte prática do curso. Os alunos recebiam a orientação dos jornalistas contratados e começavam a fazer matérias para os números zero do semanário cujo nome eles desconheciam. Eram edições experimentais, para uso interno, numa tentativa de antecipar o que seria a revista. Foram feitas treze, uma por semana. Apenas os últimos quatro números seriam impressos e teriam capa. Os demais não passaram de provas de impressão. No 010, o título, que saía no rodapé das páginas em código (BACD), foi afinal revelado. Seria *Veja*. Na verdade, *Veja e Leia*, com o "e Leia" em tamanho reduzido. O recurso evitou qualquer eventual processo da revista americana *Look* e contornou o impedimento legal de se registrar uma palavra de uso comum. A partir da edição 352, de 4 de junho de 1975, o complemento "e Leia" desapareceria.

Durante a feitura dos números zero, a enorme redação estava praticamente formada. Para os postos-chave, Mino levou jornalistas com os quais havia trabalhado no *Jornal da Tarde* ou que conhecia. Inspirado no que observara nas semanais americanas e europeias, ele montou editorias estanques. Trabalhariam em espaços separados por divisórias que logo ganhariam o nome de baias. Cada uma tinha editor, editores assistentes e repórteres. Dez repórteres especiais não estavam ligados diretamente às editorias. Podiam ser recrutados por qualquer uma delas. Foram criadas duas grandes sucursais, chamadas inicialmente pelo nome francês de *bureaux*: a do Rio de Janeiro (quinze jornalistas) e a de Brasília (sete). E mais cinco sucursais menores, em Recife (quatro jornalistas), Belo Horizonte (dois), Porto Alegre (dois), Salvador (dois) e Curitiba (um), sem contar dez correspondentes nacionais e um em Nova York. Para a arte e a produção, foram destacadas nove pessoas. Fotógrafos eram dez (quatro em São Paulo, mais o editor, dois no Rio e os demais espalhados nas sucursais). Desse grupo superdimensionado, fazia parte um corpo de 46 repórteres baseados em São Paulo. Para efeito de comparação, em 2015 a revista teria dezenove repórteres em São Paulo, três sucursais (com um total de dez jornalistas) e nenhum fotógrafo. Como seria de imaginar, o custo foi às alturas. A redação da *Veja* representava para a Abril, incluindo salários, encargos e borderô para despesas operacionais (viagens, colaborações, compra de material internacional etc.), um desembolso mensal de 325 mil cruzeiros novos, o equivalente a 614 mil dólares em 2016. Esse valor só ficava abaixo das despesas gráficas, sobretudo papel e impressão: cerca de 130 mil cruzeiros novos, ou 900 mil dólares em 2016. O curso de jornalismo foi orçado em quase 43 mil cruzeiros novos, cerca de 300 mil dólares em 2016.

Em um primeiro momento não se percebeu, mas, apesar de tanto dinheiro gasto, havia um problema nesse time. Com exceção de Mino, ninguém trabalhara antes em revista. Ainda assim, sua experiência anterior se limitava à *Quatro Rodas*. Era uma lacuna grave. Fazer revistas pressupõe informar, obviamente, mas também interpretar, entreter, prestar serviço e, nas de informação, defender posições. Ao contrário dos jornais, que sobrevivem por no máximo 24 horas e vão para o lixo, elas têm uma durabilidade maior, ficam guardadas e podem ser colecionadas. Suas matérias devem permanecer atuais ao longo da semana ou do mês. É necessário que sejam bem escritas e tenham uma apresentação atraente. Os artigos precisavam estar organizados de forma lógica, agrupados em seções. Dentro da receita da *Time*, eles dão os dois lados da questão, sem deixar de avaliá-la, interpretá-la e explicar seu significado. E — fundamental — o foco tem que estar no leitor.

Um dos egressos do Curso Abril, o cearense José Carlos Bardawil, que se tornaria um dos mais famosos repórteres políticos de Brasília, notou que estava aí o grande problema da redação.

> Eles não sabiam fazer revista. Não sabiam de jeito nenhum. [...] Nenhum deles. Nem o Mino. O Mino tinha ido fazer uma visita à *Time*, mas não se aprende o que é uma revista numa visita. Então ele viu mais ou menos como era o organograma, estudou um pouquinho como era a *Time*, e resolveu que a *Time* era uma coisa fantástica, com repórteres em profusão, que traziam informações e o redator mexia no texto. Depois o editor dava outra mexida. E, na verdade, isso transformava a *Veja*, em seu começo, num elefante, um negócio muito lento. Toda matéria da *Veja*, por exemplo, nos primeiros tempos, tinha umas cento e tantas páginas para serem transformadas em cem, duzentas linhas [...]. Porque vinha matéria do Amazonas ao Chuí. E, nesse jogo, o trabalho dos repórteres ia embora. No início da *Veja*, o grande problema que o pessoal tinha, que eu me lembro, era que o repórter não conseguia ver a matéria dele. Quando ela era finalmente publicada, às vezes saía uma linha do repórter e eles ficavam lá: "Cadê? Ah, tá aqui, a minha linha...".

Quem de fato conhecia revistas — e não somente, como Mino, uma mensal especializada — era Roberto Civita. Conforme se contou, ele fora um dos melhores alunos de jornalismo da Universidade da Pensilvânia, trabalhara na condição de estagiário durante um ano e meio na mais importante editora do mundo — enfronhando-se no editorial, no comercial, na distribuição e nas assinaturas —, participara da criação de várias publicações da Abril e dirigira *Realidade*. De mais a mais, tinha sido dele a iniciativa de fazer a *Time* brasileira. "Vamos ser justos", concederia Mino quarenta anos mais tarde, em um raro reconhecimento ao ex-patrão. "Ele realmente tinha o desejo de fazer uma semanal inspirada nas *newsmagazines* semanais americanas. Isso é absolutamente inegável. É a verdade factual." O conceito de Roberto sobre revistas era envolto em paixão, com uma boa dose de idolatria. Ele dizia que elas são "o mais seletivo, segmentado, regionalizado, brilhante, íntimo, aproveitável, portável, rasgável, eficiente, dramático, inteligente, lindo, duradouro e maravilhoso veículo de comunicação que existe".

De alguma maneira, outra pessoa da equipe pioneira trazia o meio revista no currículo: Dorrit Harazim. Mas ela era pesquisadora e, nas suas palavras, permanecera "nas catacumbas" do *L'Express*. Ainda não poderia ser chamada de revisteira. Por vários meses, após a proposta recebida de Roberto e Mino, ela continuou descartando a possibilidade de vir para o Brasil. Três motivos a levariam a mudar sua decisão. De início, uma conversa em Paris com o jornalista carioca Paulo Henrique Amorim, contratado para ser correspondente em Nova York. Ele insistiu para que ela aceitasse. "A gente vai viajar muito e trabalhar pouco", Amorim lhe disse, segundo suas lembranças. A segunda razão foi o fato de que um ex-namorado seu, italiano, militante da extrema esquerda, estava sendo procurado pela polícia de três países europeus. Ciente dessa ligação anterior, o departamento de contraespionagem da Sûreté, a Police Nationale, intimou-a para depor. Ela se sentiu ameaçada a partir daí. Finalmente, pouco depois chegou-lhe uma carta da Abril que reiterava o convite e aumentava o salário inicialmente oferecido. Somando tudo, Dorrit resolveu viajar para São Paulo. Desembarcou no Aeroporto de Congonhas e pediu que o motorista de táxi a deixasse em qualquer hotel do centro da cidade. De lá, foi para o prédio da marginal Tietê. Quando a porta do elevador abriu no sétimo andar, ela levou um susto. Havia no saguão um formigueiro humano, com dezenas e dezenas de participantes do curso que nem tinham cadeira para sentar ou máquina para escrever. Perguntou onde ficava a sala do diretor e foi abrindo caminho até encontrá-la no final do corredor que lhe pareceu interminável. "Dorrita!", Mino a saudou ao vê-la, exausta e confusa. Ele a chamava assim. Mal trocaram algumas palavras, encaminhou-a para Guzzo, com quem começaria a trabalhar na editoria internacional. Dorrit ficaria na *Veja* 28 anos, divididos em três temporadas, além de dirigir o escritório de Nova York, e se tornaria uma das mais importantes, admiradas e temidas (por seu rigor profissional) jornalistas da história da revista.

Com uma redação que desconhecia o mundo das revistas — e principalmente de uma semanal de informação —, os números zero apareceram cheios de falhas. Deveriam servir para que elas fossem corrigidas, é claro, mas havia um excesso de erros editoriais. As matérias eram apresentadas de forma pouco atraente, com fotos pequenas, ilustrações precárias e textos extensos, frequentemente confusos. Tanto os títulos, fracos no geral, como os olhos, que vinham abaixo deles, sem falar das legendas, não cumpriam sua função principal: atrair a atenção do leitor e motivá-lo a ler a reportagem. Quando malfeitos, esses elementos básicos de edição levam o leitor a folhear apressadamente e, no fim de tudo, deixar o seu exemplar de lado. Faltavam foco, clareza — e, pior, precisão nas informações. Trabalhava-se no escuro, tateando. Ficava evidente que editores e repórteres, habituados a exigências formais menos rígidas e aos prazos apertados dos jornais diários, precisavam aprender a técnica da feitura de uma revista. Ainda mais de uma revista como aquela. "Nenhum de nós sabia fazer revista semanal de informação nacional", admitiria o editor assistente mineiro Carmo Chagas, que, como seus colegas, via, revia, lia e relia a *Time* e a *Newsweek* em busca de um caminho, uma luz, uma solução mágica. "E a gente não descobria o jeito de fazer o título, a legenda, o subtítulo, o texto, a chamada de capa. Se pelo menos desse para adiar o lançamento..."

Roberto então entrou em ação. Foi nesse momento que radicalizou uma opção da qual só no futuro, após mais de trinta anos de terapia, tomaria plena consciência. Ele tornou-se um pai progressivamente ausente e um marido distante enquanto transformava a revista em sua obsessão. Leila reconheceria que, a seu jeito, ele amava os filhos, tendo sido, alternadamente, um bom e um mau marido, mas o problema da longa convivência familiar seria sempre aquela que considerava, mais do que uma paixão, a sua amante: a *Veja*. Roberto nunca negou isso. Em uma sexta-feira de agosto de 2012, ele diria: "Há uma frase recorrente em relação a mim. É esta: 'Odeio revista'. Sempre tive que ouvi-la". Quem a repetia? Ao ouvir a pergunta, algo incomodado, ficou alguns segundos em silêncio e respondeu rapidamente: "Meus filhos e minhas esposas". Amigo da família, o estilista Ugo Castellana afirmaria:

> É importante dizer que Roberto, em relação aos filhos, embora não tivesse paciência com crianças, nunca teve, era afetuoso do modo dele. O que lhe faltava era tempo para se dedicar aos meninos. Mas a verdade é que, se não trabalhasse tanto, a *Veja* e a Abril não teriam se tornado o que foram. Ele fez uma escolha, talvez dolorosa.

Naquelas conturbadas semanas de 1968, Mino passou a receber de volta os números zero inteiramente anotados por Roberto. O acordo estava sendo seguido. Roberto, com o aval do pai, estabelecia as linhas gerais e a redação preparava as edições experimentais. Na sequência, ele avaliava o resultado. Quase sempre desaprovava. As críticas vinham por escrito, ora de maneira sutil, ora de forma implacável. Era difícil contestá-las, pois nas anotações ele colocava um de seus compridos dedos na ferida. "Pouca notícia, muita análise", apontou em uma matéria sobre política. "A partir do segundo parágrafo, é uma coleção de detalhes. Falta uma visão de conjunto", escreveu ao lado de um texto sobre manifestações estudantis. "Complicado, logo chato", rabiscou em uma reportagem de economia. "Começa bem, mas acaba mal!", exclamou em outra. "*Mon Dieu de la France*!", ralhou em uma terceira. Podia fazer concessões: "Quase bom" (um artigo sobre cemitérios). E só eventualmente elogiar: "Muito bom" (uma crítica de cinema).

Sublinhava palavras repetidas, riscava títulos, colocava pontos de interrogação em legendas vagas. Reclamava de expressões que julgava inadequadas, como "pequeno-burgueses", o que "não passa de etiqueta sem sentido ou slogan mal pensado". Ou de conceitos com os quais não concordava, como "uma velha queixa das fábricas" a respeito do imposto vigente sobre os automóveis. "Não é só das fábricas!!", irritou-se. Numa matéria sobre cintos de segurança, que apenas 29 anos mais tarde se tornariam de uso obrigatório, o acessório foi descrito como "incômodo" e capaz "de rasgar a roupa" do passageiro. Ele registrou sua desaprovação com letras grandes e uma das palavras em maiúsculas: "O mais seguro é USAR! Não vamos brincar com segurança". Não gostava quando o Brasil era citado como país subdesenvolvido. "Cuidado! Não somos. Sugiro dizer, sempre, 'em desenvolvimento'." Erros grosseiros o tiravam do sério. Em uma ilustração, a distância da Terra à Lua apareceu como sendo de 35 mil quilômetros. Usou lápis vermelho, reservado para os casos mais graves, circulando sua enfática correção: "350 mil!!!". Na mesma página, havia uma segunda falha em relação ao sistema solar. Ao marcá-la, valeu-se mais uma vez de uma simples comparação: "Como pode haver 250 milhões de quilômetros entre a Terra e Vênus se há 150 milhões de quilômetros entre a Terra e o Sol?".

Pontificava sobre qualquer coisa, como, por exemplo, os processos de canonização no Vaticano. Ao ler que neles o chamado advogado do diabo "representa o demônio sempre que surjam casos milagrosos", tratou de ensinar: "Não é propriamente para representar o demônio e sim para duvidar/testar/resistir às provas apresentadas". Em uma página mal organizada sobre programação de TV, recomendou a simplificação: "Não seria mais útil se dividíssemos por dia?". Na seção de cartas, alinhadas sem critério, também pediu o óbvio: "Acho que precisa dividir por assunto". (Mino resistiu a essa ordem disfarçada de sugestão, como era do estilo de Roberto, e só daria o braço a torcer no número 3. Virou um padrão definitivo.) Em uma cirúrgica intervenção, marcou com um enérgico xis vermelho o título "Veja e Leia" e trocou-o pelo único nome de seção da revista que jamais seria alterado: "Gente".

Os números zero da *Veja* se tornariam uma raridade. Não se sabe quantas cópias sobreviveram. Havia uma encadernação completa, com três volumes, em uma biblioteca sobre imprensa que ele mantinha no mezanino de seu gabinete no Novo Edifício Abril. Guardou ali 2104 livros, quase todos em inglês, divididos em grupos, como histórias de revistas e jornais, técnicas de redação e biografias de jornalistas. Os que tratavam de internet e mundo digital eram somente dezoito. Ocasionalmente, permitia o acesso de visitas interessadas. Para percorrer suas arrumadas estantes, elas precisavam subir atrás dele por uma perigosa escada em caracol. Quando lhe perguntei, no final de 2012, por que havia tão poucas obras sobre os meios digitais, ele desconversou. "Por enquanto, são essas", disse — e mudou de assunto. No seu testamento, determinou que os livros e as encadernações da revista ficariam com o Dedoc, que ele criou para servir de apoio à *Veja* e, a seguir, para as demais revistas da casa. "Roberto considerava o Dedoc um de seus filhos", diria Roger Karman, um emigrante egípcio que ajudou a pôr o departamento de pé, como gerente de serviços editoriais, e que seria anos depois vice-presidente da Abril.

Os números zero que Roberto corrigiu, mandando uma cópia para a redação, ou que recebeu de volta (muitos se perderam), permaneceriam em segurança numa das salas trancadas da Memória Abril. Outra iniciativa sua, a Memória armazenaria documentos sobre a história da empresa, mantendo no mínimo um exemplar de tudo que ela publicou desde 1950 — inclusive o esquecido *Raio Vermelho*. As edições experimentais são o DNA da *Veja* e uma prova da sua paternidade. "Quem teve acesso a essa coleção de revistas não duvida que foi o dono e não seus contratados quem deu forma à publicação", escreveria em 2013 o jornalista Márcio Chaer, diretor do site *Consultor Jurídico*, que conservou alguns números zero em seu poder.

Enquanto os números zero eram preparados e a redação, já não tão às cegas, tentava encontrar o caminho da revista, Roberto debruçava-se em uma tarefa simultânea: orientar, discutir e aprovar a campanha de lançamento. A tarefa foi entregue a uma das maiores agências brasileiras de publicidade, a Standard Propaganda. Encarregaram-se dela o diretor de criação, Roberto Duialibi (que logo após fundaria a DPZ, iniciais dele e de seus sócios Francesc Petit e José Zaragoza), o redator Neil Ferreira e o diretor de arte Anibal Guastavino. Ao investimento inicial correspondente a 13 milhões de dólares em 2016, somava-se agora mais uma dinheirama que o cofre de Tio Patinhas iria bancar. A campanha foi orçada em 1 milhão de cruzeiros novos, o equivalente em 2016 a 1,9 milhão de dólares, valor até então jamais investido em publicidade por uma empresa de comunicação no Brasil. No dia 8 de setembro, um domingo, foram publicados anúncios de página inteira nos jornais de todas as capitais brasileiras, de Manaus a Porto Alegre. "O mundo está explodindo à sua frente e você não sabe por quê" era o slogan. Às 22h10 daquele dia, entraria no ar, nas principais emissoras de televisão do país, um comercial gravado em forma de documentário para anunciar a chegada às bancas da revista na manhã seguinte. Com depoimentos de personalidades como o político Carlos Lacerda, o economista Roberto Campos, o empresário Paulo Machado de Carvalho e a apresentadora Hebe Camargo, tinha duração de doze minutos, uma eternidade para um comercial de TV. Nas salas de cinema, foi exibido mais um documentário a respeito, dirigido por Jean Manzon.

Os comerciais eram sedutores, mas deram ao público a sensação de que estava saindo uma revista ilustrada para concorrer com a *Manchete* e *O Cruzeiro*. Foi essa também a impressão do mundo publicitário, convidado em peso para um grande jantar oferecido no Roof da marginal Tietê no feriado nacional do Sete de Setembro. Dali, por um circuito fechado de TV, os convidados acompanharam a produção final do primeiro número. Servida a sobremesa, eles foram levados para uma sala da gráfica que havia sido decorada como se fosse o saguão de uma maternidade. A ideia era que eles testemunhassem um nascimento. Enquanto se distribuíam charutos e garçons serviam conhaque, foram entregues os primeiros exemplares. O ritual se repetiria no dia seguinte, domingo, com um segundo jantar na casa noturna O Beco. Seiscentas pessoas assistiram ao demorado comercial, veiculado em São Paulo nos cinco canais de TV existentes. No final, elas receberam seus exemplares e certidões de nascimento da revista preenchidas por um calígrafo. Como pais, foram citados 147 jornalistas e 1052 gráficos, com "uma fé inabalável no futuro do Brasil". Assinavam Victor Civita, editor e diretor; Roberto Civita, diretor de publicações; Richard Civita, diretor de operações; Domingo Alzugaray, diretor da Divisão Revistas; Edgard de Sílvio Faria, diretor responsável; e Mino Carta, diretor de redação.

Ao espanto pela grandiosidade das festas, antecedidas por tamanha expectativa, seguiu-se o que ninguém esperava: a decepção pelo resultado. Duas reações, ambas em tom um tanto escatológico, resumiriam as reações. No Beco, o diretor de publicidade da *Veja*, Oscar Colucci, ouviria do colega de uma das maiores agências nacionais: "Isto é a maior merda que já vi na história da imprensa brasileira". Não demoraria muito, seria transmitido a Roberto o comentário de Adolfo Bloch, dono da *Manchete*: "Esperávamos uma bomba atômica e só saiu um peido". Apesar dos desapontamentos, a primeira edição da *Veja* alcançou um sucesso assombroso. Das suas 122 páginas, 60,6 foram de publicidade. Todas vendidas a preço de tabela, no escuro, pois o mercado ignorava o que seria a revista. Ficaram de fora, por falta de espaço, 31 anunciantes. Dos 695 600 exemplares da tiragem, foram vendidos 649 200. Sobrou um encalhe técnico de 6,7%, considerado desprezível.

Contra a opinião dos homens das ruas Barão de Itapetininga, Sete de Abril e Marconi, onde se concentravam as maiores agências de publicidade do Brasil, e apesar do alívio de concorrentes como Bloch, o êxito da *Veja* em sua chegada deixou o mercado perplexo. Nunca se vira nada igual. Passada uma única semana, no entanto, iria se iniciar um pesadelo. Todos acharam que ele levaria a Abril à ruína, destroçando o sonho dourado de Roberto.

13 de dezembro de 1968

Em qualquer nova revista, a segunda edição vende em geral menos do que a primeira. Mas há exceções. Foi o caso da *Realidade*, que teve um bom crescimento do número 1 para o número 2. Em seis meses, sua circulação aumentou em 150 mil exemplares. O fenômeno não se repetiria com outros títulos. É explicável a queda. O lançamento costuma ser precedido de uma campanha publicitária que visa despertar o interesse dos leitores. Se a publicação agrada, a maior parte dos compradores volta a procurá-la na semana ou no mês seguinte. Uma parcela desiste, pois a levou para casa por mera curiosidade ou impulso. Os que gostam podem iniciar aí uma relação de fidelidade e, desse modo, após um certo período, a venda tende a se estabilizar. Nas projeções da *Veja*, como se contou, os cálculos previam que, após os quase 700 mil exemplares praticamente esgotados na estreia, ela teria uma circulação menor nas semanas seguintes até se fixar na sonhada vendagem de 250 mil.

A tiragem da edição 2 da *Veja*, que trazia na capa uma reportagem sobre as divisões políticas da Igreja católica no Brasil, baixou para 503 mil exemplares. Esperava-se que venderia cerca de 428 mil ou um pouco menos e daí iniciar uma descida suave rumo à circulação estimada. O resultado não passou nem perto disso. Para surpresa geral, houve um tremendo baque. O encalhe (274 mil) foi 20% maior do que a venda (228 100), numa catástrofe inimaginada pela empresa. A revista começaria a rolar sem controle ladeira abaixo. Na terceira edição, vendeu 186 100; na quarta, 149 600; na quinta, 130 mil. Não parou mais de despencar, semana a semana. No início de novembro, dois meses depois de seu aparecimento nas bancas, a *Veja* passou a vender abaixo dos 100 mil.

Ficava claro que o público não gostara dela. Aliás, não somente o público. Internamente, as críticas pipocavam de todos os lados. A revista era feia, tinha um formato errado, não abria fotos, publicava textos pesados, infindáveis, escolhia assuntos desinteressantes, faltava mulher, faltava humor, faltava leveza... A cada momento Roberto ouvia tudo isso e muito mais de diretores, de funcionários próximos, da área financeira apavorada com os prejuízos, dos publicitários alarmados com a debandada de anunciantes, de jornaleiros perplexos diante da pilha de revistas que não diminuía de tamanho, de amigos, de palpiteiros... Mino teve a reação que seria de esperar: gelou. Ao olhar para trás, alguns anos depois, ele diria em uma entrevista:

> Quando esse número [o 1] começou a sair das máquinas e quando eu comecei a ver o primeiro caderno, fui tomado de uma profunda sensação de pânico. Porque aí ficou claro que estava tudo errado. Mas, olha, não digo isso hoje, entende? Com rigorosa honestidade. Por um jogo de circunstâncias, eu sempre fiz coisas que não existiam antes. Quando saiu o primeiro número da *Quatro Rodas*, eu percebi com rigorosa clareza que a revista podia ser melhor, mas era basicamente aquilo mesmo. Quando saiu a *Edição de Esportes*, a mesma coisa. Podia ser melhor e tal, mas era só isso. Depois, o *Jornal da Tarde*, a mesma coisa, entende? Vi o primeiro número e disse, é isso. Agora, com a *Veja*, eu disse, não é isso, entende? Não tem nada a ver com aquilo que é a coisa. E eu devo também confessar que naveguei na mais total escuridão por muito tempo.

A bem da verdade, a autocrítica poderia ter sido feita antes. De modo geral, a primeira edição era bastante parecida com os quatro últimos números zero. Em especial o 013, que fechou a série. Tinha o mesmo assunto de capa, sobre a crise no mundo comunista após as tropas do Pacto de Varsóvia, sob o comando da União Soviética, terem invadido em agosto a Tchecoslováquia para liquidar a chamada Primavera de Praga. O título interno da matéria permaneceu: "Rebelião na galáxia vermelha". A abertura foi idêntica, repetindo as fotos e a ilustração. O texto final saiu com poucas modificações. Segundo José

Roberto Guzzo, embora fosse ele o editor internacional, Mino se encarregou de redigi-lo. Outras matérias do 013 reapareceram no número 1, sendo algumas reproduzidas sem qualquer alteração. Foram elas: "Nordeste esconde sua água", "Corrida ao fundo do mar" e "Os grandes mecenas da política norte-americana". No conjunto, foram recolocadas dezoito páginas iguais. Um artigo sobre o escritor Harold Robbins, saído originalmente no 09, um mês antes portanto, ressurgiu sem tirar nem pôr, assim como uma reportagem de educação estampada no 010. Até uma nota de "Gente" a respeito da atriz Brigitte Bardot sobreviveu por trinta dias. Quer dizer, a revista optou por publicar várias coisas que estavam na gaveta, em vez de dar apenas material quente, preparado na própria semana. Como vinha acontecendo de forma recorrente nas edições experimentais, diversos artigos continuaram recebendo títulos burocráticos, de uma única palavra, sem o menor apelo de leitura. Exemplos: "Lacerda", "Pernambuco", "Argentina", "França", "Universidade" e "Desamparados". Só isso, uma única palavra sem qualquer apelo de leitura. De quem chamariam a atenção ou a quem poderiam seduzir?

Ou seja, "a profunda sensação de pânico" e a clareza de que "estava tudo errado" deveriam ter acontecido à medida que os números zero foram ficando prontos. Afinal, eles serviam exatamente para esse propósito: a correção de rumos, o que não foi feito. Como Mino, Roberto era um homem que não costumava dar o braço a torcer. "*I'm never wrong*", para voltar à definição dada sobre ele por seu irmão Richard. Ele reconheceria em fevereiro de 2013 que, apesar do fracasso inicial, manteve por um tempo a perigosa postura, responsável por incontáveis negócios que foram à bancarrota, de acreditar que o erro era do consumidor e não do produto.

> Sim, você pode lançar esse produto antes da hora, no momento errado ou quando as pessoas não estão preparadas para recebê-lo. Mas tivemos uma visão arrogante: nós estamos certos, eles estão errados. Sem dúvida, o leitor brasileiro não estava preparado ou interessado em uma fórmula de revista como aquela. Havia público para isso, embora pequeno. Só que, para viabilizar a publicação, seria preciso que muito mais gente a comprasse. A questão é que a revista tinha texto demais e pouca ilustração. Era pesada, difícil de ler. Mino disse que, ao ver o primeiro número, percebeu que estava fazendo a revista errada. Bem, se ele caiu em si, demorou para mexer no projeto. Ele achava, e ainda acha, passados 45

anos, que sabe tudo. Era o senhor da verdade absoluta. "Vamos fazer a melhor revista semanal do planeta." E ainda me dizia: "Além de tudo, sou um grande diretor de arte. Você, aliás, está economizando esse salário". Eu estava reexaminando há pouco as primeiras edições e cheguei à seguinte conclusão: se ele era um grande diretor de arte, eu sou o Michelangelo. Sem dúvida, tinha bom gosto e uma vasta cultura artística. Mas fazia uma revista feia, pesada, apertada, que não respirava. Essa atitude de achar que éramos os melhores e tínhamos montado uma inigualável equipe de redação, com o Mino se considerando um demiurgo, um semideus, nos custou caro.

Os prejuízos que se acumulavam não eram causados unicamente pelas baixas vendas e os altos encalhes. Com a circulação naufragando, veio a consequência imediata: o sumiço dos anunciantes. Dos 31 que haviam sobrado na fila do primeiro número, vinte desistiram de entrar no segundo. A partir da quarta edição, o único fixo e garantido era a Souza Cruz, que apostara às cegas na revista e assinara contrato para comprar 52 contracapas consecutivas. Só mais tarde é que haveria uma severa restrição por parte do governo à propaganda de cigarros. A queda da publicidade acompanhou a das bancas. As 60,6 páginas de anúncios do número 1 se reduziram para 36 no número 2. No 3, foram dezessete. No 6, a metade disso, 8,7. Ainda assim, tiveram seus preços negociados.

Nas manhãs de segunda-feira, Domingo Alzugaray e o diretor de publicidade Oscar Colucci entravam em um dos quatro largos elevadores da marginal Tietê já prevendo o pior. Ambos eram cavalheiros de fina estampa. Na Argentina, sua terra natal, Alzugaray fora galã de fotonovelas e trabalhara como ator de cinema. Colucci vestia ternos bem cortados e envergava gravatas vistosas. Os pressentimentos se confirmavam logo que convocavam os contatos de publicidade e, com toda a sua elegância, se viam tomados de angústia e desespero com as péssimas notícias que recebiam. Nesses momentos, lembravam com inveja o que Roberto havia lhes contado de sua visita com Mino ao *Der Spiegel*, onde a semana se abria com todos os anúncios aprovados e colocados nos respectivos espaços. Na *Veja*, houve momentos em que na quarta-feira não havia uma página sequer vendida, fora a da Souza Cruz. E eles, de acordo com o planejamento, tinham o compromisso de preencher pelo menos quinze.

Saíam juntos para o centro da cidade, pastinha na mão, e peregrinavam pessoalmente pelas agências. Sem a postura sobranceira que seria de esperar de dois altos executivos daquela que se tornara a maior editora de revistas do país (e corria o risco de deixar de ser), tentavam arrancar, com um misto de súplica por um voto de confiança e a lábia de bons vendedores, no mínimo a segunda e a terceira capa. Eram oferecidas com descontos crescentes. "Cada vez que conseguíamos trazer um anunciante novo, tomávamos porres homéricos", relataria o gerente de promoções, Paulo Augusto de Almeida, que costumava ajudá-los a passar o chapéu. O pretexto para bebedeiras, porém, logo sumiria do horizonte. A situação atingiria o ponto mais temido pelos publicitários. Muito tempo depois, Alzugaray revelaria numa voz ligeiramente trêmula, aos 82 anos: "Muitos anúncios internos demos de graça. Do contrário, a página sairia em branco".

Ao lado da venda que não parava de cair e dos anúncios que não eram vendidos, havia mais uma séria dificuldade: os altos custos fixos da redação. Ficara claro que ela fora superdimensionada. Além dos salários, existiam as elevadas despesas do borderô editorial. Em certo momento, ficaram fora do controle. Logo nas primeiras semanas, estava sendo preparada uma matéria sobre teatro de protesto. O editor assistente da área, Paulo Mendonça, pediu que o secretário de redação, Henrique Caban, providenciasse uma foto de um ator russo que entraria na reportagem. Como não foi encontrada nenhuma no Brasil, Caban procurou a agência Associated Press (AP). A AP não localizou nada em seus arquivos e informou que a única forma de atender à encomenda seria deslocar um fotógrafo de Paris a Moscou exclusivamente para isso. Caban então consultou Mino, informando que o preço seria absurdo. Segundo ele, Mino autorizou mesmo assim. "Se queremos ser iguais à *Newsweek*, não podemos mendigar", afirmou. A operação toda custou cerca de 10 mil dólares, mas na hora da paginação a matéria teve seu tamanho reduzido e a foto simplesmente não foi publicada.

Outro exemplo ilustrativo, descrito na época por Geraldo Mayrink, editor assistente de Cinema: "Eu tinha dois repórteres à minha disposição e sete críticos auxiliares, para fazer mais ou menos duas colunas de revista". Houve cortes pesados, a começar da compra perdulária de fotos e da editoria de Mayrink, que passou a trabalhar sozinho. Na redução de despesas, entretanto, seriam cometidos erros estratégicos. Em uma pernada, a editoria de Economia

— uma das mais importantes para uma semanal de informações — desapareceu por inteiro. Ela era formada por um editor, quatro repórteres e dois professores universitários, que desempenhavam o papel de "assessores". A responsabilidade pela cobertura da área passou a ser da editoria de Brasil, encarregada de política e assuntos nacionais. "O pior é que nenhum de nós entendia de economia", diria Carmo Chagas, um dos seus editores assistentes. Em poucos meses, com demissões como essas, a equipe passou de 147 jornalistas para 135, em seguida para 118 e logo depois para cem. O setor comercial foi reduzido de vinte para cinco funcionários. Desapareceram também as jovens e bem-apessoadas recepcionistas que ficavam em cada andar do prédio, com vestido preto e um sorriso nos lábios, bem como a maioria dos office boys, que trabalhavam com uniforme verde, a cor da editora.

A pedido de Roberto, Raymond Cohen, responsável pelo antigo planejamento financeiro do que ele batizara de Projeto Falcão, preparou um sucinto relatório de duas páginas datilografadas sobre a situação da revista. Haviam se passado não mais do que três meses desde seu retumbante lançamento, mas o quadro agora não era apenas preocupante. Era desesperador. Cohen acrescentou as palavras "urgente e confidencial" a seu documento. Sugeriu medidas radicais, entre elas a suspensão do "transporte rápido", que permitia a distribuição praticamente simultânea da revista em todo o território nacional. Na ponta do lápis, isso representaria, em valores de 2016, uma economia anual de 1,2 milhão de dólares. Teria, é claro, uma contrapartida: 80% do reparte da *Veja* chegaria às bancas *até* quinta ou sexta-feira. Seria um atraso intolerável para uma revista semanal que pretendia estar presente nas principais praças do país entre segunda e terça, com notícias atualizadas. A proposta foi descartada. Ele também indicou reduções no borderô editorial e no quadro de pessoal, o que seria feito. Mesmo com a adoção de tantas medidas extremas, Cohen se mostrou pessimista com os resultados que poderiam ser atingidos.

> Tudo isto, evidentemente, não passa de paliativos. A revista, como atualmente está elaborada, carrega um prejuízo potencial e permanente de 1 milhão de dólares anuais [perto de 7 milhões de dólares em 2016]. Nada indica possibilidade de recuperação a médio prazo (um ano), nem o atual decréscimo de circulação permite prever a faixa de estabilização.

O relatório foi encerrado com uma conclusão agourenta: "O problema não será mais como mantê-la (ou custear seu prejuízo) e sim quando fechá-la ou mudá-la radicalmente".

Na sua previsão, a revista encerraria o ano de 1968 com uma venda de 60 mil exemplares por semana.

Um dos maiores mistérios da história da Editora Abril seria exatamente este: qual foi a menor vendagem da *Veja*, o que se chamava de "o fundo do poço", a partir do qual, quem sabe, ela poderia reagir? Roberto detestava tocar no assunto. Indagado, falou vagamente em "cerca de 70 mil exemplares", sem demonstrar convicção ou entrar em detalhes. Em 2012, ele pediria que Fernando Mathias lhe levantasse esse número. Mathias, considerado um dos maiores especialistas no Brasil em circulação de revistas, era o superintendente da Distribuição Geográfica do Brasil (DGB), holding do Grupo Abril responsável pelas operações de distribuição e logística, mas não encontrou a resposta. Existem várias suposições e nenhuma bate com as demais. De acordo com Richard Civita, a circulação mínima, "em números redondos, no início de 1969", foi de 38 mil. "O número de Richard é capaz de ser um pouco alto, porque tenho a lembrança de que foi próxima dos 20 mil exemplares", afirmaria Cohen. O editor Tão Gomes Pinto escreveria em um artigo que o gerente Paulo Augusto de Almeida lhe confidenciou que a venda mínima teria sido de 19 mil, algo que, de acordo com ele, não chegou ao conhecimento de Mino Carta. "A revista oficialmente tinha uma tiragem de 80 mil exemplares e a redação recebia uma informação de que ela tinha 40 mil exemplares", diria Mino. "Eu próprio acreditava que a tiragem era de 40 mil, mas na verdade ela tirava 23, 24 mil." Domingo Alzugaray recebia notícias piores: "Pelas informações verbais que me chegavam, a menor tiragem foi de 32 mil, com uma venda de 16 mil".

Não há uma comprovação oficial porque a *Veja* só se filiou ao IVC em outubro de 1972. O que existem são levantamentos manuais registrados pela área de distribuição da empresa. Segundo essas anotações, preservadas nos arquivos da Memória Abril, a edição que carrega o recorde negativo seria a 118, com data de capa de 9 de dezembro de 1970, que teve 41 mil exemplares vendidos. Como o número está arredondado e destoa para cima das versões apresentadas, é provável que não seja exato. Qualquer que tenha sido o fundo do poço, no entanto, a revista nos seus primeiros tempos vendeu muitíssimo abaixo do esperado — e por um longo período.

Ela nasceu — e quase morreu — em um dos anos mais marcantes do século XX. No bissexto 1968, manifestações de estudantes abalaram a França e se espalharam por vários países. "Seja realista: peça o impossível", diziam eles, que queriam mudar o mundo. Na Cidade do México, a dez dias da abertura dos Jogos Olímpicos, o Exército e a polícia atiraram contra manifestantes na praça de Tlatelolco, com um número oficial de 32 mortos, mas que deve ter sido muito maior. Enquanto a Tchecoslováquia era invadida, a Guerra do Vietnã recrudescia e a ofensiva dos guerrilheiros vietcongues culminaria no ataque à embaixada americana em Saigon. Nos Estados Unidos, o senador Robert Kennedy e o líder dos direitos civis Martin Luther King foram assassinados. No Brasil, a canção "Caminhando", de Geraldo Vandré, se transformou em hino contra o regime militar. Houve a Passeata dos Cem Mil no Rio de Janeiro, também de protesto ao governo. Estudantes da Universidade Mackenzie e da Faculdade de Filosofia da USP enfrentaram-se numa violenta batalha na rua Maria Antônia. A esquerda armada entrava em ação e o congresso clandestino da proscrita União Nacional dos Estudantes (UNE) terminava com todos os 920 participantes presos. O grupo de extrema direita Comando de Caça aos Comunistas (CCC) espancou o elenco da peça teatral *Roda viva*. Caetano Veloso e Gilberto Gil foram presos em uma boate no Rio de Janeiro e se exilaram em Londres. O deputado Márcio Moreira Alves fez um discurso provocativo que irritou os militares. O Congresso Nacional negou licença para processá-lo, o que se tornou pretexto para que fosse decretado o Ato Institucional número 5 (AI-5). Baixado no dia 13 de dezembro, uma sexta-feira — Dia dos Cegos —, o AI-5 trouxe as trevas à vida política brasileira. Vinte e quatro horas antes, levantava-se dentro da Abril a discussão sobre o fechamento da *Veja*, diante dos seus prejuízos incontroláveis.

No meio de tantos acontecimentos dramáticos, vinha agora, com o que o jornalista Elio Gaspari chamaria de ditadura escancarada, uma desgraça adicional. Seria igualmente duradoura e contribuiria para deixar a sobrevivência da revista por um fio: a censura.

16 de dezembro de 1968

O coronel fardado apanhou a foto das mãos de Roberto Civita e começou a examiná-la. Era um retrato do presidente da República, marechal Artur da Costa e Silva. De terno e gravata, usava os inseparáveis óculos escuros que lhe davam um ar de ditador latino-americano, papel aliás que acabara de assumir plenamente. Aparecia sentado sozinho no plenário da Câmara dos Deputados, à frente de cinco cadeiras vazias. Atrás, à sua direita, podia-se ver um quepe de oficial deixado em cima da bancada. A fotografia fora trazida contrabandeada de Brasília pelo repórter José Carlos Bardawil. Era de arquivo, feita quando o então general ocupava o Ministério da Guerra. Não havia recursos tecnológicos para transmiti-la com qualidade, pois os sistemas existentes, de radiofoto e telefoto, não proporcionavam uma resolução razoável. Seria preciso que a gráfica recebesse a ampliação original. Com a iminência da decretação do AI-5, os aeroportos estavam sendo severamente vigiados. Encarregado da perigosa missão — se fosse pego, seria complicado explicar por que transportava aquele sugestivo retrato —, Bardawil escondeu a foto na barriga, entre a camiseta e a camisa. Como não encontrou passagem para São Paulo, embarcou na última poltrona vaga de um voo com destino ao Rio de Janeiro. Ao descer no Aeroporto Santos Dumont, foi revistado, "até nos meus testículos", segundo contaria, mas não acharam a fotografia. Sem conseguir lugar na ponte aérea, seguiu de ônibus para São Paulo, escapou de nova revista e finalmente chegou na manhã de sábado, 14 de dezembro, à marginal Tietê. Com pequena estatura e em geral malvestido, Bardawil tinha a fama de ser uma pessoa um tanto estabanada desde que, três meses antes, ao cantar parabéns, afundara as duas mãos no bolo comprado pela redação para festejar o aniversário de Mino Carta. Naquele dia, porém, ele foi recebido como herói pelos colegas.

O coronel, evidentemente, não sabia em que circunstâncias a foto chegara à redação. Ele se dirigira à editora com a incumbência de censurar a revista. Logo que soube de sua presença no prédio, Roberto pediu que a indesejável visita se dirigisse à sua sala. Lá, após uma rápida conversa preliminar, convidou-o para almoçar no Roof. Sem maiores constrangimentos, o coronel aceitou. Comeram um prato de massa e beberam vinho. "O coronel bebeu bastante", lembraria Roberto. "No final do almoço, mostrava-se contente e relaxado."

Foi nesse momento que ele examinou a foto. "Estou pensando em colocá-la na capa", disse Roberto cautelosamente. A revista tinha o prazo final de fechamento de suas edições, incluindo a capa, no começo da tarde de sábado. Ou seja, naquele preciso momento. O coronel, por falta de sensibilidade ou desarmado pelo efeito do álcool, não percebeu a simbologia da imagem: o mandachuva do regime parecendo tomar conta do Congresso Nacional, posto em recesso na véspera pelo AI-5, que entre várias medidas draconianas aboliu o habeas corpus "nos casos de crimes políticos [e] contra a segurança nacional", extinguiu as garantias constitucionais de liberdade de expressão e reunião e restabeleceu as cassações de mandato, as suspensões de direitos políticos e as demissões sumárias. "O que o senhor vai escrever na capa?", perguntou o coronel. "Nada, vamos dar apenas a foto", respondeu Roberto depois de pensar por alguns segundos. O coronel — cujo nome não ficou registrado — autorizou a publicação, despediu-se e nunca mais apareceu na Abril.

Com a foto de Costa e Silva sem nenhum título ou legenda, a capa foi para as bancas na segunda-feira, 16. A revista teve tiragem de 127 900 exemplares. Por volta das 13h20, chegaram as primeiras más notícias para a redação. Por ordem da Polícia Federal, a edição estava sendo apreendida em Brasília. Quarenta minutos mais tarde, veio a informação de que o mesmo ocorria no Rio. Em seguida, outra: a PF instruíra as delegacias regionais para que o recolhimento se estendesse a todo o território nacional. A determinação, segundo a Abril soube no mesmo dia, partira do general Sizeno Sarmento, comandante do I Exército, com sede na ex-capital da República. Ele não ficara particularmente irritado com a foto de capa, mas com a matéria interna, na qual constava a informação — errada — de que o marechal Osvaldo Cordeiro de Farias, um dos símbolos das Forças Armadas e seu antigo comandante na Força Expedicionária Brasileira (FEB) durante a Segunda Guerra Mundial, fora preso após a decretação do AI-5. Na edição seguinte, sem corrigir sua falha, a revista publicou uma pequena nota no alto da seção de "Cartas": "Temos recebido de todo o Brasil inúmeras cartas de leitores reclamando por não terem conseguido comprar o nº 15 da *Veja*, do dia 18/12. Informamos que isto ocorreu por motivos independentes da nossa vontade".

A partir daí, começaria um período que ficaria conhecido como de "censura branca". Periodicamente, com intervalos maiores ou menores, a redação recebia por telefone ou telex uma relação de assuntos que não poderiam ser publicados: notícias ou declarações de políticos e cidadãos punidos pelos atos institucionais, entidades estudantis colocadas na ilegalidade, críticas consideradas tendenciosas ao regime, prisões de natureza política, assaltos a banco, terrorismo e a própria ação da censura. O advogado Edgard de Sílvio Faria, diretor responsável da *Veja* desde a sua fundação, repassava essas determinações à redação. Os vetos vinham até ele através de seu funcionário Valdemar de Sousa, o "professor" Valdemar, a quem a Polícia Federal transmitia os comunicados. O professor Valdemar conhecia algumas engrenagens da PF, onde antes de trabalhar na Abril dera cursos sobre critérios para censurar filmes.

Dr. Edgard era um homem frio, de poucas palavras e dono de um humor ferino. Tinha duas salas: uma no sexto andar, o da diretoria, outra no sétimo, logo na entrada da redação. Ele ocupava esta última aos sábados, quando fazia uma leitura minuciosa da revista antes que ela fosse para a gráfica. Cabia-lhe a tarefa de evitar a publicação de textos sobre assuntos vetados ou que pudessem causar processos à empresa, bem como, quando necessário, negociar com os censores, a PF e o Exército. No livro *Castelo de âmbar*, em que se coloca como personagem, narrando na terceira pessoa, Mino escreveria a seu respeito:

> Edgard de Sílvio Faria jamais baixava as pálpebras sobre a expressão polar, de um azul esbranquiçado. Mino duvidava que ele as baixasse até na hora de dormir e durante o sono. Imaginava-o perenemente com aquele olhar redondo, parado e antártico. Mino sempre tivera dificuldade em se relacionar com pessoas que não

piscam. Felizmente para ele, conhecera e conhecia poucas. Isso pode explicar por que a convivência entre o diretor responsável da Editora Abril e o diretor de redação da revista *Veja* não fosse fácil.

Com dois complicadores. Primeiro. Na opinião de Mino, Edgard era reacionário demais. Segundo, exercia uma função que o habilitava a meter o bedelho em coisas da revista, ao menos indiretamente. Por exemplo, ele poderia dizer, tentando se antecipar à pauta: "É do interesse da Editora reportar o discurso presidencial sem maiores comentários". Queria dizer: "Não tomem uma postura crítica, se por acaso tiverem vontade de fazê-lo". Intervenções deste gênero irritavam bastante Mino e tornavam mais tensa a convivência entre os dois.

Havia também o zum-zum de que Edgard tinha ligações com figuras da repressão. Mino, no entanto, não dispunha de provas a respeito e não se contentava com suspeitas.

Em um de seus raros depoimentos, dado para o livro *Veja sob censura*, Edgard afirmaria:

> Agora, o zum-zum de que eu tinha ligações com figuras da repressão era correto. Para bem cumprir minhas funções, eu tinha que entrar na cabeça deles, tentar entendê-los. Dever de ofício, que nunca me levou a qualquer tipo de confraternização com eles, dentro ou fora da empresa. Eu simplesmente os deprezava. E sem sorrisos.

Homem assumidamente de direita, ele foi um defensor da liberdade de imprensa — escreveu vários artigos a respeito — e procurou proteger jornalistas de esquerda da Abril perseguidos pelo regime. Era leitor de histórias policiais e bebia uísque à noite.

A revista continuava vendendo muito mal. No início de 1969, Victor Civita teve vontade de sair do jogo com as fichas que lhe restavam — antes que as perdesse também. Não por causa da censura, embora ela tivesse virado um problemão. *Realidade* também enfrentara as consequências de uma apreensão, mas dera a volta por cima e, até se esgotar sua fórmula, continuaria a ser bem-sucedida. O ponto principal não era esse. Afinal, antes mesmo dos comunicados da Polícia Federal, proibindo isso, proibindo aquilo, ou do recolhimento daquela edição que trazia Costa e Silva na capa, o fato é que a *Veja* encalhava nas bancas, não atraía anunciantes e não parava de dar prejuízo. Ao investimento inicial de 13 milhões de dólares (em valores de 2016), que naquela angustiante situação sabia-se lá quando seria amortizado, se é que seria, somava-se agora a perda anual de 7 milhões de dólares (igualmente corrigidos) projetada por Cohen. O empresário otimista, o fazedor, o homem que não tinha medo de correr riscos, o apostador frio parecia prestes a entregar os pontos, reconhecer que errara e partir para outra.

No começo de 1969, de acordo com Domingo Alzugaray, Victor convocou algumas pessoas para uma reunião em seu apartamento, na avenida Higienópolis. Alzugaray afirmaria que, além dele, estavam presentes Roberto, Richard, Rossi e Menahem Moussa Politi, homem da área financeira. Ele não registrou a presença de Mino. Richard afirmaria que não guardou nenhuma lembrança dessa reunião. Todos acharam estranho que, contrariando seus hábitos, Victor não tivesse marcado o encontro para a sede da editora. Na memória de Alzugaray, o dono da Abril sentou-se à cabeceira da mesa da sala de jantar como normalmente fazia. Após um ligeiro preâmbulo, comunicou que a revista seria fechada. De acordo com Alzugaray, Rossi mostrou-se favorável. Richard afirmaria que nunca defendeu o fim da revista. "Eu argumentei pela manutenção", diria Alzugaray, que admite ter tomado uma posição pragmática. "No fundo, devo confessar, fui esperto. Pensei comigo mesmo: o que eu ganho se a revista acabar? Nada. Corta o prejuízo da empresa? Sim. Mas eu não era acionista. Era um alto funcionário e precisava trabalhar." Roberto imediatamente se levantou, de acordo com Alzugaray. Foi enfático. Disse que era preciso continuar acreditando no projeto e que o público leitor iria aceitar a revista, em um prazo que não imaginava longo. "Preciso de mais três meses para começar a salvá-la", pediu. Ao final das discussões, Victor concordou com Roberto. Seria feita uma tentativa para que a *Veja* sobrevivesse. A reunião teria continuado em outra sala do apartamento para discutir mudanças que poderiam levar a algum tipo de reação. Victor chegou a mandar preparar um boneco em formato maior, para tornar a revista mais visível nas bancas, mas não gostou do resultado e descartou a ideia.

No número 13, por iniciativa de Mino, estreara uma seção do humorista Millôr Fernandes. Com o título de "Supermercado Millôr", ocupava duas páginas da revista. O objetivo, além de arejá-la, o que de fato aconteceu, era, por ser o autor carioca, melhorar a venda no Rio. Não funcionou. Ao contrário. A circulação na capital do então estado da Guanabara, que estava em 9100 exemplares, caiu naquela semana e na seguinte para 7700. Atingiria a seguir números ainda mais baixos. Mas logo surgiu uma boa ideia que deu resultados imediatos. Mino diria que foi dele. Roberto sustentaria o contrário. "A iniciativa foi minha", reivindicaria. Tratava-se de uma série de oito fascículos, encartados a cada semana, sobre a história da conquista da Lua. Havia uma enorme expectativa em torno da grande e iminente odisseia espacial. O primeiro fascículo saiu no número de 4 de junho e o último, no de 23 de julho, chamado de "Edição histórica", com as fotos e a cobertura da chegada dos astronautas da *Apolo 11*. Como que impulsionada por um foguete, *Veja* foi às alturas. No lançamento dos fascículos, ela vendeu 138 500 exemplares, duas vezes e meia mais do que o número anterior. No encerramento da coleção, 226 500 cópias foram compradas nas bancas. Com o estímulo desse sucesso, foi lançado em outubro um fascículo sobre os anos 1960, que, apesar de sua qualidade — foi preparado por uma equipe que tinha à frente o jornalista Zuenir Ventura —, não alcançou o mesmo êxito. Nos dois casos, as vendas voltaram aos patamares anteriores com o encerramento das coleções. "Aquelas tentativas nos mostraram que os fascículos tinham o papel de anabolizantes: funcionam enquanto se toma o remédio e em seguida deixam de fazer efeito", concluiria Roberto. Aos poucos, ele percebia que a saída seria outra.

Na mesma edição que marcou o início dos fascículos, a revista ofereceu mais uma novidade para seus leitores, que se tornaria permanente. A edição passou a abrir com uma entrevista de quatro páginas, mais tarde reduzidas para três, em um pequeno caderno que, na parte de trás, vinha com uma seção sobre investimentos. O assunto despertava interesse em um momento em que as bolsas de valores, na esteira do chamado "milagre econômico", tinham seus índices inflados e atraíam poupadores da classe média. Roberto sugeriu que o caderno — abrangendo tanto a entrevista como as matérias de investimentos — tivessem uma roupagem editorial diferente. Que tal se saíssem com outra cor de papel? Presente na reunião em que se discutiu a mudança, Richard propôs que se utilizasse um estoque de papel amarelo guardado na gráfica. Assim foi feito — e nasceram dessa forma as Amarelas, nome que batizaria a entrevista em formato pingue-pongue. Quando o estoque chegou ao fim, a fórmula estava consagrada e comprou-se mais papel dessa cor para manter o padrão.

A primeira das Amarelas teve como personagem o escritor Nelson Rodrigues, entrevistado por Luís Fernando Mercadante, que trocara a *Realidade* pela *Veja*. Mercadante havia prometido mostrar o original para o autor de *Vestido de noiva* antes da publicação. Quando se preparava para transcrever a fita no hotel em que se hospedava no Rio, o repórter descobriu que, por alguma razão, o gravador pifara. Simplesmente nada havia sido registrado. O que fazer? Sem outra saída, escreveu de memória, certo de que havia esquecido de boa parte das respostas e se confundido aqui e ali. Cumprindo o acordo, levou o texto para Nelson, receoso com sua reação. Quando o dramaturgo e cronista terminou a leitura, deu-lhe os parabéns: "Perfeito! Essas maquininhas de gravar são maravilhosas!".

No dia 31 de agosto, um domingo, o Maracanã registrou o recorde de público da história do futebol brasileiro. O na época maior estádio do mundo reuniu 183 341 torcedores pagantes, que viram o Brasil derrotar o Paraguai por 1 a 0, gol de Pelé, e garantir sua classificação para a Copa do Mundo, que se realizaria no México no ano seguinte. Durante o jogo — e também no Grande Prêmio Brasil, disputado no mesmo dia no Hipódromo da Gávea —, circulou insistentemente o boato de que o presidente Costa e Silva acabara de morrer. Atrás da fumaça, havia um início de incêndio. Na verdade, o marechal sofrera uma isquemia cerebral e fora transportado em estado grave de Brasília para o Rio. O Alto-Comando das Forças Armadas anunciou na mesma noite seu impedimento de continuar exercendo o cargo, vetou a posse do vice-presidente civil Pedro Aleixo e decidiu que uma junta militar governaria temporariamente o país. Ela foi formada pelos ministros general Aurélio de Lira Tavares, do Exército, almirante Augusto Rademaker, da Marinha, e brigadeiro Márcio de Sousa e Melo, da Aeronáutica. Seriam conhecidos como "os três patetas", apelido dado posteriormente pelo deputado federal Ulysses Guimarães, do MDB.

Iniciava-se ali um dos períodos mais conturbados da ditadura. Três dias depois, um comando da esquerda armada, formado por militantes da ALN e do Movimento Revolucionário 8 de Outubro (MR-8), sequestrou o embaixador dos Estados Unidos, Charles Burke Elbrick. Foi exigida em troca de sua libertação a soltura de quinze presos políticos, que seriam embarcados para a Cidade do México. Entre os sequestradores, estavam o jornalista e futuro deputado federal Fernando Gabeira e o líder estudantil Franklin Martins, que seria ministro no governo Lula. Do grupo dos presos trocados pela vida do embaixador fazia parte um jovem que, após uma trajetória atribulada, se tornaria uma das figuras mais poderosas do PT e que mais tarde voltaria à prisão, agora por seu envolvimento nos escândalos do mensalão e da Petrobras: José Dirceu. Outros acontecimentos relevantes se sucederiam no trimestre seguinte. Em outubro, o Alto-Comando escolheria como presidente da República o general Emílio Garrastazu Médici. Em novembro, o líder da ALN, Carlos Marighella — que a ditadura considerava o terrorista mais perigoso e procurado do país —, seria emboscado e morto em São Paulo por um grupo de 29 policiais comandado pelo delegado Sérgio Paranhos Fleury. Em dezembro, Costa e Silva morreria.

A cobertura desses acontecimentos em sequência foi o primeiro momento de afirmação jornalística da *Veja*. Na noite do dia 31 de agosto, quando a revista estava sendo impressa, chegou a notícia de que os ministros militares haviam vetado a posse do vice-presidente, rasgando a Constituição, e preparavam-se para assumir o poder. A impressão parou, por ordem de Mino — que certamente pediu o aval de Roberto, pois não tinha autonomia para interromper o processo industrial —, e foi de imediato formada uma pequena equipe para, às pressas, apurar as últimas notícias. Para coordená-la, Mino destacou o editor Raimundo Pereira. Com sua barba rala e um rosto anguloso que parecia ter sido esculpido a machado, como o de Abraham Lincoln, ele começara a ocupar importantes espaços na redação ao participar da elaboração dos fascículos sobre a conquista da Lua, ao lado do editor assistente Roberto Pereira, de quem não era parente. Raimundo tivera uma formação incomum para um jornalista. Formado em Física pela Universidade de São Paulo (USP), estudara no Instituto Tecnológico da Aeronáutica (ITA), da qual fora expulso por indisciplina e militância na esquerda.

Para cobrir a crise política, ele trabalhou com os colegas Armando Salem, Dirceu Brizola, Nelson Silva, Emílio Matsumoto, Luiz Gutemberg e Bernardo Kucinski, mais as sucursais de Brasília, Rio e Porto Alegre. Como lhe faltava experiência na área política, foi atrás de um reforço na sucursal carioca: um repórter recém-contratado que não demoraria a chamar a atenção pela capacidade de fazer boas fontes nos meios políticos e militares. Chamava-se Elio Gaspari, que abasteceu a força-tarefa com informações exclusivas e preciosas. Raimundo logo se entusiasmou com a possibilidade de que o general de divisão Afonso Augusto de Albuquerque Lima, com suas posições nacionalistas, viesse a ser o novo presidente. Apesar de seu engajamento, ele seria considerado o principal responsável pela qualidade das reportagens sobre o quadro sucessório e seus desdobramentos. As boas apurações, em grande parte a cargo de Elio, renderam nove capas consecutivas. Isso era uma novidade na *Veja*, pois até então os editores e editores assistentes trabalhavam como redatores, deixando para os repórteres a tarefa de entrevistar, pesquisar e preparar relatórios. Naquela cobertura, todos — a começar por Raimundo — saíam às ruas e iam atrás das notícias.

Ao mesmo tempo, tornava-se cada vez mais visível que as matérias da editoria internacional, sob a responsabilidade de José Roberto Guzzo, estavam encontrando o tom que a revista buscava. Eram bem escritas e colocavam os fatos da semana em seu contexto. De tanto ler *Time*, *Newsweek* e *L'Express*, com seu conhecimento do inglês e do francês, estudando a abordagem dos artigos que publicavam, Guzzo aos poucos conseguiu transplantar seu estilo para a *Veja*. No futuro, Elio diria que, naquele momento, enquanto Raimundo descobria o jeito de cobrir política, foi de Guzzo o mérito de encontrar a linguagem de um periódico de informação. É um reconhecimento importante. Entre outras funções na revista, Elio seria seu diretor adjunto durante dez anos e ao deixar o cargo, em 1988, para assumir o posto de correspondente em Nova York — onde sua mulher, Dorrit Harazim, seria gerente do escritório da Abril —, afastou-se de Guzzo. Com as relações agastadas, eles nunca mais se falariam.

Segura por estar finalmente acertando a mão, *Veja* decidiu ir mais fundo. Na edição de 3 de dezembro, fez uma aposta no que acreditava ser a intenção do governo Médici. Em um momento em que presos políticos começavam a conhecer o horror e a morte nos porões da repressão, foi publicada a capa "O presidente não admite torturas". Teve ampla repercussão e serviu de assunto para a imprensa diária. Dizia a reportagem, atribuindo as informações a "um porta-voz da Presidência":

> Médici determinou aos órgãos responsáveis pela segurança pública e combate à subversão — vários deles acusados de torturar presos políticos e até simples suspeitos depois inocentados — que devem rever imediatamente seus esquemas de repressão e pôr fim ao uso de métodos violentos.

De acordo com o livro *A ditadura escancarada*, de Elio Gaspari, o "porta-voz" não identificado era o coronel Otávio Costa, chefe da Assessoria de Relações Públicas da Presidência da República e redator dos discursos de Médici. Os fatos subsequentes desmentiriam as declaradas intenções do novo ditador. Seu mandato passaria para a posteridade como o período mais duro e violento do ciclo militar.

O governo não gostou do que leu. Com a revista nas bancas, veio uma ordem da censura: o assunto não poderia voltar a ser tratado. Apesar da proibição, a revista publicou na semana seguinte uma nova e contundente reportagem. A capa trazia uma ilustração medieval em que presos são pendurados em cordas e submetidos a sevícias, com o título em uma palavra: "Torturas". *Veja* voltou a ser apreendida.

Ela parecia ter alcançado seu caminho editorial, conquistando respeitabilidade e influência, mas os prejuízos se acumulavam. Em 1969, a venda média foi de 70 039 exemplares. Em 1970, caiu para 54 874. Em 1971, para 51 918 (com mais uma edição recolhida, a que trouxe na capa o governador paranaense Haroldo Leon Peres, obrigado a renunciar por seu envolvimento em corrupção). Em cada um desses anos, a *Veja* perdeu, em dinheiro da época, 1 milhão de dólares. Somando os investimentos iniciais e com a conversão em valores de 2016, calcula-se que, nesse período, cerca de 25 milhões de dólares evaporaram. O lucro dos fascículos, que continuavam a ser lançados com sucesso, das revistas rentáveis, da gráfica e da distribuidora já não cobria o rombo. Richard daria como garantia de um empréstimo no valor de 3,5 milhões de dólares no Chase Manhattan Bank a imensa casa, com quadras de tênis, em que morava no bairro do Morumbi. Victor revelaria que foi atrás de outros recursos em bancos americanos:

> Gosto de resolver tudo em cinco minutos, mas certa decisão levou 24 horas. Foi quando me disseram: "Sabe aqueles 2 milhões de dólares que o senhor colocou na revista? Já foram e não se vê mais nada no buraco. É preciso mais 1 milhão de dólares só por um ano". Naquele dia, não dei a resposta em cinco minutos. Fiquei um pouco em dúvida porque não tinha aquele milhão de dólares. Então lá vai um telefonema para Nova York: "Você me dá 1 milhão de dólares?". E o fulano diz: "Mas para quê? Para isso? Não é perigoso?". "Sim, é perigoso, mas fique tranquilo, você vai ver que eu devolvo". Então lá se foi o terceiro milhão.

E quando um ano depois me pediram o quarto milhão, o que é que eu podia fazer? Na hora respondi: "Está bem". Não tinha o quarto, nem o quinto, nem o sexto, nem meio milhão a mais, que foram necessários para tapar o buraco que havia sido cavado.

Mergulhado nesse mesmo buraco, Roberto mal vibrou com a realização, em 1971, de seu segundo sonho: a *Fortune* brasileira, com o surgimento, ainda modesto, da *Exame*, que se tornou independente das revistas técnicas em que era encartada. Em 1970, havia sido lançada a *Placar*, revista semanal de esportes que tratava basicamente de futebol. Ela nasceu impulsionada pela implantação da Loteria Esportiva e pela Copa do Mundo daquele ano. Roberto mostrou pouco interesse pela publicação, porque não gostava de futebol e nunca entenderia por que, ao contrário do beisebol e do basquete, esportes que acompanhou quando estudava nos Estados Unidos, um jogo podia terminar empatado. Sua cabeça permanecia voltada para a *Veja*, com a obsessão de lutar para que sobrevivesse. Em uma reunião de diretoria, Gordiano Rossi tomou a palavra e afirmou: "Sr. Victor, esta revista está perdendo todo o dinheiro que a Abril ganha em suas demais operações. Minha pergunta é: quando vamos fechá-la?". Victor olhou para Roberto, que repetiu o apelo feito em seu apartamento: "Preciso de mais três meses". Cenas semelhantes seriam reprisadas em sucessivas reuniões. "E VC, talvez lembrando daquele compromisso comigo — de fazer as três revistas com que eu sonhava ao voltar dos Estados Unidos — ou porque acreditava no projeto, resolveu bancar. Nunca lhe perguntei o motivo de sua decisão."

Foi nesse momento que, depois de tratar do assunto com ele, Roberto partiu atrás da única saída que vislumbrava. Era a última esperança.

1º de outubro de 1972

Os calabreses começaram a chegar ao Rio de Janeiro logo após o fim da Segunda Guerra Mundial. Eram em sua maioria camponeses que haviam ficado em uma situação precária em consequência da economia arrasada da Itália, ainda mais em uma região já pobre como a deles. Vinham quase todos de Paola, uma cidade de 17 mil habitantes. Um fato ligado à guerra colocaria a localidade no noticiário daquela época. O mosteiro de San Francesco di Paola, seu padroeiro, foi atingido por uma bomba de oitenta quilos atirada pelos Aliados em agosto de 1943. Ela não explodiu e permaneceria intacta. O artefato visava atingir o último secretário do Partido Nacional Fascista, Carlo Scorza, natural de lá. Scorza escapou e só morreria muito tempo depois, em 1988, aos 91 anos. Entre os moradores, o fato de a bomba não ter detonado seria atribuído a um milagre do conterrâneo São Francisco de Paula, nascido no século XV e fundador da Ordem dos Mínimos, que é mendicante e segue os princípios da humildade, penitência e caridade. Longe de sua terra, os imigrantes costumavam cantar uma canção nostálgica em seu dialeto: "*Calabria mia,/ Li megghju figghji si'ndi jiru fora/ Pè fà fortuna câ catina o pedi...*" [Calábria minha,/ Os melhores filhos foram para fora/ Para fazer fortuna com as correntes nos pés].

Não se sabe quem foram os primeiros a desembarcar e que logo atrairiam outros paisanos. Em busca de trabalho, procuraram a prefeitura do Distrito

Federal, que os autorizou a vender jornais nas ruas. Na ocasião, mal existiam as bancas como as que conhecemos hoje. Segundo se acredita, esse tipo de comércio começou na frente do Café Lamas, inaugurado em 1874 no largo do Machado, bairro do Catete. O pioneirismo é atribuído a um italiano chamado Carmine Labanca, cujo sobrenome teria dado origem à palavra banca, no sentido de banca de jornais, em que são vendidas publicações periódicas. Antes disso, os jornais eram comprados nas ruas de meninos que os seguravam embaixo do braço para oferecê-los aos pedestres nos pontos mais movimentados da capital brasileira. Em 1940, a primeira-dama Darci Vargas, mulher do presidente Getúlio Vargas, criou a Casa do Pequeno Jornaleiro, que inicialmente funcionava como um internato para os menores que atravessavam a noite em claro nas ruas para vender jornais.

Ao ingressarem nessa atividade, os calabreses demonstraram sua capacidade de iniciativa e organização. Em vez de se limitar a vender jornais diretamente, perceberam que a intermediação seria mais vantajosa e passaram a entregar diários e revistas para os donos das bancas que se abriam na cidade. Mudaram assim o mecanismo desse comércio. Antes, os jornaleiros precisavam ir até a porta dos jornais, apanhar os repartes, separar os exemplares na calçada em frente e carregá-los até os pontos de venda. Os calabreses convenceram os editores a entregar os repartes para eles, que os levavam aos jornaleiros. Simplificaram o processo, evitando aglomerações e deslocamentos. Foram formados grupos de distribuidores, conhecidos como capatazias. Cada uma delas atuava em um bairro ou uma área delimitada. Chegaram a ser formadas sessenta capatazias diferentes no Grande Rio, algumas enormes, como a de Copacabana, que atendia a cerca de trezentos jornaleiros. Embora independentes, elas tinham um controlador. Chamava-se José Fico, que se tornou a mais poderosa figura do mercado carioca de distribuição de jornais e revistas. Os empresários da imprensa o respeitavam, pois dependiam dele e de seu pessoal para a venda das publicações que editavam. Esse era virtualmente o único canal, pois os capatazes, tendo Fico à frente, impediam — com ameaça de retaliação — que se implantasse o sistema que lhes faria concorrência e poderia prejudicar seus negócios: as assinaturas. Em São Paulo e em outras capitais, funcionavam operações diferentes, com uma distribuição fracionada e sem comando centralizado. Era cada um de seu lado, o que dificultava a articulação de ações unificadas — o boicote às assinaturas, por exemplo.

Foi esse homem que Roberto Civita procurou no final de 1970. Ele estava convencido de que, sem as assinaturas, houvesse ou não censura, a *Veja* não sobreviveria. Para implantá-las, seria necessario, antes de mais nada, conversar com os calabreses. Seria uma negociação certamente delicada, mas ele se sentia preparado. Fico o recebeu na distribuidora em que trabalhava, na rua Sacadura Cabral, região central da cidade. Ocupava uma sala modesta, em que entronizou uma imagem de São Francisco de Paula. Sempre usava chapéu, camisa aberta no peito com uma camiseta regata por baixo e gravata frouxa. Ele mantinha boas relações com Victor Civita, mas não conhecia seus filhos. Quando ia ao Rio, o dono da Abril costumava percorrer a pé a avenida Rio Branco, no coração da cidade, e parava em cada uma das suas trinta bancas então existentes para perguntar, uma a uma, sobre a venda de suas revistas, ouvir queixas e anotar sugestões. Terminada a peregrinação, virava à esquerda e fazia uma visita a Fico, que adorava lhe dar palpites, recebidos com atenção. "Victor, essa revista aí precisa dar um jeito nela, porque não anda vendendo bem", dizia com sotaque carregado. Antes de Roberto viajar, ele lhe telefonara para marcar sua visita. Fico recebeu-o na presença dos treze principais capatazes, que formavam o conselho do grupo e referendavam as principais decisões. Chegaram à reunião quase ao mesmo tempo e Roberto se impressionou ao ver que, ao descerem de suas Kombis ou caminhões abertos, iam beijar respeitosamente a mão do chefe para pedir a bênção. Observou também que ele tinha os bolsos cheios de dinheiro e, em pé na porta da distribuidora, pagava ou antecipava comissões para os jornaleiros com notas graúdas. "Depois você acerta comigo", falava aos que pediam um adiantamento. "Ele havia montado uma estrutura mafiosa, com a diferença de que não atuava no crime", lembraria Roberto. "Era o próprio *Godfather*."

Fico o apresentou aos capatazes. "Este jovem é filho do nosso querido Victor Civita e quer conversar conosco", introduziu. Roberto havia preparado o discurso. Falou em italiano para conquistar a plateia, embora a língua materna dos participantes da reunião fosse o dialeto calabrês. Explicou que a *Veja* era um sonho da Abril e que, infelizmente, após um investimento vultoso, a empresa estava perdendo um dinheirão com ela. A salvação possível seria lançar assinaturas. Antecipando-se aos protestos, disse que sim, é claro que sabia que distribuidores e jornaleiros tinham horror a elas. Mas ficassem tranquilos, porque a revista vendia pouquíssimo. Com uma campanha de assinaturas, prevista por mala direta, milhares e milhares de pessoas tomariam conhecimento da existência da revista semanal. Quantos possíveis leitores, a partir daí, não ficariam curiosos e iriam comprá-la pela primeira vez? Eles não teriam nada a perder. Fez afinal sua proposta: "Se vocês aceitarem, prometo duas coisas. Primeiro, não anunciaremos a assinatura no exemplar que está nas bancas, ao contrário do que fazem os americanos. Segundo, não venderemos assinatura de nenhuma outra revista por dez anos". Os capatazes se entreolharam e pediram licença para confabular em um canto. De orelha em pé, Roberto chegou a escutar algo como "*lasciamolo fare il ragazzo*", vamos deixar o rapaz fazer. No fim, responderam que aceitavam a proposta. O acordo foi selado com um aperto de mão. "Eu conheci vários desses capatazes e todos me deram a mesma versão da conversa", contaria o especialista em circulação Fernando Mathias.

Resolvida a questão mais difícil, foram iniciadas as negociações com distribuidores e jornaleiros de São Paulo. Como não operavam de forma tão centralizada, os entendimentos demoraram. Mas terminaram com um compromisso semelhante. Removidos os obstáculos, havia agora a imensa tarefa de implantar um sistema de assinaturas. "Seria algo tão complexo, caro e demorado como construir uma gráfica ou montar uma redação", compararia Roberto. No início dos anos 1970, a única revista brasileira que tinha assinantes era *Seleções do Reader's Digest*. Dentro da Abril, ninguém entendia do assunto. Na falta de um expert, ele percebeu que precisaria identificar um executivo com talento e energia para a complicada tarefa. Lembrou-se do responsável pelo "Projeto Falcão", o mesmo que, diante dos prejuízos colossais das primeiras semanas, sugerira o fechamento da *Veja*. E pediu que Raymond Cohen fosse ao sexto andar.

"Temos que fazer alguma coisa para salvar esta revista", afirmou Roberto. Cohen concordou, mas não imaginava que providência poderia ser essa — se é que alguma ainda poderia ser tomada. "Nossa única saída é lançar assinaturas", continuou. "De imediato." Enquanto ele pensava no que isso poderia lhe dizer respeito, Roberto chegou ao ponto. "Quem vai cuidar disso é você." Foi um choque. Ainda por cima, havia um objetivo ousadíssimo. "Precisamos vender este ano, para deslanchar a operação, 50 mil assinaturas", determinou Roberto. Era o início de 1971, quando a venda média da revista atingiu aquele seu ponto mais baixo de 51 918 exemplares por semana.

Assinaturas? Cohen não sabia nada sobre isso. Como poderia entrar nessa área, despreparado, assim de repente? Do pouco que conhecia, de orelhada, havia uma constatação desanimadora: os Correios, que pela lógica teriam a responsabilidade de entrega, simplesmente não eram confiáveis. *Seleções* utilizava esse serviço estatal, mas a revista, de periodicidade mensal, não dependia da atualidade de suas matérias. A revista era preparada com boa antecedência, neutralizando a demora na entrega, e podia ser lida com atraso sem nenhum problema. Envelhecia nas salas de espera dos consultórios e nos salões de beleza sem que perdesse o interesse. Já a *Veja* teria que ser entregue rapidamente aos seus leitores. Do contrário, o assinante nem iria abri-la. Como resolver isso?

Quando não sabia o que fazer, a Abril ia atrás de quem sabia. Fora uma lição que Victor transmitia incansavelmente aos colaboradores — como chamava os funcionários — e que Roberto assimilou. Portanto, Cohen foi aprender. Passou uma semana no escritório da *Newsweek*, em Nova York, e outra em Londres para estudar às pressas as técnicas do marketing direto, conhecido como *mail order*. Foi todo o seu aprendizado. De volta a São Paulo, ele e Roberto resolveram tentar um caminho: oferecer a revista a estudantes de cursinhos pré-vestibular. Procuraram o jovem médico e empresário João Carlos Di Genio, cujo Curso Objetivo, instalado em um prédio inacabado na avenida Paulista que pertencia à Fundação Cásper Líbero, estava se tornando o maior do Brasil. Di Genio gostou da ideia e permitiu que vendedores da Abril oferecessem assinaturas a seus alunos, com o argumento de que a revista iria ajudá-los a adquirir conhecimentos para entrar na faculdade. Só nessa investida, cerca de 20 mil estudantes adquiriram assinaturas. Eles a recebiam nos cursinhos todo início da semana.

Até aí, ia tudo bem. As dificuldades surgiram quando a Abril adquiriu listas de clientes de alguns grandes bancos, entre eles o Bradesco e o Itaú. "Eu comprava as listas a preço de banana, com permuta de publicidade, e mandamos mala direta para os clientes", contaria Cohen. Um dos principais argumentos de venda era prometer que a revista seria entregue ao assinante no domingo ou na segunda-feira, antes de sua chegada à banca. Como garantir essa pontualidade, com a lentidão dos Correios? A solução encontrada foi contratar uma pequena empresa de distribuição, a Irmãos Reis. Ela era responsável por entregar na casa dos compradores coleções já prontas dos fascículos. Naquela altura, a Abril encontrara uma fórmula engenhosa para aproveitar os exemplares encalhados de *Bom apetite*, *Medicina e saúde* ou *Gênios da pintura*. Ela própria encadernava o que os jornaleiros devolviam e vendia a coleção pronta no sistema porta a porta, com pagamento em prestações mensais. Como tinha tempo ocioso entre as encomendas, a Irmãos Reis — que mais tarde seria adquirida pela Abril e incorporada à Distribuidora Nacional de Publicações (Dinap) — foi acionada para distribuir as revistas dos assinantes.

A meta de 50 mil assinaturas seria alcançada ainda no final de 1971. Conforme acertara com os jornaleiros cariocas — e posteriormente com os do resto do país —, a Abril não colocou cupons em suas revistas para oferecer subscrições. Mas abriu duas exceções. Em agosto, *O Pato Donald* (cujo título deixaria de ter o artigo a partir de 1980) encartou um "Patograma" para que o pequeno leitor ofertasse uma assinatura da *Veja* no Dia dos Pais, ganhando de brinde uma para ele de qualquer gibi. Em dezembro, a própria *Veja* saiu com um anúncio para sugerir a assinatura como presente de Natal. Nos dois casos, a justificativa foi de que a campanha teria que ser registrada de alguma forma. As 50 mil assinaturas não significaram o fim imediato dos prejuízos, mas permitiram que a semanal saísse do sufoco. Sua circulação, embora sobre uma base modesta, dobrou de um ano para outro, atingindo em 1972 uma média de 107 572 exemplares. A partir daí, cresceria de forma consistente e passou a atrair um maior volume de publicidade. Finalmente, a Abril, com a revista na qual apostara tanto, dominava o negócio como um todo: editava, comercializava, imprimia, distribuía e entregava, fosse na banca ou no endereço do leitor.

Roberto sempre se interessaria pela área de assinaturas. Exigia que lhe mandassem relatórios frequentes sobre as taxas de conversão e renovação, tanto da *Veja* como de outras revistas. A conversão se dá quando, após o primeiro ano, o assinante decide continuar recebendo a publicação. A renovação acontece no ano seguinte e representa a fidelização do leitor. Cerca de 70% dos assinantes costumam converter e renovar, mas essa taxa exata a Abril, a exemplo de outras editoras, jamais revelou para o mercado. Na média, os que renovam permanecem como assinantes durante sete anos e dois meses. Quando o assinante não se manifesta, a revista lhe manda uma carta na forma de lembrete. Se ele não se manifestar, receberá outra. E assim sucessivamente, até a 11ª, quando então o assinante será considerado perdido. Cada uma dessas cartas, em tom diferente, precisava ser aprovada pessoalmente por Roberto, que costumava fazer emendas à mão — como nas matérias que lia.

No dia 1º de outubro de 1972, quando atingiu um nível de vendas que não precisaria mais esconder do mercado, a *Veja* se filiou ao Instituto Verificador de Circulação, o IVC. Passou-se um ano, passaram-se mais alguns meses e parecia que as coisas haviam enfim engrenado. Victor e Roberto acharam que a revista estava salva. Mas aí a censura voltou. E voltou para valer.

3 de junho de 1976

As imagens chocantes foram vistas no mundo inteiro. Tomado rapidamente pelas chamas, iniciadas com o curto-circuito de um aparelho de ar condicionado do 12º andar, o Edifício Joelma tornou-se o cenário do maior e mais pavoroso incêndio da história de São Paulo. Chovia fino naquela manhã de sexta-feira, 1º de fevereiro de 1974, quando o fogo começou. Eram 8h45. Os primeiros a avisar o Corpo de Bombeiros foram os porteiros do vizinho Hotel Cambridge (ex-Claridge), na avenida Nove de Julho, ao lado do prédio da rua João Adolfo onde a Editora Abril ficara instalada durante dezoito anos. Morreriam 188 pessoas. Muitas delas, em desespero, atiraram-se pela janela ou do terraço do 25º andar, onde os helicópteros de resgaste, por causa da frágil estrutura do seu piso, não conseguiam pousar. Houve pelo menos trezentos feridos. O horror, transmitido ao vivo pela televisão, estaria na primeira página de todos os jornais e na segunda-feira, evidentemente, na capa da *Veja*, que publicou dezessete páginas sobre a tragédia. Na mesma edição, podiam ser encontradas matérias sobre o ministério em formação do governo do general Ernesto Geisel — que tomaria posse no dia 15 de março, sucedendo o general Emílio Garrastazu Médici —, a Argentina do general Juan Domingo Perón no ocaso de sua presidência, os refugiados do Chile do general Augusto Pinochet, as obras do metrô carioca que levariam os militares a autorizar a demolição do palácio Monroe, antiga sede do Senado da República, e, meio perdida no meio de tantas histórias dessa época, uma discreta nota de nove linhas na seção "Datas". Ela informava que o arcebispo de Olinda e Recife, dom Helder Câmara, havia sido indicado como candidato ao prêmio Nobel da paz.

Foi o estopim de mais uma encrenca sem tamanho para a revista. Nada poderia ser publicado na imprensa sobre o religioso, considerado um inimigo pelo regime. A ordem era retransmitida periodicamente às redações por telefonemas ou mensagens da Polícia Federal. Havia uma lista, cada vez maior, de assuntos e nomes vetados como esse. De 26 em 1972, passaram para cinquenta em 1973. No ano anterior, a revista citara em um texto o cantor Geraldo Vandré e dera uma matéria sobre a censura aos jornais, desafiando assim duas das proibições. A revista foi advertida de que, em caso de reincidência, estaria sujeita a ser submetida à censura prévia total. Isso significaria a presença física de um censor, que leria tudo o que fosse escrito antes de ir para a gráfica, com poder de cortar o que bem entendesse, bastando para tanto colocar na lauda datilografada o carimbo com a palavra "Vetado". Até então houvera censura e arbitrariedades, com ligações telefônicas para determinar o que poderia ser publicado, mas não censura prévia. Na prática, com os recados, a censura confiava no acato às suas instruções. Se não fossem seguidas, ou se saíssem notícias que irritassem os militares, ela mandaria apreender a tiragem inteira. A censura prévia já estava implantada no jornal *O Estado de S. Paulo* e no seu vespertino, o *Jornal da Tarde*. Censores entraram dentro da redação em 29 de março de 1973. Continuariam lá até 3 de janeiro de 1975, véspera do seu centenário. Cortaram no total 1136 textos. Em cerca da metade, o *Estadão* colocou no lugar deles, para tentar caracterizar a censura, versos de *Os lusíadas*, de Camões, enquanto o *JT* optou por reproduzir receitas culinárias.

Diante da insubmissão da *Veja*, no dia 8 de fevereiro, decorridas uma semana desde o incêndio do Joelma e 96 horas após a divulgação da notinha sobre dom Helder, o censor chegou à avenida Otaviano Alves de Lima, 800 (a numeração mudaria mais tarde para 4400). Ele se chamava Richard de Bloch, tendo portanto o sobrenome dos donos da *Manchete*, a principal concorrente da *Veja*, embora fossem de famílias diferentes. Engenheiro, de ascendência polonesa, Bloch era um homem baixote e gordinho, um pouco calvo e grisalho. Tinha experiência com a tesoura. Fora chefe do Serviço de Informação do

Gabinete do Ministério da Justiça (Sigab), em São Paulo, e virara censor a convite do delegado regional da Polícia Federal no estado. Começou a exercer sua atividade no *Estadão* e no *JT*, sendo em seguida deslocado para a *Veja*. Ele ganhava um extra de cerca de dois salários-mínimos mensais pelo trabalho. Bloch preferiu não ficar na redação. Determinou que as matérias, já prontas, deveriam ser enviadas ao seu apartamento, no bairro dos Jardins, ou à Polícia Federal no dia do fechamento. Domingo pela manhã, recebia dois exemplares impressos da revista. Depois de examiná-los, autorizaria ou não a circulação. Quando autorizava, um deles era devolvido à empresa com sua assinatura, "como garantia da liberação". Nenhuma edição seria retida, mesmo porque os vetos, comunicados a cada semana na segunda-feira, passaram a ser acatados.

Transcorridas duas semanas, na edição com data de capa de 20 de fevereiro, a *Veja* decidiu lançar mão de subterfúgios para mostrar que estava submetida à censura. No lugar dos textos e ilustrações suprimidos, entravam reproduções de gravuras antigas retratando anjos ou demônios. Em uma seção criada com o nome de "Diversos", apareciam intrigantes artigos sobre "A volta dos anjos" e "Homens-demônios". Apesar das ameaças, a redação reagia com sagacidade e uma certa dose de humor. Na sequência a uma matéria censurada sobre o Chile, por exemplo, foram publicadas nove cartas, em uma coluna, sob o título "Circunstâncias". Assinadas por jornalistas da equipe, estavam repletas de obviedades e lugares-comuns, com o propósito de chamar a atenção dos leitores. Algumas delas:

> Sr. diretor: A respeito da reportagem "O longo drama chileno" (*Veja* nº 286), gostaria de observar o seguinte: o Chile é um país comprido.
> *José Roberto Guzzo*, redator-chefe da revista *Veja*
> São Paulo, SP

> Sr. diretor: Relendo meu artigo sobre o Chile, me parece imprescindível acrescentar que uma parte da população mora em cidades grandes, outra parte mora em cidades médias e uma terceira mora em cidades pequenas. Além disso, há também uma quarta e última parte que não mora em cidades.
> *Dorrit Harazim*, editora internacional da revista *Veja*
> São Paulo, SP

Sr. diretor: Como leitor assíduo de sua prestigiosa revista, sinto-me compelido a observar que o Chile tem uma população composta por homens, mulheres e crianças, dado omitido na reportagem do nº 286.
Roberto Pompeu de Toledo, editor assistente da revista *Veja*
São Paulo, SP

Sr. diretor: Gostaria de lembrar que no Chile a grande maioria da população é composta por chilenos.
Pedro Cavalcanti, correspondente da revista *Veja*
Paris, França

A Polícia Federal reagiu mal e proibiu, por escrito, que a revista "desse aspecto de matéria censurada" ao que não passava por seu crivo. Em outras palavras, os artigos podados teriam que ser substituídos por textos jornalísticos de reserva — os de gaveta, no jargão jornalístico —, não por imagens de Asmodeu e Belzebu ou entrevistas inventadas de padres exorcistas escoceses, como vinha se repetindo. A revista se fez de desentendida e manteve os diabinhos, o que levou PF a chamar Mino e Guzzo "para prestar esclarecimentos". Logo, porém, acendeu-se uma luz. Uma semana depois da posse de Geisel, Mino foi chamado a Brasília para uma conversa com o novo ministro da Justiça, Armando Falcão, a quem estavam subordinadas a PF e, por extensão, a censura. Segundo o relato do diretor de redação, Falcão lhe anunciou que a censura iria sair da *Veja*.

A minha resposta foi: "Realmente agradeço muito, acho um gesto magnífico do governo. Agora, tem dois pontos. Primeiro, nós não sossegaremos até o momento em que todos os órgãos que estão sobre [sic] censura estejam livres dela. Segundo, eu acho que vocês estão sendo ótimos, bato palmas, etc. etc. e tal, porém vamos admitir que vocês não estão fazendo nada mais do que o justo. Isso não nos obriga a nada, não assumimos nenhum compromisso".

Falcão retrucou dizendo que não estavam fazendo aquilo para que alguém assumisse qualquer compromisso: "Estamos fazendo isso porque acreditamos que assim deva ser feito". Nos despedimos então com apertos de mão e recíprocas juras de fé democrática.

A censura saiu e nós não partimos para publicar as matérias que haviam sido censuradas e nem cogitamos disso. Em compensação, fomos fazendo a revista que achávamos que devíamos fazer. Foi nesse ponto que fizemos uma capa sobre o décimo aniversário da Revolução, na qual, tentando fazer um balanço, dizíamos o que pensávamos. [...] No número seguinte achamos que valia a pena fazer uma matéria sobre os exilados. No terceiro número desta fase sem censura fomos notificados [de] que a censura voltava e que, desta vez, teríamos que enviar as matérias para serem censuradas em Brasília. Para tentar me informar telefonei para Brasília e soube que o ponto básico havia sido uma charge do Millôr, que mostrava um prisioneiro posto a ferros e seu carcereiro dizendo: "Nada consta". Nunca ficou claro se isso tinha sido uma gota, se os números anteriores já tinham provocado certa tensão ou se realmente foi a charge que fez estravasar [sic] o vaso.

Em outro depoimento, Mino daria uma versão um pouco diferente do episódio. Ao chegar à redação, uma secretária o avisou de que havia em sua mesa um recado de Victor Civita sobre um comunicado recebido por Pompeu de Sousa, diretor da sucursal de Brasília. Mino desceu ao sexto andar. "Voltou a censura", disse Victor. "Ah, é, como?", perguntou o jornalista. "Por causa da tal charge do Millôr", respondeu o patrão. Victor acabara de receber um ofício do coronel Antônio Lepiane, superintendente regional da Polícia Federal:

> De ordem superior, levo ao conhecimento de V. Sa. de [sic] que, a partir desta data [7 de maio], fica instituída a censura prévia na revista semanal *Veja* e, à vista dessa determinação, não poderá a mesma ser distribuída sem a devida permissão desta Superintendência, sob pena de apreensão e da aplicação das medidas legais cabíveis no caso.

O comunicado interno de Pompeu de Sousa revelava o seguinte: "A charge do Millôr provocou a maior indignação no 'dispositivo militar', que passou a exigir punições extremas, como a apreensão e a censura prévia". O desenho com o "Nada consta", que recebera a aprovação prévia de Mino e do diretor responsável Edgard de Sílvio Faria, foi publicado na edição datada de 8 de maio. Acabou não sendo recolhida, apesar das ameaças. A coluna de Millôr era um dos principais alvos da censura. Dela seriam suprimidas no conjunto 505 linhas e dezenove ilustrações. A frase "Livre pensar é só pensar" recebeu em oito ocasiões diferentes o carimbo "Vetado".

Impulsionada pelas subscrições, a revista a essa altura contava com 54 mil assinantes e vendia 96 mil exemplares nas bancas. No segundo trimestre de 1974, sua circulação média era portanto de cerca 150 mil exemplares pagos, ou três vezes mais do que na época do fundo do poço. A questão agora, mais uma vez, era a censura prévia. E ela retornou com maior força. A coluna de Millôr teria que ser entregue em Brasília às terças-feiras, com liberação — ou não — nas quintas. Richard de Bloch reassumiu o papel anterior. Todo domingo, às oito da manhã, a revista impressa precisaria estar novamente na sua mão. Como se não bastasse, o diretor-geral da Polícia Federal, coronel Moacir Coelho, reiterou que não seriam admitidos espaços em branco ou "substituição inadequada" do que fosse cortado, sob pena de apreensão da edição inteira. Foi encontrada uma saída — embora, como os artifícios anteriores, grande parte dos leitores não entendesse o significado. Seres espirituais do céu e entidades sobrenaturais do inferno cederam lugar a anúncios com a arvorezinha da Abril. Vinham acompanhados de slogans aparentemente inocentes, entre eles "Nada como aprender à sombra de uma árvore", "Uma arvorezinha para cada gosto" e "A Abril é uma grande árvore. Sem galhos". As mensagens podiam não ser claras para o público, mas de qualquer forma eram um meio de indicar que continuavam acontecendo fatos estranhos na *Veja*.

Bloch seria substituído em janeiro de 1975 pelo colega Carlos del Claro, que ficara sem função no *Estadão* com o fim da censura ao jornal. Ao anunciar sua chegada, a Polícia Federal pediu que ele fosse tratado com a mesma "cordialidade ambiental" que lhe fora proporcionada na empresa da família Mesquita, onde recebia água mineral, refrigerantes e sanduíches enquanto retalhava artigos e reportagens. Com a habitual ironia, Edgard recomendou à redação: "Acho que, no caso da *Veja*, bastará indicar ao censor a cordialidade mecanizada que serve café no corredorzinho".

Foram momentos de inúmeras atribulações. Em várias semanas, Victor, Roberto, Edgard e Mino tiveram novamente que "prestar esclarecimentos" em Brasília, intimados pelo Ministério da Justiça ou pela Casa Militar. "Sentávamos no sofá e levávamos bronca", relataria Roberto. "Dizíamos: calma, ministro, tem censura lá. O sujeito aprovou, está assinado, não posso levar bronca depois de feita a censura." Continuou desse jeito, com pequenas variações, até que, no dia 3 de junho de 1976, uma quinta-feira, o telefone tocou na mesa de Valdemar de Sousa, o assessor de Edgard. Uma pessoa que se identificou como "coronel Felix" informou que não era mais necessário mandar a revista, já impressa, para a casa do censor. A censura acabou ali. Saiu assim, sem comunicado oficial ou maiores explicações. Simplesmente saiu. "Eles jamais registrariam o evento em documentos oficiais", afirmaria Edgard.

Terminava uma longa temporada de trevas. Durante 119 edições, sem contar as que haviam sido recolhidas, a *Veja* teve 10 352 linhas cortadas e sessenta matérias, 44 fotografias e vinte ilustrações vetadas na íntegra. Apesar disso, a circulação alcançara a casa dos 208 mil exemplares e a operação começava a se aproximar de seu tão perseguido ponto de equilíbrio. Livre enfim da censura e graças ao sucesso das assinaturas, a revista cresceria ainda mais nos anos seguintes. Antes disso, porém, vários acontecimentos importantes iriam se suceder na vida da Abril, da *Veja* e de Roberto.

Outubro de 1973

Quando a *Veja* ainda sofria com a censura e enfrentava pesados prejuízos operacionais, no início de 1972, dois homens-chave da Abril resolveram voar sozinhos. Ao anunciarem sua decolagem simultânea, Luís Carta e Domingo Alzugaray surpreenderam a todos: a família Civita, a empresa e o mercado. Luís dirigia a área editorial — embora sem nenhuma ingerência na revista semanal, território de Roberto e Mino, com Victor, sempre que necessário, dando a palavra final. Alzugaray cuidava do setor comercial e da publicidade. Eles convidaram seu ex-colega Fabrizio Fasano para criarem juntos uma nova editora. Fabrizio, sucessor de um clã ligado à alta gastronomia de São Paulo, era na ocasião o dono do uísque Old Eight, marca que havia lançado com imenso êxito e o tornara milionário. Além de capital para entrar no empreendimento, ele tinha experiência em revistas. Fora diretor comercial e de publicidade da *Capricho* e da *Intervalo*. Associados, eles fundaram a Editora Três e viraram concorrentes da Abril. Alzugaray se tornou mais tarde seu único proprietário. Com a saída de Luís, Roberto assumiu sozinho a área editorial da empresa, passando a supervisionar todas as publicações da casa.

Embora sua obsessão fosse a *Veja*, ele passou a ter preocupações paralelas. Estava convencido de que a Abril precisava se diversificar, lançar títulos — mesmo que para isso tivesse que continuar se endividando, ou investindo, como preferia dizer — e partir para o que considerava fundamental como estratégia: trazer para o Brasil marcas internacionais. Exceto os quadrinhos licenciados pela Disney e pela Hanna-Barbera, a editora não contava com nenhuma no seu portfólio. Os lançamentos do início daquela década haviam sido concebidos aqui. Eram poucos, dadas as dificuldades de caixa: *Placar*, *Setenta* e *Mônica*, este em parceria com o desenhista Mauricio de Sousa, em 1970; *Exame*, que se desdobrara das chamadas publicações técnicas, em 1971; e uma série de novos fascículos. Na sua cabeça, a Abril deveria iniciar uma associação com as grandes editoras do hemisfério norte, sobretudo as dos Estados Unidos, para trazer pelo menos uma revista de cada uma, através de licenciamento. Seguiria suas fórmulas já consagradas, iria adquirir os direitos de publicar as matérias, fotografias e ilustrações que escolhesse e adaptaria o conteúdo à realidade nacional. Achou que precisaria fazer isso antes que a concorrência tivesse uma ideia igual, antecipando-se a qualquer movimento nessa direção da Bloch Editores e agora da Editora Três.

Resolveu começar por cima. Foi atrás da Hearst Corporation, o gigantesco conglomerado de mídia fundado em 1887 por William Randolph Hearst, *tycoon* que chegou a ter 28 jornais. É sabido que ele teria inspirado um dos maiores filmes da história do cinema, *Cidadão Kane*, de 1941, protagonizado e dirigido por Orson Welles (Hearst e Welles negavam, apesar das evidências). Nos anos 1970, a divisão de revistas do grupo editava 21 publicações nos Estados Unidos, entre elas algumas das maiores revistas em seus segmentos, como *Harper's Bazaar*, *Good Housekeeping*, *Esquire* e *Cosmopolitan*, além de cerca de trezentas edições internacionais. Roberto queria marcar um encontro com o número um da Hearst Magazines, o presidente Richard Deems. Não seria um pedido simples. Deems era um dos mais poderosos executivos da imprensa americana e nunca ouvira falar daquela empresa de um país que tampouco conhecia. Roberto, no entanto, sabia quem poderia resolver o seu problema. Ligou para ele.

Odillo Licetti não se assustou com o pedido. Estava acostumado a enfrentar tarefas complicadas. Fora assim na vida inteira desse catarinense de Joinville. Filho de um motorista de táxi semianalfabeto que o maltratava, obrigava-o a devolver os prêmios que ganhava na escola e batia em sua mãe, ele fugiu de casa aos treze anos. Foi morar com uma tia em São Paulo e começou a trabalhar. Primeiro em uma empresa de exportação, onde aprendeu datilografia, depois em uma de importação, onde aprendeu um pouco de inglês. Sempre sozinho, lendo e relendo as cartas que precisava responder. Não tinha dinheiro para pagar um curso. Ajudado por seus conhecimentos básicos da língua, conseguiu um emprego na empresa aérea Real Aerovias. Um dos gerentes foi transferido para Miami e o convidou para ir com ele. Quando voltou para São Paulo, um amigo que era funcionário da Abril levou-o para visitar o escritório da rua João Adolfo. Lá, conheceu Luís Carta, que gostou do seu jeito e perguntou se não gostaria de fazer algumas colaborações para *Capricho*. Odillo não entendia de jornalismo, mas tinha facilidade para escrever e havia aprimorado seu inglês. Acabaria fazendo matérias e traduzindo textos, até que o contrataram. Por conta própria, mais tarde foi morar em Nova York e garantiu seu sustento com matérias que mandava para as revistas femininas, das quais viraria correspondente. Entrevistou astros e estrelas de Hollywood, nas viagens periódicas que fazia para Los Angeles, de Jane Fonda a Kirk Douglas, de Elizabeth Taylor a Anthony Perkins. Quando resolveu vir embora, em 1967, tinha trinta anos e um bom prestígio na Abril. Ficaria seis anos na empresa, com passagens pelas revistas de fotonovela, *Claudia* e a sucursal do Rio de Janeiro.

Roberto vinha prestando atenção em seu trabalho. Percebeu que Odillo tinha sensibilidade jornalística, negociava com competência e resolvia tudo rapidamente, qualidades que admirava em um profissional. Poderia ser útil nos Estados Unidos para ajudá-lo nos planos que tinha em mente dentro da expansão internacional da editora. Foi então que lhe propôs o cargo de gerente do escritório em Nova York. Ele não mostrou interesse em um primeiro momento. Diante da insistência, confessou o motivo: era apaixonado pelo companheiro com quem vivia e não queria deixá-lo. Roberto sugeriu que os dois fossem juntos, oferecendo passagens anuais para o Brasil, um salário atraente e direito a vantagens adicionais. Odillo aceitou e permaneceria quinze anos à frente do escritório americano, onde consolidou sua fama de eficiência em qualquer tipo de tarefa. Compra de fotos? Discutia redução no preço e enviava a encomenda para as redações da noite para o dia. Agendar reuniões com editores? Marcava pelo telefone. Voos lotados para o Brasil? Arranjava lugares em cima da hora e, com sorte, obtinha um upgrade. Pessoas da família Civita ou diretores da empresa queriam ver um musical da Broadway com lotação esgotada? Ele arrumava ingressos para os melhores lugares da plateia.

Com pequena estatura, cabelos escuros e cavanhaque, Odillo era loquaz, mas, agindo como se fosse um mágico, não falava sobre seus truques. Limitava-se a entregar o que lhe pediam, sem gabar-se dos seus feitos ou dar maiores explicações. Seu segredo era a rede de contatos que estabeleceu. Fez boa parte deles na sauna da YMCA, sigla em inglês da Associação Cristã de Moços (ACM), no East Village, região em que morava. Lá, tornou-se amigo de infância de John Draayer, chefe das bilheterias do Lincoln Center — que reunia, entre outros espaços culturais, a Metropolitan Opera House, a Julliard School e o New York City Ballet — e, mais importante, diretor do sindicato de sua categoria. Uma sobrinha de Draayer trabalhava na bilheteria de um dos maiores teatros da Broadway. Graças aos dois, Odillo nunca teve a menor dificuldade de comprar os mais disputados ingressos que lhe pediam. Nas empresas aéreas, em especial a Varig e a Pan Am, que voavam para o Brasil, cultivava a boa vontade das secretárias e a simpatia dos gerentes entregando-lhes em mãos, semanalmente, exemplares das principais revistas da Abril.

Para marcar entrevistas, valia-se dos préstimos de duas mulheres cuja amizade soube cultivar. Uma delas, que por alguma razão se encantou com ele logo que se conheceram, era Eleanor Lambert, considerada uma das principais promotoras da moda americana. Chamada de Imperatriz da Sétima Avenida, onde ficava seu escritório, ela criou em 1943 a New York Fashion Week — evento precursor das semanas de moda que se espalhariam pelo mundo — e fundou em 1962 o Conselho dos Designers de Moda da América. O ápice de sua carreira foi organizar no palácio de Versalhes, naquele ano de 1973, um badaladíssimo desfile de moda com cinco estilistas americanos e cinco franceses. As criações dos americanos (Bill Blass, Oscar de la Renta, Anne Klein, Stephen Burrows e Roy Halston Frowick, conhecido como Halston) ofuscaram as dos franceses (Hubert de Givenchy, Yves Saint Laurent, Pierre Cardin, Emanuel Ungaro e Marc Bohan, da Christian Dior). O sucesso da tal noite impulsionou e tornou respeitada a moda *made in USA* no mundo inteiro. Foi mais ou menos o que aconteceria três anos depois, no chamado Julgamento de Paris, quando numa degustação às cegas, realizada por profissionais, vinhos tintos da Califórnia ganharam notas superiores aos ícones de Bordeaux, tidos como imbatíveis em qualquer prova. No universo da moda, fossem estilistas da alta-costura ou editoras das principais revistas femininas, não havia quem não reverenciasse essa figura a quem Odillo tinha facilidade de acesso.

A segunda amiga influente era a jornalista Pat Miller. Casada com o representante do magnata da imprensa Rupert Murdoch em Nova York, ela trabalhava com Helen Gurley Brown, que dirigiria a revista *Cosmopolitan* por 32 anos. A gorda agenda de telefones de Pat era um *who's who* da cidade. Se Odillo lhe pedia, mandando de tempos em tempos como agradecimento buquês da floricultura na Park Avenue do mineiro Ronaldo Maia, outro amigo chegado que conhecia meia Nova York, ela fornecia o número direto de poderosos com quem precisava falar.

Roberto não escolhera Odillo por acaso para atender aos interesses da empresa, representá-lo quando necessário, providenciar reservas, comprar uma infinidade de artigos que escolhia por catálogo e marcar reuniões. Em troca, procurava reconhecer sua eficiência. Sem contar o salário, mandava lhe pagar um bônus anual, comunicado com um bilhete em que atribuía a gratificação aos "bons serviços prestados". Não raro, enviava para ele cartas elogiosas como esta:

> A Daisy Carta [primeira esposa de Mino Carta] me disse que você foi simplesmente maravilhoso com ela e sua irmã em Nova York, tendo até conseguido o milagre de entradas para *The Wiz*. Eu respondi que tudo o que você fazia em NY era do mesmíssimo e magnífico nível e que, como sempre, a Abril está não apenas muito satisfeita mas também muito orgulhosa do seu gerente. Muito obrigado outra vez por sua ajuda, amizade e lealdade.

Desse modo, Roberto ficou satisfeito, mas não surpreso, quando Odillo ligou de volta para informar que Richard Deems o receberia com prazer em seu escritório na rua 57. Ele testemunharia a conversa, na qual, segundo suas palavras, o herdeiro da Abril se mostrou "extremamente inteligente e sedutor". Seu objetivo era propor que a Hearst concedesse à editora o licenciamento de *Cosmopolitan*. A revista existia como uma pequena publicação literária desde o século XIX, saíra de circulação, ressuscitara e havia se transformado por completo em 1965, quando o próprio Deems contratou Helen Gurley Brown para dirigi-la. Foi uma ousadia. Helen escrevera o best-seller *Sex and the Single Girl* (algo como Sexo e a moça solteira), mas não tinha nenhuma experiência anterior em revistas. A escolha funcionou tão bem que essa aposta seria lembrada na biografia de Deems como um dos momentos mais bem-sucedidos de sua vitoriosa carreira. A *Cosmopolitan* não se dirigia à dona de casa, às voltas com casa, filhos e marido, foco da maioria das femininas, mas a uma leitora preocupada com ela mesma, com sua carreira, sua realização, seu crescimento pessoal, seu desenvolvimento profissional — e seu prazer. Surgiu no momento em que a pílula anticoncepcional lhe deu a possibilidade do sexo sem o risco da gravidez.

Roberto apostava que havia público para uma revista como essa no Brasil, onde as mulheres ocupavam um espaço crescente no mercado de trabalho e, depois da revolução nos costumes dos anos 1960 que a *Realidade* acompanhara em suas reportagens, não tinham mais o casamento como única prioridade na vida. Deems concordou em dar o licenciamento. Quando tudo parecia acertado, Roberto fez uma exigência que queria ver incluída no contrato. Disse que não pretendia dar à edição brasileira o nome de *Cosmopolitan*. Soaria estranho para a leitora, que poderia não entender o significado da palavra "cosmopolita". O chairman não concordou. Como assim? Tratava-se de uma marca reconhecida dentro e fora dos Estados Unidos. Já existiam quatro edições licenciadas, todas com o mesmo nome (em 2014 seriam 64, em 35 idiomas, distribuídas em mais de 110 países). Roberto bateu o pé. Pensava em um título curto, de fácil compreensão, em língua portuguesa. Depois de muitas discussões, Deems terminou cedendo. A revista, como desejava Roberto, se chamaria *Nova*. (No Brasil, ela só viraria *Cosmopolitan* em 2015, quando Deems, Helen e Roberto já haviam morrido.)

Fechada a negociação, ambos teriam a oportunidade de conversar mais à vontade durante um jantar organizado naqueles dias por Eleanor Lambert em seu enorme apartamento da Quinta Avenida. Os convidados, entre os quais Helen, foram acomodados em sete mesas redondas. Roberto estabeleceria uma duradoura relação de amizade com ela e seu marido, o produtor de cinema David Brown, que moravam em um triplex repleto de obras de arte junto ao Central Park. O currículo de Brown incluiria, ao lado de vários filmes, o megassucesso *Tubarão*, dirigido por Steven Spielberg. Fora da indústria do cinema, ele fazia um trabalho com reconhecida competência: escrevia para Helen — ou discutia com ela — as chamadas de capa da *Cosmopolitan*, de forte apelo vendedor. Suas técnicas seriam seguidas nas edições internacionais. Em linhas gerais, eram estas:

- Emoção antes da razão — Sinta o assunto, não racionalize. O que ele provoca em você? Medo? Alegria? Angústia? Surpresa? Espanto? Qual é o desejo que desperta? Procure atender a esse desejo.
- Conceito antes da forma — Primeiro, desenvolva frases que atendam à expectativa que o sentimento despertou, sem se preocupar com a forma. Depois, jogue com as palavras, o som, o tamanho. Não faça as duas coisas ao mesmo tempo.
- O que o leitor ganha com isso — Definitivamente, a chamada deve conter a promessa de algo bom que o leitor ganhará com a leitura da matéria anunciada.
- Despertar o interesse — Há diferença entre uma chamada de capa e um título. O título capta a mensagem essencial da matéria. A chamada é como um anúncio: chama a atenção para um só aspecto da matéria — o mais atraente.
- Clareza — Chamadas não podem ser dúbias nem misteriosas. Gracinhas e jogos de palavras podem funcionar num texto, mas não numa chamada de capa. O leitor precisa entender num segundo o que você quis dizer.

Roberto prestaria atenção ao estilo sedutor das chamadas esboçadas por Brown, na linha "O que faz um homem querer casar" ou "Uma carta para a amante de meu marido", mas o que realmente o impressionava era a forma como Helen agradava aos anunciantes. Em um evento, percebeu que diante de um deles, com estatura menor do que a sua, ela alegou dores nos pés para tirar os sapatos de salto avantajado que calçava para poder ficar na mesma altura do cliente em potencial. Ele também observava que, apesar de rica, era algo sovina com seu dinheiro. Quando circulavam em Nova York, durante suas visitas, ela sugeria que andassem de ônibus. Se marcavam um almoço ou jantar para tratar de trabalho, porém, escolhia um restaurante caro, em geral o Le Cirque, pagava a conta com cartão corporativo e pedia a nota para apresentá-la à empresa.

Ao voltar a São Paulo, Roberto deu a boa notícia sobre o contrato que assinara para Thomaz Souto Corrêa, que se tornara diretor das femininas da Abril. Com o lançamento da *Nova* marcado para outubro, eles precisavam agora escolher uma diretora de redação. Os rumores sobre a revista logo circularam nos corredores. Ao ouvi-los, uma jovem e ambiciosa jornalista vislumbrou que ali poderia estar uma rara oportunidade para sua trajetória profissional. Seu nome era Fatima Ali. Como Odillo Licetti, ela vinha de uma família pobre, com pai iletrado — no seu caso, um imigrante sírio de religião muçulmana, que teve pequenos restaurantes e lojinhas na região do Brás, no centro de São Paulo, onde viviam —, saiu da escola cedo para trabalhar, não se formou, era autodidata e aprendeu inglês sozinha, transcrevendo com a ajuda de um dicionário as letras de músicas de Elvis Presley que ouvia no rádio. Usou o mesmo método para estudar francês. Com dezessete anos, arranjou um emprego de secretária na agência de publicidade J. W. Thompson. Tinha um chefe inglês, que às vezes lhe pedia ligações para a Abril, onde ele falava com Luís Carta e Roberto. Certo dia, Roberto foi à agência e ela lhe disse que adorava ler *Manequim*. Luís também fez uma visita ao escritório e ouviu da secretária elogios às revistas da Abril. Ambos provavelmente não registraram as conversas, mas Fatima decidiu que iria procurá-los. Na cara de pau, como diria, marcou uma entrevista com Luís. Aos 22 anos, ela era bonita, tinha atitude e procurava demonstrar segurança, mas sabia que se vestia mal. Adotara como referência a atriz Doris Day, cujo estilo procurava imitar depois de ver os seus filmes. Como fizera com Odillo, Luís lhe abriria uma porta ao perguntar se aceitaria ser contato — vendedora de publicidade — das revistas técnicas. Nesse momento, Roberto apareceu na sala e ficou ouvindo o que falavam. Fatima dizia que não, obrigada, não se interessava por aquele tipo de publicação. "Chega, ela não quer", cortou Roberto, intrometendo-se na conversa. Fatima aproveitou a deixa e afirmou que queria era trabalhar na *Manequim*. Foi contratada.

Iniciava-se ali uma carreira fulminante. Em um ano, passou de contato a gerente comercial. Ganhava 10% do que vendia. Decorrido mais um ano, mudou de área e, numa trajetória incomum, foi dirigir a redação. Pouco tempo depois, dirigiria a *Setenta*, uma sofisticada revista de moda que duraria nove meses. De tanto estourar o orçamento, acabaria brigando com Luís, que a demitiu. Dias mais tarde, sem emprego, sofreu um acidente grave de carro e quase morreu. Mas Fatima era uma mulher de sorte. Durante os dois meses de tratamento, conheceu no hospital o médico Sérgio Mies, que trabalhava na equipe de transplante de fígado de seu colega Silvano Raia. Eles se casaram e tiveram três filhos. Bem antes disso, ao receber alta, Fatima soube que Luís trocara a Abril pela Editora Três e procurou Roberto para pedir uma nova chance. Ela então passaria uma temporada na *Claudia Moda* e na *Claudia Beleza*, onde ficaria até ouvir os boatos sobre a chegada da *Nova*. Decidiu que queria dirigir aquela revista e tomou duas providências. Antes de mais nada, foi comprar um exemplar da *Cosmopolitan* no Conjunto Zarvos, no centro da cidade, onde existia uma livraria que a importava. Leu e releu durante o fim de semana, concluindo que a publicação tinha a sua cara. A segunda coisa que fez foi procurar Roberto e lhe falar de sua pretensão. "Mas você só fez revistas visuais, não de texto", disse ele. Fatima argumentou que se sentia preparada e Roberto respondeu que iria pensar. Decorrida uma semana, Thomaz convidou-a para dirigir a revista. Foram juntos para Nova York conhecer a redação e ouvir o que Helen Gurley Brown tinha a lhes dizer.

Helen ensinaria para Fatima, nesse contato inicial e nos dezessete anos seguintes em que ficaria no comando da revista, o que ela não pudera aprender sozinha sobre edição e postura profissional. Um dos conselhos que ouviu foi olhar absolutamente tudo em cada edição, dos menores detalhes das roupas que seriam fotografadas para as matérias de moda a linha por linha dos textos antes de mandá-los para a gráfica. Era preciso escrever, reescrever, refazer as fotos, mudar o que fosse preciso até a última hora — mas respeitando os prazos. A diretora não poderia tirar um mês de férias, pois do contrário perderia o pulso da revista. No máximo, quinze dias de cada vez. E deveria ter duas secretárias a seu serviço. Uma para cuidar das questões de trabalho, outra para atender a seus assuntos pessoais, pois o tempo de uma diretora, que custa caro para a empresa, deve se concentrar nas tarefas profissionais. Não pode ser gasto na administração de problemas domésticos, agendamento de consultas médicas ou pagamento de contas. Essa era a filosofia de Helen, que Fatima rapidamente assimilou.

Victor Civita tinha só uma secretária, que o atendeu por trinta anos. Thomaz também. Roberto trabalhava com duas. Na *Veja*, apenas uma única servia o diretor de redação e o diretor adjunto ou o redator-chefe. Em *Nova*, além das duas da diretora, havia mais uma para a redatora-chefe e outra para a editora de arte. Ao ser promovida a *publisher*, cargo que engloba as áreas editorial, publicitária e comercial, Fatima contratou uma assistente. Ela ficava ao seu lado nas reuniões, ouvia em silêncio o que se discutia, anotava os tópicos principais em um bloquinho e se encarregava de cobrar dos envolvidos as providências a serem tomadas, o follow-up na linguagem corporativa. Fatima ampliava seu organograma sem consultar ninguém.

Como seria inevitável, tinha atritos frequentes com Thomaz, seu chefe direto, e tomava decisões importantes sem ouvi-lo. Até que — conforme reconheceria — o desacatou em uma reunião e foi novamente demitida. "Eu tratava direto com o Roberto", Fatima contaria, passados muitos anos. Com sua personalidade sedutora, ousadia e determinação, ela foi admirada pelo poder que acumulou e o trabalho que realizou em *Nova*. A revista conquistou leitoras e anunciantes fiéis, sendo acompanhada de perto e elogiada por Roberto. Muitas pessoas, porém, escandalizavam-se com determinadas matérias. Até gente de dentro. Segundo Fatima, um diretor de publicidade lhe revelou que, por vergonha, não levava para casa a revista em que trabalhava. "*Nova* ficou com a imagem de ser lida pela secretária que dava para o chefe", admitiria. Com sua pena implacável, o venenoso colunista Telmo Martino, do *Jornal da Tarde*, que tinha grande penetração no meio artístico e cultural de São Paulo, reforçou o estereótipo. Referia-se à *Nova* como "o *Kama Sutra* das estenodatilógrafas", o que não incomodava a diretora. "Eu queria mais que falassem de nós e sempre me orgulhei de ter iniciado minha carreira como estenodatilógrafa."

Fatima tampouco se perturbava com as insinuações de que teve, nos primeiros tempos da revista, um envolvimento com Roberto. Ao lhe perguntar a respeito, no final da entrevista, ela tomou um gole de água gelada e respondeu de forma direta, sem entrar em detalhes: "Tive. Quarenta anos atrás. Depois nunca mais". Foi um momento complicado na vida pessoal de Roberto. Depois de Fatima, ele se relacionaria com outra jornalista, enquanto seu primeiro casamento chegava ao fim.

22 de dezembro de 1984

Em um domingo de 1974, as amigas Judith Patarra e Maria Laura Taves da Justa almoçavam juntas. Falavam de filhos, ex-maridos e projetos profissionais. Eram ambas jornalistas e, como boa parte de seus colegas, mudaram algumas vezes de emprego. Judith, ex-mulher de Paulo Patarra, antigo redator-chefe e diretor da *Realidade*, contou a Laura que gostaria de trabalhar na Abril. Andava insatisfeita na Editora Três. Laura já fora da Abril e se encontrava agora na Bloch Editores. Estava com 34 anos, era bem-apessoada e tinha cabelos castanhos de corte chanel. Voltara a morar no Rio de Janeiro, sua cidade natal, e viera visitar Judith em São Paulo. "Se você quer ir para a Abril, por que não fala com o Roberto Civita?", sugeriu Laura. "Eu não o conheço", respondeu Judith. "Nem eu", disse Laura. "Mas você não pode tirar esse plano da cabeça", continuou. "Quando se quer uma coisa, é preciso lutar por ela." A amiga riu e concordou. Laura voltaria à noite para o Rio. Sentia-se nesse momento um pouco mais tranquila, depois do período de angústia que atravessara recentemente. Permaneciam vivas em sua memória as dolorosas lembranças de Rodolfo Azzi. Havia passado momentos difíceis e assustadores ao seu lado. Ela o conhecera quando se separou do primeiro marido, um engenheiro agrônomo com quem tivera duas filhas, Adriana e Júlia. Rodolfo, doze anos mais velho do que ela, era formado em psicologia e aposentado compulsoriamente como professor da Universidade de Brasília após o golpe militar.

Ele também estudara filosofia e abrira uma empresa de pesquisa de mercado que prestava serviços para uma firma que ajudava a planejar o metrô da capital paulista e na qual Laura trabalhara como secretária bilíngue. Foi dessa forma que se cruzaram. Fluente em inglês, ela antes tivera um emprego na Varig. Não demorou a se interessar por ele. Começaram a namorar, e quando decidiram viver juntos, em 1969, ele achou necessário que ela soubesse de sua militância política, primeiro no PCB, em seguida na ALN. Laura não ignorava que naquela ocasião, no início da vigência do AI-5, atuar em organizações clandestinas de esquerda era extremamente perigoso, mas recebeu a informação com certa serenidade. Rodolfo lhe parecia uma pessoa prudente e discreta em suas atividades. A essa altura, ela largara a faculdade de psicologia no segundo ano e desistira de ser secretária. Com vontade de entrar no jornalismo, candidatou-se a um emprego na Abril, anunciado em jornal, e foi contratada como pesquisadora da *Claudia*. Assinou a primeira matéria, sobre estresse, com o nome abreviado no crédito pelo diretor de redação, Thomaz Souto Corrêa: Laura Taves, que adotaria dali em diante.

Rodolfo e Laura moravam com os dois filhos de cada um em uma casa no bairro do Butantã projetada pelo arquiteto modernista Vilanova Artigas. Em uma noite de janeiro de 1971, entretinham-se tecendo um tapete, hobby que cultivavam. Estavam a sós, pois as crianças passavam férias com os respectivos avós. O sossego foi interrompido pelo barulho de um carro que freava na rua. Uma Veraneio parou na porta da residência do casal. Era o veículo comumente utilizado pelos órgãos de repressão do regime. Dele desceram alguns homens. Apertaram a campainha e, quando foram atendidos, disseram que Rodolfo deveria acompanhá-los. Estava preso, ou melhor, sequestrado. Laura passou aquela noite em claro, sem saber como agir. Na manhã seguinte, foi para a Abril e procurou o diretor editorial Luís Carta. Chorou desesperada na sua frente ao contar o sucedido. Luís tentou tranquilizá-la com a promessa de que descobriria o paradeiro de Rodolfo. Que fosse para casa e esperasse seu chamado nas próximas horas. No dia seguinte, em uma pequena sala da Abril, ela encontrou à sua espera uma mulher com cerca de quarenta anos, gorducha e do tipo mignon, que se identificou como Dalva. Nunca saberia seu nome completo nem mais nada a respeito dela. Laura imaginou que se tratava de uma pessoa com acesso aos órgãos de segurança, que dava informações para a Abril quando algum funcionário da empresa era preso por motivos políticos, como aconteceu várias vezes. Mas jamais obteve qualquer tipo de confirmação para sua suspeita.

"A senhora não se preocupe, ele está no Dops", afirmou Dalva. "Pode ir lá visitá-lo." Ela passou o nome de um delegado, a quem deveria procurar. Laura foi de imediato à sede da Delegacia de Ordem Política e Social, no bairro da Luz. Enquanto aguardava que o tal delegado a atendesse, observou que circulavam no local rapazes barbudos, com bolsa a tiracolo, e moças vestidas no estilo bicho-grilo. Logo concluiu que deveriam ser agentes disfarçados. O delegado afinal apareceu e lhe comunicou que Rodolfo estava detido para averiguações. Não permitiu que ela o visse. Pediu que aguardasse a sua breve soltura. Rodolfo só sairia da cadeia três semanas mais tarde. Contaria que fora barbaramente torturado. Nunca mais seria o mesmo homem. Ficou alheio ao mundo, parou de falar, não se vestia sozinho e abandonou o trabalho. Um dia saiu para a rua e desapareceu. Bem mais tarde, soube-se que estava vivendo em uma comunidade. A muito custo, um cunhado conseguiu interná-lo em uma casa de repouso. Fugiu de lá e virou andarilho. Ela não teve mais notícias dele, até ser comunicada, anos depois, de sua morte.

Profundamente abalada, Laura demitiu-se da Abril e foi com as meninas reiniciar a vida no Rio, onde ao menos poderia ficar perto da família. Os filhos de Rodolfo ficaram com a família dele. Laura conseguiu emprego na Bloch, onde foi trabalhar nas revistas *Pais & Filhos* e *Ele & Ela*. Haviam se passado três anos do desaparecimento de Rodolfo e da posterior separação quando visitou Judith naquele fim de semana. À noite, a amiga foi levá-la ao Aeroporto de Congonhas. Ajudou-a no *check-in* e no despacho da bagagem. Quando estavam prestes a se despedir, Laura avistou no saguão o jornalista carioca Alberto Dines, que no ano anterior fora demitido do cargo de editor-chefe do *Jornal do Brasil*, um dos mais importantes da imprensa brasileira. Como o conhecia, aproximou-se com Judith para cumprimentá-lo. Dines também passara o sábado e o domingo em São Paulo, hospedado na casa de seu amigo Roberto Civita. A exemplo do que Judith fizera com Laura, Roberto lhe dera uma carona até o aeroporto. Feitas as devidas apresentações, Laura aproveitou a coincidência e foi rápida. Não perderia essa chance, surgida do acaso, para encaminhar o pedido da amiga. "Roberto, a Judith é uma ótima jornalista e queria trabalhar na Abril", disse. Ele pediu que ela o procurasse e acabaria autorizando sua contratação. Despediram-se. "Vocês aí, tenham juízo", disse Roberto, meio de brincadeira, enquanto Dines e Laura seguiam juntos para a sala de embarque da ponte aérea.

Na semana seguinte, Laura recebeu um telefonema na redação da *Ele & Ela*. "Dona Laura? Um momento, por favor, o dr. Roberto vai falar com a senhora", disse com sua voz fina a secretária Lygia Magnoli. Ela pensou que fosse um tio, que tinha o mesmo nome. Mas era Roberto Civita. "*Hello!*", saudou-a, com seu jeito efusivo. Sem qualquer preliminar, entrou logo no assunto: "Estou indo ao Rio e queria convidá-la para jantar amanhã. Você pode?". Apesar da surpresa, ela aceitou. Roberto combinou de apanhá-la de táxi na porta do prédio em que ela morava, no Leblon. Foram a um restaurante próximo, cujo nome não guardaria. Tiveram uma conversa longa. Falaram da Abril, da Bloch e de revistas antes que o papo se desviasse do campo profissional. Laura então fez um resumo de sua vida e do triste final da história com Rodolfo. Roberto, que tinha 38 anos, era dois anos e meio mais velho do que ela. Em certo momento, confessou que não se sentia feliz no casamento. Terminado o jantar, foi novamente direto: convidou-a para acompanhá-lo ao Hotel Glória, onde estava hospedado.

Haveria inúmeros outros encontros nas semanas seguintes, em São Paulo, nos hotéis em que ela se hospedava, e no Rio, sempre no Glória. O relacionamento não se tornou público de imediato. Roberto tentou preservar as aparências de seu casamento, embora alguns amigos próximos desconfiassem de que algo estava acontecendo. Depois de um período, Laura arrumou sua transferência para a sucursal da Bloch em São Paulo, alegando que as filhas não se adaptaram no Rio, sem explicar aos chefes a verdadeira razão do pedido. Mudou-se com elas para uma pequena vila no bairro do Itaim, que Roberto passou a frequentar regularmente. Ela não demoraria a trocar de emprego, indo trabalhar com livros na Edibolso, empresa que a Abril criou em 1975 associada às editoras Record, Difel e Bantam Books. Mais tarde, seria repórter da Rede Globo, onde a fonoaudióloga Glorinha Beuttenmüller procurou ensiná-la a falar com menos rapidez, sem atropelar as palavras, como fazia antes e voltaria a fazer ao sair de lá. Posteriormente, fundaria a editora Rosa dos Tempos, voltada à publicação de livros de interesse feminino, em sociedade com a escritora Rose Marie Muraro, a atriz Ruth Escobar, a socióloga Neuma Aguiar e o editor Alfredo Machado.

Laura era uma mulher completamente diferente de Leila, que vinha de família italiana rica e fora educada para ser boa dona de casa. Tinha paixão por livros. Era de classe média. Seu pai, um engenheiro civil cearense, filho de americano e com ascendência inglesa, trabalhara em Uruguaiana, na fronteira do Rio Grande do Sul com a Argentina, no Recife e no Rio, o que a obrigara a trocar de escolas e amizades. Com Leila, Roberto não conversava sobre literatura, política e jornalismo, temas que interessavam a Laura e o levaram a se identificar com ela. Em contrapartida, ao contrário de Leila, Laura procurava competir com ele em seus conhecimentos, o que não raro o incomodava. Ela não demorou a perceber que Roberto procurava demonstrar sua superioridade cultural sobre qualquer pessoa — a começar pela mulher —, em qualquer área, de física nuclear a história, e gostava de ser reconhecido e se possível admirado.

Leila, a exemplo de Roberto, podia ser um pouco ingênua em determinadas coisas, mas tinha sensibilidade feminina suficiente para perceber o quanto a sogra acertara ao lhe dizer que seu filho era *donnaiolo*. Laura, por sua vez, sabia perfeitamente que se envolvera com um conquistador. Ela própria era uma prova viva disso. Para evitar aborrecimentos, porém, preferia se desligar de determinadas questões, como costumava dizer. Considerava-o um bom amante e admitia — sem ver nisso uma atitude feminista ou antifeminista, mas uma simples constatação — que homem é diferente de mulher, e ponto. Leila não pensava assim. Dona de um temperamento forte, foi acumulando suspeitas de que o marido não se ausentava tanto do lar apenas em função do trabalho. Suas desconfianças aumentaram numa noite de 9 de agosto em que a família e os amigos resolveram lhe fazer uma festa surpresa para comemorar seu aniversário. Quando ele chegou em casa, acenderam as luzes da sala e começaram a cantar "Parabéns a você". Ele ficou visivelmente sem graça. Estava vermelho, esbaforido, nervoso, com a roupa meio amarfanhada. Todos ficaram com a sensação de que não tinha vindo do escritório.

A separação não tardou. Foi sacramentada em 1976, dezoito anos depois de se conhecerem no edifício da avenida Higienópolis em que moravam com os pais. Segundo alguns amigos, "conta a lenda", difundida entre pessoas próximas, que o casamento teria terminado da seguinte maneira. Ele estava em casa, lendo como de costume, sentado em sua poltrona. Em certo momento, levantou os olhos e disse para Leila: "*Cara*, me traz um queijinho. Amanhã eu saio de casa". É de fato uma lenda. A iniciativa da separação partiu da esposa, em circunstâncias completamente diferentes. "Eu o mandei embora de casa e dei-lhe uns tabefes", ela revelaria. "*Perché? Troppa donna.*"

Leila já havia comunicado ao pai que não poderia mais viver com Roberto. Mandou colocar em malas todas as roupas dele e deixou-as na frente da casa, na rua Joaquim Nabuco. Quando Roberto chegou, ela lhe disse: "Suas coisas estão ali. A partir de hoje, você não dorme mais nesta casa". Ele ficou perplexo. "Você está me expulsando da minha casa?" E ela: "Não é sua casa! A casa é minha! Quem comprou para mim foi meu pai". Na verdade, Severino tinha dado para o casal seu primeiro apartamento. Com sua venda, Roberto e Leila compraram a casa. Naquele dia, além de botá-lo para fora, cortou com uma faca de cozinha os quatro pneus do seu carro. Um motorista chamado da Abril providenciou a troca. Leila foi tomada de fúria. Sabia que ele já estava com Laura. Após a separação, ficou muito abalada, se recolheu e afastou-se de todos.

No final de semana seguinte, Leila viajou com os filhos para o Guarujá. Gianca tinha treze anos; Titti, onze; e Roberta, dez. "Eu levei as crianças para lá e contei que iríamos nos separar", lembraria ela.

> Como o Rob não queria falar para eles, eu disse: "Tenho uma triste notícia para vocês. O Dé foi embora e não vai voltar tão já". Foi uma tragédia para nós. Gianca chorou desesperadamente. Tive que sacudir o Titti, que parecia ter entrado em choque. Roberta, coitadinha, chorava sem parar, como os irmãos mais velhos. Foi muito difícil.

Gianca confirmaria o impacto que a notícia lhe causou.

> Sofri profundamente. E não parava de chorar. Eu não sabia que eles estavam para se separar. Minha mãe falou conosco individualmente. Eu não entendia. Comecei a pensar se seria minha culpa. Depois fiquei envergonhado. Eu era o primeiro da Graded a ter pais separados. Não queria que descobrissem. Foi ruim, muito duro.

Para Titti, o choque não seria menor.

> Tive uma crise forte de choro. Isso não passava pela minha cabeça. Alguns dias depois, ele apareceu no Guarujá e disse o seguinte para nós: "Eu e sua mãe esta-

mos dando um tempo e queria deixar claro para vocês que o motivo disso não é porque existe mais alguém. Não existe ninguém. É só porque a gente não está se dando bem". Quando eu soube a verdade, talvez um ano mais tarde, foi a minha vez de me sentir traído, como acontecera com ele em relação aos pais ao descobrir que era judeu. Havia mentido para mim. Virei para ele e disse isso. Meu pai estava com a Laura havia algum tempo.

Roberta guardaria lembranças mais vagas.

Eu não entendia direito o que significava. Ele me disse que nada iria mudar na nossa relação e que continuaria nos vendo duas vezes por semana. Gianca ficou bravo e ao lado de minha mãe. Eu fiquei mais quieta, assustada. Não lembro bem como o Ti reagiu.

Bastante perturbada, Leila não sabia que rumo tomar. Era o seu segundo casamento que acabava. Mais uma vez, de forma dramática. Deprimida, ficou vários dias no casarão em que moravam. Na maior parte do tempo, permanecia no quarto. Gianca a ouvia soluçar e entrava para consolá-la. Ela saiu pela primeira vez, depois da separação, para ir ao ateliê de Ugo Castellana, que em 1962 fizera o tailleur verde que vestiu ao se casar com Roberto no Uruguai.

Ela lhe encomendou duas roupas. Quando ficaram prontas, mandou fazer mais uma. Como mantinha relações com a velha amiga Sylvana, Ugo sabia que, após o fim do casamento, Leila se tornara reclusa. Por isso, estranhou suas frequentes visitas. "Dona Leila, me desculpe", ele lhe disse com formalidade, pois a tratava como cliente. "A senhora pouco tem saído. Por que tantas roupas de festa? Posso perguntar quando pretende usá-las?" Ela respondeu: "Quando houver uma ocasião". Homem sedutor, ele percebeu a oportunidade de arriscar uma proposta. "Digamos, se eu a convidar para jantar a senhora pode ir com uma delas", sugeriu. "Seria simpático se fôssemos", ela concordou. Marcaram para a noite seguinte, quando foram a um restaurante napolitano dos Jardins cujo nome ambos esqueceriam. Galante, o estilista pediu que o dono colocasse em todas as mesas vasinhos de flores do campo, que Leila apreciava. À saída, entregou-lhe um buquê e ela retribuiu o convite e as gentilezas com um jantar em sua casa, na presença dos três filhos. Iniciaram ali um longo relacionamento. Nos fins de semana, encontravam-se no apartamento em que ele morava, na avenida Nove de Julho. Com algumas idas e vindas, para surpresa dos que os conheciam, os dois permaneceriam envolvidos pelos anos e décadas seguintes.

Roberto levou as malas preparadas por Leila para um apartamento mobiliado que alugou na rua Jerônimo da Veiga, no Itaim. Contratou um mordomo, que cuidava dos serviços domésticos e de suas roupas. Ugo, com seu olhar profissional, notava quando o encontrava na casa que ele estava se vestindo um pouco melhor, embora não aprovasse o padrão de suas gravatas. Roberto e Laura se casariam oficialmente no dia 22 de dezembro de 1984, mas a união se tornara pública já em 1978. Foram viver juntos em um apartamento que ele comprou na rua Tabapuã, no mesmo bairro, adquirido quase simultaneamente com um sítio em Itapecerica da Serra, nos arredores da cidade. Foi batizado de Pasárgada. Ele ficava ali todo sábado e domingo, ao lado da segunda mulher, do mesmo jeito como fazia ao lado da primeira: à beira da piscina, caneta na mão, mergulhado na leitura da *Veja*. Sentia-se então orgulhoso, confiante e otimista em relação ao futuro. A revista estava salva. As vendas em banca subiam. As assinaturas cresciam de forma consistente. Os tempos da censura haviam ficado para trás. A qualidade jornalística se aprimorava. As demais operações da editora pareciam dar certo. Seu alívio se completava por mais uma razão. Mino Carta já não estava mais lá.

9 de fevereiro de 1976

No período em que a *Veja* saía do buraco, impulsionada pelas assinaturas, Roberto estava incomodado com os rumos editoriais da revista. Conforme combinara com Mino desde o início, ele discutia as matérias a posteriori. Não participava de sua pauta e não pedia para ler nenhum texto antes da publicação. Para ele, acordo era acordo. Sempre procurou levar isso a sério. Considerava a confiança fundamental em qualquer relação. Por isso, acreditava no que lhe diziam. A formação americana é que o levaria a pensar que pessoas sérias não mentem. Sofreria decepções ao descobrir que elas mentem, sim, ou pelo menos tergiversam, ou falam meias verdades, ou douram a pílula, ao sabor de suas conveniências, enquanto ele absorvia tudo ao pé da letra. Acontecia assim nas conversas com políticos, empresários ou diretores da empresa que queriam lhe vender seu peixe.

Foi o que ocorreu também em relação à *Veja*. Roberto achava que sua equipe de jornalistas, orientada por Mino, conforme haviam acertado, estava consciente da linha estabelecida para ela. Portanto teria que segui-la. A revista deveria defender a livre-iniciativa, apoiar o empreendedor, combater a burocracia e criticar a presença excessiva do Estado na economia. Embora a vida inteira defendesse a democracia e fosse contrário à repressão aos opositores do regime, à tortura, à falta de liberdade de expressão e à censura, Roberto não achava que tudo o que viesse do regime militar fosse em princípio ruim. Apoiara a política econômica introduzida em 1964, sobretudo no governo Castello Branco, e reconhecia que o país progredira. Incomodava-se ao ver que a revista, com frequência, caminhava em uma direção diferente.

Como na época em que dirigia a *Realidade*, Roberto queria que a *Veja* focasse sua pauta não apenas em problemas brasileiros, mas nas soluções — coisas que davam certo, personagens que faziam a diferença, histórias de superação, relatos de transformações positivas. Eram temas que, a seu ver, a *Veja* pouco abordava, um dos motivos dos crescentes desentendimentos com Mino. Richard fazia uma avaliação semelhante. Embora não tivesse interferência na área editorial e continuasse a se atritar com Roberto, não escondia sua contrariedade com as matérias que encontrava na revista: "Como vice-presidente da empresa, eu poderia dizer o que pensava e criticava abertamente a linha editorial para meu pai e meu irmão". Thomaz Souto Corrêa, da mesma forma, não tinha ingerência na revista semanal. Mas, para ele, ficava cada vez mais claro que Mino se comportava como se fosse o dono da *Veja* — e, evidentemente, não era. Angelo Rossi, filho de Gordiano, compartilhava com o pai essa impressão. Victor Civita, porém, continuava prestigiando Mino. Tanto que, em fevereiro de 1974, promoveu o "excelente jornalista e querido amigo", como o definiu em uma "Carta ao Leitor" na qual comunicou que, além de permanecer à frente da *Veja*, ele se tornava diretor da empresa. Anteriormente, Mino fora designado para também supervisionar a *Realidade*, que no início dos anos 1970 entrou em declínio. Pelo menos na ocasião, ele defendia ideias semelhantes às de Roberto. No dia 8 de maio de 1971, escrevera uma carta para os editores-chefes da revista, Luís Fernando Mercadante e José Hamilton Ribeiro. Estava preocupado em encontrar uma saída para a publicação. Suas instruções eram claras:

> Devemos deixar de fazer uma revista que dá a impressão de ter uma série de recalques e de complexos. Uma revista interessada em aspectos negativos, de miséria e de revolta. Devemos fazer melhor aquilo que com certa fadiga (de minha parte) começamos a fazer na edição de maio: misturar a pena de morte e os doentes sem dinheiro com moda, automobilistas e artistas plásticos. [...]
>
> Uma revista é sempre o reflexo da gente que a faz. A revista de que estou falando deve ser feita por gente que tem algum otimismo, muita inteligência, muito bom gosto. Gente que vive de olhos abertos e sabe o que está acontecendo à

> sua volta, desde a Lapa até a rua Augusta, desde Ipanema até a Lapa. Gente que vai ao teatro e ao cinema, ouve música popular e clássica, lê livros e revistas. E não simplesmente gente inteligente que vive enfurnada em seu escritório à procura de graves injustiças ou tentando ignorá-las.
>
> Mais do que tudo, gente que seja profissional e que saiba fazer a revista que a empresa que o [sic] emprega deseja que seja feita.

No final, arriscou uma previsão:

> Estamos falando de uma nova revista, sem passado e sem compromissos. Uma revista que é capaz de sacrificar, se necessário, a venda de alguns milheiros de cópias, em favor de sua importância e de sua seriedade. Uma revista, porém, que pode e deve alcançar 200 mil exemplares de venda e ser considerada um grande sucesso.

Deu tudo errado. A circulação da *Realidade* diminuiu e, ao contrário do que acontecia agora com a *Veja*, caía sem parar. Quando Mino assumiu a operação editoral, a revista estava com uma venda média de 152 500 exemplares por mês. Jamais voltaria aos 200 mil que idealizava. A partir daí caiu ainda mais, ela que em 1968, seu grande ano, vendera em média 359 700 cópias por edição. Em 1972, baixou para 125 800; e em 1973, para 107 600. Terminaria sendo fechada em 1976, com uma circulação pouco acima dos 100 mil exemplares. Nas vendas, na qualidade jornalística e no prestígio, nem de longe parecia a revista que já fora.

No campo político, Mino mudaria gradualmente de postura. Pessoas próximas observavam que, no início da história da *Veja*, ele preferia conversar sobre futebol (era torcedor do Palmeiras) ou artes plásticas. Demonstrava pouco interesse pela política. Em 2014, o colunista da *Folha de S.Paulo* Demétrio Magnoli provocaria sua ira ao exumar um texto que assinara com as iniciais M. C., como fazia habitualmente, na "Carta ao Leitor", no sexto aniversário do golpe de 1964, em 1º de abril de 1970. Em determinado trecho, Mino dizia o seguinte a respeito dos militares, que de acordo com ele, referindo-se à derrubada do governo constitucional de João Goulart, "surgiram como o único antídoto de seguro efeito contra a subversão e a corrupção":

> E, enquanto cuidavam de pôr a casa em ordem, tiveram de começar a preparar o país, a pátria amada, para sair da sua humilhante condição de subdesenvolvido. Perceberam que havia outras tarefas, além do combate à subversão e à corrupção — e pensaram no futuro.

Magnoli eximiu de responsabilidade os proprietários da Abril (exceto "pela seleção do diretor de redação"), ao lembrar que eles "ficavam sabendo do conteúdo da *Veja* depois de completada a impressão". Mino reagiria com indignação:

> Quem viveu comigo aquele momento e conservou a boa-fé, quem me conhece e à forma da minha escrita, sabe que se trata de uma manifestação de pura ironia. Lê-se, lá pelas tantas, "pátria amada", e desde quando escrevo a palavra pátria sem lembrar a definição de Samuel Johnson, "a pátria é o último refúgio dos canalhas"? E tanto mais amada...

Em nova investida, Magnoli citou o trecho de uma reportagem que a *Veja* publicou na mesma época sobre a Oban, sigla da Operação Bandeirante, que atuava em São Paulo na repressão política e torturava presos. No texto, sem assinatura — as matérias quase nunca traziam crédito —, o nome do órgão seria registrado incorretamente como Organização Bandeirante. Mais uma vez, o articulista afirmou que Mino "dirigia a revista com plenos poderes e seus patrões só a liam depois de impressa".

> Na semana passada, a Organização Bandeirante, que coordena o combate ao terror em São Paulo, divulgou todo o trabalho feito para desarticular [...] grupos terroristas. Foi uma notícia dada em momento oportuno, tranquilizando o povo e, ao mesmo tempo, evitando prestar serviço ao terrorismo.

Dois acontecimentos marcantes levariam Mino a assumir a postura de opositor ao regime. O primeiro foi a implantação da censura prévia na redação. O segundo foi o assassinato, em 25 de outubro de 1975, do jornalista Vladimir Herzog, conhecido como Vlado, nas dependências do DOI, o Destacamento de Operações de Informações do II Exército, em São Paulo. A *Veja* não pôde publicar nenhuma linha a respeito, sendo censurada pela Polícia

Federal. José Carlos Bardawil, que trabalhou com Mino durante 24 anos e o admirava como "o Midas da imprensa", recordaria esse período:

> Em 1975 a *Veja* estava na oposição. O Mino tinha assumido uma atitude política por causa da censura. Ele ficou puto porque sentiu pela primeira vez o que era ditadura. E ficou contra a ditadura pela primeira vez, porque o Mino, até 1974, era um cara blasé. Mas em 1974, com o censor dentro da redação, ele ficou muito agastado. E tomou como um caso pessoal. Política para ele era sempre um caso pessoal.

Segundo Mino registraria nos seus livros e em diversas entrevistas, em 1975 a Abril pediu um empréstimo à Caixa Econômica Federal calculado em 50 milhões de dólares, equivalentes a cerca de 223 milhões de dólares em 2016. O empréstimo era uma operação legal e serviria para quitar as dívidas em dólar que a editora contraíra com bancos americanos. Nos relatos de Mino, o pedido esbarrou no veto do ministro da Justiça, Armando Falcão, e do presidente Geisel. Pelas suas afirmações, a Abril teria negociado, em troca do empréstimo e do fim da censura a *Veja*, que Mino — a essa altura detestado pelo governo — seria afastado. Diante desse quadro, ele propôs um acordo: seu nome sairia do expediente, os redatores-chefes assumiriam como diretores, ele ficaria "por trás do pano, orientando a transição" pelo tempo que fosse preciso, e em seguida trabalharia como "chefe dos correspondentes europeus, com sede em Roma". Victor não aceitou.

No já citado *Castelo de âmbar*, Mino contou pela sua ótica os acontecimentos seguintes. Na narrativa em terceira pessoa, chama Victor Civita de Vici e Roberto ora de Arci, ora de Robert.

> Meados de novembro de 1975, Mino renova a proposta. [...]
>
> Quando Mino retorna à presença de Vici com seu plano, acabara de morrer sob tortura nas masmorras da repressão o jornalista Vlado Herzog, diretor de jornalismo da TV Cultura. Duas semanas antes do assassínio, Mino dera emprego a um dos melhores amigos de Herzog, e seu imediato na televisão, saído da Cultura por medida de precaução.
>
> Não foi o único desafio ao regime cometido pela *Veja* no período, apesar das ameaças e da tensão montantes. A revista aprimorou as tentativas para

ludibriar a censura e, às vezes, conseguiu. Além disso, em julho, Mino entregou a Plínio Marcos, teatrólogo e ator, perseguido pelo regime, uma rubrica semanal de esportes que de tudo falaria menos dos próprios. Plínio é autor da peça *Abajur lilás*, cuja estreia foi proibida por determinação direta de Armando Falcão, a quem compete, entre outras atribuições, elaborar o índex da ditadura fardada.

Mino encara a situação de dois ângulos, e ambas as análises o conduzem à mesma conclusão. De um lado está a Editora Abril, com seu pedido de empréstimo subordinado à renúncia à linha crítica. De outro, a convicção de que seu tempo na *Veja* se esgotou. A morte de Vlado é o ponto de ruptura. Mino sabe que a sua concepção do jornalismo já não se justifica à sombra da arvorezinha, símbolo da Abril, e o impele na direção de outras experiências. Vici tergiversa, mas Arci sugere:

— Por que você não tira um período de férias, de seis meses, por exemplo?

Mino esclarece:

— Tenho três meses de férias vencidas, três e não mais.

E Robert, complacente:

— Tudo bem, então tire três.

Observa Mino:

— E daí, o que muda? Mesmo de férias, sou o diretor, enquanto estou oficialmente no leme não há como alterar a rota.

A rapidez com que pai e filho apresentam uma solução para o problema é suspeita, e nem por isso Mino se abala. Os dois estão preparados há tempo para esta conversa, é óbvio. No entanto, os botões do diretor da *Veja* permanecem em estado de absoluta indiferença quando Vici esclarece:

— Faremos um protocolo para garantir o sossego de suas férias.

Protocolo? Que nome ridículo, pensou Mino. Mas lhe faltou ânimo para uma daquelas tiradas que despertavam o inesperado sorriso do diretor responsável. E se fez o protocolo, colaborou o próprio Edgard Faria para lhe dar a forma de documento juridicamente válido. Pontos principais: Mino seria substituído em tudo e por tudo pelos dois redatores-chefes, José Roberto Guzzo e Sérgio Pompeu; a linha da revista não sofreria a mais pálida modificação; ninguém, empregado ou colaborador, poderia ser demitido por razões político-ideológicas. Não estaria a salvo, está claro (mas como seria bom o contrário), quem, por exemplo, desferisse um louvável pontapé nos fundilhos de Robert Civita.

Mino partiu para Roma — naturalmente — nos últimos dias de 1975, com data marcada para o retorno à redação no dia 1º de abril do ano seguinte, quando caducaria o protocolo. [...]

Ao chegar em casa, [ele antecipou a volta] o telefone trilou. [...] O patrão convocava Mino para uma conversa urgente. Ele foi, para ouvir Vici decretar:

— Você precisa demitir Plínio Marcos, já! [...]

A censura está para sair da *Veja*, garante Vici, a demissão de Plínio Marcos é o que falta para encerrar o assunto. [...]

— Seu Victor, assinamos o protocolo — lembrou. O *chairman* parecia ter esquecido o documento. [...]

— Demita Plínio Marcos! — mandou Victor Civita.

— Demita o senhor, até logo e passar bem. — Mino deu-lhe as costas e saiu da sala. [...] Seu nome saiu do expediente na edição seguinte e foi proibido seu acesso ao Edifício Abril.

Mino ainda diria que o ministro Falcão o recebeu em audiência e lhe teria afirmado o seguinte ao ser perguntado como teria sido, "do seu ângulo, essa história toda que nos envolveu":

— Elementar, elementar: eu recebia aqui quatro diretores da Abril: Victor Civita, Robert Civita, Edgard de Sílvio Faria e Pompeu de Sousa. Os quatro repetiram, dois anos a fio, que a *Veja* estava contra a gente por sua causa. Então, pergunto: que teria de fazer? Meu caro, não tinha alternativa.

E Mino concluiu sua versão: "Dois meses após, a censura acabou na *Veja* e a Abril recebeu o empréstimo".

Em entrevistas, que se desdobrariam pelas décadas seguintes, Mino chamaria Roberto de "cretino" e "paspalhão", entre outros termos pesados. Sustentaria também, de forma recorrente, que a iniciativa de sair partiu dele.

Eu me demiti. Se a Abril me tivesse demitido, eu teria levado uma belíssima grana. Não levei — até porque não queria levar. Queria ter a satisfação de não levar um único e escasso tostão dos srs. Civita — que comigo se portaram como pulhas que cederam a pressões do sr. Armando Falcão.

Richard Civita, que naquela altura dirigia as áreas financeira, comercial e industrial da Abril, asseguraria o contrário. "Mino foi sumariamente demitido pelo meu pai. Recebeu todos os seus direitos dentro da lei. E nunca contraímos o empréstimo da Caixa Econômica, ao contrário do que ele diz."

Desde então, Roberto Civita só iria se referir às circunstâncias da saída de Mino Carta em declarações rápidas. Uma delas foi dada em 2000 para os repórteres Adriana Vera e Silva e Fábio Santos, da revista *República*:

> Só posso lamentar que, à medida que os anos avançam, a memória do Mino vai enfraquecendo e as suas fantasias, aumentando. O que ele diz, além de ridículo e ofensivo, não tem nenhuma relação com a verdade e muito menos com a honorabilidade da família Civita e com a forma elegante com que ele sempre foi tratado.

Roberto tinha rompido definitivamente com Mino e achava desnecessário lhe responder. Considerava todas as narrativas que ele fez fantasiosas e ressentidas. Durante anos, preferiu manter silêncio a respeito. Sua filha Roberta Anamaria insistia para que falasse pelo menos uma vez. Demorou para se convencer. Só mudaria de ideia no derradeiro depoimento que deu para o autor deste livro. Entrou no assunto por iniciativa própria, sem que lhe fosse perguntado (seria o tema da sessão agendada para a semana seguinte, que nunca aconteceu, pois já estava hospitalizado). Foram suas últimas declarações gravadas, na última de nossas entrevistas, em seu último dia na Abril, 8 de fevereiro de 2013.

> Vamos dar um pulo para a frente. Às tantas, o Mino começou a ficar mais radical politicamente. Passou a se identificar, como chamar elegantemente?, com militantes de organizações de esquerda, a turma do contra, que os militares chamavam de subversivos. Não estou falando de políticos do MDB, que era o único partido de oposição ao governo militar, mas da esquerda em geral, incluindo aí a clandestina, metida com a chamada luta armada. Sinceramente, não sei em que momento ele mudou. Começou a achar que a revista deveria ir mais para lá. E eu não concordava. Como sempre acontece nessas ocasiões, surgiu um acidente que vira o símbolo do conflito. No caso, foi a contratação do autor de teatro Plínio Marcos para escrever uma coluna na revista. Eu não fui consultado sobre isso.

Um de nossos acordos era que a contratação de um colunista deveria ser discutida previamente comigo. E não foi o que ele fez. Chamei o Mino e disse: "Isto é uma coluna única ou pretende mantê-la?". "Pretendo mantê-la", ele disse. "Bem, você não me consultou. E eu não gosto do que ele está escrevendo. É radical demais." Eu então falei: publique mais uma ou duas colunas e depois o dispense. Ele respondeu que não poderia fazer isso porque havia dado sua palavra. "Sim, mas antes disso você havia dado sua palavra para mim. E o acordo que vai ser respeitado é o anterior."

Ele ficou irritado, mas concordou. Eu então viajei para a Feira do Livro em Frankfurt. Quando voltei, a coluna continuava. Na mesma época, ele havia me dito algo incrível: "Vou pegar uma metralhadora e vou para a subversão". Eu não acreditei. Disse que ele estava estressado. Propus que tirasse um ano sabático, ficasse em Londres, Roma, onde quisesse. "Pinte, estude, depois volte. Você não está bem." Ele foi para Roma, depois da nossa conversa, mas em dois ou três meses voltou. Contou que queria reassumir. "Sim, mas temos uns acertos a fazer." Ele foi falar com meu pai e disse para VC, depois de falar mal de mim: "Eu não sei onde vocês estariam, se não fosse por mim". Meu pai respondeu: "Mino, eu também não sei, mas vamos descobrir a partir de amanhã". Estendeu a mão para ele e se despediu.

Quando alguém coloca as coisas do jeito que o Mino colocou, você fica sem espaço de manobra. Esse foi o fecho, mas houve vários acontecimentos paralelos. Como duas conversas que tive em Brasília. Com o Armando Falcão, ministro da Justiça, e um general fardado. O ministro me disse estas palavras: "Por que você não se livra desse filho da puta?". Eu falei: "Porque ele é o melhor jornalista do Brasil. E porque a responsabilidade final pelo que sai na revista é minha". Eu acreditava na inteligência e na capacidade dele. Então ele disse: "Por que você não faz com o segundo melhor?".

Ao voltar para São Paulo, Mino tinha ouvido de alguém que eu concordara em tirá-lo. Na verdade, eu havia afirmado exatamente o oposto. Mino ficou achando que eu havia vendido minha alma para os militares e entregue sua cabeça. Eu assino com meu sangue que fiz o contrário. Meu ponto com ele era que o acordo precisava ser cumprido. Muito mais pelo acordo do que pela coluna. Foi a gota d'água, o gatilho.

Quem cortou a cabeça do Mino foi ele mesmo, Mino, com sua postura irracional, incapaz de aceitar qualquer tipo de moderação. Nós queríamos o caminho do bom senso. Estamos falando de um período de 21 anos, de 1964 a 1985. Naqueles anos aconteceram muitas coisas no Brasil. Houve até um milagre econômico. O que se fala hoje daquele período? Dos presos, das torturas, da censura, das mortes e mais nada. Não justifico nenhuma morte, nenhuma prisão, nenhuma tortura. Mas é preciso dizer que, além da repressão, aconteceram outras coisas no país. O que houve? O que mudou? A esquerda não permite essa discussão.

Esta questão do Mino é central na vida dele. Mas não é na minha. Nem na história da *Veja*. Eu li uma ou duas coisas que ele escreveu. Desisti. Por que vou me irritar com um sujeito neurótico que insiste com algo que não aconteceu e propala uma versão mentirosa? Se me perguntam o que foi central na minha vida profissional, eu citaria a *Veja*, o lançamento de dezenas de revistas, de dezenas de fascículos, de ter implantado um sistema de assinaturas, de ter mudado o jeito de ser editor neste país, de ter inovado na frente educacional, de implantar a Igreja e o Estado, com a separação entre o editorial e o comercial, e assim por diante. Nem mencionaria Mino. Foi um homem que perdeu o caminho. Mino tinha problema com a altura dele, precisava ser reconhecido como mais inteligente por todo mundo. Precisaria ter feito análise, como fiz a partir dos trinta anos. Mino não se entendeu, não se compreendeu. É um homem amargurado, de mal com a vida. A vida dele parece ter parado em 1975, quando saiu da *Veja*. Como se tivesse morrido. Quando saiu, achava que a revista iria acabar sem ele. Depois disso, ela começou a decolar até ultrapassar a circulação de 1 milhão de exemplares.

Aquele compromisso de que ele fala não continuou com seus sucessores. Eu passei a me envolver muito mais, ao longo desses 45 anos. Naquele período, eu estava às voltas com uma série de outras coisas dentro da Abril. Mino não era o centro de minhas preocupações. O problema é dele, não é meu. Tivemos um grande jornalista que foi importante na criação da *Veja*. Mas ele não perdoa o fato de que a vida seguiu. Você é o centro do Universo, e o Universo não só continua como se expande.

Depois daquilo, nos encontramos, salvo engano, uma única vez. Já se passaram 38 anos. Nos cruzamos em público, não lembro onde, mas não nos cumprimentamos. Fomos amigos. Jogávamos até tênis. Eu jogava bem, ele, mal. Clássico do Mino: começou a treinar todos os dias, empenhado em me vencer na quadra, o que conseguiu depois de algum tempo. Deve ter sido um dos dias mais importantes de sua vida.

Richard reconstituiria assim a saída de Mino:

De tanto que Rob e eu criticamos a linha da *Veja*, imposta por Mino, que era chamado de Pequeno Napoleão, o VC acabou cedendo e nos disse: "O.k., vamos demiti-lo". A decisão foi dele, diante de nós dois. No mesmo instante, ele pediu para a secretária Luisa Crema chamar o José Roberto Guzzo para descer. VC disse para o Guzzo, na nossa frente: "Decidi demitir o Mino e quero saber se você vai querer sair junto ou assumir a direção da revista". O Guzzo respondeu: "Não, eu não vou sair. Eu quero ficar e, nesse caso, assumo a redação". O VC então falou: "Muito bem, agora vamos chamar o Mino". Estávamos sentados em três cadeiras diante de VC, Rob à direita, Guzzo no meio e eu à esquerda. Nos levantamos e saímos da sala. O rei morreu, viva o rei. Não pode haver vácuo de poder, ainda mais em uma revista semanal. O VC, sem nossa presença, comunicou ao Mino que ele estava demitido, conforme nos afirmaria em seguida.

O desfecho foi oficialmente anunciado na "Carta ao Leitor" da edição de 18 de fevereiro, assinada pelo próprio Victor Civita, que registrou "o nosso pesar pela perda do amigo e velho colaborador", depois de informar que Mino decidira "seguir outros caminhos".

Decorridos muitos anos, José Roberto Guzzo contou:

Assim que foi decidida a saída do Mino, seu Victor mandou me chamar e, ao lado do Roberto, perguntou se eu iria sair junto ou iria ficar. Respondi que iria ficar. Se ele foi demitido ou se ele se demitiu, é algo que não testemunhei. O fato objetivo é que houve um desentendimento. A Abril não queria que ele ficasse e ele não queria ficar naquelas condições. Havia, como sempre houve, pressões sobre a revista. Com uma diferença: era uma ditadura e eles tinham força. Havia censura e muitas vezes o Mino era chamado à Polícia Federal ou ao Dops para dar explicações. Eu o acompanhei em várias ocasiões. Não era convite, era intimação. Era um ambiente ruim, com hostilidade, propício a tensões e desentendimentos. Foi um momento difícil. Nessa ocasião, a revista contratou um sujeito que se chamava Plínio Marcos. O Mino tinha passado a frequentar ambientes de teatro, de artistas. Plínio Marcos era um cara de esquerda, da turma do restaurante Gigetto, que se opunha ao governo. Tinha uma coluna na revista. Não sei o que combinaram. Antes escrevia sobre futebol, sobre o Santos, do qual era torcedor, e passou a escrever sobre política. A censura ia, voltava. No auge, quando estava bem organizada, não haveria o problema do Plínio Marcos porque seus textos seriam simplesmente vetados. Mas saíram alguns. Como o Mino contou para mim e outras pessoas, seu Victor e o Roberto queriam que esse Plínio Marcos deixasse de escrever para a revista. O Mino não aceitou. Disse que não haveria acordo. Foi o fator que desencadeou tudo. O atentado ao arquiduque em Saravejo, que fez explodir o mundo.

Não havia de parte do Mino nenhuma intenção de mudar e não havia da parte de Victor e Roberto nenhuma intenção de aceitar. É fácil falar dessas coisas hoje, mas o ambiente era muito pesado. E propício ao desentendimento. Havia gente presa, gente que morria... A posição do Roberto foi correta. Ele nunca deu entrevistas sobre isso, ao contrário do Mino. Talvez esteja sendo dito pela primeira vez: nunca o Roberto pediu a mim ou a quem quer que seja para escrever uma palavra sequer em sua defesa. Ele estava sendo insultado. Poderia pedir uma matéria, um artigo, para mostrar sua posição. Tinha todas as revistas da Abril, a começar pela *Veja*, para se defender. Não escreveu uma única palavra contra o Mino. É algo para ser registrado. Teve um comportamento muito correto e corajoso.

Aos 32 anos, com bigode, um pouco acima do peso e roupas formais que lhe davam a aparência de ser mais velho, Guzzo assumiria no dia 9 de fevereiro de 1976 a direção de redação ao lado do até então também redator-chefe Sérgio Pompeu. Em pouco mais de um ano, Pompeu se tornaria diretor adjunto e, em uma escolha de Roberto referendada por Victor, Guzzo ocuparia sozinho a direção. Iniciava-se ali uma duradoura, estreita e bem-sucedida relação profissional e pessoal entre RC e JRG, iniciais que os identificavam na empresa. Discutiriam muito e não esconderiam suas divergências no dia a dia, mas nunca — ao contrário do que acontecia com Mino — deixariam de se entender. Graças a isso, Roberto finalmente realizaria na plenitude o projeto que acalentava desde que concluíra a faculdade de jornalismo nos Estados Unidos: ser dono da maior, mais importante, mais rentável e mais influente revista do Brasil. Ainda por cima, sentia-se em condições de se divertir nas horas vagas, como gostava de dizer, com seus outros sonhos. Só que eles ficariam sempre em segundo plano.

9 de março de 1988

As redações das revistas da Abril funcionaram em vários endereços de São Paulo. Depois de ficarem concentradas, em sequência, na rua Líbero Badaró, na rua João Adolfo e na marginal Tietê, tiveram que ser espalhadas. Foram ocupar prédios alugados na rua do Curtume e na rua Aurélia, ambos na Lapa, pois seu número era cada vez maior e a sede própria, apesar dos puxadinhos, não tinha mais lugar para abrigar todas elas. Sem falar das demais operações da editora com as quais precisavam dividir espaço, como as de assinaturas, logística e distribuição. A editora crescia e se dispersava. No início dos anos 1980, apenas a *Veja* permanecia na marginal Tietê, junto da gráfica, da diretoria da empresa, do Dedoc e de algumas unidades. As publicações restantes mudaram-se para o Brooklin Novo, na rua Geraldo Flausino Gomes, 61, uma travessa da avenida Engenheiro Luís Carlos Berrini, corredor que vinha agrupando altos e modernos edifícios comerciais. Um deles era o Panambi, com catorze andares, que a Abril foi ocupar. Em geral, as pessoas gostavam de trabalhar nesse ambiente. Havia uma movimentada lanchonete no sétimo andar, transformada em ponto de encontro, ao lado de um posto do Banco Nacional, e um auditório com sessenta lugares no 14º. Nas imediações, estava à mão o recém-inaugurado Morumbi Shopping, para onde os funcionários se dirigiam no horário do almoço, quando não lotavam os pequenos restaurantes caseiros das redondezas. A poucos metros da marginal Pinheiros, o Panambi situava-se a 18,5 quilômetros da matriz da marginal Tietê. Com o trânsito cada vez mais congestionado na cidade, levava-se pelo menos meia hora no deslocamento entre os dois prédios. Era mínima a integração entre eles, embora tivesse sido implantado um sistema de vans. A separação física ajudou a consolidar uma visível divisão que existia na prática: a *Veja*, um território exclusivo de Roberto, com status de carro-chefe do grupo e salários maiores para sua equipe de jornalistas e publicitários, e as revistas femininas, masculinas e de interesse geral, que se abrigavam no guarda-chuva de Thomaz Souto Corrêa.

Roberto, de tão absorvido pela *Veja* e pelas reuniões corporativas, raramente ia ao Panambi. Foi um dia, logo após a mudança. Estacionou o carro, que ainda dirigia — logo contrataria motorista, por imposição do pai, que o considerava um condutor temerário —, em uma das vagas reservadas aos executivos e dirigiu-se à portaria para apanhar um dos elevadores. Antes que entrasse nele, um dos porteiros pediu seu crachá. Ele não tinha. O porteiro jamais tinha visto aquele homem e, seguindo o protocolo da segurança, disse que, sem a identificação funcional, não poderia subir. Roberto explicou quem era, mas não conseguiu convencê-lo. Foi necessário que uma recepcionista ligasse para Thomaz, que trabalhava no 14º, e pedisse a autorização de sua entrada. Passado um tempo, Roberto circularia pelos prédios da empresa com o crachá número 01 no bolso da lapela, ao lado de um *pin* dourado em forma de arvorezinha, entregue como homenagem aos funcionários com mais de dez anos de casa. Naquela altura, a Abril reunia um portfólio de mais de trinta revistas, sem contar os fascículos e títulos sazonais, mas ao lado da *Veja* só duas delas ocupavam permanentemente sua atenção: a *Exame*, sobre a qual tinha da mesma forma ingerência direta, e a *Playboy*, justamente as que ele queria lançar, junto com a semanal de informações, quando voltou dos Estados Unidos no já distante ano de 1958.

A *Exame*, conforme se relatou, nascera em 1971 ao ser desdobrada das antigas publicações técnicas que deixariam de existir. Seus leitores a recebiam gratuitamente. Ao ganhar independência, ela passou a ser vendida em bancas e, principalmente, por assinaturas. Roberto anotaria em uma de suas agendas que foi "*the great free to paid transformation*", ou a grande transformação do gratuito para o pago. Em pouco tempo, com sua circulação quinzenal, a *Exame* firmou-se como a maior revista de negócios do país — e naquele momento a segunda em receita e margem de rentabilidade da editora. A partir de 1974, surgiu a gigantesca edição anual *Melhores e Maiores*, com a classificação, muito aguardada no mundo dos negócios, das quinhentas principais empresas brasileiras nos mais diferentes setores. Uma delas, escolhida por uma série de critérios pela direção da revista, com a decisão referendada por Roberto, era eleita "a empresa do ano". A entrega do prêmio à vencedora de cada segmento — do comércio varejista à indústria automobilística — e à campeã entre todas elas acontecia em um jantar ao qual comparecia em peso o PIB nacional. O então presidente Fernando Collor de Mello esteve em uma delas. Os ministros da área econômica eram presenças rotineiras, como oradores, bem como o governador de São Paulo e uma série de autoridades, fosse o governo que fosse. Esse evento comprovava o prestígio da Abril, da *Exame* e de Roberto. Ele recebia os convidados com um largo sorriso, circulava no meio das rodinhas em conversas rápidas antes da cerimônia e subia ao palco para ler um discurso. Na sua fala, analisava o momento econômico, discorria ora com otimismo, ora com preocupação sobre o futuro do Brasil, dependendo da conjuntura, criticava o intervencionismo estatal, exaltava o papel das multinacionais e do capital estrangeiro no desenvolvimento do país, lamentava o excesso de regulamentações e atacava a burocracia.

Finalmente, ele enfatizava, reprisando uma filosofia que defendia com ardor, que sem a livre-iniciativa não há concorrência, sem concorrência não há publicidade, sem publicidade — desvinculada do editorial — não há imprensa livre e sem imprensa livre não há democracia. "Os meios de comunicação de massa", afirmava, "não subsistiriam sem a publicidade, que não existiria se não houvesse competição, que não teríamos sem um sistema de mercado livre, que depende — fechando esse círculo virtuoso e admirável — da democracia e da liberdade para garanti-lo." Ou seja, a democracia e a liberdade dependem, para se manter, das informações e da fiscalização que somente uma gama diversificada de veículos independentes pode assegurar. Nessa lógica, "sem publicidade não existiria uma imprensa vigorosa, uma imprensa que, sabemos todos, e os ditadores mais do que nós, é o alicerce do primado da lei e de uma sociedade livre".

Com poucas mudanças, independentemente do grupo político que estivesse no poder, foi essa, durante anos, a linha de seus pronunciamentos — e o ideário que desejava ver refletido tanto na *Veja* como na *Exame*.

Jamais houve dúvidas sobre a ideologia de Roberto. Seria absolutamente lógico que sua revista de negócios e economia defendesse, no editorial, o que ele pregava repetidamente, com a ênfase de um pastor protestante, e os princípios diante dos quais se ajoelhava com fé que parecia religiosa. Mas nem sempre foi assim. Em 1975, o editor-chefe da *Exame* era o carioca Paulo Henrique Amorim. Paco Maluco, seu apelido, entrara na Abril como repórter da *Realidade* e, ao receber um convite do *Jornal da Tarde*, pediu uma audiência com Roberto, que marcou com ele uma conversa no bar do Hotel Cambridge. Enquanto comiam um sanduíche, Paulo Henrique disse que recusaria a proposta do *JT* caso pudesse ser o correspondente em Nova York da *Veja*, que estava para ser lançada. "*Do you speak English?*", perguntou Roberto. Paulo Henrique, fluente no idioma, passou a conversar em inglês com ele, que o contratou para o posto. Na volta dos Estados Unidos, seria editor de economia da revista. Ao assumir a *Exame*, levou com ele o amigo também carioca Guilherme Veloso, uma das revelações do Curso Abril de 1968. Quando Paulo Henrique retornou ao Rio de Janeiro para editar o *Jornal do Brasil*, Roberto pôs Guilherme em seu lugar.

Na redação da *Exame*, havia vários jornalistas que eram ou tinham sido militantes da esquerda. Nenhuma surpresa. Eles formavam um forte contingente não somente ali dentro, mas em outras revistas — a maioria, é verdade, opunha-se à ditadura sem estar vinculada a nenhuma organização política. Na própria *Veja*, um dos principais editores costumava comentar, ironicamente, que devia ser o único, entre seus colegas, que votava na Arena, o partido de sustentação do governo militar. Como já se disse, a empresa não costumava discriminar quem tinha ideias à esquerda. Até um dos filhos do líder comunista Luís Carlos Prestes trabalhava como pesquisador no Dedoc.

Mal comparando, essa aparente contradição — afinal, a *Exame* não se propunha a defender o capitalismo? — existia na Abril desde que a *Quatro Rodas* fora dirigida por Mino Carta, que não sabia guiar automóveis. Embora homens chefiassem publicações femininas e mensais masculinas viessem a ser comandadas por mulheres, chamava a atenção o fato de que o terceiro homem da hierarquia da *Exame*, que logo se tornaria o segundo e depois o primeiro, era um quadro em ascensão do PT. Com fala pausada, modos educados e fama de profissional rigoroso, o mineiro Rui Goethe da Costa Falcão, formado em direito pela Universidade de São Paulo, atuara na VAR-Palmares, organização da extrema esquerda armada. Dela fizeram parte o ex-capitão Carlos Lamarca e Dilma Rousseff. Lamarca seria localizado e morto no interior da Bahia. Como Dilma, Rui Falcão iria para a prisão. Ele ficou três anos na cadeia. Na *Exame*, foi editor executivo e redator-chefe, destacando-se a ponto de ser considerado o sucessor natural do diretor de redação. Isso não demorou a acontecer. "Estou pensando em te indicar para o meu lugar", disse-lhe Guilherme ao ser promovido a *publisher* do grupo por Roberto. "Só quero saber uma coisa. Sei que você tem um projeto político. Se pretende tocá-lo a curto prazo, não faz sentido a sua escolha." Rui confirmou que alimentava o projeto, mas seria algo para o futuro, o que se confirmou, pois só viria a se candidatar a deputado estadual anos mais tarde. Virou diretor, com a aprovação de Roberto.

Como seria de imaginar, surgiriam problemas. Roberto evitava o confronto e mostrava-se tolerante com quem não pensava como ele, mesmo se inteiramente convencido de que estava certo e os outros errados. Mas começou a se incomodar. Em 1984, o governo Figueiredo decretou a Lei de Informática, que protegeu a indústria brasileira do setor, estabelecendo uma reserva de mercado que duraria oito anos, e impediu a importação de computadores. Seus críticos apontavam que a legislação engessou o desenvolvimento econômico do país, favoreceu a pirataria de hardware e software, provocou o atraso do Brasil em uma área estratégica e abriu campo para o contrabando. Embora a regulamentação tivesse, segundo seus defensores, o objetivo de capacitar o país em alta tecnologia, passou-se a copiar tudo. Os computadores custavam muito mais caro aqui do que no exterior, além de serem piores. Em matérias e editoriais, a *Veja* assumiu uma clara posição contrária à lei. A *Exame*, porém, era favorável, com ressalvas. Achava importante que se tivesse capacitação na informática, mesmo admitindo que havia limitações para alcançar tal objetivo. "Pessoas de fora não entendiam a dualidade de posições das revistas que pertenciam ao mesmo dono", reconheceria Guilherme.

Naquele período, Roberto promoveu almoços com especialistas em informática e a cúpula das duas publicações que defendiam posturas antagônicas. "Foi indiscutivelmente uma área de atrito", diria Guilherme. Dentro e fora da Abril, situações como essa eram interpretadas como fruto da indecisão de quem muitas vezes tinha, ao contrário do pai, dificuldade para agir com rapidez, preferindo empurrar certas questões com a barriga. "Roberto se empenhou, estudou e sempre procurou acertar, mas era um sujeito altamente indeciso, que apenas obrigado tomava uma posição", observaria Dorrit Harazim, que quando chefiou o escritório de Nova York sentia-se constantemente exasperada porque ele demorava para resolver assuntos que dependiam de sua aprovação. Uma vez por ano, ela viajava a São Paulo com uma lista de pendências. Peregrinava pelas redações, caderninho em punho para anotar pedidos e sugestões, e finalmente se encontrava com o chefe no Roof. "Tínhamos almoços agradabilíssimos, mas ele dominava a conversa, falava de tudo e não permitia que eu tratasse das coisas que estavam estrangulando a operação, de contratos com editoras americanas à mudança de endereço do escritório", recordaria. Até que ela lhe disse no cafezinho, quase na saída, uma frase que se espalharia pelos corredores: "Roberto, da mesma forma que patrão pode demitir funcionário, funcionário pode demitir patrão". Acrescentou que era o que pensava fazer, porque ele não conseguia resolver questões pendentes que diziam respeito aos seus próprios interesses. Roberto, nas palavras de Dorrit, ficou "estarrecido" com a franqueza, mas naquele dia despachou tudo e assinou o que precisava ser assinado.

Havia quem confundisse suas indecisões com a tolerância diante das divergências. Eram coisas diferentes. Roberto não gostava de dar a última palavra sob pressão, mas permitia que suas revistas — sobretudo *Veja* e *Exame* — publicassem matérias das quais discordava. Mesmo que isso exigisse longas discussões prévias. Para ele, a liberdade de ação de suas publicações seria exercida desde que fosse seguido um prévio entendimento verbal sobre sua postura editorial. Estabelecida a orientação, delegava e acompanhava os resultados. Se não concordava com determinados artigos ou reportagens, deixava claro seu ponto de vista. Mas não vetava. Foi também na última de nossas entrevistas que ele explicitou sua posição a respeito:

> Eu ainda acho que, do ponto de vista do editor, a primeira coisa é encontrar gente que tenha os mesmos valores e mais ou menos a mesma visão do mundo que você. Se não encontrar, você terá um problema. É preciso alinhar a visão do mundo e o posicionamento da revista. Como ela se coloca no mundo? O que ela quer ser? O que quer fazer? Qual sua receita básica? Se acertar isso, tudo bem. A partir daí, tem que delegar a responsabilidade. Você não pode seguir o dia a dia. Foi assim com todos os diretores que trabalharam comigo. Se as coisas saírem do trilho estabelecido, você tem que ter uma conversa. Se não tiver conserto, você

tem que trocar o diretor. É simples. Ou o diretor está alinhado ou não está. Se ele quer ir para cá, e você quer ir para lá, chama e diz que está saindo do caminho combinado. Ou tem confiança ou não tem confiança.

Foi precisamente isso — confiança — que ele perdera em relação à *Exame* no período em que ela foi dirigida por Rui Falcão. Chegava a sentir constrangimento com matérias nas quais via um viés sindicalista e críticas ao que era tratado como modelo excludente da economia. A gota d'água foi uma reportagem de capa, com oito páginas, publicada na edição de 1º de abril de 1987. Abordava "a insatisfação" que vinha "tomando conta da vida dos funcionários do Banco do Brasil" com o que a revista chamou de "o arrocho salarial promovido pelo governo durante a última recessão econômica e chegou ao fim da linha com o Plano Cruzado — que, sem dúvida, prejudicou os bancários". No editorial que assinou, Falcão escreveu que "a lição que se tira é que a reabilitação do Banco do Brasil — tanto quanto de outras instituições do Estado — terá de passar pelo estabelecimento de novas políticas de pessoal". A matéria, com o título "Banco do Brasil: O fim de um sonho brasileiro", podia ser correta na ótica das 118 mil pessoas que trabalhavam na instituição, mas ia de encontro ao que Roberto considerava o foco da revista, a começar pelo papel das empresas privadas no desenvolvimento do país e a atitude crítica em relação à presença do Estado na economia, incluído o setor financeiro.

"Preciso que você dê um jeito nessa revista", disse Roberto em um de seus despachos com Guzzo. Depois de amadurecer a decisão por vários meses, achou que encontrara a saída: iria promover Guilherme Veloso para um cargo que criara, o de diretor de assuntos corporativos, e propôs que Guzzo, sem prejuízo de suas funções na *Veja*, assumisse a direção geral da *Exame*. Isso implicaria o imediato afastamento de Falcão, numa consequência lógica. Não havia, afinal, qualquer afinidade ideológica e política entre eles. Guzzo, entretanto, não aceitou o convite ao ouvi-lo. Considerava-se um profissional bem remunerado, não lhe passava pela cabeça cuidar de outro título e achava que trabalhava muito, cumprindo longos expedientes na semanal. Sem esquecer que a nova responsabilidade roubaria o tempo que dedicava a seus prazeres: as conversas com os amigos, o uísque da happy hour no Santo Colomba, na mesma alameda Lorena em que morava, os demorados jantares no espanhol Don Curro, no italiano Massimo ou no rústico Parreirinha, com rãs penduradas na vitrine de entrada, as viagens e as noitadas de pôquer. Roberto insistiu e lhe fez uma proposta que julgava irrecusável: pela dupla atribuição, pagaria a ele 24 salários por ano, além do 13º e bônus. Era uma oferta e tanto. Ainda assim, Guzzo continuou recusando. Até que o patrão ofereceu, junto com o salário em dobro, um pacote remuneratório que incluía participação nos resultados. "E lá fui eu", contaria ele, que se tornaria, ao enfim ceder, o mais bem pago jornalista da editora, e provavelmente da imprensa escrita brasileira.

Sua primeira providência foi convocar Falcão para o que definiu como "uma conversa clara e cordial". Comunicou que havia assumido a operação e que a revista que tinha na cabeça era totalmente diferente daquela que ele vinha fazendo: "Você acha que é de um jeito, eu penso o oposto. Diante disso, não dá para você ficar". Rui concordou. "Eu entendo perfeitamente", ele respondeu, de acordo com a reconstituição de Guzzo. "Ele saiu com toda a dignidade, sem hostilidades", comentaria. Na edição com data de capa de 9 de março de 1988, Roberto anunciou as mudanças em editorial no qual afirmava que *Exame* continuava sendo "a grande porta-estandarte da livre-iniciava no Brasil". O número seguinte trouxe no expediente o nome do novo diretor-geral e do diretor de redação, Antonio Machado, ex-editor de economia da *Veja* escolhido para o lugar do jornalista que trocaria o que muitos de seus companheiros de partido intitulavam de "imprensa burguesa" por uma bem-sucedida trajetória política no PT, do qual se tornaria presidente nacional. Guzzo agora dividiria seu tempo entre a marginal Tietê e o Panambi. Foi um alívio para Roberto, que graças a ele não precisou fazer pessoalmente algo que detestava: demitir um subordinado.

26 de fevereiro de 1980

Roberto Civita sentia-se aliviado por ter resolvido os problemas que considerava mais graves na *Veja* e na *Exame*. Não só trocara seus diretores, ao fim de processos longos e desgastantes, como via com satisfação que as duas revistas pareciam consolidadas. Orgulhava-se de ter participado diretamente do crescimento de ambas, junto com o da Editora Abril. Para ele, dentro do seu leque editorial, nenhuma outra era mais importante do que elas. Mas havia uma terceira que tratava igualmente como filha e que ocupava parte de seu tempo. Era sua caçula, a edição brasileira da *Playboy*. Das três que pedira ao pai para fazer um dia, seria a última a nascer. Foi em 1974 que começou a tocar o projeto. Vivia-se então um momento extremamente difícil em um país sem liberdade política e de expressão, sob a vigência do AI-5, com censura à imprensa, às manifestações artísticas e à cultura. Havia prisões sem mandado judicial, desaparecimentos, torturas e mortes. Preparava-se a transição entre os governos dos generais Emílio Garrastazu Médici e Ernesto Geisel. Daí viria à tona um conflito no meio militar que colocou em lados opostos os que defenderiam a seguir um projeto de "abertura lenta, gradual e segura", alinhados a Geisel e ao seu chefe da Casa Civil, general Golbery do Couto e Silva, e a chamada linha dura, que lutava por um endurecimento ainda maior do regime, sob a liderança do general Sílvio Frota, que ocuparia o Ministério do Exército. A censura prévia, presente na *Veja*, ou a censura a posteriori, que podia determinar a apreensão de edições de jornais e revistas, não se limitava a aplicar seus vetos no conteúdo político das publicações. Cortava do mesmo modo artigos e imagens se os classificava de "atentatórios à moral e aos bons costumes". Peças de teatro, músicas, filmes e novelas de televisão eram proibidos e livros foram tirados de circulação. Só quem viajava para o exterior poderia assistir a fitas como *O último tango em Paris* ou *Laranja mecânica*, que tempos mais tarde seriam exibidas livremente na TV.

Embora o período fosse de fechamento, Victor Civita e Roberto vislumbraram a possibilidade de lançar uma revista como a *Playboy*. Afinal, desde 1969 um de seus concorrentes, a Bloch, editava a revista mensal *Ele & Ela*, com nudez feminina. Outro, a Editora Três, estava lançando *Status*, posicionada nesse segmento. O que então os impediria de colocar a *Playboy* nos jornaleiros? Já fora acertado um contrato em Chicago com seu dono, Hugh Hefner, que em 1953 inventara uma revista voltada para homens liberais e hedonistas. Sua histórica primeira edição, que trazia na capa Marilyn Monroe, rodou com uma tiragem de 69 mil exemplares e sem data na capa. Hefner não sabia se conseguiria lhe dar continuidade. Deu. E como. Obteria um êxito entrondoso e viraria um ícone. Ao lado do erotismo e de fotos bem produzidas de mulheres despidas, a *Playboy* criaria a fórmula editorial que a consagrou: textos inteligentes, ficção de alto nível, reportagens de peso e extensas entrevistas, que se tornariam uma referência jornalística na imprensa internacional, com personagens de destaque no mundo artístico, político e empresarial dos Estados Unidos.

O modelo se reproduziria em edições internacionais licenciadas, que publicariam matérias traduzidas do original americano e suas próprias produções — tanto nos artigos como nos ensaios fotográficos —, dentro da receita idealizada por Hefner. Era precisamente o que Roberto pretendia fazer. Mas, diante do quadro em que o país vivia, Victor achou que seria prudente submeter o projeto ao ministro da Justiça, a quem respondia a censura da Polícia Federal. Roberto foi então procurar o novo ocupante do cargo, o advogado paulista Alfredo Buzaid, notório por suas posições radicalmente de direita. Buzaid sucedera o conterrâneo e colega da USP Luís Antônio da Gama e Silva, responsável pela redação do AI-5. Roberto levou para Buzaid em Brasília um boneco do projeto da revista, tomando o cuidado de incluir apenas fotos sensuais, não exatamente eróticas, cercadas de matérias com tom cultural. Anexou na pasta exemplares das edições internacionais que a *Playboy* publicava naquele momento. Buzaid ficou de estudá-las e dar uma resposta ao pedido. Decorrida uma semana, um de seus assessores telefonou para a Abril e transmitiu a decisão do ministro: uma revista intitulada *Playboy*, independentemente do que trouxesse em suas páginas, não seria autorizada a circular. "O assessor se limitou a dar essa instrução, me desejou bom-dia e desligou", recordaria Roberto. Pela primeira e única vez, censurava-se um título, e um título mundialmente consagrado, não o seu conteúdo.

Roberto, corretamente, interpretou a informação ao pé da letra. Entendeu que só estava vetado o nome da revista. Após um período de maturação do projeto e de calcular os riscos, a Abril resolveu lançar uma publicação mensal que tinha a *Playboy* como modelo, mas que se chamaria *A Revista do Homem*. Ficaria conhecida simplesmente como *Homem*. O primeiro número apareceria em agosto de 1975. Em um truque editorial, junto do logo vinha uma frase complementar: "Com o melhor da *Playboy*". Depois foi feita uma inversão: *Playboy A Revista do Homem*. Já sob o novo governo, ela passaria a ser censurada. A editora recebeu uma lista de proibições do que não poderia veicular. Eram as mesmas determinações passadas para a *Ele & Ela* e a *Status*. Nas fotos de mulheres, poderia aparecer "um seio apenas", devendo o outro ficar "não visível". Estava "totalmente proibida qualquer forma de exposição, mesmo em sombra", das "partes genitais". Nádegas deveriam ser "diluídas" através de "recursos técnicos" assim descritos: "tecido, espuma de sabão, flanco, corte, escurecimento etc.". Nos textos, nada de palavrão. No primeiro ano, indicando o que viria pela frente, 35 fotos foram completamente vetadas; trinta, parcialmente cortadas; 59 passaram por retoques; doze cartuns sofreram podadas; e 606 linhas de texto tiveram sua veiculação proibida. Para evitar danos maiores, a *Homem* adotou mais uma saída esperta. Começou a fotografar modelos com camiseta molhada, que ficava transparente e permitia ao leitor ver seus mamilos por trás dela. "Virou a revista da mulher com a camiseta molhada", diria Roberto. Não demorou para que isso deixasse de ser possível. Através de uma portaria, em setembro de 1977, o diretor da Divisão de Censura de Diversões Públicas da Polícia Federal, Rogério Nunes, avisou que não seriam permitidas fotos "fixando" tanto "atos sexuais" como "nádegas completamente nuas, seios totalmente à mostra, região púbica descoberta, modelos em poses lasciva [sic], relacionamento de homossexuais" e "indumentária transparente, permitindo visualizar partes íntimas do corpo". Ou seja, as "molhadinhas" desapareceram de suas páginas.

Em julho de 1978, finalmente, ela pôde adotar oficialmente o nome *Playboy*, sem qualquer adendo. Mas a censura continuava. Todos os meses, o editor Carlos Roberto da Costa, um ex-seminarista paranaense, voava para Brasília carregando as fotos e as matérias que a revista pretendia publicar. Rogério Nunes ficava com os textos e os devolvia depois de alguns dias, vetados ou não, para a sucursal da Abril. As fotos eram examinadas na hora. Carlos sempre levava algumas mais ousadas, que a redação chamava de boi de piranha, sabendo que não seriam aprovadas. "Eu mostrava primeiro essas, que não iriam passar, para que ele liberasse as outras", contaria. "Mas o Nunes era um homem de lua. Às vezes, vetava indiscriminadamente e às vezes liberava até os bois de piranha." Numa época em que não existiam programas como Photoshop para manipular imagens, a revista trabalhava com uma equipe de retocadores para esconder nas fotos partes do corpo feminino, de acordo com as exigências da PF. Além da censura, Carlos Costa precisava enfrentar, assim que voltava a São Paulo com o material devidamente submetido à censura, as reações imprevisíveis do diretor de redação, Mário Joaquim Escobar de Andrade, que tinha uma personalidade mercurial, mudando de humor com facilidade. Ele não se conformava com os cortes e invariavelmente achava que seu editor poderia ter conseguido a liberação de um maior número de fotos.

Na Abril, dizia-se que o carioca Mário de Andrade liderava uma "academia" na *Playboy*, que reuniu em sua equipe, durante um tempo, por uma coincidência de nomes, os jornalistas Fernando Pessoa (Ferreira) e Rui (Fernando) Barbosa. Mário, descontado o acerto na padronagem das gravatas, tinha algumas características de personalidade semelhantes às de Roberto: era perfeccionista, ansioso, centralizador, obcecado pelo trabalho e um detalhista com olho clínico para descobrir erros nas matérias. Quando a edição estava praticamente pronta, colocava as fotos ampliadas dos nus e as provas das matérias no chão de sua sala. Diante dos editores, apontava as correções que julgava necessárias, mudava a ordem das páginas e mandava refazer o que não lhe agradava. Como seu patrão, fazia sucesso entre as mulheres e, se descobria um profissional talentoso que o encantava, realizava qualquer esforço para contratá-lo. No caso de Mário, a investida incluía não somente a oferta de salário e benefícios atraentes, mas jantares em restaurantes caros, presentes que escolhia pessoalmente, bilhetes elogiosos escritos com letra de médico e promessas exageradas em relação ao futuro. Muitas vezes, no entanto, ambos criavam tamanha expectativa em relação à pessoa que atraíam, imaginando que ela resolveria quase todos os seus problemas, que em pouco tempo vinha a inevitável decepção — e a relação de trabalho se deteriorava.

Mário não se limitava a usar sua capacidade de sedução no processo de recrutamento e nas relações pessoais. Lançava mão dela, da mesma forma, quando tentava convencer mulheres famosas a aparecerem nuas na revista. Mandava-lhes flores, escolhendo cuidadosamente as palavras do cartão. No período em que ele esteve à frente da *Playboy*, desde o lançamento da *Homem* — era redator-chefe, subordinado ao diretor da área, Mauro Ivan Pereira de Mello, assumindo depois a direção de redação — até 1º de fevereiro de 1991, quando morreu subitamente, aos 46 anos, a galeria de estrelas que mostraram o corpo para os leitores foi grandiosa: Xuxa, Yoná Magalhães, Christiane Torloni, Cláudia Raia, Betty Faria, Isadora Ribeiro, Lídia Brondi, Lucélia Santos, Sandra Bréa, Hortência, Luma de Oliveira... Para não falar de Roberta Close, a única transexual que posou para a revista.

O segundo e mais explícito ensaio com Roberta Close saiu em março de 1990 (o primeiro foi em 1984, antes das cirurgias definitivas). Sua foto de biquíni entrava como uma janela da capa com Luma de Oliveira, "a mulher da década", de acordo com o título. A segunda chamada anunciava: "Pela primeira vez, o novo corpo de Roberta Close". Era comum que modelos como elas fossem à redação da revista, às vésperas do fechamento da edição, para ver as fotos escolhidas pela redação na grande mesa de luz da editora Dulce Pickersgill e aprová-las, cláusula normalmente colocada no contrato. Por uma coincidência de agendas, Luma e Roberta Close estiveram no prédio da rua Geraldo Flausino Gomes numa mesma tarde quente de fevereiro. Luma chegou antes. Usava camiseta regata, calça jeans bem ajustada ao corpo e sandálias rasteiras. Com cabelo molhado e pouca maquiagem, resplandecia em seus 25 anos. Chamou a atenção no elevador e atraiu olhares, evidentemente, mas entrou e saiu sem provocar maior alvoroço. Uma hora depois, Roberta Close pisou na redação com seus grandes saltos e caminhou como uma modelo na passarela na direção de Dulce e sua assistente Kiki Romero. Elas a receberam com beijinhos no rosto. Roberta estava de vestido e batom vermelho. Houve tumulto no edifício. Em poucos minutos, o saguão do décimo andar, onde se localizava a redação, ficou tomado por funcionários da empresa. Todos homens. Improvisou-se uma barreira para impedir que eles entrassem, mas alguns tentaram forçar a passagem. Seguranças da editora subiram até lá para restabelecer a ordem. Roberta não demorou na visita. Simpática, à saída distribuiu novos beijinhos, assinou autógrafos e desceu acompanhada pelos seguranças. Quando chegou na calçada, antes de pegar o táxi que a aguardava, podia-se ver as janelas dos catorze andares cheias de gente olhando para baixo, como se tivesse acontecido uma batida forte de carro, um tiroteio ou um incêndio na rua. Muitos acenavam.

A curiosidade que o fenômeno despertava se refletiu em parte nas bancas. Mas nada de extraordinário: 321 391 exemplares vendidos. Ou menos da metade da edição campeã na gestão de Mário, a que trouxe na capa pela primeira vez, em 1987, a atriz Maitê Proença: 702 666 exemplares. O recorde seria batido em dezembro de 1999. A capa do ensaio com a modelo Joana Prado — criadora da Feiticeira, personagem de um programa do apresentador Luciano Huck na TV Bandeirantes — alcançou uma vendagem jamais igualada de 1,247 milhão de exemplares. Feiticeira seria a última contratada pelo diretor de redação Ricardo A. Setti, sucedido justamente a partir daquele número por Cynthia de Almeida. A personagem posaria duas vezes (com e sem o famoso véu) para as lentes do catalão J. R. Duran, que se tornaria o mais requisitado fotógrafo da revista. Ele se orgulharia de ter sido o responsável por nove das dez capas mais vendidas de sua história. Em um meticuloso cálculo, Duran contabilizaria que as edições com Feiticeira, Tiazinha, Adriane Galisteu, Scheila Carvalho, Sheila Mello e Carla Perez (todas fotografadas por ele mais de uma vez) venderam no total 8 271 344 exemplares. A edição brasileira tornou-se a maior do mundo entre as 33 que chegaram a ser licenciadas pela *Playboy* americana. Roberto gabava-se dessse feito tanto quanto do elogio que ouviu certa vez de Hefner e nunca se cansou de repetir. Segundo o criador do Coelhinho, nenhuma outra *Playboy*, fora a original dos Estados Unidos, superava a da Abril em qualidade editorial — a começar pelo nível das mulheres que brilharam em suas páginas.

Os cachês para as modelos eram altos, às vezes altíssimos. Mas sempre foram cercados de extremo sigilo. Com frequência, valores muito acima dos verdadeiros vazavam de forma proposital pelas interessadas. Até convites nunca efetivados chegavam a ser publicados como fatos, com quantias igualmente fantasiosas. De todo modo, pagavam-se, efetivamente, cachês elevados para nomes de primeira grandeza. Podiam envolver um percentual nas vendas, carros e passagens aéreas para o exterior com direito a acompanhante — em certos casos, de primeira classe —, eventualmente negociados, a pedido da redação, pelo departamento de publicidade por meio de permutas. As cifras nunca foram oficialmente informadas. Tanto Thomaz Souto Corrêa, nos anos em que dirigiu as publicações masculinas, como Mário de Andrade e os diretores de redação que o sucederam negavam-se a confirmá-las. Roberto Civita tampouco as mencionava. Acredita-se, porém, que o maior cachê já pago na história da revista — incluindo participação nas vendas — tenha sido o de Marisa Orth, a Magda do seriado *Sai de Baixo*, capa da edição do 22º aniversário, em 1997, com 1,005 milhão de exemplares vendidos. Ela teria recebido 750 mil reais na época, o equivalente a 3,38 milhões de reais em 2016.

Outro cachê espetacular foi pago para a apresentadora Adriane Galisteu. No auge da popularidade, um ano após a morte do piloto Ayrton Senna, seu namorado, ela foi a estrela dos vinte anos da *Playboy*, em agosto de 1995. Suas fotos, feitas por J. R. Duran em locação na ilha de Santorini, na Grécia, durante nove dias, ocupariam 26 páginas daquele número especial. Uma delas ficaria registrada na memória dos leitores: a loira depilando o púbis com lâmina de barbear. Foi uma produção bastante cara, com o deslocamento de oito pessoas para a Grécia, entre as quais o badalado cabeleireiro Marco Antônio de Biaggi, coordenadas pela editora de fotografia Ariani Carneiro. Pelo trabalho, Adriane ganhou 420 mil reais, equivalentes a 2,27 milhões de reais em 2016, mais um carro BMW. Foi um ótimo negócio para os dois lados. A venda da revista, a mais alta de sua história até ali, alcançaria 961 527 exemplares. No ano seguinte, Maitê Proença faria jus ao mesmo cachê, sem direito ao automóvel, como capa do 21º aniversário. O número vendeu perto de 500 mil exemplares, menos do que sua primeira aparição, em 1987. Naquela última década do século XX, a circulação da *Playboy* atingiu seu auge — e a seguir entraria em queda livre. Em 2011, Adriane faria um segundo ensaio, com um cachê estimado no mercado em 1,2 milhão de reais. O patamar de vendas havia caído sensivelmente, como resultado da pirataria de fotos nas redes sociais e da disseminação do nu e de cenas de sexo na internet. Ainda assim, os leitores compraram 224 mil exemplares. Em 2013, ano em que Roberto Civita morreu, a vendagem resvalava nos 100 mil. Dois anos depois, estava na casa dos 70 mil. A Abril publicaria a edição brasileira pela última vez em dezembro de 2015.

Ficara definitivamente para trás o período de glórias, que começou a ser atingido quando acabou a censura. Ela terminaria no dia 26 de fevereiro de 1980, quando Rogério Nunes, burocraticamente, através de um ofício, comunicou que a partir daquela data estava suspensa "a verificação prévia das revistas de sexo", por determinação do ministro da Justiça, Ibrahim Abi-Ackel. Era o início do governo João Figueiredo, o último do ciclo militar. Haviam se passado três anos e oito meses desde que a censura saíra da *Veja*. Apesar disso, até 1985, com a redemocratização do país, a *Playboy* continuou a ir para as bancas dentro de um invólucro de plástico, com a advertência de que a venda era proibida para menores de dezoito anos.

Veja e *Playboy* não seriam as únicas revistas da Abril atingidas pela tesoura. Embora em menor escala, a *Nova* também sofreu com ela. Em um determinado momento dos anos 1970, as edições precisavam ficar prontas com dois meses de antecedência para que a Polícia Federal as examinasse. Alguns anúncios da *Nova* foram proibidos de aparecer na *Veja*. Até *Claudia* se viu impedida de veicular uma publicidade de absorvente. "Cortavam títulos, palavras e fotografias que, segundo os censores, atentavam contra a família brasileira", contaria Fatima Ali, primeira diretora da *Nova*. A revista, por decisão própria, ao contrário do que se permitia a *Playboy* em determinadas matérias e entrevistas, não publicava palavrões — mas não podia escrever "orgasmo" em seus textos, pois a censura invariavelmente riscava. Apesar das pressões, Roberto não pedia que *Nova* se tornasse, digamos, mais sutil nos textos sobre sexo. Achava que devia ser daquele jeito mesmo, abordando o assunto sem eufemismo. "Demos coisas muito ousadas, coisas que balançaram aquele prédio", diria Marcia Neder, sucessora de Fatima. Durante um período, porém, ele se mostrou incomodado ao ver que a *Nova* publicava, com alguma frequência, artigos sobre lesbianismo. Ele entendia que a revista se dirigia a uma leitora heterossexual. Uma das edições que lhe provocaram desconforto, a de outubro de 1986, trazia na capa a chamada "Mulheres que vão para a cama com outras mulheres... e *não* são lésbicas". Em outra, de agosto de 1989, havia o título "O mundo da mulher lésbica. Uma visão realista de como é viver sem homem". Praticamente repetia o que saíra na capa cinco anos antes: "O verdadeiro mundo da mulher lésbica. Uma visão realista de como é viver sem homem". Roberto chegou a anotar numa agenda que havia um "foco PT" na *Exame* e um "foco lésbico" na *Nova*. Mas não chegou a agir para conter este último, ao contrário do que faria em relação à quinzenal de negócios.

Para Roberto, sexo nunca foi um tabu. Ao contrário. Sexo, sem contar a pauta da *Nova* e da *Playboy*, tinha um papel central em sua vida. Cansou de dizer que criar e editar revistas era a melhor coisa que se podia fazer na vida "vestido". Com os filhos, desde que eram adolescentes — ou até antes —, falava livremente sobre o assunto. "Com cinco ou seis anos, ganhei de meu pai um livro que mostrava a anatomia do homem e da mulher, e como são feitos os bebês", revelaria Titti. "Nessa idade, deixei de acreditar em cegonha. Eu contava tudo para os colegas da escola. Eles não tinham a menor ideia. Roberto me falava de suas relações com as mulheres." O pai deu um livro sobre reprodução humana para Roberta quando ela tinha onze anos. "Explicou que mulher tinha útero e ovário", ela lembraria. "Soube por ele, não por minha mãe." Aos dezessete, ela foi lhe pedir conselhos sobre a iniciação sexual. Tinha muitas dúvidas.

> Pode? Não pode? Se acontecer, vou ficar falada? Ele então me disse algo que não esqueci: "Pooh, os caras vão querer sempre dormir com você. Mas só vá com quem você realmente amar". Achei ótimo, simples e bom. Com minha mãe, eu não tinha esse diálogo.

Laura Taves, sua segunda mulher, afirmaria que ele era "um bom amante". Além das esposas e das namoradas, teve sabidamente vários envolvimentos, curtos ou mais demorados. "Não sei quantas da Abril passaram por sua cama", diria Ugo Castellana. "Foram muitas. É mais fácil citar com quem ele não teve caso do que com quem teve." Em conversas com diretores próximos, Roberto às vezes mencionava uma certa "teoria do cone". Segundo ela, o executivo que se encontrava no topo, como em uma pirâmide, não poderia ter qualquer envolvimento com mulheres colocadas na hierarquia funcional em postos abaixo. Caso não houvesse subordinação, o relacionamento estaria liberado. Levada ao pé da letra, a teoria do cone o impediria de ter qualquer caso amoroso dentro da Abril. Ou seja, não valeu para ele.

Na cabeça de Roberto, não havia grande diferença entre trabalho e prazer. Assim, acompanhar a *Playboy*, da qual também se considerava editor, era para ele uma diversão. Ou, eventualmente, motivo de aborrecimento. Em outubro de 1996, por exemplo, não esconderia sua decepção com a capa, algo insípida, em que a jogadora de vôlei Ida aparecia de sutiã branco segurando uma bola que escondia, mais abaixo, suas partes íntimas. Ao ver a foto, escreveu para o diretor de redação, Ricardo A. Setti: "Simpática? Sem dúvida. Saudável? Muito. Mas sexy? Como uma tábua de surf! (*As you know, nice girls don't...*) Acho que nem daria para uma capa de *Boa Forma*. Se esta vender, eu poso para a próxima! *Sorry, but...*". Mas até que vendeu razoavelmente, para os padrões da época (370 317 exemplares).

Nesse mesmo ano, a revista daria um belo ensaio com a jovem atriz Paloma Duarte, que, ao contrário, o deixou entusiasmado. Ela acabara de completar a maioridade. Em seguida, porém, Roberto ficou de cabelo em pé. Para promover a edição, foram espalhados outdoors em diversas cidades com este título: "Paloma Duarte — 18 anos com corpinho de 15". A organização Movimento Nacional de Direitos Humanos protestou contra o que considerou "a perniciosidade do comercial", com "uma referência direta à fantasia sexual preferencial, estimulada à adolescência", e que entraria com ações na Justiça para pedir a retirada dos outdoors "e punir exemplarmente, nos termos da lei, seus responsáveis". A história foi citada na segunda de uma série de sete reportagens do jornal *The New York Times* sobre "o mercado do sexo infantil". A Abril providenciou a imediata retirada dos cartazes e Roberto exigiu que o erro não se repetisse. "Será bom tomar *muito* cuidado com a questão de 'ninfetas' e menores de idade em geral no futuro", escreveu à mão em um comunicado no qual sublinhou duas palavras. "Não apenas como medida de precaução, mas também porque *precisamos* tomar posição clara e firme contra a exploração do sexo infantil ou adolescente, por uma questão de consciência e responsabilidade." Em dezembro de 1987, a *Playboy* já provocara fortes reações por publicar fotos da loira Luciana Vendramini, paulista de Jaú, descrita como ex-paquita do programa de Xuxa Meneghel. Na verdade, ela havia se candidatado, mas não chegara a aparecer na TV ao lado da "Rainha dos Baixinhos". Para poder posar nua, seus pais tiveram que emancipá-la. Quando a revista começou a circular, Luciana completou dezessete anos. Ainda não existia o Estatuto da Criança e do Adolescente (ECA), que entrou em vigor em 1990 e proibiria ensaios como esse.

Outra encrenca igualmente grave com a revista acontecera no mesmo ano. A cantora Neusinha Brizola assinou contrato, recebeu um adiantamento e posou para um ensaio de doze páginas, mais o pôster desdobrável das páginas centrais. Ela era filha de Leonel Brizola, que terminava seu mandato de governador do Rio de Janeiro (seria eleito novamente para o cargo em 1990) e com quem tinha uma tumultuada relação, e sobrinha por parte de mãe do ex-presidente João Goulart. Na biografia publicada após sua morte, em 2011, aos 56 anos, a atribulada trajetória de Neusinha foi resumida na contracapa em poucas frases:

> Aos quatro foi morar num palácio. Aos dez, fugiu para o exílio. Aos treze, viciou-se em drogas. Aos quinze, estava presa por tráfico. Aos 21, se tornou mãe. Aos trinta, virou cantora. Aos 33, posou para *Playboy*. Aos quarenta, era amante de mafiosos. Aos cinquenta, sua vida rendia um livro.

Ela foi fotografada por Luis Crispino como uma medusa, em um ambiente de mitologia grega. "O resultado ficou muito ruim, cafona mesmo", lembraria Carlos Costa, que era diretor adjunto da revista.

Além de viver às turras com a filha, Brizola tinha a Editora Abril — a exemplo do Grupo Globo — como inimiga. Não a perdoava por reportagens críticas de que era alvo na *Veja*, que o considerava um político retrógrado e demagogo. Ele chamava os proprietários da editora de "cidadãos norte-americanos", "vendidos" e "sem autoridade moral". Dizia, sem qualquer prova, que ouvira nos Estados Unidos que a *Veja* era "uma base da CIA". Ao lado das implicações familiares, Brizola acreditava que a divulgação das fotos traria prejuízos à sua carreira política. Por isso, entrou na Justiça para que o ensaio não saísse. Alegou que a matéria causaria "males graves e irreparáveis" para os dois filhos menores da cantora, que fazia sucesso com o rock "Mintchura". Os Juizados de Menores do Rio de Janeiro e de São Paulo acataram a argumentação. Roberto protestou diante do "absurdo da medida" e determinou que o departamento jurídico da empresa tentasse revogá-la, "de todas as formas". Acabou havendo um acordo.

Roberto Civita ligou para a redação e foi atendido por Carlos Costa. Comunicou-lhe que decidira acatar o pedido que Brizola fizera como pai. Mandou que ele fosse até sua sala levando os cromos do ensaio. Carlos os acondicionou dentro de pastas plásticas e foi entregá-los. Brizola os recebeu na presença dos advogados das duas partes e provavelmente destruiu tudo. "Confesso que me arrependo de não ter guardado pelo menos uma das fotos, como documento histórico", contaria Carlos. "Mas garanto que não ficou nenhuma comigo nem com a *Playboy*."

Encrencas como essas e as eventuais críticas a algumas edições, porém, foram muito menores do que a frequente excitação — vá lá o duplo sentido — que Roberto sentia ao receber a revista que considerava sua cria. Quando realmente gostava do resultado, ainda mais se acompanhado de um bom volume de anúncios, mandava uma mensagem calorosa para o diretor de redação, com cópia para os executivos da linha hierárquica superior e outras áreas envolvidas, a começar pela de publicidade. Em geral, terminava com um aplauso em italiano: "*Bravi tutti!*". Elogiava também qualquer publicação da casa que lhe agradava. Um bom exemplo de seu entusiasmo foi a reação que teve com o número que celebrou o vigésimo aniversário da *Playboy*, aquele com Adriane Galisteu na capa. "A revista dá um show de bom gosto, inteligência, elegância, erotismo sofisticado e de beleza que certamente vai encantar tanto os seus leitores tradicionais como os novos que a capa e a promoção atrairão", escreveu. "Estou orgulhoso de vocês, da equipe de vendas de espaço, da turma da gráfica, dos recursos naturais brasileiros e de ser o Editor da *Playboy* brasileira em sua nova e brilhante fase."

O seu nome como Editor, com inicial maiúscula, não aparecia no alto do expediente das revistas por acaso. Roberto, cada vez mais, tomava gosto pelo poder. E o exercia.

19 de julho de 1980

Bolsa de couro pendurada no ombro, daquele tipo que muitos homens vinham usando desde os anos 1970, Roberto Civita foi parado na alfândega do Aeroporto Sheremetyevo. Já pressentia o que iria acontecer. Ele acabara de desembarcar em Moscou, procedente de Paris, para assistir à Olimpíada de 1980. Vinte anos antes, acompanhara com Richard a Olimpíada de Roma. O voo de três horas e meia, pela Aeroflot, fora tranquilo. Só lamentaria uma certa falta de conforto, com a configuração do avião em classe única, a turística. Roberto já se habituara a viajar na primeira. "*If you don't fly first class, your grandchildren will*", dizia. Ou seja, brincava que, se economizasse na passagem, os netos, no futuro, é que iriam usufruir do privilégio. Era a primeira viagem internacional que fazia com os três filhos adolescentes. Estavam na companhia de Laura Taves, com quem ele naquela altura morava, embora ainda não fossem oficialmente casados.

Todos desfrutavam de três semanas de férias. Haviam passado alguns dias em Londres, que ele adorava ("*It's very civilized*", dizia sempre, reproduzindo com ironia o sotaque britânico), e na capital francesa, pela qual não morria de amores. "Paris tem parisienses", justificava para seu amigo Fernando Casablancas, que lá residia. "Gente de nariz empinado." Roberto alimentava tão pouco interesse pela cidade que, nos 25 anos em que esteve à frente do escritório local da Abril, o jornalista Pedro de Souza, um afável português que fora gerente do Dedoc, iria se recordar de tê-lo recebido não mais do que duas ou três vezes. O escritório funcionou em endereços privilegiados: primeiro na Avenue des Champs-Elysées, no mesmo prédio em que ficavam as agências da Varig e da empresa aérea soviética Aeroflot, e depois na Rue de Miromesnil, no Quartier de la Madeleine. "A França, com o seu culto ao Estado, certamente também o desagradava política e intelectualmente", acreditava Pedro. Nas suas lembranças, apareciam no escritório com mais frequência do que Roberto o ex-governador pernambucano Miguel Arraes e o jornalista Fernando Gabeira, no período em que estavam exilados, para conversar com o correspondente da *Veja*, Pedro Cavalcanti. Outra presença mais constante do que a dele era a do ex-governador paulista Roberto de Abreu Sodré, na ocasião sogro de Richard. Sodré, durante suas habituais temporadas no apartamento que mantinha na elegante Avenue Foch, gostava de dar uma passada no escritório e acomodava-se na sala de Pedro de Souza para ler jornais brasileiros e contar piadas. Ao contrário de Roberto, Victor e Sylvana iam com certa regularidade a Paris. Andavam de metrô e não frequentavam restaurantes caros. Um de seus preferidos era a Pizza Pino, na Champs-Elysées, onde em 2016 o menu com entrada, prato principal e sobremesa custava dezenove euros. Enquanto Victor visitava editoras e amigos, Sylvana percorria museus e exposições. Certo dia, foram juntos dar uma volta na roda-gigante do Jardim das Tulherias. Desceram alegres como crianças.

Assim, Roberto permaneceu pouco tempo na capital francesa, a caminho de Moscou, e apareceu no escritório só para apanhar alguns exemplares da edição da *Veja* que acabara de chegar de São Paulo. Ela trazia na capa uma charge do líder da União Soviética, Leonid Brejnev, desenhado como um halterofilista que tentava levantar um peso em que se viam as bandeiras dos Estados Unidos, Alemanha Ocidental, Japão e Canadá (a da Grã-Bretanha foi incluída erradamente). Os quatro países, ao lado de mais 61, negaram-se a participar dos Jogos Olímpicos que seriam abertos no sábado daquela semana, 19 de julho. Tratava-se de um boicote do governo Jimmy Carter em represália à invasão soviética ao Afeganistão, em um novo episódio da Guerra Fria. Quatro anos mais tarde, os russos revidariam. Junto com seus aliados, não iriam à Olimpíada de Los Angeles.

Roberto embarcou para a capital russa com as revistas dentro da bolsa. Quando entrou na alfândega, um funcionário mandou que a abrisse. Ele as retirou dali sem a preocupação de esconder a capa. O funcionário imediatamente as apanhou e entregou-as para um colega mais graduado. Foram confiscadas. "*It's my magazine!*", reagiu Roberto. "*My magazine!*", insistiu em voz alta, como se os funcionários pudessem saber que era o legítimo proprietário não só daqueles exemplares como da própria *Veja*. Juntou mais gente. Laura não teve a menor dúvida de que o marido resolvera fazer uma provocação. Roberta começou a ficar nervosa. "Ai, Dé, tome cuidado, Dé", repetia. Seus irmãos chegaram a rir da cena. Roberto continuava indignado: "*I want my magazine back!*". Levar para a União Soviética uma publicação com Brejnev caricaturado na capa era perigoso, mas ele certamente queria criar um caso. Depois de muitas discussões e de ter apresentado suas credenciais de editor, as revistas lhe foram finalmente devolvidas. Saiu de lá apressado, mal se instalou no hotel e foi direto ao centro de imprensa da Olimpíada para contar o que havia acontecido para Dorrit Harazim, que cobria o evento como enviada especial da *Veja*. Estava agitadíssimo e disse que o episódio precisava ser denunciado. Dorrit procurou tranquilizá-lo, mas lembrou que se encontravam em um país socialista, em que não vigorava a liberdade de imprensa. Roberto então pediu que ela o acompanhasse até a praça Vermelha para que fossem fotografados com as revistas apreendidas (apesar de já liberadas). Ela achou melhor não ir, pois temia que uma foto como essa pudesse causar a perda de sua credencial jornalística. "Então o Roberto foi sozinho e posou todo feliz", Dorrit recordaria.

Na foto, feita por J. B. Scalco, da *Placar*, revista semanal de esportes da Abril, ele foi retratado como se estivesse lendo a *Veja*, com o Kremlin ao fundo. Vestia-se em um figurino esportivo do momento: camisa em estilo militar desabotoada em cima, com dragonas e colarinho pontudo, cinto largo e a mesma bolsa pendurada no ombro, além de um cachimbo Dunhill na boca. Com a programação organizada e ingressos na mão, a família iria ao Estádio Lênin ver a imponente cerimônia de abertura. Antes, fizeram alguns passeios. Diante da perplexidade dos filhos, Roberto lia em voz alta palavras dos cartazes espalhados pelas ruas, títulos dos jornais *Pravda* e *Izvestia*, embalagens de produtos e nomes de pratos nos cardápios de restaurantes. É que, embora não conhecesse a língua russa, decorara antes da viagem o alfabeto cirílico (mais tarde esqueceria), o que lhe possibilitava uma leitura superficial, mesmo sem entender o significado.

A surpresa dos meninos não parou por aí. No estádio, como seu lugar era próximo a uma grade que separava o público local dos estrangeiros, não sossegou até encontrar um espectador russo que falasse inglês. Disparou a lhe fazer perguntas. Quanto você pagou pelo ingresso? Como veio até aqui? Onde você trabalha? Quanto ganha? Que horas acorda? O que você lê? O que costuma comer? O interrogatório foi interrompido com a chegada de três guardas, que lhe fizeram sinal para que ficasse quieto e tiraram o russo dali. Roberto não voltaria a vê-lo e ficou preocupado nos dias que se seguiram, supondo que ele pudessse ter sido preso. Nunca saberia se fora ou não.

Perguntar, para Roberto, era um hábito — ou melhor, um método de permanente aprendizado — que cultivaria a vida inteira. Em viagens, reuniões familiares, conversas com amigos, encontros sociais, almoços e jantares, reuniões de trabalho, com pessoas próximas, com desconhecidos, enfim, a qualquer hora e com quem quer que fosse. Sem poder acompanhar de perto a edição de suas revistas, convocava regularmente os editores para se atualizar sobre o que estavam fazendo. Era um massacre. Quem é seu leitor? Quantos anos ele tem? É casado? Tem quantos filhos? A que horas chega do trabalho? Janta com a família ou é cada um por si? Durante a refeição, a televisão fica ligada? O que mais ele lê, além da sua revista? Como é a sala de visitas? Há uma estante? De que tamanho? Tem quantos livros? Sobra espaço para colocar fascículos encadernados? Na maioria das vezes, os editores não tinham condições de responder nesse nível de detalhe. Ele então os mandava sair a campo e marcava outro encontro.

Várias revistas foram fazer a lição de casa. Nenhuma se saiu tão bem como a *Nova*. A diretora Fatima Ali contratou para isso os serviços do panamenho Homero Icaza Sánchez. Era o homem certo. Depois de estudar direito no Rio de Janeiro, ele seria nomeado cônsul de seu país na então capital brasileira. Deixou o cargo para trabalhar em pesquisas e acabou contratado pela Rede Globo. Tinha a tarefa de analisar as sinopses, os roteiros e o desenvolvimento das novelas a partir de entrevistas que organizava com grupos de telespectadores. Seus relatórios eram lidos com atenção pelo vice-presidente José Bonifácio de Oliveira Sobrinho, o Boni, que se impressionava com algumas conclusões — ninguém está gostando de tal personagem, aquele outro caiu no agrado do público e precisa crescer na trama, por exemplo — e, não raro, determinou mudanças no desenvolvimento dos folhetins e no horário dos programas. Graças a ele, Boni entendeu a razão da queda de audiência nas noites de sábado. "As pessoas desligam a televisão para transar", explicou o panamenho. Com faro apurado na aferição do gosto popular, um grande banco de dados para abastecê-lo e um painel de pesquisas com telespectadores de diferentes classes sociais, faixas etárias e níveis de instrução, Icaza Sánchez acertava a tal ponto os diagnósticos que logo ficou conhecido como El Brujo, bruxo em espanhol. Além de traduzir os números da audiência, ele interpretava pesquisas eleitorais com acuidade. Na eleição para o governo do Rio de Janeiro em 1982, percebeu que havia uma irregularidade na contagem dos votos e avisou o candidato Leonel Brizola, insinuando que a Globo teria conhecimento do fato. Brizola acusou a empresa Proconsult, encarregada da apuração, de manipular os resultados. Ganhou. E El Brujo perdeu o emprego.

Foi nessa ocasião que ele se lançou à tarefa de traçar o perfil da leitora da *Nova* para responder às perguntas de Roberto. Fatima levou um susto com suas conclusões. Não havia *uma* leitora da revista, ele lhe disse. Havia nove. Eram mulheres de características, gostos e comportamentos diferentes. Em comum, dividiam apenas o hábito de ler a publicação. Icaza Sánchez criou um nome e uma história para cada uma. Existiriam mesmo ou eram fruto da sua fértil imaginação? Na dúvida, para testar, as jornalistas da redação receberam a tarefa de tentar encontrar as tais nove leitoras. A redatora-chefe Marcia Neder saiu atrás de uma delas, que El Brujo batizou de Shirlei. Segundo o retrato que pintou, era da classe C, de origem nordestina. Viera para São Paulo e encontrou o emprego que buscava. Ganhava pouco, mas economizava o máximo que podia. Todo mês, mandava dinheiro para a mãe e amparava um parente doente. Trabalhava em uma loja dos Jardins, onde observava o comportamento das clientes ricas e tentava mimetizá-las nos gestos, no jeito de falar e no estilo de se vestir. Tinha um namorado jovem e, sem que este soubesse, um amante, casado, que a ajudava financeiramente.

Certo dia, Marcia foi comprar um presente na Tabacaria Caruso, que funcionava naquele bairro, e se deparou com uma balconista que folheava a edição do mês da *Nova*. Podia não ser a Shirlei, mas era no mínimo uma leitora eventual. Marcia se apresentou, deu-lhe um cartão, mostrou seu nome no expediente e pediu para entrevistá-la. Marcaram um encontro. À medida que a conversa avançava, Marcia sentia arrepios. A moça contou que viera da Bahia.

Tinha uma mãe costureira e um irmão cego, para os quais enviava dinheiro regularmente. Sim, em sua vida havia um amante, que a ajudava a sustentá-la, e um namorado, motoboy da periferia. Durante vários meses, as duas continuaram a se encontrar. A balconista falava das transformações pelas quais passava e dos seus anseios. Dessas conversas, surgiam ideias de matérias que refletiam a vida real das leitoras.

Outros perfis desenhados por Icaza Sánchez se materializariam com acertos parecidos. Entre eles havia uma gerente de produto que queria subir na vida a qualquer custo e uma estudante rica em permanente conflito com os pais. El Brujo faria uma pesquisa semelhante para a *Playboy*. Detectou dez tipos de leitor. No topo, identificou "o amigo do governador". Relacionado, bem de vida, com pretensões intelectuais, casado, dizia em casa que comprava a revista para ler as entrevistas, os textos de ficção e as matérias sobre bebidas, mas na verdade sua atenção se concentrava unicamente nos nus femininos. No lado oposto, havia um leitor que trabalhava como motorista de caminhão e levava a revista com ele estrada afora. Como nem todos os tipos descritos correspondiam à imagem que a *Playboy* procurava projetar, a redação não se interessou em procurá-los.

Roberto, na verdade, acreditava em pesquisas apenas como ponto de partida. Jamais as levou ao pé da letra. Era cético em relação a pesquisas quantitativas, com um grande número de entrevistados, escolhidos por amostragem, para saber que gênero de revista eles gostariam ler. Henry Ford dizia que se fosse feita uma pesquisa entre os americanos sobre transporte individual, antes da invenção do automóvel, eles certamente afirmariam que desejavam cavalos mais rápidos. Para Roberto, a lógica em torno das revistas era mais ou menos essa. Quem esperava nos Estados Unidos por uma semanal de informações em 1923? Ou, em 1953, uma mensal masculina que trouxesse fotos de mulheres nuas, em poses eróticas mas sem pornografia, ao lado de entrevistas aprofundadas, textos literários e reportagens inteligentes sobre estilo de vida? Com tantas matérias a respeito de decoração já disponíveis em uma publicação como *Claudia*, por que tirá-las de lá e criar, em 1977, outra só para tratar do assunto, nos moldes da *Casa Claudia*? Quem estava pedindo para colecionar a Bíblia, se ela era vendida completa, a preço baixo, em igrejas e livrarias? Quem ansiava por comprar fascículos de receitas durante três anos, semana a semana, se havia uma infinidade de livros baratos de cozinha à disposição? Ele se convenceu e não cansou de pregar que uma revista nasce da sensibilidade, da intuição e do sangue-frio do editor. Estando ou não certo, o primeiro número provavelmente alcançará boa vendagem, pois qualquer lançamento é acompanhado de campanha de publicidade, promoções, marketing e o máximo barulho possível. A partir da segunda edição, da terceira, da quarta... aí é que se saberá se o editor acertou ou não no alvo.

Sua bússola — cuja agulha na maioria das vezes se mostrou calibrada — era simplesmente o leitor. Tentava decifrar, por vários caminhos, suas expectativas, frustrações e grau de satisfação. Um deles era a análise de pesquisas qualitativas. Ao contrário das quantitativas, que têm uma base numerosa, as qualitativas reúnem pequenos grupos recrutados por agências especializadas para descobrir, diante de uma determinada revista que lhes é entregue para folhear, o que as pessoas leem, não leem, gostam, não gostam, elogiam ou criticam. O segundo caminho era a leitura de cartas, mais tarde de e-mails. Ele implantou nas redações da editora um Serviço de Atendimento ao Leitor, com a contratação de jornalistas recém-formados, que tinham a tarefa de responder a todas as cartas que chegavam. Muitas dessas respostas eram padronizadas e automáticas, agradecendo o interesse e prometendo encaminhar as sugestões recebidas. Uma leitura atenta das correspondências, porém, permitia que os editores corrigissem erros, avaliassem o nível do seu público e até encontrassem pautas de matérias. Outra técnica para identificar o perfil do leitor era uma das especialidades de Roberto: fazer perguntas sem parar, fosse para o russo que naturalmente nunca iria ler nada que a Abril publicava, mas que poderia lhe transmitir algo da alma humana, segundo pensava, fosse para o jornaleiro da esquina, o garçom do restaurante ou o consumidor que abordava na banca.

Um artigo, escrito com o pensamento do redator voltado para uma mulher de São Paulo, Rio de Janeiro ou Brasília, despertaria o interesse de dona Mariazinha? Ela entenderia? Era essa lição que Thomaz Souto Corrêa, como se contou, aprendera lá atrás na *Ladies' Home Journal*: embora feita em Nova York, a revista não poderia se esquecer de sua leitora que vivia no interior dos Estados Unidos. Quando trabalhou como pesquisadora da *Claudia*, em meados dos anos 1970, Laura Taves foi escalada para ir a Botucatu e encontrar a tal senhora. Conheceu várias, com características parecidas. Nas entrevistas que fez, a maioria disse que não gostava das matérias de moda publicadas na revista. Consideravam as roupas sofisticadas, caras e pouco práticas. Ao voltar de lá, Laura preparou um relatório, que serviria de subsídio para posteriores mudanças nas produções.

Sem abrir mão das impressões de dona Mariazinha, das pesquisas qualitativas e das conversas com leitores, Roberto adotou um costume que não abandonaria mais: convidar para almoços na Abril políticos, empresários, economistas, publicitários, jornalistas e amigos. "Temos um bom restaurante, uma boa sala de almoço, um chef bom e vinhos razoavelmente bons", estava convencido.

> Por isso, todos os dias chamo alguém para vir comer com a gente. Os almoços são para falar, entender e fazer pergunta, muita pergunta. A grande vantagem de estar no mundo das comunicações é ter o direito de fazer perguntas. Temos a licença. Então, faço perguntas o tempo todo.

Ele não se limitava a perguntar. Para espanto de inúmeros interlocutores, volta e meia dizia o que deveriam fazer nos cargos que ocupavam ou em seus campos de atividade. Poucos escapavam. Em um dos almoços, o governador de Goiás, Marconi Perillo, revelou que pensava em implantar um cinturão verde em torno da capital do estado. Roberto cortou seu discurso: "Você irá fazer o seguinte", disse em tom de ordem. "Ao sair daqui, pegue seu avião e não vá para Goiânia. Desça em Brasília e mande o motorista levá-lo direto à embaixada dos Estados Unidos. Procure o embaixador e diga que você quer saber tudo sobre o cinturão verde de Washington, DC." Em outro almoço, perguntou para dois físicos americanos se já tinham assistido à peça *Copenhagen*, que estava em cartaz na Broadway. A história gira em torno de um evento ocorrido em 1941 na capital da Dinamarca, relacionado às pesquisas para a construção da primeira bomba nuclear — assunto que seduzia Roberto desde a adolescência. Os físicos não haviam visto. Voltariam no dia seguinte para Nova Jersey, onde moravam. "Não, não, não!", ele lhes disse. Era comum que falasse desse jeito quando queria se impor. "Antes de ir para casa, passem um dia em Nova York e assistam. Se não encontrarem ingresso, entrem naquela fila da Times Square, onde vendem entradas de última hora, e vocês vão conseguir." Como acontecera com o governador goiano, os físicos ficaram perplexos. Descobriram que aquele homem, se de um lado perguntava sem parar, de outro tinha respostas para tudo — e não se constrangia em instruir, num tom que podia ser interpretado como impositivo, pessoas que acabara de conhecer.

Nesses encontros, esperava que, como ele fazia, tomassem nota dos pontos principais da conversa. Para facilitar a tarefa, teve a ideia de deixar uma pequena agenda em branco na frente de cada convidado, cujo nome vinha gravado em letras douradas na capa de cor verde, abaixo da arvorezinha da Abril. Se não anotavam nada, ele podia se mostrar incomodado. Foi o que aconteceu durante uma visita de Luiz Carlos Bresser-Pereira, que ocupava o cargo de ministro da Fazenda do governo Sarney. Roberto discorria sobre a situação econômica do país e o ministro limitava-se a ouvir. Não tomou nota de nada. Tentando disfarçar a impaciência, Roberto indagou: "Você precisa de lápis e papel?". O ministro disse que confiava na memória.

Esses almoços normalmente se estendiam entre as treze e as quinze horas. Ao final, ele voltava à sua sala e vez ou outra se permitia um descanso rápido. Dispunha para isso de um quartinho ao lado da sala, com porta meio invisível. Era mobiliado apenas com uma cama simples de solteiro. Muitas vezes, se não havia compromissos urgentes, até as dezesseis horas sua agenda ficava vaga e não lhe passavam ligações. Nesse intervalo, transcrevia as anotações. Ele demorou a aderir ao computador. O primeiro que apareceu em sua sala, ainda na marginal Tietê, em 1985, foi o Macintosh 128K. Não gostou e mandou que fosse colocado na mesa da secretária Lydia Magnoli. "Você passou o computador para ela e ficou sem nenhum?", espantou-se o diretor adjunto da *Veja*, Elio Gaspari, que já se interessava por informática, ao entrar para um despacho. "Sabe o que é, eu não sou do teclado", deu de ombros Roberto, que costumava escrever tudo à mão, com uma caneta de madeira. Alguns anos depois, quando jantavam em Nova York, Elio se lembrou da cena e lhe deu uma cutucada: "Aquela sua decisão de entregar o computador para a dona Lydia, ao invés de ficar com ele, você acha que te custou quanto?". Roberto reconheceu o erro. "Alguns milhões de dólares", calculou, admitindo que, em consequência de seu desinteresse, a Abril havia perdido um tempo precioso para se informatizar.

Ele passaria a digitar com dois dedos, olhando as teclas. Em geral, depois das conversas no almoço, entregava o que havia escrito para uma secretária. Durante 22 anos, essa tarefa coube a Roseli Liane Strothmeier. Anteriormente, ela atendera Victor também por 22 anos. Quase nenhum funcionário teve acesso a tantas informações sigilosas da família Civita, e por um tempo tão longo, como essa discreta alemã de olhos azuis nascida no interior da Baviera. Ela chegou ao Brasil com os pais em 1949, pouco antes da família Civita. Ficaria 51 anos na empresa. Roseli, nos últimos tempos, era a única pessoa com acesso ao fichário informatizado de Roberto. Só ela, além do dono, tinha a senha para abri-lo. Depois da morte do seu chefe, aposentou-se e entregou-a para os filhos, que decidiram não dar acesso a mais ninguém e bloquear os registros. Roseli diria que "esqueceu para sempre" tudo o que digitou. Foram acumulados cerca de 5 mil arquivos, breves e longos, sobre seus encontros e conversas. Como preparativo para todo encontro, Roberto abria o programa e refrescava rapidamente a memória. Ele deixava interlocutores admirados com observações nesta linha: "Na última vez em que estivemos juntos, há dois anos e meio, você me disse que...".

Em muitas ocasiões, Roberto é que se fascinava com o que ouvia. Como, até prova em contrário, achava que não lhe mentiam, tinha a tendência de acreditar na palavra alheia. Essa credulidade criava problemas para as pessoas que se reportavam a ele. Mal o visitante saía, chamava o diretor da área relacionada ao assunto discutido para anunciar que ficara sabendo disso ou daquilo. Absorvia os relatos e sugeria que fossem feitos matérias ou estudos a respeito. Podia demorar a perceber que políticos e donos de empresas tentavam lhe vender como fatos consumados ideias que estavam no ar ou projetos que não haviam saído do papel. Boa parte dos executivos da Abril acatava o que ele transmitia e tomava as providências necessárias, até perceber que as coisas não eram bem assim. Thomaz foi um dos poucos com autoridade para contestá-lo. "Roberto, sabe quem está esperando atrás da porta?", perguntava com bom humor quando o patrão trazia informações que lhe pareciam implausíveis. "É o Papai Noel... E o Coelhinho da Páscoa veio junto com ele. Posso mandá-los entrar?" Nessa hora, ele podia cair em si. Sempre que tinha uma reunião com Roberto à tarde, Thomaz tratava de se antecipar. Procurava saber quem fora seu convidado para o almoço. De posse da informação, já ia para o encontro preparado. Ou dava um jeito de cancelá-lo.

José Roberto Guzzo inventou o seu próprio sistema de defesa. Graças ao estratagema que desenvolveu, puderam conviver, entre encontros e desencontros, durante 45 anos. Destes, Guzzo passou onze à frente da *Exame* e quinze no comando da *Veja*. Foi um dos mais bem-sucedidos períodos na história da revista, que sob sua direção, em sintonia com Roberto, deixou os prejuízos para trás e saltou na circulação de menos de 200 mil para mais de 900 mil exemplares por semana. Seu método raramente falhava.

24 de agosto de 1978

Quando se tornou diretor de redação da *Veja*, em 1976, o paulistano José Roberto Guzzo tinha, como se disse, 32 anos. Ninguém seria guindado ao cargo com tão pouca idade. Mino Carta estava com 35 anos ao aceitar o convite para dirigir a semanal de informações em 1968 (e 26 na ocasião em que assumiu a *Quatro Rodas*). Logo que deixou de ser redator-chefe e tomou posse como diretor, trocou as roupas esporte que usava no trabalho por ternos sóbrios, às vezes com colete. Filho de um juiz e posteriormente desembargador, ele se formou em direito na Universidade de São Paulo sem jamais exercer a profissão. Embora fosse espirituoso e loquaz na intimidade, adotava na redação uma postura reservada. Evitava se abrir sobre sua privacidade. Ele próprio admitia ser um sujeito afável e alegre na vida pessoal, mas algo brusco e impaciente no dia a dia do trabalho. O redator-chefe Carmo Chagas, seu colega na *Última Hora*, onde Guzzo iniciou a carreira em 1961, no *Jornal da Tarde* e na *Veja*, considerava-se amigo dele. Por isso, surpreendera-se por não ter sido comunicado de quatro acontecimentos importantes dos quais só tomaria conhecimento de forma indireta: sua ida para Paris, como bolsista da Aliança Francesa e correspondente do *JT*; seu casamento; o nascimento do único filho; e uma cirurgia cardíaca ao qual o pai se submeteu. Ninguém mais soube de nada disso fora do círculo familiar.

Sempre discreto, Guzzo dividiu de início a direção da revista com Sérgio Pompeu, até ali redator-chefe como ele. A escolha foi anunciada na edição de 18 de fevereiro de 1976. Eram homens muito diferentes. O campineiro Pompeu tinha um estilo contemporizador e tolerante, o oposto de Guzzo. Não demorou a ficar claro que, apesar de colocados em idêntica posição hierárquica, o maior poder se concentrava nas mãos de Guzzo, responsável pela editoria política, a mais importante e sensível da *Veja*, e a internacional, na época um degrau acima, em relevância e espaço na revista, da área de economia, subordinada a Pompeu. Essa dualidade se devia tanto ao fato de aquele ter sido um período transitório, após a saída traumática de Mino, quanto à indecisão de Roberto, que preferiu optar por uma acomodação forçosamente passageira. Victor preferiu não interferir. Era o prenúncio do que aconteceria no futuro, quando Roberto voltaria a demonstrar hesitações e dúvidas nos processos sucessórios na revista.

Depois de pouco mais de um ano, Roberto concluiu que a direção compartilhada não fazia sentido. Para ele próprio, antes de mais nada. Achava um incômodo ter que despachar separadamente as delicadas matérias de política e economia. Numa semana o assunto de capa precisava ser discutido com um, na semana seguinte com outro. E como a redação funcionava com o duplo comando? Ele ignorava, pois raramente subia do sexto para o sétimo andar. Victor, ao contrário, fazia visitinhas de surpresa, como quem não queria nada. Nessas ocasiões, não escondia a contrariedade com a sujeira que encontrava no corredor ou nas mesas: cinzeiros fedorentos, bitucas de cigarro pelos cantos, laudas amassadas em forma de bolinha para jogar futebol de madrugada, jornais aos pedaços em cima das cadeiras vagas. Uma bagunça. Sem dizer nada, o dono se abaixava para catar alguns papéis jogados no chão. Roberto, mesmo não aparecendo por lá, enfim percebeu que a *Veja* não era a *Der Spiegel*, que tinha dois diretores. Finalmente, a partir da edição com data de capa de 20 de abril de 1977, Guzzo foi oficializado como número um, no topo da hierarquia, e Pompeu virou diretor adjunto.

Começaria aí um dos mais gloriosos períodos da história da *Veja*.

Roberto e Guzzo estabeleceram uma rotina operacional. Na segunda-feira, Guzzo fazia uma reunião de pauta com a presença do adjunto, do redator-chefe e dos editores. Ela deveria se realizar pela manhã, por volta das onze horas, mas quase invariavelmente começava depois do meio-dia. Esparramado na poltrona, Guzzo ficava com uma régua na mão, qual um professor de matemática na frente dos alunos, e jogava uma pergunta no ar: "O que o leitor vai querer ler numa semana como esta?". Ninguém tinha uma resposta muito precisa, mas vinham sugestões e palpites que nos dias subsequentes seriam derrubados pelos acontecimentos. Os editores voltavam para suas mesas — apenas Guzzo e Pompeu tinham sala —, convocavam as respectivas equipes e despachavam pautas, instruções e pedidos de fotos para as sucursais, correspondentes e os repórteres de São Paulo. Dizia-se que entre esse momento e o prazo de fechamento — quarta e quinta-feira para os chamados cadernos frios, que incluíam as editorias de Geral e de Artes e Espetáculos, e sexta, avançando para a madrugada de sábado, para o caderno quente de política, internacional e economia —, a redação entrava em regime de concentração. Quer dizer, com exceção dos repórteres e fotógrafos que saíam para a rua, não se fazia muita coisa além de esperar a chegada de textos e fotos. Na verdade, editores e editores assistentes dedicavam-se a ler jornais e revistas, conversar pelo telefone, marcar demorados almoços e, nos intervalos, alguns jogavam xadrez em tabuleiros guardados nos armários. Em uma salinha fechada perto do departamento de arte, nos fundos da redação, sem que os chefões percebessem, outros jogavam baralho. De qualquer forma, as engrenagens da revista giravam. Falava-se de brincadeira que, como a revista de certa forma andava sozinha desde os números zero, não sairia nenhuma página em branco e, no fim, as matérias fechariam no prazo e seriam enviadas para a gráfica. Era assim.

Enquanto isso, no meio da tarde de segunda-feira, Guzzo descia um andar pelo elevador, evitando a escadaria, para despachar com Roberto. Trocavam ideias rápidas sobre a revista que fora às bancas naquela manhã. Como na reunião de pauta com os editores, Guzzo preferia não se estender nos comentários. Cada matéria agora impressa já fora discutida à exaustão. Começara com o relatório do repórter, o texto redigido por um editor assistente, as emendas do editor e o pedido de informações complementares, até que as laudas grampeadas pousavam na mesa de Guzzo, Pompeu ou Carmo. De tanto corrigi-las, Pompeu tinha um calo no dedo. Com uma Bic azul, Guzzo cortava frases, acrescentava palavras e colocava observações variadas, em grande parte introduzidas por um travessão. Era voz corrente na redação que, com sua extraordinária habilidade na edição, ele conseguia com poucas e precisas canetadas tornar favorável um artigo desfavorável e transformar uma reportagem insípida em algo atraente. Ganhou, por essa razão, o apelido de "Mão Peluda". As laudas ficavam tão rabiscadas que os textos precisavam ser passados a limpo por datilógrafas que mantinham plantão nas infindáveis noites e madrugadas de fechamento. Com tamanhas intervenções, o estilo da revista se padronizava e ela parecia ter sido escrita por uma só pessoa. Era intencional. Guzzo não dava entrevistas, não proferia palestras, não aparecia na televisão e evitava ser fotografado, mas em certa ocasião declarou: "A explicação para a uniformidade do texto é que a matéria acaba nas mãos de duas pessoas. Nós aqui não fazemos tanta teoria, nem os redatores têm livrinhos de instruções".

Segundo Roberto, na primeira parte desse despacho de segunda-feira "fazia-se uma rápida autópsia da edição". Em seguida, ele e Guzzo tratavam, em linhas gerais, do número que começava a ser preparado. Falavam das possibilidades de capa, da entrevista das páginas amarelas e das reportagens mais extensas. Ambos sabiam que tudo poderia mudar no decorrer da semana. Se fosse tomada uma decisão relevante no cardápio da edição ou se Roberto quisesse transmitir alguma orientação adicional, eles se falavam por meio de um telefone vermelho que tinham em suas salas. Era "o telefone do Kremlin", com linha direta e desocupada, sem passar por secretárias. As conversas entre eles às vezes podiam desaguar em discussões acaloradas sobre a conveniência de se publicar determinadas matérias ou a angulação deste ou daquele artigo. Mas no geral eles se entendiam. Roberto achava que seu diretor de redação tinha raciocínio lógico, capacidade analítica, extrema segurança e competência para montar equipes talentosas, além de considerá-lo leal e confiável. Muitos anos depois, ao anunciar sua saída, ele escreveria: "Como qualquer outro empreendimento humano, toda grande revista traz a marca indelével de quem a faz. No caso da *Veja*, nenhum nome tem sido mais importante do que o de José Roberto Guzzo".

Em relação a Roberto, Guzzo o considerava antes de tudo um homem cortês. Levantava-se da cadeira à sua chegada e o recebia, em qualquer circunstância, com um sorriso. Dada sua personalidade meio arredia, Guzzo valorizava esse tipo de atitude. Jamais o viu como uma pessoa arrogante ou impositiva. Em vez de ordens, apresentava sugestões. Normalmente por escrito.

Se havia discordância, podia argumentar com veemência — mas nunca lhe ergueria a voz. Como tinham afinidade ideológica, convergiam nos pontos essenciais e concordavam na postura básica da revista em relação a temas políticos e econômicos. No plano administrativo, Guzzo se sentia respaldado. Além de reconhecer que ganhava bem, não esbarrava em dificuldades para contratar ou conceder aumentos salariais não previstos no orçamento anual da revista. Nem para investir em reportagens. Seu patrão sabia perfeitamente que bom jornalismo custa caro.

Guzzo atribui a Roberto o respaldo para que ele tenha realizado a mais importante reportagem de sua carreira: cobrir, no início de 1972, a histórica visita à China do presidente americano Richard Nixon. Ele foi o único jornalista brasileiro presente ao inédito encontro do homem mais poderoso do mundo com o líder chinês Mao Tsé-tung, acontecimento que entraria para a posteridade como o ponto de partida para o fim da Guerra Fria e, na interpretação de muitos historiadores, a semente inicial do encerramento da Guerra do Vietnã e até do desmanche do mundo comunista como existia então.

Bancar uma viagem como aquela envolvia em primeiro lugar um considerável custo — bem no período em que a Abril vergava com os enormes prejuízos que a *Veja* continuava apresentando — e, em segundo, um risco político. Afinal, sob o governo Médici e na vigência do AI-5, o Brasil vivia a época mais dura da ditadura militar. Nesse quadro, a *Veja* enfrentava a censura e o risco permanente de ter suas edições apreendidas. Na ocasião, Guzzo trabalhava como correspondente em Nova York. Recebeu a incumbência de procurar a embaixada da China mais próxima, em Ottawa, capital do Canadá, com a missão que, conforme acreditava, "ficava entre o altamente improvável e o quase impossível": conseguir um visto para acompanhar a visita de Nixon. A possibilidade era de fato remotíssima. Só dos Estados Unidos foram apresentados cerca de 2 mil pedidos de credenciamento, sendo atendidos 87, incluindo os de técnicos de televisão. Contra todas as expectativas, em fevereiro, a poucos dias do embarque do presidente para Pequim a bordo do avião batizado de *Spirit of '76*, Guzzo recebeu o aviso de que deveria comparecer à embaixada da China em Santiago. No Chile, governado pelo esquerdista Salvador Allende, funcionava a única representação diplomática do país na América do Sul. Lá, para sua surpresa, ele recebeu o visto. Foi um dos doze não americanos autorizados a entrar.

Seguindo as instruções dos chineses, tomou vacinas contra gripe, cólera, varíola, difteria, tétano e tifo. Chegou sob uma temperatura de dezessete graus abaixo de zero. Levou com ele uma máquina de escrever portátil, pilhas de laudas e papel-carbono, indispensável para ter cópias de suas matérias — era o backup da época. Nas reportagens, Guzzo não se limitou a cobrir a visita em si e a analisar os desdobramentos. Escreveu relatos fascinantes sobre a China que encontrou. Ele a descreveu como um "imenso monastério", naquela "viagem a um mundo moralista e espartano, em luta frenética para se recuperar de um atraso milenar". Ele e seus colegas não americanos cruzaram a fronteira a pé, vindos de trem desde Hong Kong, que era colônia britânica. Em outro trem, foram até Cantão, onde embarcaram em um DC-3 que, cinco horas depois, os deixou em Pequim. A bordo, recebeu dois chicletes e uma mexerica-anã. Em Pequim, não existia nenhum carro particular. "Havia uns artefatos, aparentemente de ferro e com cara de automóvel, que serviam para as altíssimas autoridades." Mesmo sem qualquer tráfego, devia ser respeitado o limite de velocidade de 25 quilômetros por hora. O ônibus que o conduzia andava tão devagar que, em certo momento, foi ultrapassado por um passarinho, segundo anotou.

Em 2013, na edição especial comemorativa do 45º aniversário da *Veja*, celebrado três meses e meio após a morte de Roberto, ele diria que "a coisa mais próxima de uma viagem à Lua que um homem podia fazer nas alturas de 1972 era ir à China". Roberto, como Guzzo, sentiria orgulho dessa cobertura. Ela se tornou uma marca indelével das ousadias da revista, a exemplo da presença de Dorrit Harazim na Guerra Civil do Camboja, em 1970, e da ida do próprio Guzzo ao Vietnã, no final daquele mesmo ano de 1972. Ambas exigiram, antecipando ou repetindo o caso da China, altos investimentos e riscos perante a ditadura brasileira. Guzzo se lembraria disso tudo logo após ser empossado como diretor de redação. Em uma das rotineiras reuniões de segunda-feira, comunicou a Roberto qual seria a capa daquela semana. "Não, pelo amor de Deus", disse Roberto. A informação o assustou. Era uma capa com o ditador cubano Fidel Castro.

Tudo começara três meses antes, quando o editor assistente Fernando Morais — futuro biógrafo de Olga Benario Prestes e Assis Chateaubriand, deputado estadual pelo PMDB e secretário em governos paulistas — entrou na sala de Guzzo com uma proposta. Queria ir a Cuba para fazer uma reportagem. Tinha contatos por lá e havia a possibilidade concreta de que Fidel lhe concedesse uma entrevista. O diretor se mostrou cético. Por que "um tremendo comunista" (usaria algumas vezes essa definição) falaria para uma revista como a *Veja*? Fernando insistiu que as chances eram boas. Seria um "furo" e tanto. Fidel nunca falara para uma publicação brasileira. Guzzo achava que Fernando era "um fidelista", mas o tinha na conta de um profissional competente. Autorizou sua viagem, com a condição de que, caso a entrevista fosse concedida, não deixasse de perguntar sobre a inexistência de eleições e a questão dos presos políticos no país. Por hábito, Guzzo evitava anunciar matérias que ainda eram projetos e tratar de problemas antes que eles surgissem. Portanto, não tocou no assunto de imediato com Roberto. Fernando permaneceria quarenta dias em Havana, aguardando que o telefone tocasse no apartamento 503 do Hotel Nacional, onde estava hospedado. Haviam lhe recomendado que esperasse com paciência, pois El Comandante poderia se dispor a recebê-lo a qualquer momento. Deu certo. Fidel lhe concedeu quatro horas de entrevista.

Guzzo se entusiasmou com a notícia, mesmo porque Fernando arrancara boas declarações. Fidel acenou para o governo brasileiro, já pensando no dia em que restabeleceriam relações diplomáticas, o que demoraria nove anos para acontecer, elogiou cuidadosamente o presidente americano Jimmy Carter e afirmou que o povo cubano já fizera suas escolhas, o que tornava as eleições dispensáveis. Quanto aos presos, segundo justificou, estavam na cadeia unicamente por delitos comuns. Enfim, tinha-se um material de primeira — e inédito na imprensa nacional. Roberto, no entanto, assustou-se ao tomar conhecimento da matéria que a *Veja* conseguira. Qual seria a reação em Brasília? E se a censura voltasse como represália? Guzzo ponderou que a revista tinha o dever de publicar. Não alimentava a menor simpatia por Fidel, pelo comunismo e pelo regime cubano — ao contrário —, como Roberto bem sabia, mas o ponto não era esse e sim a relevância jornalística. "Houve um debate longo, em que o centro era este: eu queria dar, ele não queria", lembraria. Diante do impasse, Roberto disse que ouviria outras pessoas, dormiria com o problema no travesseiro e responderia no dia seguinte. Ao voltarem a conversar, manteve sua posição. "Olha, se não tiver jeito, eu não vou ficar", afirmou Guzzo. "Mas você tem mesmo certeza de que temos que dar?", perguntou Roberto. "Tenho, sem dúvida", respondeu. "E quais serão as consequências?", indagou Roberto.

"Sinceramente, não sei. Acho até que não haverá nenhuma, mas precisamos publicar." Roberto finalmente cedeu. A capa trouxe uma foto de Fidel batida pelo próprio Fernando, com dois títulos neutros: "Cuba e o mundo" e "Exclusivo: Fidel fala a *Veja*". A entrevista ocupou nove páginas, antecedidas de uma reportagem de sete. Coube ao editor de assuntos internacionais, Roberto Pompeu de Toledo, encarregar-se da edição, com a supervisão de Guzzo.

Não houve reações nem ameaças. Roberto Civita percebeu nesse episódio que podia confiar nos critérios e no bom senso de seu novo diretor de redação. Guzzo, do seu lado, reforçou a opinião de que o patrão, embora pudesse demorar para decidir e sofresse inevitáveis pressões internas e externas, no final das discussões acatava os argumentos se eles o convenciam e tomava o partido do interesse editorial. Nem sempre seria assim, é claro, mas estabelecia-se ali uma linha de entendimento que permaneceria por vários anos. "Se o Guzzo diz isso, provavelmente está certo, porque a revista vai indo bem", Roberto pensava, segundo diria a pessoas próximas.

Logo tudo seria posto à prova.

O jornalista cearense Roberto Pompeu de Sousa Brasil ganhou prestígio dentro da imprensa nos anos 1950 por ter sido considerado o introdutor, no *Diário Carioca*, do conceito americano de lead. Ou seja, em vez do "nariz de cera" — uma demorada e vaga introdução do texto, deixando as informações relevantes perdidas lá pelo meio ou no fim —, as matérias deveriam responder no primeiro parágrafo às perguntas básicas da notícia: O quê? Quem? Quando? Onde? Por quê? Isso viraria o bê-á-bá para qualquer foca, como são chamados nas redações os repórteres novatos. Na época, porém, era uma revolução — e um presente para o leitor, poupado do fardo de ler frases inúteis antes de encontrar o que realmente interessava nas reportagens. Pompeu de Sousa, nome profissional que adotou, aprendeu essa lição nos Estados Unidos, onde trabalhou no serviço brasileiro da emissora de rádio Voz da América. Com tal fama, uma cabeleira revolta, bigodão branco e um certo aspecto de parlamentar do Segundo Reinado — aliás, bem mais tarde, ele seria eleito senador pelo Distrito Federal —, ocupava na *Veja*, desde o primeiro número, o cargo de diretor da sucursal de Brasília. Embora não escrevesse, teoricamente dava as cartas e orientava as matérias.

No *Diário Carioca*, ao lado de indiscutíveis méritos jornalísticos que o tornaram uma figura respeitável, ele cometeria também seus deslizes. Em uma entrevista de vinte horas, divididas em dez sessões, que concederia ao colega Geneton Moraes Neto pouco antes de morrer, Evandro Carlos de Andrade (1931-2001), diretor da Central Globo de Jornalismo, revelaria histórias surpreendentes de Pompeu de Sousa, de quem, como repórter iniciante, fora subordinado no jornal. Em 1955, por exemplo, uma mulher chamada Ruth Ellis, mãe de dois filhos, foi condenada à morte na Inglaterra pelo assassinato do amante. Na véspera da execução — por enforcamento —, Pompeu determinou a publicação do caso. Era um assunto e tanto, desses que vendiam jornal. Infelizmente, não havia nenhuma foto para ilustrar a narrativa, mas o problema foi "resolvido", conforme testemunharia Evandro: "Pompeu mandou buscar no arquivo a pasta de fotos de *pin-up girls*, escolheu a mais bonita — de maiô e saltos altos — e publicou-a de cima a baixo na primeira página, como se fosse a mulher que seria enforcada horas depois". Pompeu mais tarde daria sua explicação sobre o episódio. "Em jornalismo, não se pode ser acadêmico", justificou. "Pompeu de Sousa era um grande jornalista, mas exercia um estilo que, hoje, seria impossível", afirmaria Evandro. "Numa emergência, inventava."

Como diretor da *Veja* em Brasília, Pompeu tinha como subordinado o chefe da sucursal da revista, D'Alembert Jaccoud. Nessa condição, recebia para ler as matérias produzidas por sua equipe de nove repórteres antes que fossem transmitidas para São Paulo. Era uma situação estranha, pois o chefe da sucursal respondia simultaneamente — e de fato — a José Roberto Guzzo. Para Guzzo, tratava-se de uma anomalia. "Pompeu de Sousa era uma coisa híbrida que herdei do tempo do Mino", ele diria.

> Não era meu chefe, mas não era meu subordinado. Foi ficando. Era impossível trabalhar com ele, porque fazia comentários não solicitados e queria interferir. Na quarta ou na quinta vez que me encheu o saco, falei para o Roberto que ele precisava ser mandado embora.

Naquela altura, em 1977, Roberto e Guzzo, com a concordância de Victor — que não tinha grande interesse por política, mas não podia ficar indiferente ao processo —, apoiavam o projeto do governo Geisel de "distensão lenta, gradual e segura". Entendiam que esse era o caminho para a progressiva abertura do regime, ainda distante, mas já à vista. Em 12 de outubro daquele ano, Geisel demitiu o ministro do Exército, general Sílvio Frota, que se opunha a essa estratégia e, como representante da linha dura militar, tentava se impor como seu sucessor. Nesse dia, ao receber a informação, Victor subiu sorridente à redação para conversar com Guzzo e comentou com alguns jornalistas no corredor que a queda de Frota era uma ótima notícia. Do apoio da revista ao projeto de Geisel e do seu chefe da Casa Civil, general Golbery do Couto e Silva, decorria o endosso da revista ao nome escolhido pelo palácio do Planalto para ocupar a presidência da República a partir de 1979: o general João Baptista Figueiredo, ministro-chefe do Serviço Nacional de Informações (SNI).

A opção por Figueiredo estava feita, mas ela teria que ser sacramentada, de acordo com as regras vigentes, em uma eleição indireta pelo Colégio Eleitoral. Ungido pelo partido do governo, a Arena, ele teria como concorrente o candidato, ou anticandidato, do partido da oposição, o MDB: o também general Euler Bentes Monteiro, identificado como "nacionalista" e visto com simpatia por setores da esquerda. Sua candidatura dissidente, lançada pelos chamados "autênticos" do MDB, não tinha chance de vitória, pois a Arena reunia folgada maioria entre os 590 membros do Colégio Eleitoral. Pompeu de Sousa, no entanto, parecia acreditar nessa alternativa e, como D'Alembert, passou a criticar internamente o posicionamento da revista, o que os levou a entrar em choque com a orientação de Roberto e de Guzzo. Na redação em São Paulo, o editor de política, Almyr Gajardoni, tinha constantes discussões com Guzzo a respeito da linha da cobertura da sucessão presidencial. Acabaria sendo demitido no final daquele conturbado 1977.

O afastamento de Almyr provocou uma crise interna da revista. Houve na mesma noite de sua saída uma demorada assembleia no Sindicato dos Jornalistas. Dos 46 jornalistas que trabalhavam na sede, quarenta assinaram uma carta dirigida a Guzzo em que manifestavam sua "perplexidade com o afastamento de Almyr". Guzzo leu, irritou-se e manteve a demissão.* A revista, com a concordância de Roberto, jamais recuou no apoio à decisão de Geisel sobre a sucessão. Já no segundo número de 1978, com data de 11 de janeiro, deu na capa o rosto de Figueiredo com o título "O presidente". Ele ainda não era. Só

* Entre eles o autor deste livro, que na ocasião trabalhava na revista.

seria eleito indiretamente nove meses mais tarde, em 15 de outubro. Nos meses seguintes, as discordâncias entre Guzzo e a sucursal de Brasília aumentaram. No dia 21 de agosto, Guzzo teve uma conversa dura e definitiva em sua sala com D'Alembert, que na sua opinião fazia uma oposição frontal e pública à direção da revista, conforme evidências que colhera na capital federal, em São Paulo e no Rio de Janeiro. Considerava que, dessa forma, fora quebrada a confiança entre eles. D'Alembert lembrou uma conversa anterior, em que pedira "maior respeito pelo trabalho dos repórteres", cujas matérias, a seu ver, vinham sendo deturpadas na edição final.

Guzzo negou a acusação. Para ele, a questão era outra. Como repetiria várias vezes no futuro, disse que a edição dos textos envolvia a hierarquização, a seleção e a interpretação das informações em um trabalho centralizado — ou seja, sob sua responsabilidade final. "Como a *Veja* não é um jornal, onde se reserva página inteira para os editoriais, a opinião da revista tem que ser inserida e expressa ao longo das matérias políticas", explicou. "Pode acontecer que a opinião da revista não se compatibilize com o projeto pessoal de alguém que nela trabalha, mas nesse caso quem não se sente bem deve deixá-la." Ao serem comunicados do teor da conversa, no dia seguinte, os repórteres da sucursal enviaram uma carta para Guzzo. Escreveram que seu trabalho estava sendo "muitas vezes desrespeitado na edição" e que D'Alembert nada mais fizera "do que expressar o descontentamento da redação diante do tratamento que o material aqui produzido vem recebendo".

No mesmo dia, Pompeu de Sousa endereçou uma "comunicação interna confidencial — urgente" à diretoria da Abril. Afirmou que "o único propósito de D'Alembert foi preservar os critérios de dignidade profissional dele próprio, de sua equipe, bem como a credibilidade e respeitabilidade da revista". Não foi necessário que Roberto atendesse ao pedido de Guzzo e o demitisse. Na mesma carta, Pompeu escreveu que não lhe restava alternativa a não ser acompanhar a atitude do chefe da sucursal, que colocara o seu cargo à sua disposição. D'Alembert, na verdade, já estava afastado por Guzzo.

Roberto se encarregou de responder ao diretor de Brasília, no dia 24. Depois dos agradecimentos e elogios de praxe, não deixou dúvidas sobre seu aval a Guzzo e à defesa da linha editorial da revista. Afinal, ela fora estabelecida em comum acordo dos dois, com o endosso de Victor. "Não posso aceitar sua colocação de que a *Veja* — em qualquer circunstância — tenha deturpado qualquer fato", enfatizou. "Estou convencido de que estamos diante de interpretações diferentes dos mesmos fatos. E você sabe que, nestes casos, a responsabilidade final pela edição dos textos cabe à Redação de São Paulo, em decisão pertinente ao diretor da revista."

Guzzo reconheceria o posicionamento de Roberto a seu favor. A partir dali, consolidaria sua posição e se sentiria à vontade para fazer a revista como ele e Roberto acreditavam que deveria ser feita. A *Veja* continuaria sempre publicando textos editorializados e jamais deixaria de opinar sobre o que considerava certo ou errado na política, na economia, no comportamento, na cultura e em qualquer outra área que julgasse relevante.

2 de fevereiro de 1983

Era para ser uma simples pescaria. Na manhã de 13 de outubro de 1982, o jornalista Alexandre von Baumgarten dirigiu-se ao ancoradouro da praça Quinze de Novembro, no Rio de Janeiro, e embarcou com a mulher e um barqueiro na traineira *Mirimi*. Eles iriam às ilhas Cagarras, que os banhistas podem avistar da praia de Ipanema a quatro quilômetros de distância. Ao chegarem perto de seu destino, uma lancha se aproximou. Se fosse uma cena de filme policial, os espectadores segurariam a respiração. Algo de errado estava para acontecer. Os ocupantes eram conhecidos do jornalista, que os recebeu a bordo. Eles então sacaram de suas armas e o mataram com três tiros, dois na cabeça e um no abdômen. Seu corpo afundou na baía de Guanabara. A mulher e o barqueiro desapareceram. Treze dias depois, o cadáver de Baumgarten seria encontrado. Foi identificado pela carteira do Serviço Reservado do Departamento Geral de Investigações Especiais do Rio de Janeiro, que carregava em um dos bolsos da bermuda.

Com seu nome de nobre alemão, ele fora dono da revista *O Cruzeiro*, comprada em sociedade quando a publicação, outrora a de maior circulação no país, encontrava-se decadente, endividada e meio esquecida. Embora o público não o conhecesse, Baumgarten acumulava vistosas credenciais. Trabalhara como secretário de Assis Chateaubriand, dono do semanário em seu período de glória, e como assessor da presidência da Vasp, empresa aérea pertencente ao governo paulista, e da Rede Globo. E o mais relevante: tinha estreitas ligações com o Serviço Nacional de Informações (SNI), que segundo ele o estimulara a comprar a revista para publicar matérias favoráveis ao regime militar. Nos últimos tempos, sentira-se ameaçado pela chamada "comunidade de informações". Por isso, havia preparado um dossiê a respeito, com 74 páginas de documentos. O material foi colocado em envelopes pardos fechados e entregue a pelo menos três amigos com a instrução de que deveriam ser abertos caso morresse em circunstâncias misteriosas. Junto dos documentos, escreveu que sua "extinção física" havia sido decidida pelo SNI, atribuindo-a ao chefe de sua Agência Central, general Newton Cruz. A acusação nunca foi provada e o general, levado a júri, terminaria absolvido.

O crime só viria à tona, como acontecera antes com o corpo, no final de janeiro de 1983, quando a *Veja* deu uma matéria sobre o assunto. Até então supunha-se que a causa da morte fora afogamento. Era um trailer do que viria a seguir. As mais explosivas revelações não demorariam mais do que uma semana para aparecer. Vieram na edição de 2 de fevereiro da revista, com a capa que trazia as chamadas "Exclusivo: o caso Baumgarten" e "O dossiê do jornalista desaparecido". Foi o maior escândalo da história do SNI e uma das reportagens de maior repercussão da história da *Veja*. Como sempre, os dois primeiros exemplares saídos da gráfica na noite de sábado — mais tarde, a impressão seria antecipada em pelo menos doze horas — foram enviados para a avenida Higienópolis, 403, onde agora Victor Civita morava com Sylvana no sétimo andar, em quartos separados, e para o sítio em Itapecerica da Serra, próximo a São Paulo, refúgio de Roberto e Laura nos fins de semana. Como seu pai, Roberto levou um susto ao apanhar a revista. Ele estava ciente do caso, pois tomara conhecimento do assassinato no número anterior, mas não imaginava que assumira tamanhas proporções, envolvendo o SNI e, por extensão, o governo Figueiredo.

Na rotineira reunião de segunda-feira, José Roberto Guzzo lhe falara que o episódio se encontrava em fase de investigação. Por enquanto, não tinha clareza sobre os desdobramentos. A revista preparava matérias especiais sobre o Paraguai, a política salarial que diminuíra o poder de compra dos brasileiros, como consequência da recessão em que o país vivia, e a qualidade de vida na cidade de Campinas, com suas respeitadas universidades e uma aclamada orquestra sinfônica. Qualquer uma delas, em tese, sem falar de um eventual fato inesperado da semana, poderia virar capa. Na sexta, Roberto fora avisado por telefone que ela seria dedicada ao caso Baumgarten. Por alguma razão, no entanto, ele provavelmente subestimou a dimensão do que a *Veja* iria divulgar — o que por certo não ocorreria se a pauta houvesse sido discutida sem pressa em uma conversa ao vivo, com as várias perguntas que inevitavelmente faria. Assim, ele não pôde calcular o impacto. Foi a última vez que Roberto tomou um choque ao ver uma capa impressa da revista. Nenhum proprietário de órgão de imprensa gosta desse tipo de situação. Barões da mídia como Roberto Marinho, de *O Globo*, ou a família Mesquita, do *Estadão*, como quase todos os seus pares, costumavam ligar para a redação à noite, no horário do fechamento, perguntando qual seria a manchete. Katharine Graham, dona do jornal *The Washington Post* e da revista *Newsweek*, comentava que disse certa vez para o lendário editor executivo Ben Bradlee, que comandou a cobertura do célebre Caso Watergate: "Você faz o jornal que quiser. Mas não me surpreenda".

Com esse espírito — e culpando-se por sua desatenção, que prometeu a si mesmo não repetir —, Roberto impôs dias após uma agenda fixa que permaneceria de pé até o fim de sua vida: a reunião de quinta-feira, entre o final da tarde e o início da noite, para discutir o que a revista iria publicar, a começar evidentemente pela capa, e com qual angulação. Duraria em geral cerca de uma hora. Dela deveriam participar, em sua sala, o diretor responsável Edgard de Sílvio Faria e o diretor adjunto da *Veja*, Elio Gaspari, além de Guzzo e Roberto. Acontecesse o que acontecesse, estivesse no Brasil ou no exterior, fosse quem fosse o diretor, ele nunca deixaria de fazê-la nesse dia da semana. Em viagem a qualquer lugar do mundo, interrompia seus compromissos para falar pelo telefone sobre a edição em curso. O tempo em que Mino Carta tratava da revista com ele a posteriori havia ficado para trás. Os encontros com Guzzo limitados às segundas-feiras também.

Nessas reuniões com a porta fechada, fumava-se bastante e bebia-se café expresso em xicrinhas brancas com a árvore da Abril trazidas na bandeja por um garçom. Roberto tomava notas e perguntava. Guzzo e Elio respondiam. Edgard permanecia em silêncio, com as mãos cruzadas, sem sorrir, os olhos azuis observando a reação dos demais presentes. Limitava-se a intervir se entendia que a abordagem de determinado artigo poderia dar margem a complicações jurídicas. Nesse caso, mostrava-se assertivo. "Não, isso não", dizia.

Em geral era acatado, pois explicava a necessidade do veto à luz da legislação vigente e dos riscos decorrentes. Roberto assumia sua postura cordial e acatava os argumentos que considerava razoáveis. Mas precisava ser convencido com rapidez, porque sua concentração em cada parte da conversa logo se dispersava. Elio calculava que durava um minuto. Normalmente, os lapsos de desatenção não representavam um grande problema porque tanto Guzzo como Elio cultivavam o hábito americano, que Roberto valorizava, de ir direto ao ponto, sem rodeios.

Depois de tratarem da capa, abordavam as matérias principais das editorias de Brasil, Internacional e Economia e Negócios. A entrevista das páginas amarelas e os assuntos que entrariam em Geral e Artes e Espetáculos mereciam ligeiras menções, pois a essa altura os textos estavam prontos e alguns deles, colocados nos chamados cadernos frios, já devidamente impressos. Falava-se por fim da "Carta ao Leitor". Ela podia enfocar os bastidores das matérias e contar detalhes do trabalho dos editores e repórteres envolvidos, com suas fotos em ação — reconhecimento que todos eles buscavam e valorizavam —, mas na maioria das ocasiões trazia a opinião da revista sobre o principal assunto da semana ou da edição. Era assinada com as iniciais do diretor de redação ou, na sua ausência, do diretor adjunto. A partir de 1984, o crédito do autor desapareceu. Passou a ser, na prática, uma coluna editorial, de responsabilidade da empresa. Mais do que nunca, Roberto sentiu-se livre para orientar o seu conteúdo. Guzzo e, eventualmente, Elio continuaram a redigi-la.

Nas reuniões de segunda e quinta-feira, Guzzo tinha frequentes discussões com Roberto. Não chegavam a se exaltar, mas em determinadas circunstâncias demoravam para chegar a um consenso. Isso se dava sobretudo porque Roberto, na visão de Guzzo, tinha "fascinação por cruzadas". A favor e contra. Empenhava-se em defender a melhoria da educação no Brasil e o controle da natalidade. Queria combater a burocracia do Estado e a morosidade da Justiça. Guzzo concordava com ele nesses pontos. Mas havia uma divergência. Enquanto Roberto assumia o papel de Dom Quixote, personagem que incorporara em sua passagem pela direção da *Realidade*, cavalgando com lança em riste para combater os atrasos que enxergava no Brasil e no mundo, Guzzo era um homem cético e pragmático. Entendia que o papel da revista não era fazer campanhas, mas matérias de qualidade jornalística e interesse. Tinha horror ao risco de chatear os leitores com pautas monotemáticas ou em série, como se elas pudessem mudar a ordem das coisas. "Você acha que defendo a lentidão dos tribunais ou a exigência da firma reconhecida?", indagava. "Mudar as leis não é atribuição da revista. Cabe ao Congresso Nacional, ao Poder Executivo ou ao Judiciário." Roberto não concordava. Entendia que a *Veja* deveria exercer um papel de protagonismo. "Temos que falar, apontar os problemas", insistia. "Perfeito", admitia Guzzo, em um diálogo que ficaria recorrente por um longo tempo.

> Havendo fatos, vamos atrás deles. Tem um processo parado no Supremo há quarenta anos? Beleza, dá uma matéria deliciosa. Descobrimos que em um determinado estado brasileiro há inúmeras famílias com doze filhos? Ótimo, temos uma belíssima reportagem pela frente.

Quando Roberto continuava batendo na mesma tecla, Guzzo pedia que ele pusesse as ideias no papel. Acabavam esquecidas por um tempo e depois começava tudo de novo. Era essa sua estratégia para enfrentá-lo, da mesma forma como Thomaz Souto Corrêa procurava se informar com quem ele almoçara se teriam uma reunião no mesmo dia.

Houve um momento em que Roberto pediu com insistência que fossem feitas matérias defendendo a legalização do aborto. Foi motivo para mais um exaustivo debate. "Eu também sou a favor", disse Guzzo. "Mas essa é uma questão que, ao lado da religião, envolve valores. Não podemos exigir que o leitor tenha os mesmos valores que nós." Nem sempre Roberto se convencia, como nesse caso, motivo de uma duradoura divergência entre eles. Acabava cedendo porque, como repetia, ou o Editor da Abril confia no diretor de redação ou não confia. Se não confia, a solução é substituí-lo. Se confia, deve respeitar suas decisões, mesmo divergindo. No final das contas, era como agia em relação à *Veja*. Com diretores de outras revistas, uma sugestão sua, se transmitida diretamente, em conversas informais ou em bilhetinhos manuscritos, podia ser interpretada como uma instrução a ser seguida. Roberto não tinha o hábito de dar ordens diretas, em tom incisivo, salvo para as secretárias. Propunha, insinuava. "Que tal se..." ou "Não seria interessante..." eram expressões que preferia a "Vamos fazer isso" ou "Vamos dar aquilo". Segundo Elio, Roberto nunca assumiu diante dele uma postura impositiva. Tampouco o considerava, ao contrário da interpretação de executivos da empresa e interlocutores externos, alguém que se comportava como dono da verdade. Nas reuniões de quinta-feira, dava as diretrizes que gostaria de ver nas matérias. Não abria mão dessa prerrogativa. Vendia no atacado, não no varejo. A partir daí, a direção de redação se movia.

Com Guzzo em férias, Elio debateu a sós com Roberto a linha da cobertura de um episódio dramático. Em 1988, às vésperas das eleições municipais — que levariam o Partido dos Trabalhadores a conquistar pela primeira vez a Prefeitura de São Paulo —, grevistas ocuparam a sede da Companhia Siderúrgica Nacional, em Volta Redonda. Três deles foram mortos no confronto com tropas do Exército e da Polícia Militar. Roberto não queria que o assunto fosse para a capa. Elio queria. Ele havia escolhido a foto, com o título "O massacre de Volta Redonda". Feita pelo fotógrafo Antonio Milena, a imagem mostrava apenas as mãos de uma das vítimas, rodeadas de flores no caixão. A discussão foi demorada. Roberto afinal concordou com a posição de Elio e entendeu que o acontecimento, com seus desdobramentos políticos, teria mesmo que entrar na capa. Mas se opôs ao título. Achava a palavra "massacre" exagerada, entendendo que tinha o sentido de chacina que não se aplicaria ao ocorrido. Foi trocada por "tragédia". Ficou igualmente acertado que a "Carta ao Leitor" condenaria tanto a invasão da siderúrgica como, com maior ênfase, a morte dos três operários, empregando em determinado trecho, aí sim, a palavra "massacre". Dizia o texto:

> O desgoverno, somado a uma onda de greves que afeta a vida da população e, em última instância, haverá de lançá-la contra os sindicatos, derivou na semana passada para a baderna da invasão da Companhia Siderúrgica Nacional, em Volta Redonda, e para algo mais grave: o massacre de trabalhadores por uma tropa enviada para o restabelecimento da ordem.

Claramente, havia aí, na mesma frase, a mão do dono ("onda de greves que afeta a população", "baderna da invasão") e do jornalista ("algo mais grave", "o massacre de trabalhadores"). Na memória de Elio, esse foi o único momento, em uma década de convivência profissional direta — na maioria das vezes com a presença de Guzzo —, que provocou um desentendimento entre eles. Minimizaria todas as demais discordâncias, mesmo porque, em sua visão, não era do estilo de Roberto impor ou derrubar matérias. Roberto não somente o respeitava como tinha por ele admiração. Eram os mesmos sentimentos que nutria em relação a Guzzo, que em 1969 havia convidado Elio, na ocasião mergulhado em uma temporada acadêmica na Universidade Columbia, em Nova York, para ser seu adjunto. Com ele, voltou à redação sua mulher, Dorrit Harazim. O trabalho que Guzzo e Elio realizariam juntos a partir daí refletiu-se em uma extraordinária melhoria no nível editorial da revista, com informações exclusivas, reportagens surpreendentes e textos elaborados — não mais com o excesso de adjetivos e metáforas da época de Mino Carta. Esse estilo se devia à necessidade de driblar a censura e ao gosto do diretor, que estimulava os redatores a ampliar o vocabulário utilizado nas matérias e apreciava frases buriladas, com influência literária. Elio, como se disse, fez com que editores e editores assistentes deixassem de ser meros fechadores e, a exemplo dos repórteres, fossem para a rua atrás de notícias. "*Veja* era uma revista com excesso de firulas", afirmaria em uma entrevista o jornalista Augusto Nunes, redator-chefe naquele período. "Na tentativa de encontrar meios de contornar a censura, usava-se um texto que se tornava quase incompreensível, cheio de simbolismos, parábolas. Só que quando a censura se tornou mais branda e mesmo depois, quando ela acabou, os vícios de texto ficaram."

O resultado se refletiu em inúmeras matérias e capas de alto nível jornalístico. Várias delas marcaram época, a começar pela do Caso Baumgarten. Os destaques, entre outros, incluíam as sete capas consecutivas sobre a doença e a morte do presidente eleito Tancredo Neves. Muitas delas traziam informações exclusivas apuradas pelo editor assistente gaúcho José Antônio Dias Lopes, que graças às fontes que cultivou durante anos na área da medicina (era um dos remanescentes do Curso Abril, sua porta de entrada na *Veja* durante a elaboração dos números zero) conseguia infiltrar-se no Instituto do Coração, onde Tancredo estava internado, com uniforme de enfermeiro, desembarcando de ambulância. Entre muitas outras, seriam lembradas: a extensa cobertura da primeira visita ao Brasil do papa João Paulo II; os relatos em sequência da Guerra das Malvinas, coordenados por Dorrit; a campanha das Diretas Já; o Plano Cruzado; a Constituinte de 1988; os "documentos secretos" do general Golbery do Couto e Silva; o desmoronamento do mundo comunista; o Plano Collor; e a reunificação da Alemanha. Muitos desses temas haviam sido tratados pelos jornais, pela televisão e por revistas concorrentes, mas a *Veja* soube aprofundar a apuração, colocá-los em perspectiva para lhes dar sentido e expor o significado ao leitor. Todos tinham fatos novos, em boa parte depois reproduzidos pela imprensa. Com isso, na visão de Roberto, Guzzo e Elio, desmentia-se uma frase famosa de Theodore White, antigo editor da *Time*: "É mais fácil encontrar uma prostituta no convento do que notícia exclusiva numa semanal de informações". O conceito aplicava-se aos Estados Unidos, não ao Brasil, onde a *Veja* volta e meia "furava" a imprensa diária — e surpreendia seus leitores com capas inesperadas.

Ela também investia pesadamente, com o incentivo de Roberto, na cobertura internacional. Nos anos 1980, a revista chegou a ter, simultaneamente, nove correspondentes no exterior: em Nova York, Washington, Cidade do México, Buenos Aires, Paris (onde em um período havia dois, cada um com sua sala no escritório da Champs-Elysées), Londres, Bonn, Roma e Tel Aviv. Todos eram jornalistas registrados da Abril, não meros colaboradores, a maioria com regime de dedicação exclusiva e salários em dólar. Funcionavam escritórios em Paris, Nova York e Milão, cada um com quatro ou cinco funcionários. Em 2013, quando Roberto morreu, esses escritórios não existiam mais. Restava um correspondente, o de Nova York. Roberto tinha prazer em alardear comparações. Em 1987, a *Newsweek* mobilizou uma força-tarefa de 27 jornalistas para produzir uma matéria especial sobre a glasnost soviética. A *Veja* publicou uma reportagem de nível e extensão comparáveis (24 páginas) com o trabalho de uma única pessoa: Roberto Pompeu de Toledo, correspondente em Paris que passou um mês na União Soviética. Com uma equipe três vezes menor do que a dos semanários de informação americanos, a revista dava uma quantidade equivalente de matérias (cerca de cinquenta por edição). Era a quarta maior revista do mundo no gênero em circulação. Viria a ser a segunda.

Ao lado de tantos feitos memoráveis, houve igualmente pelo menos dois momentos polêmicos, responsáveis por reações furiosas nos meios artísticos e culturais. Foram as capas sobre a morte da cantora Elis Regina, em 1982, e a doença do compositor Cazuza, em 1989. Ambas também seriam rejeitadas por uma expressiva parcela do público. Elas tiveram a aprovação prévia de Roberto, que considerou correto, de acordo com Guzzo, o modo escolhido pela revista na abordagem. A morte de Elis, aos 36 anos, comoveu o país. Era a maior cantora do Brasil — na edição especial comemorativa dos seus 25 anos, em

1993, a *Veja* afirmaria que ela continuava sendo — e saiu de cena no auge da carreira, com 27 LPs gravados e 4 milhões de discos vendidos. Seu gênio insuportável, suas brigas com colegas e até sua decisão de cantar o Hino Nacional na Olimpíada do Exército, em 1972, o que levara boa parcela da esquerda e o semanário *O Pasquim* a acusá-la de colaborar com o regime — bem, a parte polêmica foi esquecida com o impacto provocado por seu repentino e precoce desaparecimento. O velório atraiu uma romaria de 60 mil fãs e curiosos. Muitos permaneceram horas na fila para se despedir dela no Teatro Bandeirantes, região central de São Paulo. Menos de 48 horas após sua morte, quando ela já estava sepultada no Cemitério do Morumbi, veio o segundo choque. Segundo o laudo do Instituto Médico Legal, Elis morrera pela intoxicação combinada de álcool e cocaína. A *Veja* decidiu que essa seria a linha da reportagem — sobrepujando as homenagens ao seu talento e à sua marcante trajetória —, com o título interno de "O amargo brilho do pó" e a chamada de capa "A tragédia da cocaína". Deu seis páginas para as circunstâncias da morte e quatro para sua história artística.

A "Carta ao Leitor", assinada por Guzzo, foi dura e externou a posição sobre as drogas que a *Veja*, por orientação de Roberto, sempre assumiu nesse campo:

> Drogas, pensa-se com frequência em muitos círculos, é algo de foro pessoal, uma questão de estilo de vida determinada pelo livre-arbítrio de cada um, e quanto menos se falar no assunto, melhor. Este modo de encarar as coisas é desastroso. Não se pode iludir as pessoas com a ideia de que os tóxicos tenham o que quer que seja de positivo, ou mesmo que seu consumo possa ser inócuo. A realidade simplesmente não é assim — do ponto de vista social, os tóxicos são um elemento maciçamente desagregador e, do ponto de vista pessoal, podem ser até mesmo letais. Além disso, sua distribuição é prevista na lei como crime, e nessa condição o tráfico de drogas deve ser exposto, denunciado e punido. Uma sociedade complacente com atividades criminosas não está sendo liberal ou progressista — está sendo apenas suicida.

O texto terminava de forma incisiva: "Denunciar seus promotores, pressionar as autoridades e auxiliá-las concretamente no combate aos traficantes não é, como muitos parecem crer, uma atitude retrógrada — é simplesmente um dever social".

Concorde-se ou não com esses pontos de vista, expostos vinte, trinta anos antes que a liberação das drogas ganhasse um respeitável contingente de defensores, o fato é que a revista demonstrou ali, mais uma vez, ousadia, transparência e certa dose de arrogância, sem receio de ferir suscetibilidades ou de ser patrulhada, dizendo sem subterfúgios o que achava que deveria ser dito.

Com Cazuza, porém, ela seria vista como impiedosa. Afinal, o personagem da reportagem continuava vivo.

Na capa da edição de 26 de abril de 1989, o autor de "Brasil", "Ideologia" e "Exagerado" aparecia em uma foto em que posou magérrimo, com os quarenta quilos a que estava reduzido pela doença que o consumia. "Cazuza — uma vítima da Aids agoniza em praça pública" era o título. A abertura da matéria parecia anunciar sua iminente partida:

> O mundo de Cazuza está se acabando com estrondo e sem lamúrias. Primeiro ídolo popular a admitir que está com Aids, a letal síndrome da imunodeficiência adquirida, o roqueiro carioca nascido há 31 anos com o nome de Agenor de Miranda Araújo Neto definha um pouco a cada dia rumo ao fim inexorável. Mas o cantor dos versos "Senhoras e senhores/ Trago boas-novas/ Eu vi a cara da morte/ E ela estava viva" faz questão de morrer em público, sem esconder o que está se lhe passando.

As reações seriam imediatas, a começar pela de Cazuza. "Tive vontade de vomitar quando vi aquela capa", afirmou ele, que morreria mais de um ano depois, no dia 7 de julho de 1990.

Ele admitiu que suas declarações foram reproduzidas corretamente. O motivo de sua revolta estava no título da capa e na edição da reportagem. Seu pai, o executivo João Araújo, diretor da Som Livre, gravadora do Grupo Globo, teve a mesma reação: "A reportagem é até defensável, mas o título e a capa são abjetos". Na quarta-feira, três dias depois da *Veja* ir para as bancas — e esgotar sua tiragem, naquela altura de cerca de 800 mil exemplares —, o próprio Cazuza mandou publicar um anúncio em *O Globo*, *Jornal do Brasil*, *Folha de S.Paulo* e *O Estado de S. Paulo* com o título "*Veja*, a agonia de uma revista", fazendo contraponto à chamada de capa. "Mesmo não sendo jornalista, entendo que a afirmação de que sou um agonizante devia estar fundamentada em declaração dos médicos que me assistem, únicos, segundo entendo, a conhecerem meu estado clínico e, portanto, em condições de se manifestarem a respeito", escreveu. "A *Veja* não cumpriu esse dever e, com arrogância, assume o papel de juiz do meu destino. Esta é a razão da minha revolta."

Na sexta-feira, os mesmos jornais publicaram como matéria paga um manifesto de desagravo ao compositor e de protesto contra a revista, acusada de oferecer "um triste espetáculo de morbidez, vulgaridade e sensacionalismo". O texto terminava assim: "A indignação de Cazuza não é solitária: é também nossa. Brasil, mostra a tua cara!". Seguiam-se 520 assinaturas, que reuniam nomes como os de Tom Jobim, Roberto Carlos, Walter Clark, Fernanda Montenegro, Xuxa, Tônia Carrero, Pietro Maria Bardi, Regina Duarte, Caetano Veloso, Chico Buarque, Arnaldo Jabor, Armando Nogueira, Antônio Callado, Mário Schenberg, Mário Lago, Lina Bo Bardi, Gal Costa, Paulo Gracindo, Zico, Pelé e Marília Pera, esta uma das principais articuladoras do documento. Nunca tantos artistas e personalidades se manifestaram dessa forma diante de uma reportagem da *Veja*.

Por uma ironia, a resposta da revista só pôde ser lida duas semanas mais tarde. A edição seguinte à da capa com Cazuza não foi impressa por causa de uma greve de quatro dias dos gráficos da Abril. Era a terceira e última vez que a revista não chegava aos leitores. Nas duas ocasiões anteriores, ela fora apreendida pela censura. Voltando a circular, publicou 58 cartas de leitores — foram selecionadas 31 a favor ou neutras e 27 contrárias — e um artigo de duas páginas sobre o abaixo-assinado e as reações de "figurões e figurinhas do mundo artístico-futebolístico-intelectual". De acordo com a revista, "houve erupções de irracionalismo, raciocínios tortos, agressões torpes, chiliques variados e, em alguns momentos, a linguagem desceu ao nível do esgoto". Ela citou uma frase que teria sido dita por João Araújo, no calor dos acontecimentos, em um telefonema a Alessandro Porro, veterano jornalista da editora que chefiava a sucursal do Rio de Janeiro: "Vou te quebrar a cara, lamento que Hitler não exista mais para acabar com sua raça". O artigo menciona que Cazuza teria usado a expressão "judeu apátrida" em referência a Porro, que o entrevistara para a matéria junto com a repórter Ângela Abreu. Ao ler a matéria, Ângela se demitiu da revista. O texto final da reportagem e sua edição foram de responsabilidade de Mario Sergio Conti.

Desde o ano anterior, Mario Sergio se tornara redator-chefe da revista, ao lado de Tales Alvarenga, com a ida de Elio Gaspari e Dorrit Harazim para

Nova York, ele como correspondente, ela como chefe do escritório da empresa. A transferência do casal, como o próprio Mario Sergio relataria dez anos depois em seu livro *Notícias do Planalto*, se dera em decorrência de um conflito entre Elio e Guzzo. Eles vinham conversando, na redação ou em jantares de madrugada no Parreirinha e em outros restaurantes que ficavam abertos até tarde da noite, à saída dos fechamentos, sobre planos para o futuro. Um dos projetos em cogitação era que Guzzo passasse a ser diretor geral da *Exame* e da *Veja*, cuja redação Elio assumiria. O plano não foi adiante. Os dois se desentenderam ao discutirem em um daqueles jantares. Guzzo queria demitir o editor executivo Tales Alvarenga por um motivo banal. Elio o havia instruído a publicar receitas em uma matéria de capa sobre restaurantes na *Veja São Paulo* — que Tales supervisionava — e Guzzo mandou retirá-las. Tales transmitiu a informação para Elio, o que Guzzo considerou quebra de hierarquia. No jantar, quando o assunto veio à baila, Elio disse a Guzzo que a demissão não se justificava. Guzzo acabou voltando atrás. Elio saiu do jantar com a convicção de que o problema era com ele mesmo, não com Tales. De acordo com o livro de Mario Sergio, Guzzo estava mudado. Afastara-se de velhos amigos, estabeleceu novos relacionamentos e passou a acreditar que Elio estava se "esquerdizando". Foi nessa ocasião que Elio e Dorrit acertaram a transferência para Nova York, onde ganhariam salários menores do que tinham no Brasil. O diretor de redação e o diretor adjunto não revelariam outros detalhes da ruptura, mas desde então nunca mais se falaram. Terminava ali uma fase brilhante da *Veja*, marcada por capas e reportagens de repercussão.

Já instalado em Nova York, Elio não teve qualquer participação na capa de Cazuza. Tanto nessa matéria como na da morte de Elis Regina, orientada diretamente por Guzzo, a *Veja* foi fundo nas características que a tornaram respeitada e temida, admirada e odiada: a capacidade de surpreender, de ir contra a maré, de desafiar com soberba o politicamente correto quando o conceito mal se estabelecera, de julgar e de condenar, dando o que considerava a última palavra. Roberto Civita defendia algumas de tais posturas e combatia outras, mas o fato é que, mesmo sendo o Editor, filho do dono e depois o dono, nunca conseguiu impor todos os seus desígnios. Essa foi uma das contradições de sua vida. Quando políticos, empresários e amigos lhe ligavam para reclamar de uma matéria ou pedir que uma determinada informação, uma reportagem ou uma capa contrária a seus interesses não fosse publicada, ele podia ter duas reações. A primeira era perguntar: "Mas é mentira?". A segunda era simplesmente dizer: "A responsabilidade é do diretor de redação". Este truque — uma meia verdade — lhe serviu de escudo permanente. "Quando alguém pede para não se publicar alguma coisa, muito raramente a questão envolvida tem relação com o fato de a informação ser ou não verdadeira", anotou como subsídio para o que intitulou de "*Roberto's laws of journalism*", ou as leis de jornalismo de Roberto, que recheariam suas palestras e discursos. Em conversas com editores, ele com frequência citava o código de ética adotado em 1950 pela Sociedade Interamericana de Imprensa, segundo o qual são deveres do jornalista informar com exatidão e "não omitir nada daquilo que o público tem o direito de conhecer". Mas sustentava, da mesma forma, que cabe ao editor distinguir o interesse público do interesse do público.

O limite pode ser tênue, como ele percebeu no final de 1988 ao receber por telefone um apelo da influente família Moreira Salles, com a qual mantinha boas relações. Acontecera uma tragédia. A segunda mulher do banqueiro e ex-embaixador Walter Moreira Salles, a discreta Eliza Margarida Viana Gonçalves, vista na alta sociedade brasileira como uma mulher inteligente e refinada, havia se suicidado. Diante do pedido para que a revista não publicasse a circunstância da morte, Roberto afirmou que se tratava de uma figura pública e que o jornal *The New York Times* daria uma notícia semelhante. "Jamais imaginei que ouviria isso de você", respondeu seu interlocutor, encerrando a ligação. Roberto pensou melhor e acabou cedendo. A *Veja* registrou o falecimento de Elizinha Gonçalves, como era conhecida, sem mencionar a causa, em uma cuidadosa nota de quinze linhas na seção "Datas".

Pouco depois dessa ocasião, Guzzo teve uma longa e decisiva conversa com Roberto. Contou-lhe que gostava de trabalhar com ele, que jamais deixara de prestigiá-lo e de atender a seus pedidos, tinha prazer em dirigir a revista mais importante da América Latina e sentia orgulho de ter montado uma equipe que reputava como excepcional. Mas, àquela altura da vida, achava que chegara a hora de fazer outras coisas. Antes de mais nada, dar um tempo para si mesmo, descansar, viajar por terra, mar e ar, conforme gostava de dizer, partir para novas aventuras, mais uma expressão sua, enfim, reciclar-se. Decidira sair da *Veja* e propôs uma data de desligamento: abril de 1991, quando estaria com 47 anos e completaria quinze no cargo. Um tempo excessivo, a seu ver. Não havia dúvida de que cumprira sua missão, agora que a revista se encaminhava para alcançar uma circulação de 1 milhão de exemplares. Em resumo, cansara-se das madrugadas, dos fechamentos intermináveis, das pressões, da rotina de perguntar aos editores a cada segunda-feira o que os leitores gostariam de ler naquela semana, das reuniões para discutir as matérias toda santa quinta-feira e de tudo o mais. Roberto lamentou, mas concordou com ele e marcou uma viagem para Nova York. Lá, durante um café da manhã no Hotel Park Lane, convidou Elio Gaspari para assumir a direção de redação. Não chegaram a tratar do assunto por mais de cinco minutos. "Nem pensar", respondeu Elio, sem dar margem a negociações. Ele não admitia a possibilidade de responder diretamente ao dono da empresa. Se houvesse uma instância intermediária entre eles, poderia considerar. Mas não foi colocada essa possibilidade no horizonte e ele optou por permanecer como correspondente por mais uns dois ou três anos, quando seguiria em voo solo.

De volta a São Paulo, Roberto pediu que Guzzo lhe indicasse um nome para sucedê-lo. Para sua surpresa, ele propôs Mario Sergio Conti. "Mas você só tem esse, Guzzo?", perguntou. "É o melhor", respondeu. "Sinceramente, não penso em outra pessoa." Acabariam entrando em acordo mais uma vez — e, no futuro, Guzzo reconheceria seu erro.

24 de agosto de 1990

Victor Civita morreu na tarde de 24 de agosto de 1990. Sofreu um ataque cardíaco fulminante ao acordar de sua habitual sesta vespertina. Embora, aos 83 anos, ele já não desfrutasse do vigor de sua saúde — já havia sofrido um infarto —, a notícia foi um choque para os filhos. Eles a receberam do motorista Baltazar Munhoz Gonçalves, que se encontrava no apartamento da avenida Higienópolis. Baltazar, como fazia sempre, levou-o logo cedo para a marginal Tietê e o trouxe de volta no horário do almoço. Victor comeu sozinho, tomou café, pediu que o motorista fosse lhe comprar um remédio na farmácia e foi deitar. Acordou com gritos de dor. Quando se aproximava do prédio, Baltazar viu as empregadas da casa acenando desesperadas da janela. Ele correu e o encontrou caído. Antes da chegada da ambulância, que chamou imediatamente, Victor morreu em seus braços.

Depois que Richard cuidou das providências para o velório, no Hospital Beneficência Portuguesa, e a posterior cremação, os irmãos foram abrir o cofre do pai para verificar se ele deixara instruções. Encontraram um envelope pardo, com dezessete cartas, escritas em diferentes períodos, para os dois filhos. "Meus queridos Roberto e Richard", começava uma delas, determinando que toda a sua liquidez, em contas bancárias ou aplicações financeiras, deveria ser legada à Fundação Victor Civita, constituída por ele em 1985 para cuidar de projetos ligados à educação. À margem, Sylvana acrescentou: "E minhas joias também". De bens, o pai tinha o apartamento em que morava, outro no Guarujá e seu carro. As ações do grupo já haviam sido distribuídas entre os filhos. "Se não conseguirem viver delas é porque vocês não as merecem. Um abraço, Papai", escrevera anteriormente. Em outra carta, externava um desejo do qual jamais falara com ninguém: quando morresse, queria ser capa da *Veja*. Como última decisão de editor, indicou a foto que escolhera para ilustrá-la.

Era sexta-feira, dia do fechamento da revista. Roberto voltou à marginal Tietê e pediu que Guzzo descesse até sua sala. Recebeu os pêsames e determinou que fosse feita a capa. Guzzo, no primeiro momento, ficou reticente. Roberto, dessa vez, agiu como filho e, agora, dono. Foi firme e Guzzo entendeu. "Pensando melhor, concluí que era um desejo razoável", diria. Ele então encarregou o redator-chefe Mario Sergio Conti da tarefa. Em um mundo ideal, o necrológio deveria ter sido providenciado com antecedência e guardado para o momento necessário. Victor Civita não estava doente, mas era um octogenário e, portanto, deveria ter um necrológio ao menos rascunhado. Mas não havia nenhum texto pronto, à espera de atualização, ou sequer esboçado, como as redações costumam fazer para não serem apanhadas de surpresa com o desaparecimento de grandes personalidades em idade avançada — e, dentro da Editora Abril, nenhuma era maior do que Victor. Restavam poucas horas pela frente para preparar a matéria sem atrasar a impressão. Calculava-se, nos corredores do sétimo andar, que Mario Sergio podia fumar uns três maços de cigarro em fechamentos tensos, como o de Cazuza. Certamente isso aconteceria de novo. Também bebia incontáveis copinhos de café, que pedia a intervalos curtos. Em sua sala, tinha uma campainha sob a mesa que, acionada, soava na área de produção da revista. Ao ouvi-la, um dos office boys de plantão apressava-se em atendê-lo. Ele convocou para ajudá-lo a gerente do Dedoc, Susana Camargo, considerada uma pesquisadora rápida, precisa e eficiente. Susana pegou as pastas que guardavam textos e documentos sobre Victor, separou o que havia de mais relevante, selecionou fotos e entregou para Mario Sergio o material que o ajudaria a escrever e editar.

Roberto foi redigir a "Carta ao Leitor", que sairia em oito parágrafos com o título "O exemplo que fica". "Ele não vai apenas deixar um vazio. Está nos deixando todos um pouco órfãos. Mas também está nos deixando — e sei que escrevo isto em nome de toda a grande Família Abril — determinados a manter a esplêndida chama que ele acendeu."

O artigo de capa, no qual foi incluída uma declaração elogiosa do presidente Fernando Collor de Mello, ocupou seis páginas da edição. Terminava assim:

> Na manhã de sexta-feira passada, Victor Civita era o mesmo de sempre: estava animado, cumprimentava todos no Edifício Abril e, galante, caprichava no sorriso para as moças no elevador. À tarde, estava morto. À noite, na empresa que fundou, os trabalhadores se esforçavam para que a reportagem sobre sua vida fosse publicada em cores, com informações corretas, e para que ela chegasse aos leitores no horário em que estão acostumados. Havia o esforço para seguir o exemplo de Victor Civita, para fazer com que sua obra continuasse a brilhar.

Roberto gostou do resultado.

A *Folha de S.Paulo* publicou uma página inteira em sua homenagem. Catorze anos depois de sua saída da empresa, Mino Carta deu ao jornal uma declaração que parecia sincera: "Não posso dizer que tenho dele uma boa lembrança porque, no fim da nossa relação, se portou mal. Mas de muitos ângulos foi um homem notável, um realizador, um espírito inquieto e aventuroso. Havia nele muitas qualidades positivas".

Thomaz Souto Corrêa, que conviveu com ele por 27 anos, lembrou em um artigo publicado na mesma *Folha* o que Victor lhe dissera em 1963: "Thomazinho, faça uma boa revista que o resto virá". Nessas palavras, resumia-se na visão de Thomaz a lição que moldou o sucesso da Editora Abril:

> Para fazer uma boa revista, é preciso conhecer o leitor; depois de conhecer o leitor, é preciso fazer uma revista que todos queiram ler e ver; se todos quiserem ler e ver, os jornaleiros vão expor essa revista mais do que as outras; vendo a capa, os leitores pararão para comprar; e quanto mais comprarem, mais os anunciantes quererão anunciar.

Mario Sergio Conti, como Guzzo havia decidido, foi promovido um mês depois a diretor adjunto. Apesar de relutante no primeiro momento, Roberto aprovou seu nome para ser o terceiro diretor de redação da história da *Veja*.

Na véspera de sua morte, Victor telefonara para a casa de Roberto. Laura atendeu a ligação e perguntou por Sylvana, que se encontrava internada, em estado de coma, no Hospital Alemão Oswaldo Cruz, no bairro do Paraíso. "Ah, ela não volta mais", ele respondeu. Sylvana despertaria na manhã seguinte, quando Richard, como fazia todos os dias, foi visitá-la no hospital. "Não tenho visto o seu pai", ela lhe disse. "Gostaria de vê-lo." Em seguida, mergulhou novamente no coma. No dia 31, decorrida uma semana, Sylvana morreu sem ter recobrado novamente a consciência. Tinha 79 anos. Roberta, que estudava literatura comparada na Universidade Brown, em Rhode Island, e viera dos Estados Unidos para o enterro do avô, estava no apartamento, junto com Laura. Quando viu que Sylvana expirava, segurou suas mãos e se despediu: "*Ciao, nonna*". Roberto chegou logo em seguida ao hospital, quase ao mesmo tempo que Richard, e chorou muito diante do corpo da mãe. "Foi a única vez na minha vida que o vi chorar", afirmaria Richard. Victor e Sylvana haviam determinado que queriam ser cremados. Suas cinzas foram atiradas pelos filhos em duas caixas no litoral norte de São Paulo. De acordo com a reconstituição de Mario Sergio, as duas caixas de aproximaram ao serem levadas pelas ondas.

A morte dos pais contribuiu para que os filhos fizessem uma tentativa de reconciliação. Nunca seria definitiva. Como já foi dito, desde a infância eles tiveram uma convivência conturbada. Roberto desabafou mais de uma vez com Leila, no período de estabilidade de seu primeiro casamento, o quanto sofria por ter certeza de que a mãe o preteria em prol do caçula. "Isso não aconteceu, Rob", ela argumentou. "As mães amam os filhos com a mesma intensidade." Ele jamais se convenceu do contrário. Em uma época anterior, Olga Krell ouvira o mesmo tipo de queixa. Quando os dois namoravam na Graded School, Roberto se referia ao que chamava da preferência "enlouquecida" de Sylvana por Richard — e o ciúme que este nutria pelo seu sucesso na escola. Arguto observador da família, Ugo Castellana concluiu, no decorrer de muitos anos de proximidade, que a mãe era fascinada pela beleza que admirava no caçula, com seus olhos azuis. "A verdade é que Richard foi um rapaz mais bonito e chique do que Roberto, e Sylvana, sendo uma esteta, se inclinava por ele", acreditava Castellana.

Roberto compensava a desvantagem nos atributos físicos com um reconhecido charme, o que o levou a ser bem-sucedido com as mulheres. Começaram a se engalfinhar na adolescência, como acontecia nas disputas entre Victor e César. Próximo de ambos, o empresário, editor e poeta Fernando Moreira Salles arriscava-se a dizer, de brincadeira, que, quando eram meninos, os dois na banheira, um deles deve ter ficado com o patinho de borracha do outro, o que provocou a primeira briga séria. Um motivo real se deu em virtude da revelação de suas origens. Conforme se disse, Roberto soube que não vinha de uma família cristã no dia em que, no Central Park, uma turma de rapazes mais velhos, que o chamou aos gritos de judeu, o obrigou a rezar o pai-nosso. Quando os pais lhe contaram a verdade, ele ficou revoltado e abandonou a religião. Richard só soube a verdade mais tarde. Roberto relataria que, em uma manhã de verão em Nova York, acordou-o para que fossem jogar beisebol. "Não posso, tenho que ir à missa", disse Richard. "Que missa? Nós somos judeus." Richard ficou atônito. Roberto comentaria que o irmão passou uma semana de cama, com febre.

As diferenças iriam se acentuar. Richard foi coroinha, seguiu a religião católica e nunca deixaria de frequentar a igreja. Roberto virou agnóstico. Richard rezava, Roberto estudava a Bíblia por curiosidade intelectual e se interessava pela história das religiões, da mesma forma que sempre mergulhou em outros campos do conhecimento. Richard formou-se em engenharia e economia, Roberto, em jornalismo e administração. Richard, com seu gênio forte, estourava com facilidade; Roberto, com espírito conciliador, se controlava. Richard era extremamente rígido no trabalho, adepto do preto no branco e avesso a nuances, a fazer política e a transigir; Roberto preferia os tons de cinza e gostava de negociar. Ao entrarem na Abril, Richard enfronhou-se na gráfica, na administração, nos controles, na logística, na distribuição e nas finanças; Roberto passou pela área de publicidade e aprendeu o que pôde sobre assinaturas, mas o que adorava era o mundo editorial. Com preferências tão distintas e personalidades opostas, poderiam se completar e convergir na mesma direção. Em vez disso, se chocaram. Richard achava que Roberto era um mau empresário, que não sabia fazer contas e gastava irresponsavelmente; Roberto considerava Richard insensível e inflexível.

Os desentendimentos se aguçaram ao longo dos anos. Entre 1978 e 1979, as desavenças desaguaram no rompimento. Naquele momento, 75,2% das ações da Abril pertenciam a Victor; 18,8%, a seu sobrinho Carlo, que as recebera em vida do pai, César, fundador da empresa; os 6% restantes estavam pulverizados. Como o pai já estava com mais de setenta anos e começava a se afastar de suas funções executivas, os filhos concluíram que chegava o momento de acertar sua sucessão. Victor se dividia. Achava que Richard era melhor administrador, mas sabia que só Roberto tinha qualidades de editor. Decidiu-se por Roberto. Os irmãos brigaram e a empresa foi dividida. Roberto ficou com a editora e a gráfica; Richard, com a distribuidora, a Abril Cultural (que depois ganharia o nome de Comunicação, Lazer e Cultura [CLC]), os hotéis Quatro Rodas e terrenos do grupo. Em junho de 1981, Roberto compraria a distribuidora. Robert Blocker, que foi conselheiro da Abril e prestava assessoria para Roberto na área financeira, assegurou que Richard recebeu na transação 24 milhões de dólares, em parcelas quitadas no decorrer dos anos 1980, o que Richard desmente.

As circunstâncias do desenlace e da cisão do grupo nunca seriam explicadas, em entrevistas ou depoimentos, nem por Victor nem por Roberto. Nas suas memórias, César conta que Carlo foi chamado pelos primos para servir de mediador, mas todas as tentativas de conciliação fracassaram. A partir dali, de acordo com César, Richard passou a nutrir pelo irmão "uma animosidade que beirava o ódio" e sentiu-se traído pelo pai — com quem deixaria de falar pelos sete anos seguintes. Richard afirmaria que Victor não quis lhe falar das razões de sua decisão: "Rob também jamais me respondeu sobre o que teria acontecido. Quando ele não queria responder, dava um jeito de mudar de assunto e não respondia. Ele e VC sempre foram assim".

Com a divisão da empresa, o afastamento de Richard e a morte de Victor, Roberto passou a exercer plenos poderes na Abril. Não demoraria muito, começaria a lutar na sua trincheira editorial — a revista *Veja* — por um objetivo que não conseguiria alcançar posteriormente em relação ao Partido dos Trabalhadores: contribuir para a derrubada do governo Collor.

11 de setembro de 1985

Os anos haviam se passado e, apesar da recessão de 1980, a "década perdida", a Abril crescera a ponto de ocupar a liderança no mercado de revistas na América Latina. Naquele período, tentou sua primeira incursão no mundo da televisão. Havia um certo consenso de que ela deveria se expandir além do impresso. Foi o que inspirou a criação da Abril Vídeo, seu pioneiro braço eletrônico, para produzir programas veiculados na TV aberta — aliás, o único sistema de transmissão que existia e por isso não era chamada assim. A experiência inicial, em sociedade com a TV Bandeirantes, teve vida curta. Na segunda, em 1983, a Abril Vídeo alugou o horário noturno da TV Gazeta de São Paulo. Era exibida uma programação diária de até quatro horas à base de entrevistas, notícias e variedades, a cargo de jornalistas da editora. Eles sabiam muito bem fazer revistas, é claro, mas, com raras exceções, pouco entendiam de televisão. Dentre os que tinham familiaridade com o veículo destacavam-se os apresentadores Paulo Markun e Silvia Poppovic (filha de Pedro Paulo Poppovic). A audiência da TV Gazeta já era baixíssima e, com a Abril Vídeo, continuou mal saindo do traço. "É preciso reconhecer que a Abril não tinha a vocação da televisão", diria Roger Karman, responsável pela operação. "Faltou paixão. Sem paixão, a coisa não poderia funcionar." Nos cálculos de Karman, a tentativa, que terminaria em 1985, causou um prejuízo de 2 milhões de dólares, cerca de duas vezes mais em valores de 2016.

Encerrada essa primeira incursão, e enquanto não partia para as próximas, muito mais ambiciosas e caras, a editora voltou a concentrar a atenção nas revistas. Dentro de sua estratégia de se associar a grandes editoras internacionais, Roberto acompanhou de perto o lançamento de duas mensais que teriam uma longa existência pela frente: *Elle* e *Superinteressante*. A *Elle* surgiu em parceria com a editora francesa Hachette. Do segmento sofisticado do mundo da moda, daria prestígio à Abril, mas pouco dinheiro. Na verdade, traria prejuízos na maior parte do tempo. A *Super*, como ela viria a ser tratada, foi a primeira revista da casa com a produção inteiramente informatizada. Embora incapaz de atrair o desejado volume de publicidade, conquistaria gerações de jovens leitores e, no futuro, vendas na faixa de 300 mil exemplares. Licenciada pela editora alemã Gruner + Jahr, era o resultado de uma sociedade de Roberto com seu primo Carlo Civita, que permaneceu como acionista minoritário da empresa. Daria origem a uma ninhada dos intitulados "filhotes", como *Mundo Estranho*, *Aventuras na História* e *Vida Simples*. Muitas revistas da Abril nasceram dessa forma, desdobrando-se da publicação que lhes deu origem. Foram os casos, para citar parte deles, de *Casa Claudia*, *Claudia Moda* e *Claudia Cozinha* (nascidas de *Claudia*), *Arquitetura & Construção* (saída de *Casa Claudia*, "neta" portanto de *Claudia*), *Guia Quatro Rodas* (de *Quatro Rodas*), *Grid*, *Esportes e Náutica* e *Ação Games* (da *Placar*), *Boa Forma* (da *Saúde!*), *Vip* e *Você S.A.* (da *Exame*).

Cada um desses filhotes veio à luz por ter sido gerado pela percepção dos editores de que uma determinada área coberta pela revista — decoração, moda e culinária, para lembrar novamente o exemplo de *Claudia* — despertava interesse nos leitores (e nos anunciantes) a ponto de justificar a concepção de mais um título voltado exclusivamente para esse segmento. Algumas revistas não sobreviveram. Outras viriam a caminhar sozinhas e cresceriam. Nenhuma, porém, alcançou o êxito da *Veja São Paulo*. Foi, desde o início, um fenômeno e jamais houve qualquer dúvida na Abril sobre sua paternidade. Era exclusivamente de Roberto Civita.

Ao contrário da maioria dos profissionais, jornalistas ou não, que ocuparam cargos de direção na empresa, Elio Gaspari minimizaria o papel de Roberto dentro da editora. Para ele, o protagonismo na *Veja* foi de Victor, não do primogênito. Na sua avaliação, o pai teve no mínimo 51% de responsabilidade na decisão de criá-la, lançá-la e bancá-la quando os quase insuportáveis prejuízos dos primeiros anos aconselhavam o fechamento. Depois disso, do seu ponto de vista, Roberto faria uma revista distribuída no início de graça (*Exame*) e publicações que define como franchisings, isto é, licenciadas por editoras estrangeiras (da *Playboy* à *Elle*). Não atribuiria maior mérito a essas iniciativas. Com uma exceção. Elio afirmaria que a grande ideia de Roberto — ideia essa que considerou simplesmente extraordinária — foi inventar a *Vejinha*, como a *Veja São Paulo* seria tratada internamente, no mercado publicitário e entre os leitores.

A *Vejinha* foi para Roberto o que os fascículos haviam sido para Victor: contra todas as opiniões, ele decidiu apostar nela e descobriu, como o pai em relação a *A Bíblia mais bela do mundo*, um pote de ouro atrás do arco-íris. Desde 1983, o reparte da *Veja* distribuído nas bancas e para os assinantes da capital paulista trazia grampeado nas páginas centrais um caderno em preto e branco. Publicava a programação de lazer e cultura de São Paulo (filmes em cartaz, peças de teatro, shows, exposições etc.) e pequenos anúncios. Era uma forma de atrair publicidade regional, dirigida para o público paulistano, com preços bem mais reduzidos do que a tabela vigente nas páginas normais, de alcance nacional. A responsabilidade pelo caderno era do departamento de publicidade, não da redação. Até que Roberto teve a ideia de incluir nele, além de indicações de espetáculos, reportagens, artigos, seções, colunas e uma capa. Enfim, por que não transformá-lo numa revista encartada na *Veja*, com os mesmos critérios de qualidade editorial? Existiam semanais nos Estados Unidos voltadas para uma única cidade, como a *New York*, que reunia em suas páginas matérias sobre comportamento, cultura, entretenimento, consumo, moda e bastidores da maior metrópole americana. Em Londres, a *Time Out* seguia uma receita similar. A maioria dessas publicações era bem-sucedida, com vida independente e venda avulsa.

Roberto pensava em um modelo de negócio (ainda não se usava essa expressão no jargão corporativo) diferente. Seria uma revista encartada, que o leitor receberia gratuitamente. Não havia nada igual entre as semanais de informação, tipo uma *little Time* para o mercado de Los Angeles ou uma *petite L'Express* focada em Paris. Quando ele falou do projeto que estava na sua cabeça, a primeira reação de José Roberto Guzzo foi negativa. "Roberto, ninguém ganha dinheiro dando alguma coisa de graça", ele disse. Elio também se mostrou contrário, no que mais tarde iria considerar "burrice" de sua parte. "É uma maluquice", afirmou ao ouvir a proposta. "A *Time* não faz, a *Newsweek* não faz, a *Der Spiegel* não faz, então a *Veja* não precisa fazer." Mas a *Veja* fez. Graças à insistência de Roberto, foi montada uma redação completa no quinto andar do prédio da marginal Tietê, com doze jornalistas comandados pelo editor Marco Antonio de Rezende, mineiro que fora correspondente da *Veja* em Roma e Paris, conhecido pela elegância com que escrevia e se trajava. Marco Antonio tratava das pautas e as matérias diretamente com Guzzo. Este, por sua vez, convencido por Roberto, passou do ceticismo ao entusiasmo — não apenas dava a palavra final sobre o conteúdo e o enfoque como lia e editava os textos das principais reportagens, empunhando sua temida Bic azul. Para grande satisfação de seu chefe, mergulhou com entusiasmo na consolidação do projeto. A maior evidência é que mandara providenciar uma sala exclusiva para ele na nova redação. Ficava lá na quarta e na quinta-feira, dias de fechamento, descendo dois andares por um dos elevadores de porta de aço. Em seguida, subia para o sétimo e encarregava-se do andamento do carro-chefe da casa. O primeiro número saiu em 1985, com a data de capa de 11 de setembro, por coincidência a mesma da *Veja* em 1968. Vinha com 68 páginas e uma capa sobre o bairro dos Jardins. A tiragem foi expressiva: 150 mil exemplares, número que, durante anos, representara um sonho que parecia inatingível para a *Veja*, que dirá para um filhote de alcance local. Rapidamente, a publicação atrairia o interesse do mercado e dos leitores da *Vejona*, cujo apelido, que ganhou dentro da empresa, é revelador do sucesso da cria. A circulação nacional paga da *Veja* naquele momento alcançava 620 mil exemplares por semana.

Em dois meses, a *Vejinha* virou notícia. O prefeito de São Paulo voltaria a ser escolhido em eleição direta, após uma sequência de biônicos, nomeados pelo governador do estado. A recém-lançada revista propôs ao candidato favorito, Fernando Henrique Cardoso, que posasse para um retrato de capa sentado na cadeira que, tudo indicava, iria ocupar. Foi estabelecido um acordo de cavalheiros. A foto só seria publicada depois da confirmação nas urnas da esperada vitória que as pesquisas apontavam. Fernando Henrique não resistiu à mosca azul. De blazer branco, acomodou-se no trono e foi clicado com um olhar confiante pelo fotógrafo Jorge Rosenberg. Ele se arrependeria amargamente dessa ingenuidade política. Para sua infelicidade, fotógrafos de jornais estavam presentes no gabinete da prefeitura, instalado dentro do Parque do Ibirapuera, e, como não participaram da negociação, entregaram as fotos reveladas para seus editores, que as estamparam com destaque. Outra foto de Fernando Henrique, sem mostrá-lo na cadeira, acabaria saindo na capa da própria *Vejinha*, no domingo da eleição, em seu décimo número, com o título "Ideias para uma cidade nova". Infelizmente para Fernando Henrique e seus eleitores, o azarão Jânio Quadros virou o jogo em cima da hora e se elegeu com 37,5% dos votos contra 34% (não havia segundo turno). Ao tomar posse, o ex-presidente da República que havia renunciado ao cargo em 1961 armaria uma foto que deu igualmente o que falar. Apertando um tubo de inseticida, borrifou a cadeira que iria ocupar e destilou sua característica ironia. "Estou desinfetando esta poltrona porque nádegas indevidas a usaram", declarou.

Ruim para Fernando Henrique, ótimo para a *Vejinha*, que ganhou notoriedade da noite para o dia. A revista não parou de crescer, chegou a uma circulação de 400 mil exemplares e ascendeu ao posto de segunda maior publicação da Abril, atrás somente da *Veja*, tanto na tiragem entre as semanais como na rentabilidade. Pesquisas internas revelariam que perto de metade dos assinantes da cidade de São Paulo, dos municípios distantes até cem quilômetros da capital paulista e do litoral do estado — área da presença da revista — folheava e lia a *Vejinha* antes da *Veja*. De brincadeira, Roberto não se cansaria de repetir que a criara para salvar casamentos. "Ela evita que os casais briguem por causa de uma só revista", dizia. "A mulher fica primeiro com uma, o marido com outra — ou vice-versa. Se não for por isso, deve ser porque *Vejinha* realmente fascina e serve aos nossos leitores."

Quando ela completou vinte anos, em 2005, Roberto escreveu que, com sua expressiva circulação, a revista na qual apostara sozinho era agora a publicação número um da Grande São Paulo, ultrapassando na região metropolitana as tiragens da *Folha* e do *Estadão*. O especial *Comer & Beber*, publicado anualmente com a escolha dos melhores bares, restaurantes, doces e salgados paulistanos, teria em 2012 — o último que Roberto viu e consultou, como fazia habitualmente — 652 páginas. Foi um recorde histórico dentro da Abril até aquele momento. A edição, que pesava 930 gramas (contra duzentos gramas de uma edição normal da *Veja*, com 134 páginas), trazia 309 páginas de anúncios. Isso significou um faturamento, em um único número, superior a 8 milhões de reais, ou 60% acima do alcançado pela *Veja* naquela semana. Nas contas do então diretor superintendente do grupo, Claudio Ferreira, que Roberto considerava um dos principais responsáveis por tal resultado, os 8 milhões de reais equivaliam à receita publicitária de pelo menos um semestre de mensais como a *Quatro Rodas*. Com apenas essa fonte de recursos — a publicidade, consequência direta de sua aceitação editorial —, a *Vejinha* daria à editora em 2010 um Ebitda, termo utilizado para medir a lucratividade antes dos impostos devidos, de 39 milhões de reais. O Ebitda da *Veja* atingiria no mesmo ano 204 milhões de reais, numa diferença considerável, mas todas as demais revistas ficavam atrás da *Veja São Paulo*. Resultados comparáveis haviam sido obtidos em 2007 e 2008. Roberto registrou cada um em sua agenda como *annus mirabilis*, ou ano miraculoso, para ele e para a Abril.

Houvera outros *anni mirabiles* e, no resultado oposto, *anni horribiles* — expressão latina utilizada pela rainha Elizabeth II ao se referir a 1992, marcado pela separação de três de seus filhos, a começar pelo príncipe Charles, que se divorciou de Diana, e do incêndio no seu querido castelo de Windsor.

Para a *Veja*, do ponto de vista editorial e político, um de seus *anni mirabiles* seria, ao contrário do sucedido na família real inglesa, justamente o de 1992.

29 de setembro de 1992

O prédio da Editora Abril na avenida Otaviano Alves de Lima, trecho da pista local da marginal Tietê, sempre foi referência para os motoristas que por ali trafegavam. Instalada na sua cobertura, a árvore verde, símbolo da empresa, funcionava desde 1968 como uma indicação para os que seguiam, no sentido leste-oeste, rumo à marginal Pinheiros ou às principais estradas de acesso ao interior do estado: a via Anhanguera, a rodovia Castelo Branco e, mais tarde, a rodovia dos Bandeirantes.

Embora fosse um edifício conhecido de São Paulo, a maioria dos funcionários não gostava de trabalhar lá. Exceto para quem morava na região, aquele fim de mundo, assim visto por muitos deles, ficava fora de mão da região central, da área da avenida Paulista, dos Jardins e de Pinheiros, para não falar da Zona Sul, com trânsito pesado e intenso tráfego de caminhões. Quando chovia forte, o rio Tietê, que volta e meia transbordava, podia causar alagamentos. O transporte público era precário. Não dava para sair dali a pé para nenhum lugar, a não ser andando centenas de metros, em geral sob o sol, em meio ao barulho e à poluição dos veículos. Aos restaurantes mais ou menos próximos, e bastante simples, só se chegava de carro. Havia uma lanchonete ruim e um restaurante pior ainda, não por acaso apelidado de Lixão. Como se não bastasse, era um lugar sufocante.

No dia 30 de setembro de 1992, uma quarta-feira, os funcionários entraram no prédio entre surpresos e orgulhosos. Do alto a baixo, a fachada envidraçada à frente do rio sujo e malcheiroso estava coberta por tecidos de cores verde e amarelo. Cada um que chegava ganhava canetinhas nas cores do Brasil. Os principais jornais brasileiros, naquela manhã, publicavam anúncios de página inteira do Grupo Abril. Eram ilustrados com uma imagem destacada da arvorezinha, também em verde e amarelo. Na véspera, por 441 votos a favor e 38 contra, a Câmara dos Deputados havia autorizado o Senado a abrir processo por crime de responsabilidade contra o presidente Fernando Collor de Mello e determinado o seu afastamento do cargo. Sem citar o nome dele ou o desfecho da crise política — nem precisava, pois eram do conhecimento de qualquer brasileiro —, o extenso texto do anúncio, em 289 palavras, refletia a euforia e a esperança da editora, mais precisamente de Roberto Civita, responsável pela iniciativa, em relação ao que vislumbrava no horizonte do Brasil.

> O verde voltou para a bandeira da dignidade e da esperança.
>
> Depois de mais de 120 dias de espanto e indignação, quando se chegou a duvidar dos valores, das instituições e até da nação, eis que um novo país está brotando.
>
> Um país que sai da lama como uma flor.
>
> Seja o que for que nos espera no amanhã, já sabemos: vontade nacional funciona, representação popular funciona, Justiça funciona, liberdade de imprensa funciona.
>
> Após esta demonstração de vitalidade e decência, é tempo de proteger a flor que nasceu para o futuro.
>
> Quanto custou tudo isso a cada um de nós? Muito, certamente, mas não importa: democracia não tem preço.

A história por trás desses acontecimentos, que culminariam com a renúncia de Collor no dia 29 de dezembro, começara quatro anos antes. Em 1988, o imprevisível, rico e bonitão Fernando Collor, governador de Alagoas, começou a chamar a atenção do país. Além da bela estampa, parecia para muita gente ter um perfil diferente do dos políticos tradicionais. Descobrira um filão que encantava a classe média e através dele se tornara conhecido: o combate aos privilégios dos funcionários de seu estado — o terceiro menor, contando o DF, e um dos mais atrasados do país — que ganhavam salários elevados. Fez disso a sua bandeira. O próprio Roberto, ao conhecê-lo em um almoço, impressionou-se com as ideias que ele, como costumava acontecer com os políticos perspicazes que o procuravam, soube lhe vender. Chegaria a se convencer de sua sinceridade e honestidade, conforme se penitenciaria mais tarde em um discurso na Fédération Internationale de la Presse Périodique (FIPP). Na ocasião, admitiu aos seus pares do mundo inteiro que chegara a vê-lo, em um momento em que o Brasil "precisava e queria mudanças", como uma jovem e carismática figura kennedyana. Collor defendia e aparentemente executava medidas que o dono da Abril — a exemplo de muitos empresários que o apoiavam — considerava necessárias para o país, sobretudo o enxugamento da máquina pública, ações na Justiça contra os rendimentos desproporcionais dos superfuncionários e o apoio à livre-iniciativa. Ele se arrependeria de avaliações precipitadas como essas.

Não apenas ele, na verdade. Em março de 1988, a direção da *Veja* — com a aprovação de Roberto — decidiu que Collor deveria ser capa da revista. A reportagem foi apurada por Eduardo Oinegue, chefe da sucursal de Recife enviado a Maceió, e editada pelo editor executivo Tales Alvarenga, responsável pela criação do título que viraria uma referência para o bem e para o mal em relação ao governador alagoano que já sonhava em se candidatar à presidência da República: "O caçador de marajás". Na reportagem interna de sete páginas, o título seguia a mesma linha: "A guerra ao turbante". Abaixo dele, o subtítulo resumia a linha positiva da matéria: "No seu papel de caçador de marajás, Fernando Collor de Mello torna-se um dos governadores mais populares do país".

Os acontecimentos seguintes são conhecidos. Um ano e nove meses mais tarde, Collor (53% dos votos válidos, em percentuais arredondados) derrotaria Luiz Inácio Lula da Silva (47%) no segundo turno e se elegeria presidente. Era o primeiro pleito direto em 29 anos para o mais alto cargo da nação. No dia seguinte à posse, em 15 de março de 1990, seria baixado o draconiano Plano Collor, que confiscou por dezoito meses os depósitos bancários acima de 50 mil cruzados novos (equivalentes a 1250 dólares), congelou salários, tabelou preços, criou uma nova moeda e chocou o Brasil, em uma tentativa logo fracassada de exterminar a hiperinflação, que atingiria assombrosos 84% naquele mês. Collor, porém, começou a abrir a engessada economia brasileira. Tomada de perplexidade como todos os brasileiros, a *Veja* reagiu em um primeiro momento com cautela ao pacotão heterodoxo. A revista teve pouco tempo para apurar e refletir, pois as medidas foram apresentadas de forma confusa na sexta-feira, horas antes do fechamento da edição, pela insegura ministra da Economia, Zélia Cardoso de Mello, e pelo presidente do Banco Central, Ibrahim Eris, turco de nascimento que tinha dificuldade de se expressar com clareza na língua portuguesa. Por isso, foi cautelosa na "Carta ao Leitor":

> Se o plano der certo, conseguindo estabilizar a moeda e fazendo a economia crescer novamente a médio prazo, o sacrifício terá valido a pena. As perdas serão desculpadas e esquecidas, desde que deem origem a uma melhoria sensível nas condições de vida dos brasileiros e de progresso do país. Se der errado, não produzindo resultados palpáveis, o plano de Collor terá efeito de uma bomba que, em vez de ser arremessada sobre os inimigos, terá estourado no próprio país, vitimando a todos.

Passada uma semana, a *Veja* deu um voto de confiança ao governo, ao afirmar no mesmo espaço editorial: "A economia brasileira, acometida de males profundos e explosivos, só poderia ser tratada com um plano de choque. Fernando Collor fez e aplicou o seu plano. Foi eleito presidente para isso".

A boa vontade não demoraria a dar lugar à realidade. Qual erva daninha, a inflação brotou novamente e foram aparecendo denúncias sobre indícios de corrupção dentro da República de Alagoas, como a *Veja* iria se referir em uma capa ao grupo em torno de Collor que ascendera ao poder e às suas benesses. Apesar de tudo, Roberto mantinha sua fé de que o Brasil poderia melhorar. "Para mim, a grande virtude do governo Collor até agora", diria em dezembro de 1990, ao final do primeiro ano da nova administração, "tem sido apontar os caminhos óbvios para o desenvolvimento do país." Referia-se à redução do tamanho do Estado, às privatizações, à defesa da economia de mercado e à eliminação de subsídios. Em julho de 1991, Roberto permanecia na defesa do presidente. "Apesar de suas falhas e frequente incompetência, o governo Collor vem apontando e abrindo caminhos na direção certa", acreditava.

Naquele momento, a *Veja* acabara de passar por uma das mais importantes mudanças de sua história. Dois meses antes, José Roberto Guzzo formalizara sua saída da revista. Antes de assumir em seu lugar, Mario Sergio Conti foi conhecer nos Estados Unidos a *Time* e a *Newsweek*, as maiores revistas de informação do mundo. Voltou de lá com a ideia de criar um corpo de editores especiais, que se encarregariam de produzir matérias mais profundas e extensas. Para isso, segundo contaria em seu livro, conseguiu que Roberto o autorizasse a contratar a cúpula do *Jornal do Brasil*, que vivia um de seus cíclicos períodos de crise financeira. Foram ou voltaram para a *Veja* os jornalistas Marcos Sá Corrêa, Roberto Pompeu de Toledo, Ancelmo Gois, Alfredo Ribeiro e Flávio Pinheiro, tidos como do primeiro time da imprensa brasileira. Eles dariam uma contribuição fundamental para que Mario Sergio realizasse uma reformulação na revista, que se encontrava um tanto acomodada com sua alta circulação. Já no primeiro ano sob a nova direção, a *Veja* se destacaria por sua cobertura na Guerra do Iraque, o fim do regime do apartheid na África do Sul, o desaparecimento da União Soviética, as mudanças na economia brasileira, com a queda da ministra Zélia Cardoso de Mello — e os primeiros escândalos do governo Collor.

Então, em maio de 1992, pouco mais de um ano após a promoção de Mario Sergio, Pedro Collor resolveu contar tudo. Era exatamente esse o título da capa: "Pedro Collor conta tudo". Talvez nem tudo, mas o suficiente para rachar em definitivo seu clã, balançar Fernando Collor no palácio do Planalto, abalar a República — de Alagoas e do Brasil —, esgotar a *Veja* nas bancas, fazer com que as edições seguintes fossem aguardadas com expectativa e temor e mudar a rotina de Roberto.

Três anos mais moço do que Fernando, Pedro era o superintendente da Organização Arnon de Mello, empresa da família que incluía a TV Gazeta (afiliada da Rede Globo), a Rádio Gazeta FM e o jornal *Gazeta de Alagoas*. Ele começava a se desentender com Paulo César Farias, o PC. O tesoureiro da campanha de Collor achava que a *Gazeta de Alagoas* lhe era hostil e se dispôs a relançar o jornal *Tribuna de Alagoas* para concorrer com ela. Pedro passou a considerar PC seu inimigo e reuniu documentos que o incriminavam. O jovem repórter Luís Costa Pinto, que trabalhou nas sucursais da *Veja* em Recife e Brasília, tratado pelos colegas como Lula, já cultivava Pedro como fonte de informações e conversava com ele regularmente. Achou que era hora de conseguir uma entrevista aprofundada e definitiva sobre as acusações que vinha fazendo, depois que, numa reportagem do colega Eduardo Oinegue, Pedro chamou PC de "lepra ambulante" e afirmou que seus negócios poderiam provocar o impeachment do irmão. A condição para isso foi criada com os desdobramentos da briga entre Pedro e PC. Eles culminaram com o rompimento sem volta de Pedro e Fernando. A família Collor considerou que Pedro estava emocionalmente perturbado e o afastou do comando da empresa. Foi nesse momento que ele chamou Lula à sua casa, em Maceió, e lhe deu uma entrevista de quatro horas, gravada em vídeo por uma equipe da TV Gazeta.

A entrevista era tão explosiva que Mario Sergio pediu a Lula que tentasse levar Pedro Collor a São Paulo, pois pretendia conhecê-lo e certificar-se de que ele não estava louco, como dizia sua mãe, Leda Collor. Pedro, acompanhado da irmã, Ana Luísa, da mulher, Thereza, conhecida pelo charme e pela beleza, e do próprio Lula, chegou à redação naquela mesma noite de quarta-feira. Mario Sergio, o agora diretor adjunto Tales Alvarenga e o editor executivo Paulo Moreira Leite os levaram ao restaurante da Abril. Ali, ele seria novamente entrevistado. As fitas gravadas seriam copiadas e guardadas em um cofre da editora. Entre outras declarações fortes, Pedro afirmou que PC Farias era testa de ferro de Collor; do dinheiro que arrecadava junto a empresários, 30% ficavam com ele e 70% iam para o presidente. Também acusou Collor de se insinuar para Thereza e revelou que o irmão, assim como ele, consumira drogas na juventude. Enfim, havia ali uma bomba com potencial para explodir o governo.

No dia seguinte, Mario Sergio informou Roberto Civita do conteúdo da matéria. Roberto consultou em seguida Elio Gaspari e José Roberto Guzzo. Ambos afirmaram que a revista deveria publicar o que havia apurado, como Mario Sergio relataria em seu livro. A tiragem de 836 mil exemplares (656 mil para os assinantes) esgotou-se em 24 horas. Foram impressos mais 154 mil exemplares.

"Roberto Civita bancou a publicação da entrevista", afirmaria Paulo Moreira Leite. Antes que a edição começasse a circular, Moreira Leite soube, através de amigos da *Folha de S.Paulo*, que o *publisher* do jornal, Octavio Frias de Oliveira, dissera em reuniões internas que Roberto "não teria coragem" de dar a matéria. Não apenas deu como arcou com as consequências. "Quando Mario Sergio Conti e eu resolvemos publicar" — Roberto fazia questão de deixar claro que a decisão não era apenas do diretor de redação nem somente dele, o presidente da empresa, cargo que assumira com a morte do pai e lhe dava a prerrogativa da palavra final —, "muitos dos meus supostos 'amigos' deixaram de me reconhecer ou cumprimentar." Foi exatamente isso que aconteceu já na segunda-feira seguinte. Durante um almoço em homenagem ao banqueiro americano David Rockefeller, no Clube Nacional, Roberto sentiu na carne as consequências: empresários e autoridades que antes lhe davam tapinhas nas costas e faziam questão de bajulá-lo viraram as costas para ele. Percebeu mais uma vez, como em episódios que vivera no passado, "quão poucos amigos verdadeiros pode ter um editor que leva sua missão a sério". Também percebeu que era o momento de tomar certas precauções.

Ele já tinha um esquema próprio de segurança desde que o empresário Abilio Diniz fora sequestrado, em 1989. Com o Caso Collor e o aumento da criminalidade em São Paulo, decidiu reforçá-lo, incluindo o da mulher e dos filhos. Nessa ocasião, deixou definitivamente de dirigir automóveis. Foi um alívio para a família. Além de conduzir de forma desatenta, tinha o perigoso hábito de ler dentro do carro, aproveitando as paradas dos congestionamentos ou do sinal fechado. Antes que o tráfego voltasse a fluir ou o semáforo abrisse, ele dava um jeito de passar os olhos ao menos de relance nas revistas ou nos papéis que invariavelmente tinha ao seu lado. Certa noite, Thomaz Souto Corrêa o viu dirigindo à sua frente na movimentada avenida Rebouças. Parado no engarrafamento, Roberto abriu o vidro do carro e segurou uma revista de maneira a tentar iluminá-la sob um poste de luz. Só a recolheu quando outros motoristas começaram a buzinar. Em outra ocasião, preparando-se para entrar no estacionamento do Shopping Iguatemi ao volante de um Alfa Romeo, precisou parar na rampa de acesso por causa do excesso de veículos. Aproveitou para dar uma espiada em uma das revistas que pusera no colo. Distraiu-se, o pé escapou do freio e seu carro bateu no que estava atrás.

Carro, para Roberto, precisava ter, antes de mais nada, boa suspensão e iluminação que considerasse perfeita no banco traseiro, com uma luminária dirigida para o lado direito, onde se sentava. Sua preocupação era poder ler confortavelmente a bordo. Em 2008, quando trocou de veículo pela última vez, antes de autorizar a compra decidiu fazer um test-drive com cinco modelos blindados de cor preta. Seu principal critério para a escolha foi encontrar um que lhe permitisse as condições ideais de leitura. Com o motorista José Airton Lima, que o serviu nos últimos dez anos de vida, experimentou um Azera, da Hyundai; um Mercedes-Benz S 500 L; dois BMW, o 750i e o 760 Li; e um Lexus LS 460, da Toyota. Optou por este último, não pelo preço ou pelo desempenho, mas basicamente porque, dentro dele, conseguia ler melhor, sem solavancos, revistas, jornais e documentos. Acertada a compra, o carro voltaria à fábrica para um último ajuste da luz de leitura.

Seu aparato passou a ter seis homens armados. Eles o acompanhavam em um sistema de rodízio. No seu carro blindado, além do motorista, um agente ficava com ele no banco do passageiro. Um carro os seguia com dois seguranças. Cada um deles portava uma pistola Taurus calibre .380 com quinze balas, mais uma na agulha, e um carregador sobressalente. Jamais teriam necessidade de entrar em ação ou de sacá-las. O esquema era supervisionado pelo gerente de segurança da Abril, Vital Santos. Formado em administração, Vital fizera cursos especializados na Espanha e contratou a empresa Graber para dar proteção a Roberto. Mais tarde, a conselho do banqueiro Joseph Safra, um consultor israelense se incorporou ao grupo. Sempre que a *Veja* saía com uma capa trazendo alguma denúncia, Roberto avisava previamente Vital. Dependendo do que estivesse para ser publicado, ele reforçava a vigilância.

Em todos os seus compromissos pessoais e profissionais, Roberto tinha um guarda-costas a poucos metros de distância, fosse em uma reunião externa, um jantar em restaurante ou uma peça de teatro. Mesmo na Abril, havia o tempo todo um segurança atrás da porta do ambiente em que se encontrava, estivesse ele trabalhando em seu gabinete ou almoçando com convidados em uma área privativa no restaurante da empresa. Mais tarde, quando tomou a iniciativa de realizar a infalível reunião de quinta-feira da *Veja* na sala do diretor de redação, não mais na dele, um segurança permanecia em pé, mudo, com fone no ouvido, ao lado do banheiro, a menos de dez metros da porta.

A revista, com o respaldo de Roberto, prosseguiu semana após semana em suas investigações sobre Collor. Continuaria na apuração de denúncias e faria, depois da entrevista de Pedro Collor, mais quinze capas sobre os desdobramentos da crise política, culminando com uma edição extra sobre sua queda. Mas escorregou no meio delas. Seis semanas após a matéria "Pedro Collor conta tudo", como não apareceram novas evidências de corrupção e a Comissão Parlamentar de Inquérito (CPI), instalada no Congresso Nacional, parecia não avançar em novas revelações, Mario Sergio decidiu fazer uma capa com a chamada "No que vai dar a crise". Logo abaixo, como em um jogo de adivinhação, havia cinco alternativas: "impeachment; renúncia; parlamentarismo já; Collor continua, forte; Collor continua, fraco". Alguns executivos da revista estavam na sua sala quando o diretor assinalou a última opção. Paulo Moreira Leite foi contra. Segundo Mario Sergio narraria em seu livro, ele lhe disse: "Não podemos apostar no que vai acontecer". Os dois eram bastante próximos e, na juventude, haviam militado juntos na organização estudantil trotskista Liberdade e Luta (Libelu). Segundo Moreira Leite contaria, o episódio provocou uma briga entre ambos, depois superada. Eles romperiam definitivamente em 1999, com a publicação de *Notícias do Planalto*, no qual Moreira Leite não viu reconhecidos seus méritos na cobertura do caso. Durante aquele período, ele era editor executivo da área política da *Veja* e mais tarde seria promovido a redator-chefe. Irritado com o livro, conforme diria, escreveu um virulento artigo na *Folha de S.Paulo*. "O livro descreve cenas verdadeiras de forma incorreta, narra como verdadeiros fatos que são fictícios", afirmou. "Como reconstituição histórica, *Notícias do Planalto* é uma comédia surrealista. Como visão ética e política, uma catástrofe."

No último parágrafo do artigo — não respondido por Mario Sergio —, Moreira Leite dá sua versão sobre a capa que previa a continuidade de Collor na presidência e à qual ele se opusera:

> Um mês e meio depois de publicar a entrevista de Pedro Collor, a *Veja* jogou a toalha. Numa conjuntura em que os empresários temiam que as investigações da CPI chegassem a suas empresas e em que o Planalto pretendia acabar com a apuração de qualquer maneira, Mario Sergio publicou uma capa ideal para enterrar o caso: anunciava o fim da crise política, prevendo que Collor ficaria em seu cargo. Servindo de coveiro da CPI, deixou a redação atônita com a decisão, mas nunca explicou o que tinha acontecido. Eis um grande episódio para uma reportagem sobre o impeachment explicar: quem o convenceu a disparar uma bomba suicida? Sofreu alguma pressão, ameaça? Imaginava-se que fosse aproveitar o livro para esclarecer. Ele não gasta dez linhas no caso.

O equívoco da escolha daquela capa ficaria demonstrado no mesmo final de semana, quando a revista *IstoÉ*, principal concorrente da *Veja* — e dirigida por Mino Carta —, foi às bancas com o "furo" que desaguaria no impeachment de Collor: uma entrevista com o motorista Eriberto França revelando que PC Farias pagava despesas pessoais do presidente da República e de sua família. Eriberto, contratado pela estatal Radiobrás, prestava serviços para a secretária de Collor, Ana Acioli. Nessa condição, era encarregado de apanhar cheques e dinheiro vivo na Brasil-Jet, empresa de táxi aéreo de PC Farias, para entregá-los na Casa da Dinda, onde Collor morava. Ficaria comprovada, com documentos e a entrevista, a ligação entre o tesoureiro e o presidente. A matéria era assinada por Augusto Fonseca, Mino Pedrosa e João Santana Filho — o futuro marqueteiro político das vitoriosas campanhas à presidência de Luiz Inácio Lula da Silva (2006) e Dilma Rousseff (2010 e 2014), que seria preso em 2016 pela Operação Lava Jato. Segundo Mario Sergio, Roberto Civita tentou confortá-lo diante do erro que cometera: "Não se pode acertar todas e, apesar dos pesares, pelo menos a *Veja* não está mais sozinha na apuração do caso. A única coisa chata foi que logo a *IstoÉ* tenha dado o furo".

Mesmo antes da renúncia de Collor, Roberto passou a se preocupar com os rumos editoriais da revista. Ela deveria continuar atrás de denúncias? Empenhar-se incansavelmente em apontar a corrupção dos políticos? Insistir na mesma tecla, depois das 33 capas que havia dedicado ao governo Collor, dezessete delas em cima da crise que provocaria o afastamento do presidente? Ou estava na hora de, sem abandonar o esforço de investigar o poder, contrabalançar com matérias positivas, apontando caminhos e propondo soluções, como ele defendia desde a época da *Realidade*? Decidiu discursar sobre isso no almoço de fim de ano que ofereceu no Roof, dia 16 de dezembro, para o diretor de redação, o diretor adjunto, editores executivos e editores especiais, em um total de treze jornalistas da revista. Antes de erguer um brinde com champanhe Veuve Clicquot, afirmou que 1992 fora o grande ano da *Veja* e que, "graças ao brilhante trabalho de todos vocês e de nossa brava equipe de reportagem, abrimos caminho para o impeachment de um presidente corrupto e — se Deus quiser — para o início de uma mudança fundamental na gestão da coisa pública no país". A seguir, disse que era "um bom momento para refletirmos um pouco a respeito da tarefa que nos espera a partir de agora". Passou então a pregar a necessidade de equilíbrio na postura editorial da revista, que deveria dedicar "mais tempo, espaço e talento às causas dos nossos problemas, às alternativas para resolvê-los e aos custos correspondentes". E fez uma pregação que, depois dos elogios, provocou desconforto em parte dos presentes.

Outra área em que gostaria de progredir diz respeito à compreensível — mas indesejável — tendência a darmos mais atenção e importância às fraquezas humanas do que às realizações concretas. Muito frequentemente, tenho a impressão de que *Veja* prefere lancetar furúnculos (ou até espremer espinhas) do que falar da saúde geral do paciente ou de suas realizações maiores. Isso é ruim. Não somos justiceiros. Não estamos aqui para julgar (e muito menos condenar) os outros. Não devemos criar uma situação em que não apenas políticos corruptos, empresários desonestos e malfeitores em geral nos temam, mas que gente normal, com problemas empresariais ou familiares ou profissionais normais também tremam ao saber que *Veja* telefonou, os procurou, quer entrevistá-los ou fotografá-los.

Conto com Mario e vocês todos para conter e contrabalançar este meu ímpeto reformista e vocação para pastor protestante ou escoteiro. Mas acredito — sinceramente — que é justamente o equilíbrio que temos alcançado entre nossas posições às vezes tão contrastantes (e até conflitantes) que tem contribuído para fazer de *Veja* a melhor publicação brasileira e uma das estrelas da galáxia das comunicações.

Portanto, *bravi tutti*, obrigado... e *excelsior*!

O *annus mirabilis* chegava ao fim.

7 de maio de 1994

Roberto Civita apanhou a edição da *Veja* com data de 12 de outubro de 1994, recém-saída da gráfica. Não continha sua alegria. Lá estava na capa o título simples e direto que ele tanto queria que pudesse ser impresso, abaixo de uma foto em preto e branco do triunfante Fernando Henrique Cardoso: "O presidente". Folheou a revista devagar, saboreando naquela primeira olhada as linhas gerais das matérias sobre a vitória do candidato — o seu candidato — que no dia 3 ganhara a eleição no primeiro turno, com 54% dos votos (Luiz Inácio Lula da Silva, o segundo colocado, ficara com a metade). De repente, parou na página 40. Ficou por um momento intrigado. Seria coincidência? Ao ler a primeira frase, começou a rir. E, à medida que avançava no texto, as risadas aumentavam.

> A Maria Antônia chegou lá.
>
> Fora de São Paulo poucos entenderão o que se quer dizer com isso. Mesmo em São Paulo nem todos entenderão — mas os iniciados, isto é, os intelectuais ou afins, os acadêmicos ou os que se situam na periferia deles, os que têm gosto ou propensão para as coisas do pensamento e das lucubrações, ou mesmo os que, por frivolidade ou exibicionismo, serpenteiam por esses arrabaldes, esses entenderão. [...]
>
> A Maria Antônia é uma rua de São Paulo, situada no bairro de Vila Buarque, na região central da cidade. Nela fica um prédio feio, um caixote de cinco andares,

BARILOCHE, 2005

Thomaz Souto Corrêa, entre Jorge Fontevecchia, presidente da Editorial Perfil e criador da *Caras*, e Roberto Civita. A cada ano, os sócios Fontevecchia e Roberto faziam o que chamavam de "encontro turístico-filosófico-empresarial" com o objetivo de trocar ideias e discutir durante quatro dias seus negócios, alternadamente num lugar diferente da Argentina e do Brasil. Seguiam com eles as mulheres, os filhos, Thomaz e Edgardo Martolio, este responsável pela operação brasileira da revista de celebridades.

DAR OU NÃO DAR?

Depois de muitas discussões, Roberto Civita autorizou a *Claudia* e a *Nova* a veicularem em 2003 um tipo de anúncio que até então a Abril não aceitava: a capa, com a mesma foto e as mesmas chamadas, se repetindo na sequência. A diferença é que na segunda a modelo exibia um celular da Samsung, ao lado de uma publicidade do produto. Na reunião do conselho editorial que debateu o assunto, Thomaz Souto Corrêa pediu que fosse consignado em ata que, pela primeira vez, a editora “decidiu vender as capas de duas de suas revistas”. Isso nunca mais se repetiria. Thomaz acredita que Roberto — embora não tenha admitido — se arrependeu da decisão.

HISTÓRIA APAGADA

A reportagem de capa da *Exame* sobre o banqueiro Joseph Safra e sua sucessão já estava a caminho da gráfica quando Roberto Civita chamou José Roberto Guzzo, diretor-geral da revista, para lhe fazer um pedido. Safra, que possivelmente lera o texto original, solicitara o corte de um trecho que o incomodava. Guzzo não concordou, mas Roberto insistiu. A Abril sofria uma de suas maiores crises de endividamento e o Banco Safra era um de seus maiores credores. Diante do impasse, ficou decidido que a matéria não seria publicada. A *Exame* preparou às pressas uma capa-estepe para aquela mesma edição, com data de 25 de agosto de 1999. Os leitores não souberam de nada.

O IMPACTO DE QUATRO CAPAS

Em 1982, ao focar a morte de Elis Regina na causa — intoxicação combinada por álcool e cocaína —, e não na brilhante história da cantora, a *Veja* chocou seus leitores.

Reações indignadas de artistas e diferentes personalidades se seguiram à publicação da capa que apresentava o cantor e compositor Cazuza como uma vítima da aids que agonizava "em praça pública".

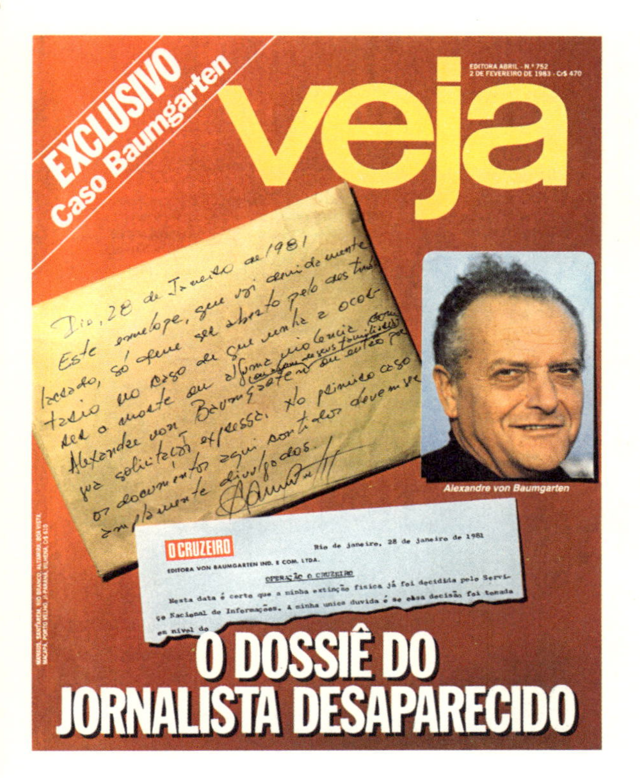

Roberto ficou incomodado ao receber a revista com a revelação do chamado Caso Baumgarten, um dos grandes furos da história da *Veja*, em 1983. Ele não fora informado previamente. A partir daí, instituiu uma reunião obrigatória às quintas-feiras com os diretores do semanário para discutir e aprovar as principais matérias da edição. Passou a seguir a instrução que Catherine Graham — dona da *Newsweek* e do *Washington Post* — deu ao seu editor executivo Ben Bradlee: “Faça o jornal que quiser. Mas não me surpreenda”.

Luciana Vendramini completou dezessete anos em dezembro de 1987, quando a *Playboy* foi às bancas com a edição em que ela posava nua. Para que pudesse ser fotografada, seus pais a emanciparam. Ainda não existia o Estatuto da Criança e do Adolescente (ECA), que entrou em vigor em 1990 e proibiria ensaios como esse com menores de idade.

COLLOR DO INÍCIO AO FIM

Em março de 1988, a *Veja* apresentou o governador de Alagoas, Fernando Collor de Mello, como um político diferente e corajoso. Um ano e nove meses depois, ele foi eleito presidente da República. Roberto o considerava então uma "jovem e carismática figura kennedyana", avaliação da qual iria se penitenciar.

A bombástica entrevista exclusiva de Pedro Collor, irmão do presidente, foi bancada com todos os seus riscos por Roberto. Ela desencadeou a queda do "caçador de marajás".

A *Veja* cravou errado na capa prevendo que Collor resistiria à crise. Na mesma semana, a *IstoÉ*, dirigida por Mino Carta, furou a concorrente com a publicação da entrevista do motorista que trazia provas de que despesas pessoais do presidente e de sua família eram pagas pelo tesoureiro e testa de ferro PC Farias.

A extensa cobertura do Caso Collor, tema de diversas capas, foi comandada pelo jornalista Mario Sergio Conti, que dirigiu a redação da *Veja* de 1991 a 1997. Como José Roberto Guzzo e Elio Gaspari, ele raramente posava para fotografias.

E APARECEU A ARVOREZINHA

Ao assumir a direção de redação da *Veja* em janeiro de 1998, Tales Alvarenga optou por reduzir inicialmente o número de capas políticas. Elas foram substituídas por reportagens de comportamento, saúde e outros assuntos. Um ano depois, a revista passou a estampar na capa o símbolo da Abril, o que nunca acontecera antes.

LULA LÁ

A partir do escândalo do mensalão, a *Veja* intensificou a cobertura extremamente crítica do governo Lula e do PT. Duas das capas mais polêmicas desse período trouxeram uma montagem em que o presidente leva um "chute no traseiro dado por Hugo Chávez e seu fantoche boliviano" e uma denúncia sobre os negócios de seu filho Fábio Luís, o Lulinha. Roberto diria para o próprio Lula, ao receber sua visita no hospital, que esta última havia sido um erro. Nesse período, a revista esteve sob a direção de Eurípedes Alcântara, considerado por Roberto "um dos mais reflexivos e talentosos jornalistas de sua geração". Eurípedes, que permaneceu no cargo entre 2004 e 2016, seria sucedido por André Petry (à direita na foto).

Victor Civita lançou os fascículos apesar da oposição de toda a diretoria da empresa. Roberto criou a *Veja São Paulo* contra a opinião dos diretores da *Veja*, dentro da qual a publicação seria encartada desde setembro de 1985. Como o pai, fez uma aposta certeira. A semanal que ele idealizou acabaria se tornando durante vários anos a segunda maior revista da casa em faturamento publicitário e rentabilidade, mesmo sem receita própria de vendas em banca e assinaturas. Nove meses antes de morrer, mandou documentar a visita dos seis netos à Abril Gráfica com uma capa que imitava a da *Vejinha*.

SETEMBRO

S	T	Q	Q	S	S	D
9	10	11	12	13	14	15

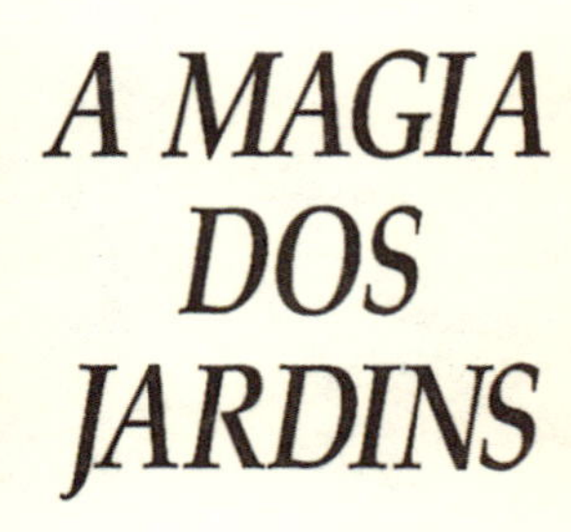

Como vive
o bairro
mais quente
do Brasil

Abril
veja
São Paulo
vejinha.com
de agosto de 2012
VISITA HISTÓRICA
Roberto Civita mostra aos netos, Francesca, Roberto, Pedro, Luca, Gabriel e Daniel como são impressas as revistas na Abril Gráfica.

TRÊS CASAMENTOS, TRÊS FILHOS

Com Leila, a primeira mulher, e seus herdeiros: Giancarlo Francesco, o Gianca (abraçando-o no pescoço), Victor, o Titti, e Roberta Anamaria, a Pooh (atrás da mãe), em 1967, no jardim da casa em que moravam, na rua Joaquim Nabuco, Brooklin Paulista.

Com Laura, a segunda mulher, em 1975, numa temporada de esqui em Saint-Moritz, na Suíça.

Com Maria Antonia, a terceira mulher, no camarote da *Caras* no sambódromo do Rio de Janeiro, em seu derradeiro compromisso, em 10 de fevereiro de 2013, um dia antes de se internar no hospital, de onde não sairia com vida.

NECKER

ILHA DA FANTASIA

Dentro das comemorações de seus 65, setenta e 75 anos, Roberto levou a família e amigos três vezes como os únicos hóspedes da Necker Island, uma ilha privada no Caribe. Ele patrocinou as viagens, jamais noticiadas, e cada uma durou uma semana. Esta foi a última, em março de 2011. Na fileira de cima: Marcelo Raimondi, Isabel Teixeira (com seu filho Francesco), Juliana Mattos Teixeira, Eduardo Teixeira, Marina Teixeira, Victor Civita Neto, Kaco Duarte, Susana Jeha, Antonia Teixeira, Beto Gauss e Carol Maalouf; na fileira do meio: Jairo Leal, Roberta Civita, Thomaz Souto Corrêa, Maria Antonia Civita, Roberto Civita, Guida Pfisterer e Giancarlo Civita; na fileira de baixo: Luca Civita, Bobby Civita, Gabriel Civita, Daniel Civita, Francesca Civita, Pedro Civita e Carol Schivartche.

COMO O PAI

Roberto Civita foi capa da edição nº 2324 da maior de todas as suas paixões: a revista *Veja*. Ela começou a circular seis dias após a sua morte.

tendo como traço distintivo uma fileira de colunas na entrada. Esse prédio abrigou [...] a Faculdade de Filosofia, Ciências e Letras da Universidade de São Paulo. Nessa faculdade estudou, formou-se, ensinou, defendeu sua tese, virou catedrático, ganhou fama e decolou para o mundo o presidente eleito do Brasil, Fernando Henrique Cardoso. Talvez isso não agrade à sua natureza cética e sempre tendente à revisão crítica do passado, mas FHC de certa forma representa o espírito da Maria Antônia. Talvez mais do que ninguém ele represente a Maria Antônia.

A matéria, redigida com esmero por Roberto Pompeu de Toledo, que não assinou o texto, estava irretocável. Mas a frase de abertura, citada também no título ("Três momentos e uma obra ou a Maria Antônia chegou lá"), podia ser interpretada como uma *inside joke*. Uma das poucas pessoas em condições de ver aí um duplo sentido estava justamente ao lado do privilegiado leitor e riu junto com ele. Chamava-se, como a rua, Maria Antonia. Alta e esguia, tinha a imagem de uma mulher bonita, elegante e extrovertida. Ela já era tratada, na família e no círculo próximo de amigos, como a terceira mulher de Roberto. Mas ainda não haviam se casado. A paulistana Maria Antonia Bastos de Magalhães tinha 42 anos quando o conheceu, cinco meses antes, em um sábado, 7 de maio, data que escolheriam para comemorar cada aniversário do relacionamento. "Evidentemente, aquela frase devia ser uma referência a mim", ela diria mais tarde, certa de que se tratava de uma sutil homenagem. "Roberto e eu percebemos de imediato que era coisa do Mario Sergio Conti." Ambos encararam com bom humor a brincadeira, como a definiriam, algo sem maiores consequências, pois quem, fora do grupo íntimo do novo casal, poderia fazer qualquer ilação a respeito?

Quando os dois se cruzaram pela primeira vez, Maria Antonia namorava havia dois anos e meio um homem de certas posses chamado Carlos Alberto Guerra, que vivia da herança recebida dos pais. Ela estudara em um colégio de freiras americanas da Congregação de Santa Cruz, em Interlagos, na Zona Sul da capital paulista. Aos dezenove anos, ficou noiva de Laércio Brandão Teixeira e, aos vinte, os dois se casaram. Tiveram quatro filhos, um homem e três mulheres: Eduardo, Marina, Antônia e Isabel. O marido, formado em Harvard, nos Estados Unidos, trabalhou a vida inteira em bancos. Não chegava a ser rico. Ela, filha do meio entre dois homens mais velhos e dois mais novos, vinha de uma família que tivera muito dinheiro. Era o que se chama em São Paulo de quatrocentona, designação usada para linhagens tradicionais cujos descendentes carregam sobrenomes conhecidos, não necessariamente o patrimônio dos ancestrais. Seu avô paterno, Carlos Leôncio de Magalhães, conhecido como Nhonhô, fora dono de uma enorme fazenda de café, a Cambuí, em Araraquara, no interior do estado. Segundo ela, chegou a ser a maior do mundo. De tão vasta, a propriedade contava com uma estrada de ferro particular. Dos filhos de Nhonhô, o único que trabalhava era Paulo Reis de Magalhães, pai de Maria Antonia, que se encarregou de administrar a fortuna do clã, com a morte do patriarca, enquanto os irmãos usufruíam dos rendimentos por ele deixados. Pilotava monomotor, não se formou e foi conselheiro de empresas multinacionais. Morreu com oitenta anos. A mãe dela, dona de casa, cuidava das crianças, costurava, bordava e cozinhava. Maria Antonia não se interessava por nada disso. Já casada e mãe, passou a atuar como decoradora e descobriu seu tino comercial. Revendia malhas de tricô em casa e móveis em estilo inglês. Comprava os originais em Londres, trazia para São Paulo, copiava o design e os oferecia para amigas e clientes. Em pouco tempo, começou a ganhar mais do que o marido, com quem ficaria casada por dezessete anos.

Na noite daquele sábado de maio, Maria Antonia foi com a filha Marina e alguns amigos ao mosteiro de São Bento, no centro da cidade, para assistir a um recital de gospel apresentado por um grupo americano trazido pela atriz e empresária teatral Ruth Escobar, que fora amiga de Victor Civita e tinha boas relações com Roberto. O namorado de Maria Antonia não a acompanhou, pois marcara um jantar com a ex-mulher. Roberto chegou com um grupo do qual faziam parte seu irmão Richard, o empresário Eugênio Staub, ambos com as mulheres, e o velho amigo Robert Blocker, com a namorada. Laura, que ainda era casada com Roberto, também iria, mas estava atrasada. Todos se conheciam, exceto Roberto e Maria Antonia, mas os dois diriam que o encontro foi casual. Houve uma conversa rápida e Maria Antonia pediu licença para comprar as entradas. "Não se preocupe, vou pedir para a Ruth Escobar", disse-lhe Roberto, que voltou em seguida com os ingressos. Antes de se encaminharem para seus lugares, ele fez uma daquelas perguntas diretas que não se constrangia de formular diante de pessoas às quais acabara de ser apresentado. Ao contrário do que fazia no trabalho quando se via diante da necessidade de tomar uma decisão, nessas horas ele era rápido. "Você é casada?", indagou sem rodeios. "Sou separada, mas tenho namorado", ela respondeu. "Ah, isso a gente dá um jeito", ele afirmou antes de pedir seu telefone, convidá-la para um café e entrar na igreja. "Mãe, ele está dando em cima de você", observou Marina. Passados alguns dias, marcaram encontro em um bar da rua João Cachoeira, no Itaim, perto do escritório de decoração que ela dividia com a filha.

Maria Antonia desfez o namoro. Roberto permaneceu com Laura mais algum tempo e só depois entrou com o processo de separação. Foi demorado. Durante pelo menos um ano, ele teve vida dupla — o que já acontecera anteriormente. Ele e Laura iniciaram seu envolvimento em 1974, foram morar juntos em 1978 e se casaram em 1984. Com Maria Antonia, os prazos seriam menores: passaram a viver sob o mesmo teto — o majestoso apartamento na rua Escócia em que ele e Laura residiam — um ano após o primeiro encontro e se casaram formalmente em 1998, quando ele assinou seu segundo divórcio. Foi um período conturbado na vida pessoal de Roberto. Ele registraria alguns momentos em uma pequena agenda no decorrer de 1995.

No dia 6 de janeiro, encontrou-se com Fatima Ali, que dirigia a MTV. Não se sabe a razão. À noite, ele e Laura teriam um jantar que definiu como "*angry*", empregando a palavra possivelmente no sentido de tempestuoso.

No dia 10, véspera do 56º aniversário de Laura, houve um jantar comemorativo no apartamento, com a presença das duas filhas dela, de Gianca e de sua mulher, Carol.

Em fevereiro, anotou a palavra "divórcio" — que só seria formalizado três anos depois. Acrescentou ao lado: "Importante nos darmos um tempo" e "Bom sair do atoleiro".

Viajou em seguida para Nova York, encontrou-se com Roberta, que estudava em Providence, Rhode Island, e foi se submeter a uma angioplastia em Cleveland, Ohio.

Ao voltar para São Paulo, seu primeiro compromisso foi uma reunião com o advogado Sérgio Marques da Cruz, especialista em direito de família, para tratar dos detalhes da separação. À noite, teve um longo jantar com Richard, de quem se reaproximara em um daqueles momentos em que o ódio dava lugar à amizade fraterna. Falaram do mesmo assunto.

No dia 22 de março, prometeu a si mesmo por escrito: "*I don't want to lie anymore*", eu não quero mais mentir.

Houve uma última tentativa de manter o casamento, que para ele se encontrava numa fase de "*ups and downs*".

No dia 15 de abril, ele e Laura foram juntos para a Itália em uma tentativa fracassada de reconciliação.

Na noite de 9 de julho, um domingo, enquanto jantavam no restaurante Massimo, na mesa 12 — sempre pedia que ela lhe fosse reservada —, puseram um ponto final na relação.

Laura saiu de casa.

Na manhã do dia 22, ela voltou ao apartamento para decidirem sobre a divisão das pratarias, porcelanas, cristais e outros objetos.

Decorrida uma semana, Roberto viajou pela primeira vez com Maria Antonia. Foram para Lisboa, Zurique, Salzburgo, Boston e Denver. Retornou para comemorar seu 59º aniversário com ela, os três filhos e os cônjuges no restaurante Fasano, na época instalado na rua Haddock Lobo. No seu suntuoso salão, onde como de hábito ocupou a mesa 14, não precisou abrir o cardápio, que conhecia de cor. Pediu ao maître Almir Paiva uma *cotoletta alla milanese*, acompanhada de risoto ao açafrão, e ao sommelier Manoel Beato a primeira garrafa de Barolo da noite.

Em setembro, o novo casal foi para Veneza. Eles chegaram no dia 6 e jantaram no restaurante Cipriani. No hotel, antes de dormir, Roberto apanhou a agenda para resumir seu estado de espírito: "*Much love. Exhausted and very happy*".

Quando o jato da Alitalia pousou no Aeroporto Internacional de Guarulhos, decorridos alguns dias, Roberto repetiu para Maria Antonia a frase que dizia cada vez que regressava a São Paulo: "*Back to the salt mines*". Era uma referência à punição sofrida por prisioneiros russos do século XIX, enviados para trabalhar nas minas de sal da Sibéria. Ele sabia o que o aguardava. Superadas as questões conjugais, havia problemas graves a esperá-lo na Abril. Viajara bastante, como que para adiá-los, mas agora chegara o momento de enfrentar a situação.

Uma dessas questões pendentes era seu relacionamento com Mario Sergio Conti, por quem tinha respeito profissional e reconhecimento pela matéria de capa que escrevera, em poucas horas, sobre a morte de Victor Civita. Nunca deixou de lhe atribuir méritos jornalísticos na extensa, arriscada e corajosa cobertura sobre o Caso Collor. Mas havia coisas no dia a dia que o incomodavam. Algumas delas haviam sido ditas ou subentendidas no almoço de final de ano em 1992, diante de Mario Sergio e de seus subordinados diretos. Além de se sentir desconfortável com a tendência da *Veja* em "lancetar feridas, julgar e condenar", como afirmara, Roberto discordava do enfoque de determinados artigos e tinha discussões frequentes sobre a linha política da revista. Volta e meia, irritava-se ao ler que certas reportagens, a seu ver, contemplavam os pontos de vista do Grupo Globo na questão da televisão por assinatura, setor em que a Abril se aventurava — conforme se contará no próximo capítulo —, com suas próprias posições sendo relegadas ao que considerava um segundo plano. Ele sabia que Mario Sergio estabelecera boas relações pessoais com o presidente da empresa, Roberto Marinho. Frequentava eventualmente a mansão em que ele residia, no bairro carioca do Cosme Velho, e sua casa em Angra dos Reis, no litoral fluminense. De outro lado, Roberto não entendia por que a *Veja*, em notinhas ou frases soltas, dava discretas caneladas na *Caras*, da qual tinha cerca de metade das ações.

De mais a mais, enxergava uma agressividade que não lhe agradava na conduta de Mario Sergio. Este se desentendera com diretores da empresa. Um motivo adicional de atrito dizia respeito ao tom de algumas mensagens que ele lhe mandava. No dia 16 de maio de 1994, por exemplo, escreveu para se queixar do valor do bônus que recebera no ano anterior. Cobrou uma complementação que teria sido prometida. "Aproxima-se, acredito, o dia de pagamento dos bônus", afirmou. Roberto sublinhou a frase e colocou ao lado um ponto de interrogação. "Faço alguns lembretes, sobre questões pendentes, que quero ver acertadas agora." Roberto riscou a palavra "quero" e, como se tivesse o poder de mudar a linha de uma carta a ele endereçada, trocou-a por "gostaria". No parágrafo seguinte, Mario Sergio mencionou a promessa de que "teria direito a uma certa soma, progressiva, a cada ano que permanecesse na função, a título de incentivo, que só seria resgatável quando deixasse o cargo". Segundo ele, "apesar de ter cobrado seis vezes", a proposta desse fundo não fora feita. E concluiu: "É tempo de fazê-lo". Roberto assinalou com caneta vermelha: "É verdade. Só que PL tem caído e estou sem parâmetro". Referia-se ao índice preço/lucro das operações da editora. Não se sabe se Mario Sergio teve atendidas tais pretensões. Houve outro momento de aborrecimento do dono da empresa com o diretor de redação. Em determinado dia, Roberto subiu sem avisar do sexto para o sétimo andar e preparava-se para entrar na sala de Mario Sergio quando este, que falava ao telefone, fez-lhe sinal com uma das mãos para que esperasse. Roberto, constrangido, ficou em pé, do lado de fora, perto da mesa da secretária, até que Mario Sergio encerrasse a ligação.

Em 1996, o responsável pela operação da *Caras* no Brasil, Edegardo Martolio, procurou Roberto para reclamar do diretor da *Veja*. Eles almoçavam juntos duas vezes por ano, em encontros agendados com bastante antecedência, desde que a revista fora lançada, três anos antes. Argentino naturalizado brasileiro, Martolio aprendera a falar português fluentemente, apesar do sotaque, que não perderia. Nos almoços, falavam basicamente da *Caras*, mas também de revistas da Abril. Não raro, Martolio externava suas restrições a capas ou reportagens da *Veja*. "Ele me dava esse espaço", afirmaria. Roberto, porém, não gostava que executivos de outras áreas — incluindo os vice-presidentes — criticassem a sua semanal. Isso era assunto dele e do diretor de redação. Naquela conversa, o argentino lamentou que, volta e meia, a *Veja* publicasse referências que considerava maldosas em relação à *Caras*, com alfinetadas que entendia como gratuitas. Para ilustrar o que dizia, mostrou-lhe meia dúzia de recortes que trouxera em um envelope. Um deles informava que o ator francês Alain Delon, convidado a se hospedar da Ilha de Caras, passara mal depois de comer um acarajé, o que, assegurou, não tinha procedência.

"Você tem meia hora?", perguntou Roberto, que em seguida abriu a porta de um armário e apanhou uma pasta com capa preta. "Leia, que eu preciso encontrar outra pessoa e volto daqui a pouco." Martolio recordaria: "Eram várias páginas arrancadas de diversas edições da *Veja*, com notícias que contrariavam os interesses da Abril, sobretudo na área de televisão. Ele havia feito um dossiê sobre o Mario Sergio".

Martolio teria oportunidade de dar seu troco. No verão de 1999, Mario Sergio e sua esposa, levados por Lou de Oliveira, mulher de Boni, da Rede Globo, foram à Ilha de Caras, em Angra dos Reis. Logo que desembarcaram, Martolio foi notificado de sua presença. "Ele já estava no bar, fumando e bebendo", relataria.

> Eu o expulsei imediatamente: "Você não é bem-vindo aqui. Vá embora já". A Lou se aproximou e disse que eram seus convidados. "Você pode convidar quem

quiser, mas ele não", eu lhe falei. Acompanhei-o até o píer e esperei que entrasse no barco. A Lou resolveu ir junto.

Sua presença na ilha seria registrada em uma das raras notas críticas da história de *Caras*, que o chamou de "ex-jornalista".

Em dezembro de 1997, quando Mario Sergio deixou a redação da *Veja* e ganhou um período sabático, durante o qual escreveria *Notícias do Planalto*, Martolio telefonou para Roberto e lhe deu os parabéns. Nesse livro, uma das passagens de maior repercussão sustentava que o jornalista Mário Alberto de Almeida, ex-editor de assuntos políticos da *Veja*, ex-diretor de redação da *IstoÉ* e naquele momento diretor de redação do jornal de economia *Gazeta Mercantil*, teria oferecido 250 mil dólares ao diretor de redação do *O Estado de S. Paulo*, Augusto Nunes, para publicar "matérias elogiosas a determinados políticos". Mário Alberto negou que tivesse feito isso. Na narrativa de Mario Sergio, a primeira dessas matérias, com o ministro da Agricultura do governo Sarney, Iris Rezende, teria o título obrigatório de "O ministro das boas notícias". O goiano Rezende se preparava para disputar a convenção do PMDB que indicaria o candidato do partido à presidência da República. A escolha acabaria recaindo sobre o deputado federal Ulysses Guimarães. A proposta de Mário Alberto teria sido feita — e recusada — no dia 24 de março de 1989.

Mario Sergio afirma a seguir no livro que uma matéria sobre Iris Rezende, sem o tal "título obrigatório", fora publicada na *Veja* na edição de 22 de fevereiro daquele mesmo ano — um mês antes, portanto, do suposto oferecimento de Mário Alberto a Augusto Nunes —, com este trecho: "Iris Rezende é o único entre os atuais 22 ministros de Sarney que, todos os anos, só tem boas notícias a dar". Tratava-se de uma reportagem de duas páginas. A expressão "boas notícias" aparece apenas à altura da metade do texto, no sexto parágrafo. O livro registraria que, no ano seguinte, a revista publicaria novo artigo a respeito de Rezende, que agora concorria ao governo de Goiás. Em determinada passagem, o texto dizia que "Iris sempre teve alguma boa notícia para anunciar no seu pedaço do governo". A referência também surge somente no sexto parágrafo, já perto do final. Nas duas ocasiões, José Roberto Guzzo ainda era o diretor de redação da *Veja* e Mario Sergio Conti, um de seus dois redatores-chefes.

Entre o título obrigatório, na exigência da proposta que teria sido feita por Mário Alberto, e a expressão com pequenas variações aparecida um tanto perdida no corpo dos textos, no entanto, havia uma grande diferença. Apesar disso, nas extensas resenhas sobre o livro publicadas nos principais jornais brasileiros, um dos pontos que mais chamavam a atenção era justamente a insinuação de que a *Veja* cedera à suposta tentativa de suborno. A própria revista admitiria na matéria que deu sobre a obra: "Há ainda, a respeito de *Veja*, a sugestão de Conti de que a revista teria publicado em duas ocasiões, mediante pagamento, matérias favoráveis a Iris Rezende".

Em entrevista a Fernando de Barros e Silva, da *Folha de S.Paulo*, Mario Sergio responderia:

> Conti — Não há nenhuma insinuação, nenhuma conclusão. Eu não consegui apurar. Apenas registrei que a expressão que Mário de Almeida exigia está em *Veja*.
>
> [Fernando de Barros e Silva —] O diretor de *Veja* na época era José Roberto Guzzo. Você está sugerindo que houve corrupção na revista?
>
> Conti — Estou apenas registrando o fato. Não gostaria que o livro fosse lido em função desses casos, embora sejam significativos.

Guzzo estava afastado havia vários anos de Mario Sergio quando o livro foi lançado. Além de tê-lo indicado para o cargo de diretor de redação, ele fora alvo de homenagens do seu sucessor. Ao sair da revista, houve um jantar de despedida no apartamento em que Mario Sergio morava, no bairro do Paraíso. Serviu-se champanhe francês e, por escolha de Guzzo, estrogonofe. A pedido de Leni, sua mulher, os homens foram de terno e gravata. Naquela semana, a "Carta do Editor" da *Veja*, assinada por Roberto, anunciava a "troca de guarda" na redação. Era ilustrada com uma foto em que o antigo e o novo diretor apareciam sorridentes, Guzzo com a mão direita no ombro de Mario Sergio. Para escrever o texto, Roberto pedira que seu assessor Marco Simões os entrevistasse. Mario Sergio contou a Simões que iniciara sua carreira em um jornal trotskista, mas pediu que isso não fosse mencionado, pois "não é um bom exemplo para as novas gerações de jornalistas". Disse também, pelo relato de Simões, que pretendia "consolidar o modelo atual da *Veja*, tentando aplicar tudo o que aprendeu em todos estes anos com o Guzzo e com o Elio".

Quando Guzzo voltou à Abril para se tornar diretor geral da *Exame*, os dois deixariam de se relacionar. A respeito do livro, Guzzo não quis, na época, dar declarações. "O que tenho a dizer, digo aqui na redação, para os que trabalham comigo e me conhecem. Fora disso, não vou falar sobre essa bobajada toda." Passados quinze anos, mantinha a mesma postura. "Sobre esse personagem e esse episódio, revelador do caráter dele, eu não falo nada", limitou-se a dizer.

Em um artigo publicado como boxe da resenha que a *Veja* deu sobre o livro, Roberto Civita escreveu:

> Como qualquer pessoa de boa-fé já sabe, *Veja* nunca vendeu e nunca venderá uma única palavra de seu conteúdo editorial. A separação absoluta entre o jornalismo e os interesses comerciais de todas as nossas revistas é um dos "mandamentos" da Abril, que vem sendo observado com rigor e orgulho por milhares de jornalistas e publicitários da Editora ao longo de meio século!

Mario Sergio deixou de ser diretor de redação da *Veja* no final de 1997. Sua saída, porém, estava sendo preparada por Roberto desde o início daquele ano. Na Quarta-Feira de Cinzas, 12 de fevereiro, ele voltou de Búzios, no litoral fluminense, em um Beechjet fretado da Líder. Passou em casa para trocar de roupa e foi à Abril para "uma longa conversa" com Mario Sergio, conforme registraria em sua agenda. Em maio, começou a tratar de sua sucessão. "Round 1", anotou, ao marcar um almoço com o primeiro candidato, o editor especial e colunista Roberto Pompeu de Toledo. Roberto Civita não demitia subordinados diretamente. "Preferia a fritura", explicaria Thomaz Souto Corrêa. Durante esse processo, ele disse para Thomaz, a respeito de Mario Sergio: "*I'm not excited*". Paulo Moreira Leite acredita que, dentro da redação, foi o primeiro a saber que seu chefe estava de saída. Certo dia, ao entrar em sua sala e aproximar-se de sua mesa quase sem ser notado, percebeu "sem querer" que ele escrevia no computador algo como "sinto que sua manifestação de confiança não me permite continuar na direção da *Veja*". Surpreso, perguntou do que se tratava. "Você não tem nada que olhar", respondeu Mario Sergio.

Pouco antes de ir embora, Mario Sergio mandou preparar uma matéria sobre a entrega do prêmio Homem do Ano, promovido pela Brazilian-American Chamber of Commerce [Câmara de Comércio Brasil-Estados Unidos], em Nova York. Os homenageados eram o embaixador Paulo Tarso Flecha de Lima e o ex-secretário de Estado americano Henry Kissinger. Roberto fora agraciado com o título em 1991. Ao discursar na cerimônia, durante um jantar de gala, afirmara que recebia a escolha "com grande emoção, muito orgulho e profundo agradecimento". Para ele, a premiação era um acontecimento da maior relevância. Esperava que a *Veja* refletisse isso na cobertura das premiações seguintes, dando-lhes o devido destaque. Não foi o que se viu. Coube ao editor Mario Sabino a tarefa de pautar a reportagem. "As instruções que o Mario Sergio passou foram claras: deveríamos ridicularizar o evento e tratá-lo como o baile da Ilha Fiscal", afirmaria Sabino. E assim foi feito. Com o título "Noites de brilhantes e caviar" e o subtítulo "Enquanto o real dançava, os ricos dançavam o baile da Ilha Fiscal-Manhattan", o texto publicado na edição de 5 de novembro de 1997, uma das últimas sob o comando de Mario Sergio, satirizava a festa da primeira à última linha. A brincadeira com a rua Maria Antônia fizera Roberto rir. A reportagem sobre o Homem do Ano, ao contrário, o deixou furioso, tanto por tentar desmerecer o prêmio, cuja conquista tanto o envaidecera, como por fazer referências irônicas às famílias Safra e Moreira Salles, amigas suas e donas de instituições bancárias credoras da Abril.

Apesar de insatisfeito, Roberto manteve a palavra e deu a Mario Sergio o período sabático para escrever o livro em que deixaria no ar a insinuação de que a *Veja* vendera uma matéria. Essa era uma característica sua que pessoas próximas, como Thomaz, jamais entenderiam. Na dúvida, atribuíam-na ora à sua generosidade, ora à sua tendência de evitar conflitos.

9 de junho de 1991

Televisão, para Roberto Civita, não era uma forma de entretenimento. Ele raramente assistia. Nem era o negócio de seus sonhos, com o qual o concorrente Roberto Marinho enriquecera. Tampouco vislumbrava nela um instrumento de poder, que levou o mesmo Marinho a se tornar um dos homens mais influentes do país. Ele simplesmente considerava a TV — eis a expressão que sempre usou — um "mal necessário". No início dos anos 1990, quando os meios impressos continuavam no auge, sem que quase ninguém falasse de internet ou do que a comunicação digital seria no futuro, a editora não tinha competidores à altura no mundo das revistas. Liderava todos os segmentos, das infantis às femininas, das masculinas às de negócios, sem contar, é claro, o das semanais de informação, dominando no conjunto pouco mais da metade do mercado. Apesar disso, ele pressentia que precisava alargar os horizontes da Abril e preparar-se para o que viria pela frente. Concluiu que a televisão seria o caminho.

A experiência com a produção de programas da Abril Vídeo não funcionara e estava esquecida. Antes dela, em 1980, surgira uma oportunidade para a empresa entrar na mídia eletrônica. A Rede Tupi, que pertencia aos Diários e Emissoras Associados, havia chegado ao fim e o governo Figueiredo abriu uma concorrência para as empresas interessadas em assumir a operação. Estavam em jogo também as concessões da antiga TV Excelsior. A Abril entrou no páreo, junto com o Grupo Silvio Santos e a Bloch Editores, mas perdeu. Sua derrota foi atribuída à postura crítica que a *Veja* mantinha em relação aos militares, que permaneciam no poder. Dos nove canais em disputa, quatro deles — começando com a joia da coroa, o da antiga Tupi de São Paulo, primeira emissora brasileira de televisão a entrar no ar, em 1950, na época do lançamento de *O Pato Donald* — ficaram com Silvio Santos. A Bloch ganhou os outros cinco e começou a preparar a instalação da TV Manchete, que a levaria à ruína.

No início do governo Sarney, a Abril recebeu a concessão de um canal de UHF, sigla em inglês para frequência ultraelevada. UHF era algo tão desconhecido para os brasileiros como os fascículos quando estes foram introduzidos no mercado pela Abril nos anos 1960. Os telespectadores tinham dificuldade para sintonizar, pois a recepção exigia um tipo específico de antena. Satisfeito com a TV aberta, que via de graça, o público não mostraria interesse em assistir ao que havia no tal sistema UHF. Na verdade, não havia quase nada. Desse modo, não existia audiência e, não existindo audiência, não existiam anunciantes. Durante um tempo, a Abril não soube o que fazer com o canal 32, que recebera de presente (presente de grego, dizia-se). Ou como ganhar dinheiro com ele. Roger Karman, que dirigira a Abril Vídeo, foi encarregado de descobrir o que fazer com aquilo. Nascido em Suez, no Egito, ele viera para o Brasil na adolescência e estudara ciências sociais na USP, mas não se formou. Em 1963, entrou na Abril. Ao se candidatar a uma vaga, foi entrevistado por Victor Civita em quatro línguas que ambos dominavam: português, inglês, francês e italiano. Victor gostou dele e o contratou para produzir o primeiro *Guia Quatro Rodas*, que traria informações sobre pontos turísticos, hotéis e restaurantes de cidades do Brasil inteiro, tudo avaliado por uma equipe de pesquisadores. Karman seria guindado posteriormente para os serviços editoriais e, chefiado por Roberto, ajudaria a criar o Dedoc, nascido para funcionar como a retaguarda de pesquisa da *Veja*.

"Precisávamos encontrar uma fórmula de televisão que fosse barata e tivesse qualidade, pois estava em jogo a imagem da Abril", ele diria. Surgiu então a ideia de fazer a MTV (Music Television), com licenciamento da MTV americana. A programação, dirigida a um público jovem, consistia em apresentar clipes musicais e atrações alternativas. Instalada no prédio original da TV Tupi, no bairro do Sumaré, a emissora recrutou uma equipe inicial de quarenta pessoas, com idade média de 21 anos. Parecia estranho ver tantos rapazes e moças andando de lá para cá dentro de instalações tão velhas. Muitos deles foram treinados para virar VJs, os videojóqueis que apresentavam os clipes. Praticamente ninguém tinha experiência anterior em televisão, mas vários daqueles noviços iniciariam ali uma carreira de sucesso, como Zeca Camargo, Tatá Werneck, Fernanda Lima, Sarah Oliveira, Astrid Fontenelle, João Gordo, Sônia Francine, Daniella Cicarelli, Marina Person, Sabrina Parlatore, Marcos Mion, Max Fivelinha, Thunderbird e Didi Wagner, entre outros.

Durante a fase de preparação dos programas-pilotos, Victor Civita ficou espantado com o que lhe mostraram. "Você vai colocar essa música de mau gosto 24 horas por dia?", perguntou para Karman. "Sim, mas não é para o senhor. É para o Gianca e o Titti", ele respondeu. "Bem, talvez seja um jeito de atraí-los para a empresa", concordou Victor, que morreria dois meses antes de a MTV estrear oficialmente, o que aconteceu em 20 de outubro de 1990. Roberto em nenhum momento deu a menor importância à emissora. Jamais via seus programas. Nem ele nem os principais executivos da empresa. Resultado: aquilo virou um corpo estranho, o tal mal necessário. "Para Roberto, era uma bobagem à qual não prestava a menor atenção", diria Fatima Ali, que posteriormente dirigiria a operação durante quatro anos. Mas, sem que o avô pudesse testemunhar, a MTV de fato conquistou os seus netos. Gianca, que estava com 27 anos, e Titti, então com 25, contariam que nunca se divertiram tanto como no período em que trabalharam lá. Titti vinha de um estágio justamente na MTV em Nova York. "Eu fazia um pouco de *promo*, ou *interstitial material*, aquela parte plástica em que a música se encontra com as artes gráficas. São as vinhetas entre os programas: o logo, o fundo, o cenário, as aberturas de trinta segundos."

Seu pai mandou chamá-lo de volta. Exatamente como Victor fizera com ele 32 anos antes. A história se repetia de alguma forma, com uma diferença fundamental: seus planos nada tinham a ver com os que Roberto vislumbrava para ele. "O que você se vê fazendo daqui a cinco anos?", quis saber o pai em um almoço que tiveram logo que ele chegou a São Paulo. Era uma pergunta que formulava habitualmente, com variações apenas no prazo estabelecido — de um ano a uma década, dependendo do caso —, para os filhos e os executivos da editora. Titti traduziu para si mesmo o questionamento: "O que você, finalmente, vai fazer de importante na sua vida?". Ele respondeu que pretendia fazer apenas o que gostava, e isso envolvia sua paixão por música, televisão e o nascente universo digital. Tocava bateria, tendo como ídolos Stewart Copeland, do Police, e Neil Peart, da banda canadense de rock progressivo Rush. "Você não está me dizendo que vai passar sua vida fazendo *interstitial material*", continuou Roberto, mudando o tom da aparente curiosidade para a bronca. Na sua cabeça, o filho do meio interpretou assim o que ouvia: "Ou você vem me ajudar a melhorar o país ou você é um merda".

Titti decidiu ir para a M, como chamava a MTV brasileira. Sua chefe era Fatima, com quem frequentemente se desentendia. Descontados os quiproquós, divertiu-se enquanto esteve lá. Quando saiu, pôde aplicar na prática o que aprendera e foi tocar seu mais importante projeto profissional. Junto com o pesquisador musical, roteirista de televisão e antropólogo paraibano Hermano Vianna, de quem era amigo, criou a série *Música do Brasil*. Foram produzidos quinze programas, com trinta minutos cada um. Demoraram três anos até ficarem prontos: um de pesquisa, um de gravações e um de edição. "Montamos um grupo de quinze profissionais e percorremos o país em busca dos nossos sons, instrumentos, músicos e festas populares", explicaria. "Rodamos uns 80 mil quilômetros e conseguimos catalogar perto de cem estilos nacionais." Saiu caro: cerca de 2 milhões de reais em 2000, quando a série foi apresentada na MTV e na TV Cultura. Mas deu lucro para a Abril, que financiara a produção. Os programas seriam vendidos pelo dobro do seu custo para emissoras da Alemanha, Espanha, Bélgica e Portugal, mais a Varig.

Peter Rosenwald, um americano de Nova York que era um dos vice-presidentes da empresa e seria amigo de Roberto por mais de trinta anos, trabalhava nas áreas de assinaturas e marketing direto da Abril. Fora do expediente, cultivava sua paixão pelas artes. Durante dezessete anos, foi crítico do *The Wall Street Journal*, escrevendo principalmente sobre dança, e colaborava com a revista *New York* e o jornal inglês *The Guardian*. Rosenwald vibrou com o resultado de *Música do Brasil*, para ele uma das melhores coisas já feitas pela Abril em muito tempo. Transmitiu sua opinião para Roberto e lhe sugeriu: "Vá agora dar um abraço no seu filho e diga que você está tão orgulhoso dele que não tem palavras para expressar". Segundo Rosenwald lembraria, Roberto reagiu "com um grunhido". Não acatou seu conselho. "Ele não assistiu a nenhum dos programas e nunca comentou nada comigo", lamentou Titti.

Quase nada que fosse apresentado na TV — mesmo que levasse o crédito do próprio filho e que a emissora lhe pertencesse — era capaz de deixar Roberto interessado. Seu apreço pela mídia eletrônica, absolutamente nulo no caso da MTV, só seria despertado quando percebeu que havia pela frente o que considerou uma oportunidade "fascinante": a televisão por assinatura, que estava para ser implantada no Brasil. Imaginou que o sistema parecia feito sob medida para a Abril. Afinal, a empresa e ele mesmo conheciam assinaturas a fundo, com uma eficiência em vendas e logística que havia sido — e continuaria sendo — fundamental para o sucesso da *Veja* e da maioria de suas revistas. Ao lado das assinaturas, havia uma característica adicional da TV paga que fazia os olhos de Roberto brilharem por trás das grandes armações de seus óculos. "Ela é segmentada e nós sempre trabalhamos com a segmentação", afirmava. "Tem tudo a ver conosco."

Diante disso, ele transmitiu a quem de direito — o presidente José Sarney e o ministro das Comunicações, Antônio Carlos Magalhães — a pretensão da Abril. Não demorou a ser atendido. "Tenho uma boa notícia", anunciou Sarney por telefone, em uma ligação previamente agendada que Roberto atendeu em viva voz na presença de Roger Karman. Sarney tivera relações estreitas com Victor Civita desde os anos 1960, quando era governador do Maranhão e a Abril iniciava a construção, em São Luís, da rede de hotéis Quatro Rodas, empreendimento que não daria bons resultados. Contava-se que Sylvana costumava lhe sugerir modelos de gravata. "Vamos dar para a Abril uma licença dessa nova televisão que está aí", informou. Como se tratava de um meio ainda desconhecido, Sarney parecia não saber seu nome certo. "Mas o seu xará veio falar comigo e disse que também queria", continuou. "Para não ficar só com vocês, dei mais duas concessões."

O xará era Roberto Marinho. Os outros contemplados eram os empresários Matias Machline e Lauro Fontoura. Roberto não gostou da decisão. Sua expectativa era de que a Abril entraria sozinha, já que a Globo dominava amplamente a TV aberta e, a seu juízo, não deveria participar da TV paga. Sem outra saída, resolveu ir atrás de um parceiro. Acabaria fechando uma sociedade com Machline, presidente do grupo Sharp e velho amigo tanto de Sarney como de seu ministro da Justiça, Saulo Ramos. A empresa se chamaria TVA, nome pelo qual ficaria conhecida a Televisão Abril. Suas transmissões seriam inauguradas no dia 9 de junho de 1991. Juntos, Roberto e Machline resolveram que ela iria operar por UHF, no canal 24, já que a empresa estava trabalhando com a frequência, e em seguida incorporariam a ela o sistema MMDS, designação do serviço de distribuição intitulado multiponto multicanal, usado como alternativa em áreas pouco povoadas. Começaram a ser montados cinco canais: TVA Filmes, TVA Super, TVA Esportes (ESPN), TVA Notícias (CNN) e TVA Clássicos (TNT).

Como a tecnologia de recepção por satélite não estava suficientemente desenvolvida, o que aconteceria somente em meados dos anos 1990, a Globo partiu para o cabeamento, de início em São Paulo, Rio de Janeiro e Porto Alegre. Enquanto ela ganhava terreno — e se endividava —, a Abril, com o UHF e o MMDS, ficava para trás — e se endividava na mesma proporção. A Abril teria duas chances de obter a necessária licença para cabear. Inicialmente, um grupo argentino com know-how em TV a cabo se ofereceu para formar uma sociedade com a TVA. Roberto recusou, porque continuava achando que as duas tecnologias adotadas pela empresa eram corretas. "Não vou pendurar meu dinheiro em poste", afirmou em diversas ocasiões. Karman, que defendia o cabeamento, deixaria a Abril depois disso. "Roberto decidiu errado, sem ter conhecimento técnico sobre o melhor caminho a tomar, baseando-se em informações erradas que recebeu", diria Fatima Ali.

A nova oportunidade que surgiria posteriormente foi oferecida em 1993 pelo empresário da área de mineração Antônio Dias Leite Neto, que, como dono da empresa Multicanal e DisTV, o Serviço de Distribuição de Sinais de Televisão por meio físico, nome que teve de início o serviço de TV por assinatura no país, possuía vinte licenças de cabeamento em diversas capitais. Ele se propunha a cedê-las para a TVA em troca de uma sociedade, cujas cotas seriam estabelecidas após uma avaliação independente das duas empresas. Roberto, a princípio, gostou da ideia, mas voltou atrás depois de consultar o amigo e conselheiro Robert Blocker. Este lhe lembrou que Dias Leite Neto, filho do ex-ministro de Minas e Energia do governo Médici, era sócio do empresário Eike Batista. Isso, no seu entendimento, poderia criar no futuro um conflito de interesses, tendo em vista que eram personagens e fontes de matérias da *Veja*, com o que Roberto concordou. Dias Leite então vendeu suas licenças para a Net, que pertencia à Globo.

A Globo criou a Globosat quase simultaneamente à TVA. Optou no começo pela recepção por antenas parabólicas. Mais tarde, com a Net, passaria a utilizar o cabeamento. As duas empresas, na fase de implantação, realizaram altos investimentos. "Ambas cometeram um erro estratégico gravíssimo", analisaria Karman.

> Saíram para escalar o pico do Jaraguá e no meio da subida descobriram que estavam desafiando o Everest. Na competição para chegar antes ao topo, gastaram muito mais do que poderiam e fizeram o que não deveriam ter feito, dando tiros em todas as direções, sem olhar para os custos, um com medo do outro.

Ao perceberem os riscos que corriam, as duas empresas tentaram um acordo. Foi marcada uma reunião. De um lado, dois dos filhos de Roberto Marinho, Roberto Irineu e João Roberto. Do outro, Roberto Civita e Roger Karman. O encontro se realizou em uma suíte do Hotel Caesar Park de São Paulo, na rua Augusta.

"Esse modelo que vocês adotaram, de UHF, não vai dar certo", disse Roberto Irineu. "Em um país do tamanho do nosso, é preciso fazer televisão via satélite." Roberto não contestou, pois queria evitar o confronto. Propôs que fosse discutida uma forma de associação. Roberto Irineu concordou e foi direto ao ponto, impondo suas condições, segundo o relato de Karman. "Como entendemos de televisão e vocês não, queremos a parte do leão nesse negócio", afirmou. "Há um pequeno problema", retrucou Roberto. "Sendo que se trata de TV por assinatura, e nós entendemos de assinatura, vocês não, quem quer a parte do leão somos nós." Roberto Irineu argumentou que o sistema envolvia mais televisão do que assinatura, o que levou a um impasse. "E nós chegamos antes", acrescentou o então herdeiro da Globo. "Antes aonde?", perguntou Roberto. "Neste país", disse Roberto Irineu, sempre de acordo com Karman. A reunião terminou ali. Roberto saiu incomodado da suíte, que havia sido reservada pelos dois irmãos.

Numa troca de e-mails seguida de uma entrevista de 35 minutos por telefone, Roberto Irineu Marinho daria uma versão diferente e mais detalhada das tentativas de entendimento com Roberto Civita. "Não sei se a metáfora do pico do Jaraguá era precisa, mas de fato nos metemos em projetos que eram maiores do que prevíamos", diria ele, que desde agosto de 2003, com a morte do pai, ocupava a presidência do Conselho Administrativo e a presidência executiva do Grupo Globo (antes denominado Organizações Globo). "Eu porém não disse que, como entendíamos de televisão, a gente queria a parte do leão. Não é verdade. Também não é verdade que afirmei que tínhamos chegado antes ao Brasil. Esse não é o meu estilo nem o do meu irmão. Não somos arrogantes e jamais falaríamos assim."

Segundo ele, o negócio não foi adiante por uma única razão. "Roberto Civita nos ofereceu uma participação de 20% e queria ficar com os 80% restantes", contaria. "Respondi que uma associação só teria sentido se fosse meio a meio. Ele achava que não entendíamos de TV por assinatura, mas o fato é que ele também não. Tanto que perdeu uma fábula, o negócio dele não foi adiante e o nosso foi." Roberto Irineu recordaria de novas conversas com o dono da Abril. Uma delas, cerca de um ano e meio depois, aconteceria no apartamento de Roberto, na rua Escócia.

> Ele acabara de se mudar e tinha pouquíssimos móveis. Lembro de um sofá na sala e da mesa de jantar. O Gianca chegou no final. Eu disse que era hora de nos unirmos e apresentei esta proposta: "Você faz seus canais, nós fazemos os nossos e nos juntamos na distribuição. Do contrário, vamos quebrar as duas empresas". Não deu certo porque ele, mais uma vez, queria o controle da operação. Para nós, novamente, não havia sentido.

Em 1995, voltaram a se encontrar. Dessa vez, Roberto Irineu tomou a iniciativa de procurar Roberto no Hotel Copacabana Palace, onde ele estava hospedado. Insistiu que teriam de se associar, agora em torno do uso em comum da pequena antena individual para recepção de imagens transmitidas por satélite. Foi mais uma conversa fracassada. Roberto Irineu acabaria fechando contrato com o empresário Rupert Murdoch, dono da News Corporation, para entrar na Sky, e Roberto optou por fazer a DirecTV com o venezuelano Gustavo Cisneros. Houve uma última oportunidade de atuarem juntos. Roberto, no entanto, não quis participar dos canais Telecine, como a Globo lhe propôs, preferindo entrar na HBO. "O Telecine, sozinho, daria mais lucro do que a Abril inteira", calculou Roberto Irineu, considerando valores de 2015, que não explicitou. "Somando tudo, ele perderia muito dinheiro com sua bobagem de querer controlar a TV por assinatura no Brasil", afirmaria. "Devo dizer que, embora fôssemos concorrentes, eu gostava dele. Era uma pessoa interessante, um pouco mais orgulhoso do que eu, mas tinha grandeza."

Como a Abril, a Globo arcaria com pesados prejuízos. "A partir de outubro de 2002, renegociamos a nossa dívida", relatou Roberto Irineu.

> Chegou a 2 bilhões de dólares, praticamente toda ela referente à TV por assinatura. Renegociamos os prazos. Vendemos a Net, a Sky, banco, hotel, e ficamos apenas com nossas empresas de mídia: Rede Globo, Globosat, jornais e rádios. Em 2007, terminamos de pagar.

"Em termos de televisão, o dinheiro envolvido era uma mixaria, coisa de meio milhão de dólares", estimou Giancarlo Civita. "Houve três erros", prosseguiu.

> O primeiro aconteceu quando o dr. Roberto [único momento, no decorrer de uma série de conversas para este livro, em que se referiu assim ao seu pai, enfatizando o tratamento] achou que vender assinatura de televisão era como vender assinatura de revista. Até seria, se tivéssemos monopólio, mas não tínhamos. Ele se espelhava no modelo do Canal Plus francês, que não enfrentava competidores. O segundo erro foi apostar nas tecnologias erradas, o UHF e o MMDS. E o terceiro foi não ter comprado as licenças de cabeamento, que ficariam com a Globo. Ali nós perdemos a guerra.

Duas semanas antes de sua última internação, no dia 26 de janeiro de 2013, Roberto enviou para os três filhos, por e-mail, uma pequena notícia. Ele tinha o hábito de repassar matérias que considerava de leitura indispensável para os destinários. Nesse caso, tratava-se de uma projeção feita pela Associação Brasileira de Televisão por Assinatura (ABTA). Segundo o estudo, o número de assinantes no país, que naquele momento era de 15,9 milhões, iria quase dobrar em dois anos. O prognóstico não se confirmaria. Em 2015, o total de assinantes seria de pouco menos de 20 milhões. Ainda assim, um número significativo. Na mensagem em que comentou a previsão, ele escreveu em português:

> Meus queridos: A iniciativa de fazer a TVA estava certa. O problema foi partir em todas as direções ao mesmo tempo e não prever quanto capital (e quanto know-how) seria necessário. O mais estranho, para mim, é por que nossos sócios também não perceberam isso, e/ ou não nos alertaram a respeito. Beijos, Dad.

Entre 1992 e 1996, a TVA teve como presidente o publicitário paulistano Walter Longo, um homem alto, barbudo e, ao contrário de Roberto, habituado a tomar decisões rápidas. No mesmo dia em que aceitou seu convite e saiu da agência Young & Rubicam, anunciou para a mulher que iriam mudar de vida e morar em Alphaville, condomínio fechado próximo à capital paulista. Logo na manhã seguinte, acordou muito cedo, foi a uma imobiliária do local e pediu para dar uma volta com o corretor. Encantou-se à primeira vista com a fachada de uma casa de Alphaville 4 que estava vazia e fechada, espiou o que era possível pela janela da frente, perguntou o preço e, para espanto do vendedor, disse que iria comprá-la mesmo sem olhar por dentro. Passados uns dias, mudou de residência e de emprego. Ao assumir a TVA, ela tinha 13 mil assinantes. Encontrou, segundo ele, uma situação crítica. "Nos dois meses anteriores, o faturamento da empresa tinha sido zero", afirmou. "Sim, zero, porque haviam esquecido, simplesmente esquecido, de mandar as faturas para os assinantes. Portanto, eles não pagaram." Não foi o único problema que descobriu de imediato, de acordo com ele. "Dos cerca de trezentos itens de custos, apenas um, o preço dos filmes, era três vezes maior do que a receita da empresa. Por quê? Havia sido feito um *output deal*, acordo que você assina com um estúdio comprometendo-se a comprar tudo o que ele produzir." A TVA era dona, em 1992, de 1500 filmes. Seriam necessários 125 dias, durante 24 horas, para exibi-los, sem nenhuma reprise. Enquanto isso, o acervo iria aumentando sem parar, pois a United International Pictures (UIP), associação da Paramount com a Universal Studios, responsável pelo contrato, tinha uma produção extensa e ininterrupta.

Tão veloz como na decisão de comprar sua casa, Longo foi para Londres, sede da UIP, 48 horas após assumir o cargo, e conseguiu reformular as cláusulas do acordo. "Roberto, temos boas e más notícias", anunciou algum tempo mais tarde. "Neste mês, ganhamos mais 3 mil assinantes e ultrapassamos a meta prevista." E quais eram as más? "Vendemos muito e teremos que investir mais do que o planejado em instalações, decodificadores, fiações..." Todo novo assinante implicava que a empresa arcasse de imediato com essas despesas, equivalentes a perto de dez vezes o valor da mensalidade. Ou seja, a assinatura era subsidiada, com retorno a médio ou longo prazo. Se os clientes ficassem insatisfeitos ou inadimplentes, desistindo dela, o prejuízo não teria volta. Só no decorrer da operação é que a ficha da Abril caiu: TV paga exigia capital intensivo, isto é, investimentos pesados e constantes, e, quanto maior o número de assinantes conquistados, maiores teriam que ser esses recursos. A solução foi buscar sócios estrangeiros, entre os quais, em diferentes períodos, Falcon Cable, Disney, Hearst/ABC, HBO, ESPN e Chase Manhattan. Eram negociações demoradas. O endividamento da empresa subiu. Mas não havia outro caminho, salvo aumentar a carteira de assinantes. Era uma conta complicada. Embora os gastos fossem crescer, o faturamento se elevaria e, com a audiência em ascensão, viria a sonhada receita de publicidade. Assim se esperava. Filmes e programas variados não bastariam. A TVA, com o apoio de Roberto, resolveu então partir para a conquista dos telespectadores com um chamariz que julgava irresistível: a transmissão ao vivo dos jogos dos campeonatos paulista e brasileiro de futebol. Foi aí que a Abril literalmente meteu os pés pelas mãos.

25 de agosto de 1999

Quando a Seleção Brasileira ganhou a Copa do Mundo pela primeira vez, em 1958, Roberto Civita recortou a matéria sobre a conquista publicada na página 28 do *New York Times* na segunda-feira, 30 de junho. Guardou-a bem dobrada dentro de um envelope da *Time*, na qual terminara seu estágio. Logo a seguir, ele voltaria em definitivo para São Paulo. O recorte, que viria na mudança ao lado de incontáveis papéis, livros, publicações e programas de teatro, sobreviveu ao dono intacto. Foi um raríssimo momento em que Roberto teve sua atenção despertada pelo futebol — até que se começou a falar, na TVA, da transmissão de partidas e campeonatos. Isso exigia contratos, cláusulas de exclusividade e o pagamento de grandes somas de dinheiro para a compra de direitos. Diante dos investimentos em vista e das implicações decorrentes, o assunto chegou à sua mesa.

Inteirado dos riscos e animado com as perspectivas, autorizou o início das negociações. Walter Longo entrou em campo para entender-se com o presidente da Federação Paulista de Futebol (FPF), Eduardo José Farah, que por sua vez o apresentou ao presidente da Confederação Brasileira de Futebol (CBF), Ricardo Teixeira. "Eles não fizeram grandes exigências e assinamos os contratos na maior lisura, sem nenhum toma-lá-dá-cá", sustentou Longo. "Na minha opinião, eles estavam querendo dar uma lição na Globo, que pagava barato pelos contratos." A Globo entraria na Justiça por se julgar prejudicada no acerto da CBF e da FPF com a TVA.

Enquanto começava a batalha judicial, Teixeira se enfureceu com uma matéria crítica a respeito da CBF, publicada na *Placar*. Anteriormente, detestara uma reportagem sobre seu sogro, João Havelange, que presidia a Federação Internacional de Futebol (Fifa), feita pela *Playboy*. As duas revistas eram dirigidas pelo jornalista Juca Kfouri. Roberto acompanhava a *Playboy* de perto, pois a considerava uma de suas crias, mas pouco se preocupava com a *Placar*. A revista de esportes da Abril fora lançada como semanal em 1970, com a expectativa de alcançar sucesso graças à Copa do Mundo que seria realizada naquele ano no México e, sobretudo, com o surgimento da Loteria Esportiva. Sua trajetória seria marcada por altos e baixos na circulação, com pouco volume de publicidade. Após uma largada auspiciosa, suas vendas declinaram. Ao final daquele primeiro ano, elas estavam na casa dos 50 mil exemplares, o que significava prejuízo. No dia 31 de dezembro, o diretor editorial Luís Carta chamou à sua sala o diretor de redação da *Intervalo*, Milton Coelho da Graça. Ele sabia que Milton, ex-*Realidade*, torcedor do Vasco da Gama e apostador contumaz da Loteria Esportiva, além de aficionado por corridas de cavalo e carteado, acompanhava a *Placar* de perto e gostava de grandes emoções. Quem sabe não daria jeito na revista, já condenada à morte? "A Abril decidiu fechar a *Placar*", disse-lhe. "Fechar? Será um erro, porque a editora abandonará o segmento do esporte e algum concorrente entrará nele", afirmou Milton. "Bem, haverá uma reunião da diretoria às três da tarde para sacramentar o fechamento", informou Luís. "Se você quiser ir, seja bem-vindo e faça sua defesa."

Milton, que como se contou militava no PCB, foi ao encontro no sexto andar do prédio da marginal do Tietê, pediu a palavra e, para a perplexidade dos presentes, citou a intervenção de um delegado argentino no congresso do Partido Comunista Chinês realizado em 1954. Segundo Milton, o delegado afirmara na presença do líder Mao Tsé-tung que os comunistas latino-americanos, como já tinham cometido todos os erros possíveis e imagináveis, dali em diante só poderiam acertar. "Com a *Placar*, é a mesma coisa", comparou. "Errou tudo o que tinha que errar e agora chegou o momento de trilhar a direção correta." Os diretores da empresa se entreolharam, sem entender o que uma coisa tinha a ver com a outra, muito menos se aquilo acontecera mesmo. Mas Victor Civita, que presidia a reunião, impressionado com a citação ou mais preocupado em ir logo embora para comemorar o Ano-Novo, decidiu que talvez fosse o caso de dar uma sobrevida à revista. Ele respeitava as ousadias de Milton. "Você então assume e tenta salvar", disse. Roberto resolveu intervir. "Tudo bem, mas nós lhe damos três meses para chegar a 90 mil exemplares", condicionou.

A *Placar* resistiria mais quase vinte anos como semanal, conquistando gerações de leitores do Brasil inteiro. Teria várias fases, formatos e curvas de desempenho nas bancas, sem aderir às assinaturas. Suas maiores vendagens seriam a da edição com a conquista do Campeonato Paulista de 1977 pelo Corinthians, após uma espera de 22 anos, e a da reportagem que denunciava, em 1982, a existência da "Máfia da Loteria Esportiva", que através de subornos manipulava resultados de jogos. Esta vendeu cerca de 300 mil exemplares. A do Corinthians, não se sabe. Houve reimpressões, e o relógio da rotativa, que registrava o número de cópias rodadas, quebrou quando a tiragem se aproximava dos 400 mil. Em determinado momento, meses antes da Olimpíada de 1984, quando as vendas voltavam a cair, a revista foi transformada em *Placar Todos os Esportes*, um projeto de elevado custo que entusiasmou Roberto. "Pela primeira vez na vida, li a revista de cabo a rabo", diria. A circulação, porém, caiu semana a semana, pois o leitor de futebol se sentiu abandonado e deixou de comprar. Assim, a publicação acabaria voltando às origens até 1990, quando a editora resolveu mais uma vez matá-la. E mais uma vez ela não morreu. Coube a Juca o papel de convencer o diretor editorial Thomaz Souto Corrêa — que, como Roberto, não gostava de futebol — a manter o título para publicar edições especiais. Ficaram quatro pessoas na redação. Ela chegara a ter mais de quarenta jornalistas contratados, sem contar os repórteres e fotógrafos que atuavam como colaboradores fixos em cada capital brasileira.

No início de 1970, quando a *Placar* estava para ser lançada, Juca recebera a proposta de se incorporar à redação como pesquisador de esportes do Dedoc. Em dúvida se aceitaria ou não, pediu a orientação de "Velho", codinome de Joaquim Câmara Ferreira, dirigente da organização da esquerda armada Aliança Libertadora Nacional. Aos dezenove anos, Juca era militante da ALN, onde tinha a tarefa de servir como motorista de Velho. Instruído por ele, alistara-se voluntariamente na infantaria do Centro de Preparação de Oficiais da Reserva (CPOR) para aprender a atirar e adquirir alguns conhecimentos práticos que o ajudassem a virar guerrilheiro urbano. "Pode ir", autorizou Velho.

"Não tente resolver os problemas dos outros antes de resolver os seus." Juca foi e se preparou para combater em outra trincheira. Ao se afastar mais tarde da ALN, passaria a militar no PCB. Seria gerente do Dedoc e em seguida chefe de reportagem da *Placar*.

Em 1979, o diretor de redação Jairo Régis — que, a exemplo de Milton e Juca, atuava no Partidão — resolveu mudar de vida e ser distribuidor da Abril no Espírito Santo. Roberto convidou Juca para assumir o seu lugar. Juca achou que não fazia sentido. Pouco antes, ajudara a comandar uma fracassada greve de seis dias dos jornalistas de São Paulo. Foi a primeira vez que Roberto o surpreendeu. "Roberto, você enlouqueceu? Vai permitir que um líder de greve dirija uma de suas revistas?", perguntou ao entrar na sua sala. "Sente aí, Kafúri", disse Roberto, que sempre pronunciaria errado seu sobrenome. "Tenho certeza de que você vestirá a camisa da *Placar* como vestiu a do sindicato. Quais são os seus planos para a revista?"

A segunda surpresa aconteceria em junho de 1985. Juca ficaria comovido e grato. Seu pai, o procurador de Justiça aposentado Carlos Alberto Gouvêa Kfouri, estava na sala de casa com a neta no momento em que a mulher chegava para o almoço. Um assaltante armado pulou em cima dela e lhe arrancou um cordão do pescoço. Ela caiu e ele a pisou. "Não faça isso!", gritou dr. Carlos, como era tratado. O bandido lhe disparou um tiro, que acertou seu baixo-ventre. Quando soube o que acontecera, Roberto se prontificou a fretar um jatinho para levá-lo a qualquer hospital dos Estados Unidos. Não houve tempo. Ele morreria doze dias depois, em consequência de uma infecção generalizada.

A terceira, última e decisiva surpresa estava reservada para 1995. Mais uma vez, a *Placar* mudava de cara. Em um grande investimento, a Abril a reposicionou como revista de "futebol, sexo e rock & roll", voltada para um público jovem. Dentro, trazia um suplemento chamado Placar Urgente, com matérias mais quentes e críticas em relação aos cartolas e à estrutura do futebol brasileiro. "Aquela era a minha missão", diria Juca, que como jornalista estava cada vez mais empenhado em denunciar as mazelas dos dirigentes e mostrava, para os que o conheciam de perto, a alma de promotor herdada do pai. "Logo no primeiro número, havia uma porrada na CBF."

Ao ler a matéria, Ricardo Teixeira pediu que Walter Longo o procurasse o mais rápido possível no Rio de Janeiro. "Walter, é o seguinte", ele disse.

> Vocês precisam decidir o que querem. Se sou bandido, vocês não podem ter um contrato comigo. Se não sou, vocês não podem publicar o que publicaram. É inadmissível que seja dada uma matéria como essa em uma revista da empresa com a qual tenho uma parceria.

Longo retransmitiu a conversa para Roberto, segundo ele com esta observação: "Ou você segura o Juca, ou os contratos acabam". Roberto falou com Juca durante a cerimônia de entrega do XX Prêmio Abril de Jornalismo, no clube Monte Líbano. Criado por Thomaz em 1975 para escolher a cada ano os melhores trabalhos publicados pelas revistas da casa, o prêmio dava aos vencedores um troféu na forma da arvorezinha, ora pesado e difícil de carregar (em tempo de vacas gordas), ora pequeno e leve (em tempo de vacas magras). No final da festa, Roberto, como fazia Victor anteriormente, anunciava no palco os nomes de quatro dos vencedores que teriam direito a uma viagem à Europa ou aos Estados Unidos. Naquela noite, Juca foi o apresentador do evento.

Roberto o levou para um canto. "Juca Kafúri, preciso falar uma coisa. Você está me criando problemas", afirmou. "Que problemas?", indagou Juca. "O presidente da CBF, como é o nome dele? Teixeira? Um cafajeste. Tanto ele como esse aqui de São Paulo, como se chama? Farah. Pois ambos disseram que a *Placar* só bate neles." Juca concordou. "Bem, não sei se você sabe que 50% da motivação para quem assina TV paga se deve aos filmes e 50% à transmissão de jogos de futebol", continuou Roberto. "E eu preciso ter o direito de exibir os campeonatos." Juca diria que lhe perguntou como uma editora que enfrentara Collor e ajudara a derrubá-lo poderia se curvar a Ricardo Teixeira e Eduardo Farah. Roberto bateu em seu ombro e deu uma instrução antes de se afastar: "Não te peço para falar bem dessa gente. Só te peço para não falar mal". Naquele dia, 25 de abril, Roberto havia almoçado com Teixeira. Semanas antes, almoçara com Farah.

Logo em seguida, foi convocada uma reunião para tratar do assunto. Estavam presentes Roberto, Gianca, Thomaz, Juca e Longo. Gianca defendeu uma postura de moderação da *Placar* em relação à CBF e à FPF. Thomaz opinou que isso já vinha acontecendo, pois não considerava ofensivo o tom das matérias. "Espero que vocês entendam nossas dificuldades", concluiu Roberto. Na saída, Juca perguntou a Thomaz, que era seu chefe direto: "Pelo que entendi, vida que segue?". Thomaz concordou: "Vida que segue". De acordo com

Juca, Longo "não abriu a boca na reunião". Longo diz que não só falou como quis saber de Juca por que ele não criticava a CBF no *Jornal da Globo*, do qual era comentarista esportivo na época: "Ele explicou que a TV Globo não permitia e eu quis saber por que, nesse caso, não pedia demissão da emissora. O clima ficou pesado". Segundo Juca, não teria sido assim:

> Eu já não trabalhava na Globo, de onde saí exatamente para lançar a nova *Placar*. Enquanto estive na emissora, causei algumas crises precisamente por criticar a CBF, Ricardo Teixeira e Eduardo Farah.

Na versão de Juca, Longo teria "mentido" ao relembrar a discussão. O pior estaria por vir. Em seu novo número, Placar Urgente publicou mais um artigo crítico, com o título "Festival de maracutaias na Copa do Brasil". Longo voltou a ser chamado por Teixeira, que subiu o tom: "Achei que você tinha entendido, mas parece que não. Se a Abril acha mesmo que sou bandido, vamos desfazer o contrato e fica tudo por isso mesmo". Longo voltou a passar o recado para Roberto. O jogo começaria a desandar. Thomaz chamou Juca à sua sala, no 14º andar do Edifício Panambi. Além da estreita convivência profissional, os dois cultivavam uma antiga amizade e costumavam sair para jantar junto com suas mulheres. Sentados em volta de uma grande mesa de trabalho com dezenas de revistas estrangeiras espalhadas, tiveram uma conversa dura. "Juca, por que essa matéria depois daquela reunião nossa? Você poderia ter feito isso de uma maneira bem-humorada. Por que esse tom?", cobrou Thomaz. "Não estou entendendo", respondeu Juca. "Não era vida que segue?" Thomaz foi franco: "O fato é o seguinte. Roberto e eu não vemos mais você na direção da *Placar*". Juca lembraria que ficou perplexo e sentiu faltar o chão. Ele se considerava parte dos móveis e utensílios da Abril, e acreditava que o mercado o via como um profissional muito bem pago que jamais sairia de lá. "Então peça para o RH fazer as contas", disse. "De jeito nenhum, Roberto e eu temos outras coisas para você cuidar." Chegaram a aventar a possibilidade de que ele comprasse o título da *Placar*. Houve uma conversa com Pelé, que entraria como sócio. As tratativas não avançaram. Foi feita a oferta de um ano sabático para que ele viajasse, estudasse e, no retorno, assumisse um novo cargo. Juca recusou e saiu da editora sem se despedir de Roberto. "Fui muito bem indenizado", reconheceria. "Eu ganhava bem e recebi um salário e meio para cada ano que trabalhei lá, com pagamento em quatro parcelas. Devo à Abril este apartamento em que moro."

Juca saiu, o suplemento Placar Urgente desapareceu, as críticas cessaram — pois não cabiam na receita da revista de "futebol, sexo e rock & roll" —, mas a TVA não conseguiu o que queria. Ela perdeu na Justiça os direitos de transmissão do Campeonato Brasileiro, que ficaram com a Globo na TV aberta e na TV paga. Ao saber de sua derrota, Roberto bateu na mesa e disse: "Filho da puta do Juca Kafúri! Ele tinha razão. Esse Teixeira não honra em pé o que assina sentado".

Para Juca, de qualquer modo, o reconhecimento tardio não serviria de consolo. Disse que saiu da Abril decepcionado e com dor. Nas palestras que dava para estudantes, falava de seu orgulho em trabalhar numa empresa cujo dono pregava que ela não cedia a pressões de anunciantes, governos ou amigos, pois não estava a serviço deles e sim dos seus leitores e dos interesses do país. Ele próprio vinha testemunhando havia 25 anos que a separação entre Igreja e Estado, o jornalismo de um lado, o comercial de outro, mais do que um discurso, era uma prática seguida no dia a dia. Anos depois, ao olhar para o passado, Juca pareceria ter entendido a cabeça do ex-patrão. No campo da política e da economia, com suas revistas impressas — a *Veja* e a *Exame*, sobretudo —, a separação deveria ser absoluta. Bancara as denúncias contra Collor da mesma forma como faria em relação aos governos do PT, com matérias que se tornariam cada vez mais editorializadas — refletindo antes de mais nada suas ideias e convicções. Roberto sabia o que tudo isso lhe custava: a reação do poder, cortes de anúncios oficiais, cancelamento de contratos da Abril Educação, a insatisfação de uma parcela de leitores, processos judiciais, empresários e amigos lhe virando as costas. Mas a Abril não era só a *Veja* e a *Exame* e deixara de atuar exclusivamente no universo das revistas. Roberto via a televisão, ainda mais a televisão por assinatura, como uma área não de jornalismo — podia até ter um pouco, de forma acessória, mas nem de longe constituía o seu foco — e sim de entretenimento. Para ele, competições esportivas eram entretenimento também. Quanto à *Placar*, naquela fase com o slogan "futebol, sexo e rock & roll", entendia que, como a TV, deveria ser uma publicação não para veicular denúncias, mas para emocionar e divertir.

Houve outro caso que Roberto não considerou fundamental. Para ele, foi somente — voltaria a usar a definição de que tanto gostava — divertido. Em 2003, a Samsung se dispôs a veicular um anúncio do tipo que a Abril nunca tinha publicado. A capa normal de *Claudia*, com uma modelo como sempre sorridente, seria seguida, ao se virá-la, de uma capa praticamente idêntica. Ali estariam a mesma modelo, as mesmas chamadas e a mesma arvorezinha verde. Com uma única diferença: a moça apareceria segurando um celular fabricado pela empresa. Do lado esquerdo, estaria impressa a palavra "publicidade". Quando a proposta lhe foi submetida, o diretor da unidade das revistas femininas, Luiz Felipe d'Avila, ficou inseguro. Mais do que jornalista, ele era um intelectual. Depois de fazer o colegial em Chicago, formara-se em ciências políticas em Paris e pensava em seguir a carreira diplomática. Seu avô materno, João Pacheco Chaves, político ligado ao deputado federal Ulysses Guimarães, o homem mais importante do PMDB no governo Sarney, o indicou para trabalhar no Ministério da Ciência e Tecnologia, onde não ficaria mais de um mês. Logo descobriu que não tinha essa vocação e foi morar na fazenda do pai, em busca de sossego para escrever. Acabaria virando articulista do jornal *Gazeta Mercantil* e montou uma editora, que publicava as revistas *República*, com matérias políticas, e *Bravo!*, de assuntos culturais. Já casado com Ana Maria Diniz, filha do empresário Abilio Diniz, conheceu Roberto durante o lançamento de um livro do economista Gustavo Franco.

"Gosto de suas revistas, mas quero saber o seguinte: quanto dinheiro você perde com elas?", perguntou Roberto. Luiz Felipe não teve tempo de responder. "Não se preocupe, é assim mesmo", prosseguiu, sem deixá-lo falar. "Eu tive prejuízo com a *Veja* durante sete anos." Embora o primeiro encontro não tivesse sido muito mais do que um monólogo, Roberto ficou bem impressionado e quis conhecê-lo melhor. Marcaram um almoço e Luiz Felipe não demorou a ser convidado para trabalhar na Abril. Roberto, como faria com outras pessoas, assumiu o papel de seu mentor. Luiz Felipe não esqueceria uma das primeiras lições que recebeu. "Você tem que conhecer sua leitora e conversar com ela", disse. "Quem é ela? O que pensa? Como vive? Onde mora? Em que lugar da casa lê as suas revistas? Em que dia da semana? A que horas? Quanto tempo gasta na leitura?" Ele decidiu então passar parte de seu tempo na rua, frequentando bancas e abordando compradoras. Nasceu dali sua ideia de alugar um imóvel na avenida Brasil para montar a Casa da Beleza, com espaços cedidos a anunciantes. Eles teriam a oportunidade de conversar sobre seus produtos com assinantes convidadas. Entusiasmado com a própria iniciativa, procurou Roberto. "Descobri um jeito de transformar nossas revistas em grandes marcas", contou-lhe. "Não chame minhas revistas de marcas", cortou Roberto, como costumava fazer quando ouvia essa palavra. "O que tem marca é sabonete."

Ele voltaria a procurá-lo quando surgiu a proposta da tal capa em sequência de *Claudia*. O anunciante queria fazer o mesmo na *Nova*. Roberto gostou da ideia, mas achou melhor discuti-la em uma reunião, para a qual convocou Thomaz e outros diretores. Ela foi realizada em sua sala no dia 6 de agosto. Thomaz mostrou-se contrário à veiculação, que a seu ver parecia misturar editorial e publicidade. Roberto foi a favor e aprovou o duplo projeto. "Neste caso, peço que fique assinalado o seguinte na ata desta reunião", disse Thomaz. "Pela primeira vez, a Editora Abril decidiu vender as capas de duas de suas revistas." O encontro terminou em um clima ruim, mas as capas saíram. Roberto entendeu que não se tratava da venda do conteúdo jornalístico, ainda que os títulos e a concepção gráfica criados pela redação se reproduzissem no anúncio que repetia a capa. "Nem se ganhou muito dinheiro a mais", lembraria Thomaz. "Com os custos de produção e o cachê extra da modelo, o anúncio foi vendido praticamente pelo preço de tabela." A concessão não se repetiria. Roberto nunca reconheceria para ninguém que cometera um erro, mas Thomaz ficou convencido de que ele se arrependeu da decisão.

Em 1999, Roberto se vira diante de um dilema diferente. E bem mais grave. Nesse caso, ao contrário das capas das publicações femininas, que se tornariam públicas, nada chegaria ao conhecimento dos leitores. A *Exame* havia feito um perfil do banqueiro Joseph Safra e do processo em andamento de sua sucessão. Homem forte do Banco Safra, nascido em uma comunidade judaica na Síria, José — como ficou conhecido no Brasil — sempre foi uma figura extremamente discreta, evitava ser fotografado, dificilmente dava entrevistas e vivia protegido por um forte aparato de segurança. Morava em uma gigantesca mansão no Morumbi, cercada de lendas e mistérios. Dizia-se que se espalhava por 11 mil metros quadrados de área útil, com inacreditáveis 130 cômodos e nove elevadores. Safra se indignava quando tais números eram alardeados. Afirmava serem falsos. Segundo ele, a casa tinha 3500 metros quadrados, incluindo as garagens, e dois elevadores, um social e outro de serviço.

Em 2014, o jornal inglês *Financial Times* o apontaria como o segundo banqueiro mais rico do mundo, com um patrimônio estimado de quase 16 bilhões de dólares. O editor José Fucs conseguiu, graças a um enorme empenho, chegar a ele e escreveu uma matéria inédita a seu respeito, com referências aos dois irmãos, Moise e Edmond, que morreria no final daquele ano de 1999 em um incêndio criminoso, no apartamento em que morava em Monte Carlo. Seu trabalho lhe exigiu seis meses de apuração. A reportagem, em onze páginas, mostrava como Safra atuava nos negócios e o que fazia dele um banqueiro de tanto sucesso, a partir de depoimentos de executivos e ex-executivos do banco. Contava também que tinha um gênio difícil, revelando em determinado trecho: "Temperamental, emotivo e muitas vezes descontrolado, José mantém uma relação de amor e ódio com os executivos do banco. Ele alterna momentos de extrema gentileza com outros de muita agressividade". Era capaz de chamar um dos diretores de burro e pedir desculpas no dia seguinte.

Quando a matéria, que seria a capa da *Exame* com data de 25 de agosto, já estava pronta, editada e revisada, quase a caminho da gráfica, Fucs resolveu tomar um último cuidado. Era um repórter meticuloso e não queria correr o risco de dar alguma informação imprecisa. Por isso, ligou para o assessor de imprensa do banco, Zenon Garrote, atrás da confirmação de um detalhe que depois consideraria irrelevante: a posição exata de um retrato a óleo de Jacob, o pai de José, em sua sala de trabalho. Conversaram mais um pouco e Fucs comentou, por cima, alguns aspectos da reportagem.

Era muito raro que Roberto pedisse para ler uma matéria de qualquer de suas revistas antes da publicação. Mas essa ele quis ver previamente. O diretor de redação da *Exame*, Paulo Nogueira, nunca havia recebido uma solicitação como aquela. Mas logicamente ele a atendeu e a matéria subiu para a presidência da empresa, instalada desde o ano anterior no 24º andar do Novo Edifício Abril. Roberto leu e mandou chamar José Roberto Guzzo, diretor geral do grupo *Exame*. "A matéria está ótima, mas o Safra me ligou e fez um apelo: pede que a gente tire a passagem que fala de seu temperamento explosivo, xingando diretores, pois isso ficaria ruim para sua imagem", disse, de acordo com as lembranças de Guzzo. Ele ficou surpreso. "A história é verdadeira, foi apurada pelo repórter e devidamente checada", afirmou. "Você sabe, Roberto, matérias precisam ter coisas como essa para ficarem atraentes e despertar o interesse do leitor. Do contrário, acabam parecendo chapa-branca." Roberto concordou, mas expôs seu dilema. "Você também sabe do nosso endividamento", disse, referindo-se aos prejuízos que a Abril vinha acumulando com a televisão, o que a levara a contrair empréstimos. "O Safra confia na nossa empresa e tem nos apoiado. Nunca nos falhou. E agora, em tom de 'pelo amor de Deus', quase chorando, está me pedindo um favor." Guzzo reconheceu que era uma situação complicada. "E se a gente retirasse o trecho?", sugeriu Roberto. "Aí, sinceramente, não dá", descartou Guzzo. "Vai piorar a matéria e mostrar nossa fragilidade. Nós dois convivemos há trinta anos e não há por que não sermos claros. Então, eu pergunto: é muito importante para você? Você quer mesmo atendê-lo?" Ele respondeu que sim. "Olha, vamos fazer o seguinte. Não damos a matéria. Se não sair, não será vital para a revista. O que não pode é sair cortada." Roberto agradeceu: "Se você acha melhor não dar, não damos". E a reportagem não saiu. Quinze anos depois, ao recordar a história, Guzzo diria que, nas circunstâncias, foi tomada a melhor decisão possível. "Não era uma matéria indispensável. Nós, como editores, escolhemos o que vamos publicar. Estou com a consciência absolutamente tranquila. Não tenho o menor problema de contar isso." Ele consideraria o episódio uma exceção isolada em todos os anos em que esteve à frente da *Veja* e da *Exame*.

Decidido que a matéria não seria publicada, Guzzo transmitiu a instrução para Paulo Nogueira, que foi obrigado a providenciar, rapidamente, uma capa estepe. Como o prazo estava estourando, ela saiu sem foto ou ilustração, com o título "Nova economia" sobre um fundo laranja. "Jamais recebi uma explicação do Roberto sobre o episódio", afirmaria Nogueira, que deu a má notícia para Fucs. "O que o Paulo me disse foi que o Roberto Civita pediu para ler a reportagem, a partir de um telefonema do Safra, que se mostrara preocupado com a sua publicação", Fucs contaria. "Em nenhum momento o Roberto falaria comigo sobre esse assunto, nem na ocasião, nem em contatos futuros que tive com ele."

Até onde foi possível saber, Roberto nunca comentou o fato nem disse se mostrou ou não o texto para Safra. Por sua vez, Safra não responderia a meu pedido de entrevista. Em janeiro de 2016, a secretária Alexandra Povidakis informou que seu chefe se encontrava no exterior e não havia nenhuma previsão sobre seu retorno. O problema levantou uma velha questão: um editor, em determinadas circunstâncias, pode submeter uma matéria ao entrevistado? Em agosto de 1990, Roberto pedira a opinião a Guzzo: o que achava da "*pre-publication review*", como se chama nos Estados Unidos a leitura prévia de um texto jornalístico pela fonte, prática bastante incomum na grande imprensa americana, mas existente? Mandou junto o recorte de uma matéria sobre o assunto publicada na revista *The Quill*. "Inútil perder tempo com divagações sobre ética, direitos, deveres, profissionalismo, dignidade e coisas desse tipo", respondeu Guzzo.

> Mostra-se ou não uma matéria antes da publicação segundo o bom senso mandar. E o bom senso, em geral, manda duas coisas básicas: mostra-se se essa é a única maneira de fazer a fonte fornecer uma matéria importante; combina-se, com regras muito claras, que a fonte (ou seu advogado, ou quem quer que esteja lendo antes) só mexe em fatos [a palavra foi sublinhada pelos dois]. Pode-se falar horas a respeito do tema, mas parece que esse aí é o melhor resumo da ópera.

Roberto escreveu ao lado: "De acordo". Ele repetiria várias vezes que durante anos e anos havia uma rotina nas suas sextas-feiras.

> Eu recebia pedidos para incluir algo ou não incluir algo. E na segunda-feira eu recebia telefonemas dizendo: "Puxa, precisava ter publicado?". Minha reação era sempre a mesma: "Não é verdade?". E o sujeito falava: "Sim, mas precisava publicar?". E eu: "Precisava". Uma vez que você comece a dizer isso ao longo dos anos — e não só eu, os diretores de redação, outros dirigentes da empresa —, os telefonemas acabam, param.

Embora resistisse a pressões de políticos, anunciantes e empresários, Roberto se sentia desconfortável diante dos bancos credores. Não que seus donos lhe fizessem apelos como o de Safra para atenuar ou engavetar matérias. Aquele fora um ponto fora da curva, que ele considerava superado e preferiu esquecer. A questão era outra: diante dos prejuízos com a televisão que sufocavam a Abril e aumentavam seu endividamento, via-se obrigado a recorrer mais e mais a empréstimos bancários. Ainda por cima, havia a briga com a Globo. A árvore balançava e parecia correr o risco de tombar. Na virada do século, sua dívida girava em torno de 500 milhões de dólares.

1º de dezembro de 1997

Dar um furo, para qualquer jornalista ou meio de comunicação, é a glória. Se for algo que o público não via a hora de saber, melhor ainda. Na sua edição de 12 de agosto de 1998, a *Veja* saiu com um furo de enorme repercussão sintetizado no título de duas palavras da capa: "Fui eu". Era uma notícia exclusiva que iria saciar a curiosidade de milhões de pessoas. Quem era, afinal, o *serial killer* que a mídia chamava de "Maníaco do Parque"? A sequência de crimes por ele cometidos causava horror não apenas em São Paulo, onde ocorreram, mas no Brasil inteiro. E ali estava ele, o motoboy paulista Francisco de Assis Pereira, com seu retrato exibido em close na capa da maior revista do país. De acordo com a chamada, a revista o "ouviu" confessar que matara nove mulheres. A confirmação da história vinha sendo perseguida pela imprensa inteira. Mas só a *Veja* conseguiu obtê-la. Valeu-se de um ardil, o que daria margem a polêmicas sobre o método utilizado, que não ficara claro na reportagem. A advogada do ainda suspeito, Maria Elisa Munhol, ao visitá-lo na cadeia, permitiu que uma repórter da revista a acompanhasse e se identificasse como sua assistente. Durante o encontro, ele admitiu para sua defensora, dentro do sigilo legalmente previsto, ser culpado pelos crimes — e foi aí que a *Veja* "ouviu" a confissão.

Depois da publicação, o motoboy alegou para uma junta de três psiquiatras que, para divulgar a confissão, a revista pagara 300 mil reais à sua advogada e a mais duas pessoas. Ele se retrataria da declaração, da qual não tinha qualquer prova, e voltaria atrás. Em um documento que assinou diante de um delegado de polícia, desdisse o que dissera. O *Jornal Nacional* noticiou que ele acusara a *Veja* de comprar a informação. Mas o principal telejornal da emissora de maior audiência no país não deu seu desmentido nem colocou no ar uma entrevista que fizera com os pais do motoboy em que estes afirmaram estar convencidos de que a história do suposto pagamento fora inventada pelo filho.

Estava criada uma grande confusão. Já conturbadas, as relações entre a Abril e a Globo se deterioraram. As duas empresas vinham brigando não só em virtude da disputa pela TV paga. Naquele ano, haviam entrado em mais um campo de batalha: o lançamento da revista semanal *Época*, que iria concorrer diretamente com a *Veja*. Até então, a única rival da *Veja* era a *IstoÉ*. Embora a incomodasse — ninguém esquecera na marginal Tietê as revelações do motorista de Fernando Collor, fundamentais no processo da queda do presidente da República — e disputasse o mesmo mercado de bancas, assinaturas e publicidade, a verdade é que *IstoÉ* normalmente não tirava o sono da *Veja*. O carro-chefe da Abril tinha uma circulação quase quatro vezes maior e reinava soberano como a maior e mais lucrativa revista do país.

Com a *Época*, a competição poderia mudar de patamar. O novo semanário pertencia às Organizações Globo e, ao contrário da *IstoÉ*, tinha por trás um dos principais jornais brasileiros, emissoras de rádio com larga penetração — e a Rede Globo, líder absoluta da televisão no país. O *Jornal Nacional* atingia em 1998, entre os aparelhos ligados na cidade de São Paulo, uma média de sessenta pontos. Dava-se como certo que nos seus intervalos comerciais apareceriam anúncios do lançamento da revista. Eram extremamente caros. Uma publicidade de trinta segundos custava 110 mil reais, na época o preço de um apartamento de dois quartos na Zona Sul do Rio de Janeiro, segundo comparação da própria *Veja*. O modelo da *Época* seria baseado no da alemã *Focus*, com textos menores, muitas ilustrações, infográficos e uma paginação mais moderna do que as similares americanas. Não se sabia muito mais do que isso. O resto não passava de especulação. Que capa de impacto preparava para o primeiro número? Que tipo de matéria iria publicar? O que conseguiria fazer melhor do que a *Veja*? Sairia com qual tiragem? Com quantas páginas? E o mais importante: quantos de seus leitores migrariam para lá?

Um dos mais preocupados com tudo isso era Roberto. Em seus discursos e editoriais, ele defendia a concorrência, que considerava saudável. Desde, é claro (isso ele podia pensar, mas não escrevia), que ela não afetasse sua hegemonia nos diferentes segmentos das revistas, a começar, evidentemente, pelo das semanais de informação. Faria de tudo para manter sua supremacia até então inabalável. Confirmados os boatos da chegada de *Época*, determinou que se criasse um grupo de trabalho para estudar a melhor forma de recepcioná-la — expressão que passou a ser usada na Abril. A força-tarefa, que reunia os profissionais mais importantes das áreas editorial, comercial, publicitária, gráfica, de finanças, distribuição e logística, recebeu o codinome de Operação Guararapes. A *Veja* iria passar por mudanças para enfrentar o adversário que vinha ao seu encontro. Aliás, uma delas já acontecera.

Ela estava sob nova direção.

Entre a confirmação oficial da saída de Mario Sergio Conti e o anúncio do nome de seu sucessor, passou-se apenas um mês. O processo, porém, foi longo e se arrastou durante a maior parte de 1997. Poucas pessoas dentro da Abril sabiam o que estava em curso. O primeiro a tomar conhecimento seria José Roberto Guzzo. No segundo trimestre daquele ano — não lembraria o momento preciso —, ele assistia a uma conferência no Rio de Janeiro ("chatíssima por sinal"), ao lado de Roberto, que no intervalo puxou-o pelo braço e lhe disse ao pé do ouvido: "Guzzo, tenho uma novidade. O Mario Sergio vai sair. Eu queria que você me ajudasse na escolha do sucessor". Não foi exatamente uma surpresa para ele. Tinha certeza de que o desligamento podia acontecer de uma hora para outra. Algumas semanas mais tarde, os dois viajaram juntos para Portugal em companhia de Thomaz Souto Corrêa. A essa altura, Thomaz também estava a par do assunto. Eles tinham uma reunião com o empresário de comunicação Francisco Pinto Balsemão, ex-primeiro-ministro do país. Balsemão era amigo e sócio de Roberto em alguns negócios, entre os quais a edição local da *Exame*. Roberto, Guzzo e Thomaz aproveitaram a privacidade do Hotel Albatroz, em Cascais, balneário próximo a Lisboa, para discutir detidamente a questão. Guzzo indicou o nome de Paulo Nogueira. Aos 38 anos, depois de ter trabalhado na *Veja* e sido editor da *Veja São Paulo*, ele era diretor de redação da *Exame* e subordinado diretamente a Guzzo. Thomaz concordou com a sugestão. Guzzo propôs como segunda opção o carioca Marcos Sá Corrêa, editor especial da *Veja* no Rio de Janeiro e ex-diretor de redação do *Jornal do Brasil*. Segundo Paulo Nogueira afirmaria que ouviu de Guzzo, inicialmente foi feita uma lista de vinte possíveis candidatos, logo reduzida aos dois nomes. Roberto disse que precisava pensar. Não eram as únicas possibilidades. Havia mais alguns nomes na sua cabeça, entre eles o de Roberto Pompeu de Toledo, com quem já havia conversado.

Dentro da *Veja*, embora o redator-chefe Paulo Moreira Leite percebesse o que se passava, como se contou mais atrás, quem provavelmente recebeu antes de todos uma informação em primeira mão foi precisamente Pompeu, como era tratado. Mario Sergio chamou-o para uma conversa e confidenciou-lhe que deixaria de ser o diretor de redação. Fez então uma sondagem: aceitaria ficar em seu lugar? Pompeu diria que ficou dividido. Depois de ter exercido cargos executivos na própria *Veja*, na *IstoÉ* e no *Jornal do Brasil*, com jornadas de até doze horas e, no caso do *JB*, sem fins de semana, ele se sentia feliz em seu trabalho atual. Não chefiava ninguém, criava suas pautas, era o colunista da última página e fazia o que de fato lhe dava prazer: escrever, com tempo para pesquisar e apurar longas e aprofundadas matérias. Por outro lado, tratava-se de uma oportunidade única. "Eu resolveria meus problemas materiais, com salário e bônus muito maiores", pensou.

Tiveram um almoço, conforme se relatou, anotado por Roberto como "round 1". Era o início das tratativas sucessórias. Ele se referiu várias vezes a Pompeu como "o príncipe dos colunistas brasileiros". Enquanto fazia uma sondagem, com rodeios, para saber se aceitaria dirigir a revista, iria surpreendê-lo com uma indagação que o incomodou. "Em determinado momento da conversa, como se me testasse, perguntou o que eu achava de fazer infográficos na revista", rememoraria. "Na mesma hora, respondi que aquilo era irrelevante e, se estávamos discutindo o futuro da *Veja*, o assunto não tinha a menor importância." Mais tarde, ao relembrar o episódio, ele perceberia com clareza que Roberto estava indeciso e fazia o que considerou uma manobra protelatória. Pompeu, desfazendo suas dúvidas, disse que não estava interessado no cargo. Passado um tempo, ele fez uma viagem para Nova York, onde Roberto o localizou. Em um telefonema, foi direto ao assunto: ele não reconsideraria sua decisão? Não, disse Pompeu, encerrando as negociações.

Apesar da indicação de Guzzo e Thomaz, Roberto não faria o convite para Paulo Nogueira, que cerca de três anos depois lhe perguntaria o que o levara a ser preterido. "Você era muito novo", ele justificou, embora na verdade Paulo fosse mais velho do que Mino Carta, Guzzo e Mario Sergio ao assumirem o cargo. Provavelmente, o motivo foi outro. Roberto ficou receoso com as reações da redação, sobre a qual não tinha controle, diante da escolha de um diretor vindo de outra área da empresa. Passou a considerar dois nomes: Marcos Sá Corrêa, proposto por Guzzo como segunda opção, e o diretor adjunto Tales Alvarenga. Mantida em segredo durante alguns meses e do conhecimento apenas das poucas pessoas envolvidas, a questão sucessória vazou dentro da revista e no ambiente interno da editora. Como seria inevitável, a boataria se espalhou rapidamente nos meios jornalísticos. Mario Sergio decidiu se antecipar a qualquer comunicado de Roberto e no início de novembro, ao final da rotineira reunião de pauta que comandava às segundas-feiras por volta do meio-dia com seus executivos e editores, informou que, de comum acordo, acertara seu desligamento com o dono da empresa.

Tales, que entrou no páreo como azarão, ficara a par do quadro às vésperas do anúncio de Mario Sergio. Sua mulher, a jornalista Maria Christina Souza Queiroz de Alvarenga, conhecida como Tina, acabara de voltar da maternidade, onde no dia 28 de outubro nascera Isabel, filha do casal. Eles já tinham um filho e Tales era pai de um outro menino, de seu casamento anterior. Ao chegar em casa, ele foi ao quarto do bebê, onde se encontrava Tina, e lhe disse "com uma cara não muito boa", segundo ela registraria: "O Mario vai sair. E o Roberto me chamou para conversar". A conversa não seria imediata. Inicialmente, Roberto lhe pediu que apresentasse por escrito um resumo de suas ideias sobre a revista. Ele preparou um documento defendendo a publicação de um maior número de capas e matérias de interesse imediato para a vida do leitor, nos campos de saúde, comportamento, beleza, bem-estar, educação, finanças pessoais, emprego e carreira. Deixaria em segundo plano, sem abandoná-los, as denúncias políticas e os assuntos do governo. Achava que os textos precisariam ser menores. Defendeu a valorização dos furos e dos repórteres que os levantassem.

Roberto examinou essas propostas com interesse e, diante do vazamento, tratou de se apressar. No organograma que estava em sua cabeça, o novo diretor só assumiria em maio de 1998. Teve que antecipá-lo. A alguns dias de se encontrar com Tales, convocou Marcos para um almoço. Pompeu ouviria uma reconstituição feita por Marcos, de quem era amigo:* Roberto perguntou se, caso se tornasse diretor, manteria Tales como adjunto. Marcos disse que, por ele, tudo bem. "Mas estou quase invertendo: e se o Tales for o diretor, você fica como o segundo?", indagou. "Isso eu não quero", descartou Marcos. Mais uma vez, a conversa não chegou a bom termo. Na sua indecisão, Roberto mostrava que temia mexer na hierarquia interna.

Na manhã do dia 1º de dezembro, uma segunda-feira, Roberto recebeu Guzzo em sua sala para antecipar a possível decisão e em seguida subiu para um almoço com Tales. Foi uma das últimas vezes em que teve reuniões na sede da marginal Tietê, onde trabalhara por trinta anos. No final do mês, tanto ele como a redação da *Veja* se mudariam para o Novo Edifício Abril. As demais publicações e diversas unidades da empresa já estavam instaladas lá. Tales foi para a reunião com um discurso preparado. "Eu sou o diretor adjunto, portanto o número dois e o sucessor natural", afirmou para o patrão. "Queria dizer a você que, se não for eu o escolhido, vou sair da revista. Não há o menor sentido em ser preterido e responder a outra pessoa." Roberto diria para executivos próximos que imaginava até ali haver certa afinidade ideológica entre Mario Sergio e Tales. Constatou com satisfação que Tales pensava de forma diferente de seu chefe. Mas até então evitava se aprofundar nas suas posições, durante as reuniões de quinta-feira, por lealdade e respeito à hierarquia. Na redação, era de conhecimento geral que ele, simpático ao liberalismo e ao sistema capitalista, não gostava da esquerda, defendia as privatizações do governo Fernando Henrique e se opunha à presença do Estado na economia. Como resultado, tinha conhecidas divergências com Paulo Moreira Leite, cujas posições políticas se opunham às dele. Houve um episódio bastante ilustrativo. Naquele mesmo ano, Tales preparara uma matéria em que se afirmava que a Vale, a maior empresa de mineração do país, antes de sua privatização, era mal administrada. Em seguida, tirou uma semana de férias. Ao voltar, leu, surpreso, uma segunda reportagem sobre o mesmo assunto, editada por Moreira Leite, com enfoque oposto. Por alguma razão, Mario Sergio permitira que ambas fossem publicadas.

* Marcos Sá Corrêa sofreria um acidente doméstico em 2011, ao cair de uma escada e bater a cabeça em uma escultura. Cinco anos depois, ainda estava impossibilitado de se comunicar normalmente.

Quando foi servido o café expresso no final no almoço, chegava ao fim a mais longa e complicada sucessão da história da *Veja*. Aos 53 anos, Tales Tarcísio de Alvarenga tornava-se o seu novo diretor de redação. Entre os jornalistas da revista que torciam para que não vingasse uma solução externa, houve um sentimento de alívio. Sem que o autor fosse identificado, começou a circular uma frase engraçada que se tornaria famosa: "Dos Tales, o menor". Para se entender o trocadilho, é preciso dizer que Tales, como Mino, era um homem de pequena estatura. Tinha 1,61 metro. A brincadeira fazia referência ao editor Thales Guaracy, embora este não fosse cogitado para o cargo. Thales Guaracy, que trabalhava diretamente com Tales Alvarenga, tinha 1,74 metro.

Com humor instável e estilo às vezes autoritário, Tales costumava fazer piadinhas e comentários públicos que podiam constranger seus subordinados. Eventualmente, tinha explosões. "Mesmo sendo baixinho, produzia a sensação de que olhava para você de cima para baixo", observaria Guaracy. No entanto, ele sabia ouvir, reconhecia os méritos dos que se destacavam no trabalho e procurava agir como um chefe justo. Sem ser considerado brilhante, era um profissional extremamente aplicado, com enorme capacidade de trabalho. Quando era editor executivo e foi designado para supervisionar as matérias de economia, área que não conhecia com profundidade, passou a se encontrar às sextas-feiras com o ex-ministro Delfim Netto para esclarecer dúvidas e receber sugestões de leituras. Sabia transmitir instruções com clareza, não raro ditando para editores ou repórteres, de improviso, como deveria ser a estrutura de um determinado texto. Apesar de ter estudado filosofia e direito, e de sua boa cultura geral, demonstrava certo desprezo por intelectuais. Mineiro da pequena cidade de Silvianópolis, com cerca de 6 mil habitantes, morou na Paraíba e no Maranhão, estados para os quais o pai tinha sido transferido como funcionário federal, até a família se fixar em Belo Horizonte. Foi aluno de colégios católicos e teve educação religiosa, mas tornou-se agnóstico e anticlerical.

Quase sempre de terno sob medida e boas gravatas, caminhava pela redação, dando ordens ou parando nas mesas para conversar, com os pés abertos na posição de "dez para as duas". Tinha paixão pelo que fazia. Certa vez, confessou para a mulher: "O Roberto não pode saber disso, mas se eu tivesse que pagar para fazer meu trabalho, eu pagava". Ao assumir, pôs em prática o que colocara no papel para Roberto. A revista passou a publicar reportagens sobre problemas conjugais, o poder do cérebro, viagens à Disney, dietas, o crescimento dos carismáticos na Igreja católica e perfis de personagens como o apresentador Ratinho e o escritor Paulo Coelho. "Eu sustentava que naquele tempo o interesse individual se tornara mais importante que as grandes causas coletivas, visto o sucesso dos livros de autoajuda", contaria Guaracy, designado para tocar algumas dessas matérias. Só ao final de quatro meses é que sairia a primeira capa política da nova gestão. Nela, na foto escolhida, o presidente Fernando Henrique Cardoso aparecia chorando pelas mortes em sequência do deputado federal Luís Eduardo Magalhães e do ministro Sérgio Motta, seus amigos e aliados. Além de textos menores, a revista criou seções como o "Guia", com reportagens de serviço e dicas sobre vida prática. Desapareceram da receita as extensas e aprofundadas reportagens que saíam periodicamente, como a que a agora editora especial Dorrit Harazim fizera no ano anterior sobre alcoolismo em treze páginas. Ou ainda maiores, entre elas a de 22 páginas escrita por Pompeu em 1995 sobre o quinquagésimo aniversário da explosão da bomba atômica em Hiroshima. Muitos desses artigos, de alta qualidade jornalística, resistiriam ao tempo.

A circulação, que ultrapassara a casa do 1 milhão de exemplares em 1995, ficaria em 1998 (média de 1,148 milhão de exemplares por semana) levemente abaixo do ano anterior (1,159 milhão), mas subiria em 2000 (1,180 milhão). Como havia picos de venda naqueles temas de capa que Tales privilegiava, a revista insistiria neles. Em 1998, sairiam três capas sobre remédios e duas sobre dietas; em 1999, seis sobre crianças e família. Uma delas, a da edição de 6 de janeiro, sobre "Guerra dos sexos", trazia no canto inferior direito uma novidade que passaria despercebida por leitores que não prestavam atenção a pequenos detalhes: a arvorezinha da Abril. Ela aparecia em todas as revistas da casa, menos na mais importante delas. Como que por inércia, simplesmente não era colocada. De certa forma, a semanal de informações funcionava como um corpo à parte dentro da empresa. "A república da *Veja*", definiria Thomaz Souto Corrêa. Ao contrário dos colegas das demais publicações, seus jornalistas não diziam que trabalhavam na Abril, mas na *Veja*. Internamente, muitos deles costumavam ser vistos como profissionais de outra esfera, que respondiam diretamente ao patrão, recebiam salários maiores e evitavam participar de eventos da empresa. A pedido de Roberto, Tales corrigiu a anomalia e, assim, em seu 31º ano de existência, após 1579 edições, a revista finalmente passou a exibir na capa o símbolo da editora a que pertencia.

Roberto mostrava-se feliz com os números da circulação, mas percebeu que, com a insistência em dar preferência a assuntos gerais — um pouco na linha do que a imprensa francesa chama de faits divers —, *Veja* perdia parte de sua relevância política. Ele prezava o poder e a influência da revista, dos quais não queria abrir mão. Com Tales, os assuntos políticos tiveram seu espaço reduzido. Ele chegou a considerar a hipótese — que os editores acharam insana — de fechar a sucursal de Brasília. Isso quase aconteceu. O início de sua gestão coincidiu com uma tentativa do jornal *Correio Braziliense* de se transformar em uma espécie de *The Washington Post*, o que o levou a investir na contratação de quase toda a equipe da *Veja* na capital federal, incluindo o chefe, André Petry, e o editor Policarpo Júnior. De nove jornalistas, ficou apenas um. Quando soube do que ocorria, e preocupado com a consequente escassez de reportagens políticas de impacto, Roberto resolveu agir. Ao descer para uma reunião de quinta-feira, mandou que Tales convocasse, além do diretor adjunto Eurípedes Alcântara — que assumira o cargo após passar quatro anos como correspondente em Nova York —, os editores executivos. Foi breve e duro em seu discurso. "A *Veja* não existe se não tiver dentes", afirmou. "Ela não pode ser um leão desdentado."

Pressionado, Tales chamou o editor executivo Eduardo Oinegue para uma conversa. Com sua experiência de ex-chefe da sucursal de Brasília, o irônico e assertivo Oinegue agora supervisionava a área de política. Enquanto jantavam no restaurante Rubaiyat da avenida Faria Lima, Oinegue lhe disse que acabar com a principal sucursal da *Veja* era "uma loucura". Tales ficou contrariado ao ouvir. De repente, nervoso, começou a dar socos na mesa e caiu em si. "Vá lá e remonte", determinou. "Tenho carta branca?", perguntou Oinegue. "Tem. Resolva isso." Em poucos dias, Petry, Policarpo e outros jornalistas, seduzidos com salários maiores e a perspectiva de reocuparem o espaço perdido, estariam de volta. Como prêmio, Oinegue foi promovido a redator-chefe.

O que realmente determinou as mudanças editoriais na *Veja*, bem antes da crise na sucursal de Brasília, foi o risco concreto de que a *Época* lhe roubasse o que ela tinha de mais precioso: leitores e anunciantes. Discutiu-se o assunto à exaustão nas reuniões da tal Operação Guararapes, assim batizada em referência às duas sangrentas batalhas travadas em Pernambuco, no século XVII, entre os invasores holandeses e os defensores do Império português. Aconteceu, porém, um fato inesperado. O primeiro número da *Época*, que foi às bancas com data de 25 de maio, traria uma capa sem maior impacto sobre uma pesquisa em que os brasileiros previam um futuro melhor para eles e para o país, apesar de sua preocupação com o desemprego. A capa da *Veja* naquela semana era mais forte. Com o título "Eles precisavam morrer?", mostrava uma série de fotos de jovens bonitos e sorridentes que tinham perdido a vida em consequência do consumo de drogas.

Mais importantes foram os resultados da circulação. A da *Época*, no primeiro número, bateu em 350 800 exemplares. No resto do ano, ela teria uma média de 264 mil por semana. A *IstoÉ*, com seus 308 mil exemplares, mantinha-se como a segunda do segmento. A circulação da *Veja* havia crescido um pouco acima dos 20% nos últimos sete anos e então se estabilizou. Com a chegada da concorrente, permaneceu em seu patamar. Em maio, era de 1,168 milhão de exemplares. Fechou o ano com uma queda inexpressiva de 1,7%. Contra qualquer expectativa, a revista da Globo, em vez de roubar mercado dos competidores, como eles tanto temiam, ampliou o leitorado e conquistou um nicho próprio, graças em boa parte ao maciço investimento em publicidade e a uma agressiva campanha de assinaturas que oferecia brindes atraentes, como palmtops, novidade da época, e passagens aéreas.

Roberto, Tales e a Abril comemoraram efusivamente, pois a posição da *Veja* permaneceu inabalada, o que não impediu que a guerra entre as empresas continuasse acirrada. O momento mais agudo do tiroteio se daria justamente em função daquela capa do Maníaco do Parque. Ao ver no *Jornal Nacional* a notícia do suposto pagamento pela confissão, Tales ficou furioso. Sua reação foi compartilhada por Roberto, apreensivo com o desgaste da imagem da *Veja*. Tales costumava assistir ao *JN*, de terça a sexta — às segundas, todos iam embora cedo —, na grande sala de reuniões ao lado do seu local de trabalho, rodeado por editores. Todos eram avisados por uma secretária quando o noticiário iria entrar no ar ("Pessoal, vai começar o *Jornal*...") e corriam para lá. "Como a Globo fala isso? Ela não faz matérias com câmeras escondidas?", comentou em voz alta. Na mesma hora, decidiu preparar o troco. Encomendou a apuração de uma reportagem para demonstrar que, pressionado pela queda de audiência, o principal telejornal brasileiro estava se tornando um "show de variedades". Seria comparado o tempo dado a assuntos como o nascimento da filha da apresentadora Xuxa (dez minutos) e o anúncio da moratória da Rússia (quarenta segundos). O próprio Tales se encarregou de redigir as três páginas do texto, repleto de alfinetadas, no qual afirmava que o *JN* vinha "deixando em segundo plano notícias relevantes para privilegiar reportagens lacrimosas, curiosidades do mundo animal ou intermináveis inventários sobre a vida de celebridades". Com isso, acrescentava logo na abertura, corria o risco de "perder credibilidade entre os telespectadores exigentes sem alargar a audiência nas camadas menos educadas da população".

A resposta seria quase imediata. Viria em um extenso artigo assinado pelo diretor da Central Globo de Jornalismo, Evandro Carlos de Andrade. Em uma página do jornal *O Globo*, ele escreveu que a *Veja* "apressou-se em imitar" a *Época* assim que esta foi lançada, acusou-a de mentir sobre o Ibope do *JN*, disse que os assuntos das suas matérias eram "chupados" de outras publicações e sugeriu que mudasse seu nome para "In-Veja". O clima ficou pesado, mas Tales e Evandro acabariam acertando um acordo de paz por telefone. A trégua não se estendeu às empresas, porque estava em curso aquela outra disputa encarniçada que custaria muito dinheiro para ambas: a televisão por satélite.

9 de agosto de 1996

Muitos anos depois, ao refletir sobre aqueles anos de números no vermelho, pedidos de socorro aos bancos e pesado endividamento, Roberto Civita faria uma autocrítica em que se permitiu um pouco de graça. "Decidi investir simultaneamente em TV por cabo, no sistema MMDS [micro-ondas] e por satélite", recordaria. "Fiz errado. Ninguém conseguiu na história do mundo fazer as três coisas. Alguém tinha que ter chegado e falado: Você enlouqueceu? Não pode fazer isso!" Nessa que seria uma de suas últimas entrevistas, concedida à repórter Cynthia Malta, do jornal *Valor Econômico*, em 2012, ele mostraria que, em certas ocasiões, tinha uma memória seletiva. Ao contrário do que declarou, não lhe faltaram avisos. Um dos primeiros a adverti-lo de que estava pisando em areia movediça foi Robert Blocker. "Fique fora desse jogo", o conselheiro lhe disse com a franqueza habitual quando soube que pretendia entrar na TV por assinatura. "Você não tem cacife para isso. Televisão exige know-how e capital intensivo." Com toda a sua formação em administração e os conhecimentos de contabilidade dos quais se orgulhava, Roberto podia pôr em segundo plano a projeção de custos quando se convencia de que algo tinha valor estratégico e precisava ser feito de qualquer maneira.

O banqueiro e também amigo Pedro Moreira Salles o advertiu em diversas ocasiões quando presidia o Unibanco: "Roberto, você tem que olhar para os lucros e perdas". Era o tipo de conversa que não rendia, ao contrário das animadas discussões entre eles sobre economia, política, tendências da indústria editorial, peças de Shakespeare e vinhos italianos, sobretudo os ícones da Toscana e do Piemonte, que Roberto, para a contrariedade de Pedro, considerava superiores aos de Bordeaux. "Nunca vi nele a questão do dinheiro como indutora de seu processo decisório", afirmaria.

> Apesar disso, Roberto tinha uma enorme angústia em relação ao que aconteceria com a empresa e qual seria seu legado. Inúmeras vezes falou sobre isso comigo. Para ele, era importantíssima a preservação da Abril como uma instituição que defendia certos princípios nos quais tanto acreditava. Gostava muito de ser o dono da editora, e sobretudo dono da *Veja*, que foi sua filha, mas o aspecto patrimonialista para ele não era relevante.

De fato, ele não pensava em dinheiro como o ponto de partida de um novo negócio. Em nossa derradeira conversa, falou sobre isso — por iniciativa própria, sem que lhe fosse perguntado:

> Eu sempre digo aos meus filhos: a primeira coisa é fazer o que você gosta. Se você tiver o privilégio e a sorte de poder escolher o que vai fazer na vida — a maioria não tem essa oportunidade —, aí opte pelo que você gosta. Se você fizer bem o que gosta, vai acabar ganhando. O dinheiro sempre é consequência. Pensar antes no dinheiro, com esse único objetivo, é um erro fundamental. Vai gastar a vida e perder sua alma no processo. *So what?* Tenho amigos que já têm muito dinheiro e querem ganhar mais e mais e mais. Sinceramente, não entendo. Para quê? Acho que são pessoas que não conhecem outra maneira de se valorizar, de medir a si mesmas, a não ser pela quantidade de dinheiro que puderam juntar. Você aí começa a se medir com números, com cifras.
>
> Sendo que a imortalidade é difícil, já que pouquíssimas pessoas são lembradas pelo que fizeram, seja para o bem, seja para o mal, o importante é a satisfação pessoal pelo que você fez e pelo que você deu aos outros. Você tem que viver para curtir o que você faz.

Roberto considerava importante realizar e empreender o que julgasse necessário, sem levar em conta, prioritariamente, os valores envolvidos. Podia ser o lançamento de uma revista, algum negócio que o fascinava ou a entrada em um mundo que pouco conhecia, como a televisão e a internet. Acreditava nos resultados que viriam no futuro, confiava na sua estrela e apostava que, no fim, tudo daria certo. Não era sovina como o Tio Patinhas, mas tinha muitas vezes a sorte do Gastão (com a diferença de que adorava trabalhar e costumava ser bem-sucedido nas conquistas amorosas). Nas finanças pessoais, porém, era bastante cuidadoso e não jogava dinheiro fora. Tanto que a partir de 1996, quando completou sessenta anos, requereu e passou a receber aposentadoria do INSS por tempo de contribuição. Ao morrer, seu benefício mensal era de 3289 reais (pouco menos de cinco salários-mínimos). A quantia era depositada em sua conta do Itaú Private Bank. Na Abril, tinha um pró-labore de 120 mil reais por mês. "Menos do que alguns vice-presidentes", contaria a portuguesa Dina de Oliveira, que em sua sala envidraçada, ao lado do gabinete de Roberto, cuidava havia décadas da vida financeira da família Civita. Seus maiores rendimentos vinham de dividendos da empresa, que não seriam pagos nas épocas de crise financeira mais aguda.

Toda sexta-feira, Dina sacava para ele quatrocentos reais em um caixa eletrônico. Roberto colocava as notas dentro de uma gasta carteira de couro marrom, presenteada pela Varig, na qual guardava cartões de fidelidade e desconto, entre eles das drogarias Onofre e Raia e das livrarias Cultura, Saraiva e da Vila. Em outra, inglesa e igualmente antiga, mantinha as carteirinhas de sócio do Jockey Club, do Esporte Clube Pinheiros e do Club Athletico Paulistano, um postal com a reprodução do quadro *A condição humana*, de René Magritte, e diversas fotos: dos filhos, nos anos 1980 e 1990; do pai, em 1931, no convés de um navio; dele mesmo, em um dia de inverno em Nova York; e do irmão. Esta tinha a seguinte dedicatória no verso: "*To Rob, long time you don't have a picture of your 'little brother'. Let's keep up the warm, sharing, loving relationship. Lovissimo, Richard, 28/8/94*". (Em tradução livre: "Para Rob, há muito tempo você não tem um retrato de seu irmãozinho. Vamos manter a relação calorosa, compartilhada e afetuosa".) Não carregava fotos da mãe. Certa vez, ao visitá-lo no apartamento da rua Escócia, Ugo Castellana, com seu senso de observação, achou estranho não ver nenhuma fotografia de Sylvana. Perguntou-lhe qual era a razão. Roberto, em vez de responder, foi com ele até o escritório da residência e abriu a porta de um armário, onde havia várias. Por motivo que não explicou, não as deixava expostas.

Havia esse lado da relação de Roberto com o próprio dinheiro: economizava o que, para quem tinha um patrimônio como o dele, não passava de migalhas, procurando comprar medicamentos e livros com algum abatimento, e não abria mão dos modestos, no seu caso, proventos do INSS a que tinha direito legal. Mas também havia outro, completamente oposto. Despreocupado como empresário ao medir os riscos dos seus investimentos, na vida pessoal era um homem capaz de ser generoso ao extremo com familiares, amigos e pessoas próximas. Deu um apartamento de presente para cada um dos quatro filhos de Maria Antonia, por exemplo, em seus casamentos. Ao completar sessenta anos, no dia 9 de agosto de 1996, comemorou em casa, "com balões, grande jantar, música e muito carinho", conforme anotaria. A maior celebração ficou marcada para janeiro seguinte, ao lado da mulher, dos filhos de ambos e de vários amigos: Thomaz Souto Corrêa, Fernando Casablancas, Peter Rosenwald e Mario Lorenzi. Todos com os respectivos cônjuges. Ele os convidou — e pagou as despesas — para uma semana de dolce far niente na Necker Island, no Caribe.

A ilha de trinta hectares foi comprada em 1978 pelo bilionário inglês Richard Branson, que era dono do grupo Virgin, conglomerado que reunia desde empresas aéreas até operadoras de TV a cabo. Embora faça parte das Ilhas Virgens Britânicas, ela se tornou propriedade privada. Em 1984, foi transformada em resort de luxo. Para ocupá-la por uma semana, paga-se em 2016 uma diária de 60 mil dólares, tudo incluído, para até trinta hóspedes: alojamento em quinze suítes (a *master*, reservada para o anfitrião, tinha três terraços), com paredes abertas pelas quais entrava a brisa ou o vento do mar, refeições, bebidas, duas praias particulares e quadra de tênis, entre diversas atrações. Uma equipe de funcionários cuidava das necessidades dos visitantes. Entre eles, havia três sommeliers. O primeiro se encarregava dos vinhos tintos, o segundo, dos vinhos brancos e o terceiro, dos champanhes. Branson, que tinha o título de Sir, era ambientalista e levou para lá raras espécies animais, como gigantescas tartarugas centenárias das ilhas Seychelles e lêmures nativos de Madagascar (é um primata de pelagem macia, com cauda longa e zebrada, acredita-se que semelhante aos ancestrais dos macacos). A princesa Diana, o ator Robert De Niro e a modelo Kate Moss figuram na lista das personalidades que se hospedaram na ilha.

O grupo patrocinado por Roberto encontrou-se em Miami, de onde voou para San Juan, capital de Porto Rico, e em seguida foi de barco até a Necker

Island. Não se sabe quanto custou aquela semana, mas apenas a estadia dos convidados, sem contar as despesas de transporte, sairia na tarifa cheia, em valores de 2016, em torno de 400 mil dólares. Roberto gostou tanto que repetiria o programa ao completar 65 e 75 anos. Foi sempre discreto sobre essas viagens, jamais noticiadas. Não mostrava nem as fotos, em que aparecia de bermuda, camisa polo e descalço. Do mesmo modo, evitava exibir flagrantes de temporadas de férias nas quais se permitia usar jeans e tênis. Preferia que o vissem de terno e gravata, no máximo de blazer e blusa de gola rulê.

Na terceira e última ida à ilha do Caribe, em 2011, incluiu os seis netos na comitiva. Foi uma oportunidade de se aproximar deles. Teve naquela semana algumas conversas com Francesca, a mais velha e a única mulher, filha de Gianca e Alia Carol Maalouf. Cesca, como era chamada na família, estava com catorze anos e falava que tinha planos de ser jornalista. Acabaria indo estudar administração na Regent's University, em Londres. Ela gostava de escrever e fazia um diário, no qual narrava pequenas histórias em inglês, língua na qual já tinha fluência. Tanto ela, aliás, como, quando atingiriam a mesma idade, seu irmão Roberto, tratado de Bobby, e os primos Luca e Pedro, filhos de Titti e Susana Jeha, e Gabriel e Daniel, filhos de Roberta e Jean-Claude Ramirez. Os três casais iriam se separar. Todos os netos de Roberto estudaram na St. Paul's School e na Graded School, colégios bilíngues de São Paulo. Naquela semana em Necker, Cesca resolveu mostrar o diário para o *nonno*, como eles o tratavam. Roberto começou a ler com atenção, fez comentários elogiosos e não resistiu: pegou a caneta cor-de-rosa da menina e corrigiu os erros gramaticais e as imprecisões que encontrou, como fazia com qualquer texto que passava por suas mãos. Dos netos, Cesca se tornaria a única leitora regular da *Veja*. Ela se lembraria de uma cena recorrente em sua vida: desde o início da adolescência, aguardava na manhã de sábado, enquanto tomava café com os pais e o irmão na cozinha de casa, a chegada da nova edição da revista. Muitas vezes, ouvia o pai dizer, enquanto começava a folheá-la: "Vamos ver quem serão os nossos novos inimigos". Em seguida, ela pegava um segundo exemplar para ler.

Roberto não foi um avô presente e convivia pouco com os netos. "O que é que eu vou conversar com uma criança?", justificava. Apesar disso, procurava vê-los de tempos em tempos. Nas reuniões para comemorar as festas de fim de ano, às vezes os surpreendia com perguntas que eles não sabiam responder. "Você sabe o que está acontecendo com o Brasil?", cobrou de Bobby, que tinha doze anos. Em um jantar com Luca e Pedro no Empório Santa Maria, indagou se eles conheciam a origem do nome da cidade de São Paulo. Diante da resposta negativa, passou a lhes relatar, em detalhes, a história do santo. Embora bem-humorado — os netos diriam que nunca o viram irritado ou triste —, levava a sério seu papel de ajudá-los na formação. Com alguns exageros. Quando Cesca tinha doze anos, levou-a para assistir a uma ópera chinesa em Nova York. "Foi chatíssimo, não entendi nada", ela recordaria rindo. "Sempre achei o *nonno* meio misterioso e nunca entendi muito bem o que ele fazia", diria o caçula Pedro. Para Gabriel, costumava declamar trechos de poesia da língua inglesa e cenas de *Romeu e Julieta*. Mas nem sempre se mostrava tão sério, como no dia em que deu este conselho — talvez de brincadeira, talvez não — para Daniel: "Quando você se apaixonar por uma garota, faça como meu pai me ensinou. Peça para conhecer a futura sogra e veja se é bonita. Depois de trinta anos, sua namorada ficará parecida com ela".

Apesar da distância, no aniversário ligava para eles, informado pela secretária na agenda, e eventualmente os levava para almoçar. Quando Gabriel e Daniel conquistaram um prêmio dado aos melhores alunos do St. Paul's, mostrou seu lado de avô coruja e mandou confeccionar um troféu para eles. Gabriel, quase dois anos mais velho do que o irmão, ganharia uma homenagem especial: foram jantar no antigo restaurante Fasano da rua Haddock Lobo. O menino se sentiu pouco à vontade naquele cenário suntuoso, estranhou a descrição dos pratos do cardápio e simplesmente não comeu nada. "Preferia que ele tivesse escolhido uma pizzaria ou um fast-food", comentaria. Em dezembro de 2012, Roberto organizou uma visita dos seis à gráfica da Abril. Foi sem gravata, mas de paletó. Na saída, cada um recebeu uma imitação da capa da *Veja São Paulo* com a foto do grupo ao lado das rotativas. Já estava combinado um novo encontro, que não puderam realizar: em junho do ano seguinte, iriam juntos participar de um safári na África.

Entre os amigos, o único que esteve nas três viagens à Necker Island foi Thomaz. Na primeira, chamaram a atenção dos que não o conheciam a presença do italiano Mario Lorenzi, nascido em uma cidadezinha da Ligúria, e o respeito que Roberto lhe dedicava. Lorenzi convivera fraternamente com Vittorio, como sempre chamaria Victor Civita, com César e Carlo, o pai deles.

"Fui apresentado ao *nonno* Carlo em Buenos Aires, onde ele praticava *tiro al piattello*", contaria, numa referência à modalidade do tiro ao prato, como de hábito pontuando as frases com palavras em italiano. Carlo era 48 anos mais velho do que ele; Victor, dezenove; Roberto, dez anos mais moço. Só ele iria conviver com cinco gerações da família Civita, incluindo os filhos e, de forma mais superficial, os netos de Roberto. No caso de Roberto, sua relação mais próxima, nada seria mais improvável do que essa duradoura amizade. Lorenzi militou no Partido Comunista Italiano e em organizações de esquerda no Brasil, para onde se mudou em 1953. Manteve-se fiel à sua ideologia. Anticapitalista convicto, odiava banqueiros. "Com os juros que cobram, como é que não penduram essa gente na árvore?", dizia, indignado, com gestos teatrais, tentando erguer o volume da voz débil.

Teve uma vida movimentada e repleta de aventuras. Como empresário, especialista em logística de transporte, rodou o mundo. Além de ter visitado os cinco continentes, morou na Argentina, no México, na Colômbia, na Itália e nos Estados Unidos. Foi autor de livros técnicos (sobre assuntos como transportes e siderurgia), de ficção (*Uma rosa para Púchkin*) e de denúncia (*Crianças mal-amadas*, sobre prostituição infantil). Crítico de arte, baterista e crooner de jazz — depois da Segunda Guerra, criou o quinteto Five Old Things —, era apaixonado por música clássica e artes plásticas. Durante um período, exerceu o cargo de cônsul honorário da Costa do Marfim em São Paulo. Afirmava ter se relacionado com personalidades como Léopold Senghor, poeta e presidente do Senegal, Pablo Picasso, Jorge Luis Borges, Pablo Neruda, o pianista e compositor austríaco Friedrich Gulda e o ator Jardel Filho, padrinho de seu casamento (e vice-versa). Não apenas afirmava. Aos incrédulos que visitavam essa figura singular, exibia um álbum com fotografias feitas ao lado deles. Na introdução de um de seus livros, escreveu: "Descobri cedo que não sei inventar histórias. Por isso (quase) nunca minto". Só ele foi amigo, simultaneamente, de Roberto e de seu desafeto Mino Carta. Ambos sabiam disso.

Essa rara circunstância permitiu que Lorenzi percebesse algo que Roberto não admitia. "Ele não deixou de admirar o Mino", afirmaria. "E o Mino, desde a época da Abril, o estimava, embora insistisse em vê-lo como o filho de Victor. Mas a questão é que o Mino tem uma memória de mamute, não esquece de nada, e sempre foi um homem raivoso, difícil." Encontrava-se com os dois regularmente. Ele e Roberto, em determinados períodos, almoçavam uma vez por mês no Terraço Abril ou jantavam no apartamento da rua Escócia quando Maria Antonia saía sozinha para algum compromisso. Se falavam de política, tendo posições tão opostas? Sim.

> Sou socialista, mas... Sou comunista, mas... Não confunda comunismo com stalinismo. Eu dizia para ele, no tom que só os amigos podem dizer: "Você nunca vai entender como alguém pode ser comunista porque você é burro". Falava rindo, naturalmente. Ele levava as coisas a sério. Eu lhe explicava que era impossível não ser comunista na Europa em 1943. Se não fosse, você estava do lado do fascismo.

Como se davam essas discussões entre dois homens que, cada um de seu jeito, se julgavam donos da verdade?

> A amizade entre dois *amici* exclui *gli coltelli*, as facas. Não se leva uma faca para visitar um amigo. Uma vez que você vai desarmado, pode-se dizer qualquer coisa. Ninguém morrerá na discussão. Quando se tratava de questões essenciais, nós concordávamos. Sabíamos que éramos pessoas civilizadas, educadas, pacíficas e dialéticas que se estimavam.

Foi o único amigo de esquerda que Roberto teve na vida.

4 de outubro de 2001

Quando Roberto, a família e os amigos foram pela primeira vez à Necker Island, a DirecTV já estava no ar havia alguns meses. Cinco anos depois do nascimento da TVA, foi criada no Brasil a primeira televisão por assinatura com recepção em miniparabólicas. Era o resultado de uma associação entre a TVA, que passaria a pertencer integralmente ao Grupo Abril, a Multivisión, do México, e o grupo Cisneros, da Venezuela. Juntos, formavam a Galaxy Latin American (GLA). Dentro do Brasil, para cumprir a legislação, a TVA detinha 51% do capital. Aos três sócios, incorporava-se a DirecTV International, da Hughes Communications, subsidiária da General Motors. Responsável pelos satélites, através dos quais seria feita a transmissão, a Hughes acabaria, na prática, com a maior parte do negócio.

Tratava-se de um gigantesco e ambicioso empreendimento, que exigiu um investimento conjunto inicial de 500 milhões de dólares, equivalentes a quase 790 milhões de dólares em 2016. Começou em grande estilo. No dia 14 de dezembro de 1995, subiu para o espaço o foguete Atlas IIA. Lançado na plataforma da Nasa em Cabo Canaveral, na Flórida, ele colocou em órbita um satélite do tipo geoestacionário. Girando em torno da Terra na velocidade do planeta, o engenho ficava transmitindo do mesmo ponto, como se estivesse estacionado. A partir daí, os sinais digitais da DirecTV seriam recebidos pelo assinante em qualquer lugar do Brasil nas pequenas antenas com sessenta centímetros de diâmetro. Até então, os sistemas existentes na televisão paga, utilizados pela TVA e pela Net, por cabo ou MMDS, em micro-ondas, restringiam o acesso. Só chegavam aos edifícios e residências em regiões cabeadas ou que pudessem captar o sinal MMDS. Assim, a TVA concentrava sua operação em São Paulo. Tinha uma pequena penetração no Rio de Janeiro e em Curitiba. Enquanto isso, a Net, com o cabo, passava a se expandir.

Roberto voltou eufórico da Flórida, onde fora acompanhar o lançamento do satélite. Em conversas e apresentações, comparava as miniparabólicas a uma pizza tamanho família — o tamanho era semelhante — que o assinante poderia levar do apartamento para a praia ou uma casa de campo, junto com o decodificador, podendo portanto assistir aos seus programas favoritos no lugar em que estivesse. Isso era tecnicamente possível, mas muito trabalhoso, exigindo instalação e desinstalação, além de certa habilidade para se mexer com fios e plugar os cabos de conexão. Poucos consumidores iriam aderir à complicada portabilidade oferecida. "Estamos colocando a nossa arvorezinha no mundo maravilhoso das novas tecnologias", dizia, cheio de otimismo. "Ele ficou apaixonado pelo projeto", contaria Leila Loria, que dirigiu a DirecTV e a TVA. "Falava que havia perdido o bonde da TV aberta, mas finalmente encontrara seu espaço na TV paga."

Com a DirecTV, a exemplo da TVA, seu otimismo era indisfarçável, como demonstrou ao inaugurar o centro de transmissão no dia 14 de junho de 1996. Estavam presentes o presidente Fernando Henrique Cardoso, ministros e uma série de convidados. As instalações, construídas em Santana de Parnaíba, na Grande São Paulo, a um custo de 20 milhões de dólares, ocupavam um terreno de 20 mil metros quadrados. "Esse projeto faz parte dessa grande transformação da televisão e das telecomunicações no país, em sintonia com o que acontece no resto do mundo", afirmou FHC. Ele registraria no primeiro volume de *Diários da presidência*: "Fui ao lançamento da DirecTV, que é da Abril, do Civita, que estava todo entusiasmado". No seu discurso, Roberto confirmou que colocaria na grade um canal dedicado à educação e outro para transmitir a TV do Congresso Nacional. A promessa fora feita em novembro de 1995 e também anotada por Fernando Henrique, mostrando como a nova tecnologia ainda era pouco conhecida:

Almocei aqui no Alvorada com Roberto Civita. Longa conversa. No fundo, o que ele quer é que se deem mais canais, não entendo muito bem que tipo de canal, é a cabo parece, para ele poder competir com o Roberto Marinho, que, segundo ele, está dominando tudo, e é preciso que haja aí maior competição. Foi esse o objetivo principal da conversa comigo. Mas ele falou também de política, da disposição de me ajudar, é favorável à reeleição. Fui discreto na matéria, mas, quando for a hora apropriada, ele vai fazer vários números sobre como essa questão é resolvida no mundo todo.

Com o grande sorriso costumeiro, Roberto entregou ao presidente uma antena para ser instalada no palácio da Alvorada, que ganharia o primeiro receptor do sistema no Brasil. De início com setenta canais, a DirecTV oferecia uma vantagem adicional para os assinantes. Eles poderiam sintonizar também os canais abertos em VHF. Além de imagens digitais de qualidade, essa opção deveria resolver o problema dos telespectadores que, por causa da localização, não conseguiam captá-los de forma satisfatória. Apostava-se nesse diferencial como um forte atrativo para a venda de assinaturas. Surgiria nesse momento, porém, uma dificuldade que não fora prevista: a Globo não permitiu a entrada de sua emissora, líder absoluta de audiência, no novo sistema.

E por que permitiria? Ela própria estava preparando o lançamento da Sky Brasil, numa associação com a British Sky Broadcasting, a News Corporation e a Liberty Media International. Ofereceria um pacote semelhante ao da DirecTV, dentro da mesma tecnologia. Com uma enorme vantagem: a programação da própria Globo. A Sky entraria no ar cinco meses depois.

Envolvidas numa concorrência feroz, as duas empresas se viram forçadas a fazer os pesados investimentos que a televisão por satélite exigia. Logo que começou a trabalhar como diretora da DirecTV, em 1997, Leila Loria percebeu que havia algo errado na natureza do negócio. Nascida em Santos, no litoral paulista, e criada no Rio de Janeiro, ela fez carreira como executiva na área comercial, atuando em redes de varejo como Mesbla e Walmart. Contratada pelo Grupo Abril, uma de suas incumbências era participar do conselho da DirecTV, cujas reuniões se realizavam em Fort Lauderdale, na Flórida. "Aquilo não poderia dar certo", contaria Leila.

> Roberto assinou um contrato que lhe era prejudicial. Praticamente metade da receita era para pagar o satélite que transmitia a programação. Ou seja, 50% já ficavam de cara com a Hughes, dona do satélite. A outra metade serviria para arcar com os demais custos e a parte da Abril seria o que sobrasse.

Foram colocados em órbita três satélites. Cada um custava 250 milhões de dólares, sem contar o seguro de 50 milhões de dólares para a eventualidade de não funcionar. Apesar dos aportes de fato estratosféricos, a Hughes queria investimentos ainda maiores. "Certo dia, os americanos vieram me dizer que poderíamos atingir o *break-even point* em quatro anos", recordaria Roberto, referindo-se ao ponto de equilíbrio, a partir do qual receita e despesas empatariam. "Para isso, eu precisaria investir 200 milhões de dólares naquele ano e 100 milhões nos anos seguintes. Queriam que eu colocasse ali 500 milhões de dólares. Eu respondi que não tinha mais dinheiro."

A Abril faria uma tentativa de se diversificar dentro da televisão, como uma possível saída para o impasse financeiro. Entrou de sócia na HBO e criou a ESPN Brasil, como ponto de partida da frustrada estratégia de transmitir jogos de futebol. A verdade é que Roberto não tinha afinidade com qualquer tipo de mídia eletrônica, o que o levou a cometer uma série de erros. Do mesmo jeito que mal olhava para a MTV, não se envolveu com a TVA e só começou a se interessar por televisão quando percebeu, com a DirecTV, o poder da TV por assinatura. Só que não levou em conta em seus cálculos que em nenhum país o sistema deu certo com dois competidores fortes. Errou de novo quando passou a ter, ao mesmo tempo, uma operação por satélite, uma segunda por MMDS e uma terceira por UHF. Perdeu muito dinheiro com tudo isso e só não quebrou naquela ocasião porque teve sorte. Ao ver afinal a gravidade da situação, Roberto chamou um dos homens da Abril em que mais confiava, o vice-presidente de finanças José Augusto Pinto Moreira, e deu-lhe uma missão: vender a participação da Abril na DirecTV. Em seguida, ele avisou os executivos da Hughes: "Não investirei mais nenhum centavo e vou vender nossa parte para vocês". As negociações se estenderam por vários meses, com reuniões que muitas vezes avançavam pela madrugada. "Não havia outra solução, pois sem a venda a Abril poderia não sobreviver", diria Leila. "E a Hughes era a única em condições de comprar."

A venda seria acertada em 1999 com a Galaxy Latin America, cujo capital pertencia 70% à Hughes Electronics e 20% ao Grupo Cisneros. Na transação, a GLA também adquiriu os 10% de participação no consórcio da Tevecap, a holding da Abril no setor de TV por assinatura. A Tevecap era formada pela Abril (62,2%), Hearst/ABC (17,4%), Falcon (12,3%) e Chase Manhattan Bank (8,1%). Assinado o contrato de venda, o Grupo Abril recebeu 700 milhões de dólares, o que significava que recuperava seus investimentos e ainda saía com um bom troco. Roberto estourou uma garrafa de champanhe para comemorar com José Augusto e Leila. Foi um alívio. A empresa tivera um lucro de 24,2 milhões de reais em 1997. No balanço do ano seguinte, apareceria um prejuízo de 221 milhões de reais com a televisão e o grupo todo amargaria um resultado negativo de 114 milhões de reais. Além do vermelho acumulado, havia as dívidas contraídas. Em uma conversa com o argentino Edegardo Martolio, Roberto lhe diria que a Abril acumulara um endividamento, junto ao Unibanco, ao Safra e a outras instituições financeiras, ao redor de 1 bilhão de reais.

Ao se desfazer da DirecTV, a Abril ficou com a TVA. "Roberto errara novamente, ao apostar no conteúdo, sem levar em conta que o negócio da TV por assinatura é, antes de mais nada, distribuição", afirmaria Leila, que com a venda da DirecTV passou a ocupar na TVA o cargo de diretora superintendente. Nesse momento, em 1999, ele tomou a decisão de vender também a TVA e seu portal @jato, que sozinho valia mais do que a televisão. Vivia-se a bolha da internet. Logo apareceram cinco propostas, entre elas da Embratel, da Telefônica e de fundos internacionais. "Chegaram a 1 bilhão de dólares", ela revelaria.

> Como havia muitos interessados e respirava-se um momento de euforia, a Abril resolveu esperar mais um pouco para ver se apareceriam mais candidatos e o preço subiria. Então, em 2000, estourou a bolha e as propostas ou foram retiradas ou reduzidas a valores muito baixos.

Pressionado pelos credores, Roberto viu que precisava reagir e fazer algo que nunca havia feito na vida. Sua agenda, nesse período, ficou repleta de observações sobre seu angustiante estado de espírito, antecipando o passo que daria. Anotou: "*Get Abril moving: no more delays/ excuses/ waste/ shilly-shally*" (em tradução livre: "Fazer a Abril se mexer: chega de atrasos/ desculpas/ desperdício/ indecisão"). Suas preocupações iam além. "*The big question: why go into TV/ newspapers? What for? What else could I be doing instead?*" ("A grande questão: por que entrar em TV/jornais? Para quê? O que mais eu poderia estar fazendo em vez disso?"). Ele chegara a considerar a compra do diário econômico *Gazeta Mercantil*, mas a tentativa não prosperou depois de um jantar com seu proprietário, Luiz Fernando Levy, na rua Escócia. Ao mesmo tempo, cobrava-se por não perder a barriga, prometia a si mesmo fazer exercícios físicos, que detestava, e se impunha o desafio, jamais cumprido, de perder dez quilos. Chamava a própria atenção: "*Stop: a) telling everyone everything; b) believing what they tell me*" ("Pare: a) de contar tudo para todos; b) de acreditar no que me contam"). Em certos dias, escrevia autocríticas em português: "Um novo paradoxo: RC empurra/ emperra a Abril". Em outros, misturava idiomas para expor suas angústias: "Tentativa permanentemente frustrada de organizar a torrente (livros, fichas, citações, horários). Torrente: *flood*, dique, *fingers in the the dike*. Água = mãe. *La mère/ la mer. Hence, dry eyes. No emotion!* Torrente de informações, oportunidade. *Have to change*". Portanto, comparou torrente a dedos no dique, certamente para evitar uma inundação, e água a mãe, seguindo um jogo de palavras entre os termos franceses para mãe e mar. Sem estar sentindo emoções, com os olhos secos, concluiu que precisava mudar. Atormentado diante de tudo isso, ele percebeu que enfrentava um dos momentos mais dramáticos de sua vida pessoal e profissional. Sabia que a única solução possível seria encarar uma mudança inevitável.

A mudança consistia em mexer na estrutura da Abril, adequá-la aos tempos que surgiam com a presença cada vez maior da internet e aumentar sua rentabilidade, o que permitiria liquidar as dívidas e assim assegurar sua continuidade. "Fácil de dizer, difícil de fazer", como não se cansava de repetir. Tal direcionamento pressupunha enxugar custos, o que provocaria a dispensa de pessoas e o congelamento das vagas que se abririam. Poucas coisas lhe causavam tanta aflição como a perspectiva de demitir, em especial quando se tratava de uma expressiva quantidade de gente. Não que tivesse coração mole, embora pudesse ser um homem sensível aos dramas humanos. No desligamento de um funcionário com bom tempo de casa — a cada dez anos de serviço, os chamados abrilianos recebiam prêmios como placas, *pins* dourados em forma da arvorezinha, relógios e uma viagem com acompanhante — ou de um executivo, o cálculo rescisório chegava normalmente à sua mesa. Se achava que era o caso, determinava o pagamento de uma gratificação que, em determinados casos, podia ser generosa. A questão dos cortes, para Roberto, transcendia esse tipo de preocupação. Ele entendia que um profissional só se torna qualificado com muitos anos de formação e treinamento. Representava um patrimônio caro e difícil de repor. Mas estava convencido de que não havia outro caminho. Não seria ele quem iria fazer isso. Nem seus subordinados diretos, que impregnara com o que denominava de "cultura Abril". Era a hora, portanto, de tomar uma providência inédita, jamais tentada desde o nascimento da pequena editora de revistas em quadrinhos: entregar o comando das operações a alguém de fora. Ficaria reservado a ele o papel de traçar as estratégias e cobrar resultados, sem se envolver nos assuntos do dia a dia.

O profissional que identificou como talhado para a tarefa seria uma daquelas figuras pelas quais sentia identificação imediata e lhe despertavam a certeza de que encontrara quem vinha procurando. Paulista de Jaú, criado em Campinas e formado em engenharia eletrônica pela Universidade de São Paulo, Ophir Toledo impressionou-o pelo currículo, pelo conhecimento do mundo das novas tecnologias e pelo discurso envolvente. Ele fora presidente da Philips Components para a América do Norte, baseado em San José, na Califórnia, CEO da Philips e da Motorola no Brasil e executivo da Hewlett-Packard. Logo que se conheceram, Roberto levou-o para o conselho consultivo da Abril e chegou à conclusão de que — mesmo sem nenhuma experiência no campo editorial — tinha o perfil para ser o presidente executivo da empresa. O convite foi formalizado durante um encontro no Hotel Helmsley Park Lane, em Nova York, depois de uma série de conversas e de um fim de semana com as mulheres no seu novo sítio de São Lourenço da Serra (o anterior, em Itapecerica da Serra, ficou para Laura Taves quando o casal se separou).

Antes que Ophir assumisse, o que aconteceria em março de 2000, houve vários encontros e troca de e-mails. Falavam e escreviam geralmente em inglês, língua na qual ele era fluente. Essa habilidade contribuiu para a empatia de Roberto. Em português, diante de qualquer interlocutor da empresa, Ophir recheava frases com anglicismos e palavras inglesas sem se preocupar em traduzi-las. Nesses primeiros contatos, Roberto deixou claro que considerava a empresa inchada. Insinuava que seria preciso reduzir o quadro funcional, mas Ophir logo concluiu que ele não tocava no que, a seu ver, de fato precisaria ser enfrentado: a estrutura, que lhe parecia desatualizada, com práticas na sua opinião obsoletas quando comparadas aos novos padrões utilizados em economias abertas e competitivas. "Não era fácil cortar, como Roberto sabia, pois a Abril é uma empresa de *brains*, não uma fábrica", ele descobriu. "Havia a bolha da internet e uma ameaça de debandada. Ao invés de demitir pessoas, optei por mudar processos, redefinir a estrutura e cortar gastos."

Começou atacando o que encarou como um absurdo. "Não só vice-presidentes, mas também diretores viajavam para o exterior em primeira classe", diria. Causou-lhe incômodo, igualmente, o fato de que os executivos apresentavam notas de reembolso de almoços quando havia um restaurante para que levassem convidados, o Terraço Abril. Proibiu as duas práticas. A seguir, exigiu que qualquer contratação de gerente para cima fosse submetida à sua aprovação, bem como demissões de funcionários do mesmo nível e despesas a partir de um determinado patamar. Ao instituir uma reunião às terças-feiras com o que designou como "time executivo", entre 8h30 e treze horas, passou a se incomodar diante dos recorrentes atrasos, principalmente dos que chamava de "caciques" — os diretores que antes respondiam a Roberto e teriam que se reportar a ele. Decidiu trancar a porta tão logo se iniciava a reunião, obrigando os retardatários a bater para entrar. "Nunca mais ninguém atrasou", diria. Mas a resistência às suas determinações continuava. Certos pedidos que fazia demoravam a ser atendidos. Quando solicitou ao RH, na primeira semana de trabalho, um organograma da empresa e de suas principais áreas, esperou dez dias — e nada.

> O pessoal do RH me confessou que estava rogando a cada gestor o organograma. O RH não tinha acesso e não sabia se existiam ou não os organogramas. Depois de muita luta, me apresentaram uma coleção de papéis. Alguns pareciam mapas que lembravam desenhos de engenharia.

Enquanto Ophir tentava mergulhar em uma empresa que rejeitava aquele corpo estranho vindo de fora, Roberto alimentou a esperança de que sua vida iria melhorar. "Vou ter mais tempo para pensar no conteúdo das revistas e na estratégia do grupo", acreditou. Ele até fez planos de tirar um mês inteiro de férias e viajar para Cambridge, na Inglaterra, onde pretendia frequentar como aluno um curso sobre as tragédias de Shakespeare, sua antiga paixão. "Há tanta coisa para fazer, além de dirigir uma empresa, que considero que está na hora de fazê-las." O plano, que ele vinha alimentando havia dez anos, seria mais uma vez adiado. Como tantas vezes aconteceu, teve que admitir para si mesmo que não conseguia sair do comando direto nem delegar atribuições que ele, tão convicto da própria capacidade, julgava intransferíveis. Embora em princípio concordasse com o pedido de Ophir — podia ser resumido assim: o estratégico é com você, o operacional é comigo —, na prática seria diferente.

Nas reuniões de terça-feira, Ophir concentrava seu foco em uma questão que julgava essencial: como alcançar lucratividade em uma empresa com situação financeira preocupante.

> Nos encontros do *management team*, para minha surpresa, fiquei sabendo que esse tipo de discussão raramente acontecia. A turma gostava muito mais de focar em gastos e projetos novos, muitos deles totalmente sem fundamento econômico sólido, e deixar o abacaxi da lucratividade para o RC descascar.

Ele não demoraria a generalizar de modo pessimista: "Nenhum dos executivos, nem os gerentes, nem os funcionários, se sentia responsável pelo resultado financeiro. Era óbvio para mim que uma empresa assim só ficava de pé com forte vento econômico de popa mascarando todas as ineficiências e desperdícios". No lançamento de uma revista, o responsável pelo projeto reagiu quando ele lhe perguntou qual seria o *break-even point*. "O cara estava indignado, achava que era um absurdo fazer essa pergunta quando se estava colocando um produto tão bacana no mercado." Ophir negou-se a citar os nomes das pessoas envolvidas em histórias como essa. Naquele período, foram lançadas as revistas *National Geographic Brasil*, *Claudia Cozinha* e *Bons Fluidos*. No seu leve sotaque do interior paulista, às vezes carregando nos erres, pediu que o gravador não fosse ligado. Dias antes, enviara respostas a um questionário que lhe fora mandado havia dois meses. Ele morava em Miami, onde estava à frente de uma empresa voltada para empreendedores brasileiros interessados em expandir seus negócios nos Estados Unidos.

Além das reuniões semanais, Ophir costumava visitar de surpresa diretores e gerentes nos seus locais de trabalho. "Trouxe comigo a prática de *manegement by walking around*, andava e falava com um grande número de funcionários, independentemente do nível", contaria. "Esse estilo incomodou muitos executivos que queriam monopolizar todo e qualquer contato com a presidência. *Too bad*." Da mesma forma, ocorreria o inverso. Duas ou três vezes por semana, ele e Roberto tinham uma reunião que durava entre trinta e 45 minutos. "Para discutir os *issues* que apareciam", explicaria. "Ele documentava tudo numa folha A4 sem pauta, com uma caligrafia muito caprichada, e me enviava uma cópia do que tínhamos acordado." Foi nesses encontros que Ophir ficou sabendo, pelo próprio Roberto, o que se passava longe de seus olhos: os tais caciques continuavam tratando direto com o patrão, que por sua vez não deixava de procurá-los, numa movimentação que passava por cima do presidente executivo. Pelo acordo que tinham, só permaneceriam se reportando a Roberto o vice-presidente editorial, Thomaz Souto Corrêa, e o diretor de redação da *Veja*, Tales Alvarenga. "Ophir nunca entendeu que a Abril funcionava com uma cultura própria", diria Robert Blocker. "Pensava que tinha força por ser presidente, mas não tinha."

Ele ficou no cargo por um ano e sete meses. Nas suas últimas semanas, às vezes almoçava no restaurante por quilo dos funcionários, no térreo do edifício, em companhia apenas de sua secretária. Deixou a Abril no dia 4 de outubro de 2001. Naquele ano, a empresa americana de consultoria e gestão Booz Allen fora contratada para estudar a fundo a situação do grupo. O trabalho custou 1 milhão de dólares. Passaram a trabalhar na editora, entrevistando pessoas e levantando informações, cinco consultores sob o comando do sócio sênior da companhia no Brasil, que anteriormente se encarregara de uma missão semelhante na Rede Globo. Era um siciliano de 52 anos, sotaque carregado, com porte, envergadura e autoconfiança que o faziam parecer maior do que seu 1,80 metro. Chamava-se Maurizio Mauro. Cinco dias depois da saída de Ophir, ele assinaria o contrato para ocupar o seu lugar — só que com poderes inimagináveis. A transição foi tão rápida porque, sem que nem Ophir nem ninguém soubesse, Roberto iniciara em abril as sondagens para contratá-lo. Seis meses antes, portanto.

9 de outubro de 2001

Na edição de 31 de outubro de 2001, a *Veja* interrompeu uma sequência de seis capas sobre o atentado do Onze de Setembro nos Estados Unidos. Em vez de Osama bin Laden, Al-Qaeda ou o terrorismo dos fundamentalistas islâmicos, ela trazia o retrato de uma figura diabólica. O assunto, porém, era outro. "Você odeia seu chefe?", perguntava o título, com uma frase explicativa, o chamado sub: "Como conviver com aqueles que transformam sua vida em um inferno". Não muito tempo depois, alguns executivos da Abril comentariam em voz baixa que a capa parecia ter sido profética. A coincidência se relacionava ao fato de que, já no número seguinte, o expediente da revista — e de todas as demais publicações da editora — passaria a trazer no topo, logo abaixo da arvorezinha e dos nomes dos integrantes do Conselho Editorial, uma novidade e tanto. "Presidente executivo: Maurizio Mauro" era o que se lia. Contratado no dia 9 daquele mês, Maurizio assumia o cargo menos de um mês depois. Ele não era um demônio, e sim um chefe extremamente exigente e, para a maioria, de difícil convivência. Começava ali um período penoso para muita gente dentro da empresa. Mas não somente para os subordinados do novo homem forte do grupo. Para ele também. E para o próprio Roberto.

"Bom dia, Maurizio, tudo bem?", disse Cleide Castellan, ao iniciar o expediente, logo após a posse do presidente executivo. Responsável pela área de relações corporativas, Cleide respondia a ele.

"Como assim, tudo bem?", devolveu Maurizio, rispidamente. "A situação do jeito que está, e você faz uma pergunta dessas?"

Cenas semelhantes se repetiriam, envolvendo outros funcionários. Maurizio, que começava a trabalhar entre 8h30 e nove horas, era o primeiro a reconhecer que tinha péssimo humor pela manhã. Tanto que, para evitar maiores atritos, procurava marcar reuniões somente à tarde. Dizia que acordava com o farol baixo. No decorrer do dia, sua luz ia acendendo devagar. Considerava-se uma pessoa difícil. "Não posso dizer que sou de fácil convivência", admitia. "Acho que só minha mulher me aguenta." Ao lado do temperamento, que atribuía ao metabolismo, seus constantes momentos de exasperação tinham uma causa adicional: a realidade que encontrou na empresa. "Eu achava que a situação da Abril era ruim", disse. "Mas não sabia que era tão ruim", continuou, ao fim de uma pausa para tomar café. "Se soubesse, só teria ido ganhando três vezes mais do que recebi." Não seria pouco, de qualquer forma. Ao negociar sua contratação, ele soube se valorizar. Pediu um bônus de entrada, algo que não existia na editora. Após regatear, Roberto concordou em lhe pagar o que pretendia, a título de luvas: 1,5 milhão de reais.

No decorrer de sua tarefa como consultor da Booz Allen, ele não tivera acesso a informações que só chegariam ao seu conhecimento como presidente executivo. Foram elas que aumentaram sua exasperação. Maurizio supunha que a Abril, em 2001, valia 100 milhões de reais. Com os números na sua mesa, pôde fazer as contas certas. O valor do grupo, no ano seguinte, seria de 300 milhões de reais negativos. Sua dívida oscilava entre dez e doze vezes o Ebitda — sigla em inglês do indicador que representa quanto uma empresa gera de recursos através de suas atividades operacionais, sem contar impostos e demais efeitos financeiros. "Acima de seis vezes, a dívida pode ser considerada impagável", explicaria. "Era da ordem de pelo menos 500 milhões de dólares." Apesar dos números tenebrosos e do seu crescente mau humor, ele se debruçou friamente na análise das causas do buraco que lhe caberia tapar. Contra a maioria das opiniões, concluiu que "os instintos empreendedores" de Roberto, como os chamaria, não estavam errados. Ele havia investido pesadamente na TVA e na DirecTV, responsáveis pela maior parte do endividamento. Para

Maurizio, havia sido na época uma decisão correta. Tinha a mesma visão a respeito da compra das editoras de livros didáticos Ática e Scipione, em 1999, numa parceria com o grupo francês Vivendi, e dos projetos da internet, mesmo que estes, na sua opinião, fossem em grande parte "uma fantasia".

O grande problema, para ele, concordando com o diagnóstico de Ophir Toledo, era a qualidade de gestão da Abril, muito abaixo do mínimo exigido para uma instituição do seu porte. Já percebera isso claramente enquanto realizava a auditoria, embora naquele período ainda não tivesse plena consciência dos resultados decorrentes. "O que quero dizer com qualidade de gestão?", prosseguiria.

> Não estou afirmando que os profissionais não fossem bons e preparados. O ponto é que o Roberto não conseguia impor limites ao seus executivos. Assim, a implementação da TVA custou duas ou três vezes mais do que deveria ter custado. A Ática e a Scipione, 40% a mais. Com a MTV, que era o brinquedo dos meninos, foi a mesma coisa. As revistas gastavam demais em relação às receitas que geravam. Eram operações que não se pagavam. Começaram então a fazer o que iria se chamar de contabilidade criativa. Uma determinada revista ficava quatro anos sem pagar papel e o custo era lançado indiretamente na *Veja*, que mantinha sua alta rentabilidade. Com o truque, parecia que a tal revista dava lucro. Quando se entra nessa, você perde o controle e não sabe mais o que está acontecendo.

A despeito das más notícias que ia recebendo, Maurizio se congratulava pelo que fora estabelecido no contrato que, com enorme insistência, arrancara de Roberto. Era o que lhe permitiria agir. Ele acompanhara de perto, como consultor, a trajetória de Ophir. Percebeu que seu antecessor, com boa-fé, imaginava que teria condições de fazer o necessário choque de gestão, com um radical ajuste de custos. Ophir supunha que o dono se afastaria do dia a dia, respeitaria a hierarquia, lhe daria autoridade para colocar medidas em prática e reinaria no papel de estrategista. Não foi nem de longe o que aconteceu. "Sem o financeiro debaixo dele, pois o vice-presidente da área não deixou de responder ao Roberto, o Ophir ficou com as mãos amarradas", resumiria Maurizio. Para que a situação não se repetisse com ele, exigiu que constassem por escrito as atribuições de cada um. Foi uma negociação penosa e demorada, o que explica por que, entre o convite e a aceitação, se passaram seis meses.

Jamais entraria na cabeça de Roberto permitir tamanha concessão e abdicar a esse ponto do poder, mas ele conhecia melhor do que ninguém a dimensão do risco que corria. A empresa precisava ser salva — e a única pessoa que lhe parecia capaz de realizar a tarefa estava ali na sua frente, esperando a assinatura do contrato com aquelas exigências que até então considerava absurdas.

Por isso, não lhe restou qualquer alternativa a não ser aceitar. A partir daquela mudança no expediente, ficou estabelecido que Maurizio Mauro teria ingerência e decisão final em todas as áreas do Grupo Abril. A única exceção seria o conteúdo editorial da *Veja*, que permaneceria sob o controle direto de Roberto. E nada mais. Do ponto de vista legal, como dono da empresa, Roberto poderia vetar qualquer medida tomada pelo novo presidente executivo. Havia uma cláusula, no entanto, segundo a qual nesse caso o contrato seria imediatamente rescindido e Maurizio deixaria a empresa, levando com ele uma indenização com cláusula de confidencialidade.

Maurizio instituiu de imediato três compromissos fixos em sua agenda. Às terças-feiras, reunia o comitê executivo que criou. Participavam entre vinte e 25 pessoas de todos os setores da empresa. Estabeleceu que qualquer projeto teria que ser apresentado para discussão e aprovação nesse fórum. "Eu poderia decidir sozinho, mas preferia compartilhar, sem abrir mão da minha responsabilidade", diria. "Ficou claro para todos que os executivos se reportariam ao comitê e dariam satisfações em público do que fizeram. Eu não aceitaria executivos independentes que tivessem um canal direto com o Roberto. Quem não concordasse deveria sair."

Em 2003, aos 65 anos, Thomaz Souto Corrêa, o jornalista e executivo mais próximo de Roberto, de quem era e continuaria sendo um dos melhores amigos, decidiu se aposentar como funcionário, deixando a vice-presidência e a direção editorial da empresa. Após quarenta anos de casa, passou a atuar como vice-presidente do Conselho Editorial, presidido por Roberto. Os demais membros eram José Roberto Guzzo e Maurizio. Já sem usar gravata, Thomaz continuaria ocupando às terças, quartas e quintas-feiras sua imensa sala no 26º andar do NEA e a dar consultoria editorial. Jamais deixaria de ser, aos olhos dos antigos colegas e subordinados, bem como para o mercado e para os parceiros internacionais, um símbolo vivo da Abril e do que ela representava.

O segundo ponto da agenda de Maurizio previa conversas informais com funcionários, no café da manhã, no almoço ou no lanche da tarde. Respondia a perguntas e procurava entender o ambiente interno, contagiado pelo nervosismo decorrente do aperto orçamentário e da insegurança com a perspectiva do fechamento de operações e as demissões que se seguiriam. Os encontros se prolongaram por dois anos. Além disso, ele falava a cada seis meses, em auditórios com tamanho suficiente para abrigar cerca de quatrocentos participantes, aos membros dos grupos executivo e gerencial. Nessas ocasiões, tropeçando aqui e ali no português, exibia números e antecipava os planos para o semestre que se iniciava. Anteriormente, era Roberto quem fazia as apresentações periódicas, conhecidas internamente como "a fala do trono".

O terceiro compromisso previa duas reuniões semanais com Roberto. Duravam entre uma e duas horas. Na memória de Maurizio, menos de 5% delas foram tensas. Os frequentes desentendimentos, porém, transpiravam pelas paredes do prédio. Um dos mais recorrentes era a insistência de Roberto em modificar, na prática, o que haviam acordado sobre os respectivos papéis. "Ele tentava mudar a relação e eu sempre me opunha." Volta e meia, o dono, que se sentia escanteado, perguntava com jeito se não poderia participar de determinadas discussões. "Não, não pode", costumava ouvir em resposta. "Mas não vou ser ouvido?", indagou certo dia. "Sim, vou ouvi-lo e levarei em consideração se achar oportuno." Uma queixa recorrente de Roberto era que Maurizio lhe trazia fatos consumados. "Eu lhe contava tudo, mas não antes de fazer. O que ele queria era ser envolvido no processo de decisão, um precedente para mim inegociável e fora do contrato."

Homem discreto, Maurizio tinha pouca vida social, não gostava de aparecer e evitava dar entrevistas. Tomava cuidado para não fazer sombra a Roberto, mantendo-se longe dos holofotes. Ele também se sentia desconfortável com o que chamava de terceiro turno de trabalho: compromissos externos, sobretudo à noite, e eventos nos quais sua presença era requerida. Ao contrário de Roberto, que com sua assumida vaidade fazia questão de circular e adorava ser o centro das atenções nos lugares a que ia, ele comparecia por obrigação, nunca por prazer. Mas fazia todos os contatos necessários, alguns deles fundamentais, como o encontro de ambos com o presidente do Unibanco, Pedro Moreira Salles, na sede da instituição, em 21 de agosto de 2002. Eles foram atrás de seu apoio financeiro. Pedro conhecia Roberto desde 1995, ano em que se mudara para São Paulo depois de ter vivido em vários lugares. Nascido em Washington quando seu pai, o banqueiro, diplomata e mecenas cultural Walter Moreira Salles, era embaixador do Brasil, ele estudou na França e nos Estados Unidos — onde frequentou três de suas mais prestigiosas universidades, a UCLA, na Califórnia, Yale e Harvard, na Costa Leste —, mas considerava-se carioca. Tinha dois irmãos mais velhos, o empresário, editor e poeta Fernando Moreira Salles e o cineasta Walter Salles Júnior, o Waltinho, e um mais novo, o documentarista e também editor João Moreira Salles. Como Fernando, descobriria afinidades intelectuais com Roberto, de quem seria interlocutor e mais tarde amigo.

Houve empatia entre Pedro e Maurizio, pessoas de interesses e perfis bastante distintos. "Gostei muito da cabeça do Maurizio", diria o banqueiro, que considerou viáveis seus planos em relação à Abril. Maurizio expôs um projeto de cortar custos de todos os lados, enxugar as operações e concentrar esforços para gerar receitas, dentro de uma disciplina interna que se dispunha a comandar com mão de ferro, tudo com o objetivo central de fazer frente à dívida de meio bilhão de dólares. Pedro concluiria que ele estava apto a renegociar com credores e recuperar a saúde financeira do grupo. "Foi fundamental a boa vontade do Pedro Moreira Salles", reconheceria Maurizio. "Ele sustentou a empresa com os aportes que deu. Virou um grande credor. Se a Abril quebrasse, o Unibanco sairia muito machucado. Naquele momento, não sobrava um tostão no caixa e já não tínhamos onde pedir emprestado." A situação atingiu um patamar em que "pelo menos duas vezes" a folha foi paga a descoberto, "sem que se tivesse dinheiro no banco". Esse fato não chegou ao conhecimento dos funcionários, que continuaram a receber o salário em dia. "Eles receberam porque emitimos cheques sem fundos", admitiria.

O risco, naquela altura, era um protesto de título ou que um cheque frio fosse para a compensação. "Fomos obrigados a protelar pagamentos e houve quatro ou cinco dias, nos anos de 2002 e 2003, em que voltei à noite para casa me perguntando: o que pode acontecer amanhã?", revelaria Maurizio. "A Abril quase quebrou, de fato", diria Pedro. Começou então a ser discutida a possibilidade de abertura do capital da empresa, com a injeção de recursos externos que a ajudariam a enfrentar o endividamento. Maurizio defendeu essa solução. Roberto não a queria. Foi mais um motivo de acaloradas discussões. O dono da empresa ficava horrorizado com a perspectiva de ter que prestar contas para o mercado a cada trimestre e com as pressões que receberia dos novos acionistas, que certamente iriam buscar retorno rápido para seus investimentos. "Pedro, será que essa abertura é compatível com o negócio editorial e com a independência que devemos manter?", perguntou ao amigo banqueiro. Este respondeu que sua preocupação fazia um certo sentido, pois precisaria apresentar resultados a curto prazo, mas não havia uma terceira alternativa: ou abria o capital ou encontrava um sócio disposto a comprar parte da empresa.

O pano de fundo era, claro, a crise que atingia praticamente no mundo inteiro o meio impresso, com a queda no faturamento de publicidade e o declínio na circulação. Enquanto a internet crescia e tomava parte de seu espaço, revistas e jornais tentavam descobrir como ganhar dinheiro e manter a relevância na área digital. No caso da Abril, havia como agravante sua grave situação financeira. Abrir ou não o capital foi apenas um dos pontos de divergência entre Maurizio e Roberto. Eles teriam desentendimentos em torno da questão que Roberto encarava, em princípio, como uma tábua da lei: a Igreja e o Estado. Para não aprofundar a divergência, Maurizio — embora pudesse — procurava não interferir na orientação jornalística das revistas. Mesmo assim, determinava cortes, que incluíam a folha, implicando demissões, orçamento e papel, com a supressão de cadernos.

O papel de imprensa é chamado de papel imune, ou seja, não paga impostos de importação e não sofre tributação, desde que destinado à impressão de livros, jornais e periódicos. Apesar desse privilégio fiscal, representava o maior custo industrial das revistas. Vinha praticamente na totalidade da Finlândia, produtora do papel para utilização em revistas de melhor qualidade do mundo. Desde sua fundação, a Abril fazia suas compras através da Samab, empresa que negociava com exclusividade as vendas da Finnpap, associação que reunia as trinta grandes fábricas do país escandinavo. Em busca de preços menores, Victor Civita tentou muitas vezes comprar diretamente dos fornecedores, mas nunca teve êxito. Durante anos, ele fez incontáveis viagens para Helsinque acompanhado pelo finlandês Martti Soisalo, principal executivo da Samab.

"Seu Victor queria evidentemente pagar menos, brigávamos muito, mas no fim conseguíamos um acordo entre as partes", contaria Soisalo. A Abril chegaria a ser o maior cliente na América Latina de papel finlandês. Victor ganharia homenagens, condecorações e uma série de diplomas do governo da Finlândia. Depois que ele morreu, Soisalo levaria Roberto quatro vezes à sua terra natal para, reunido com fornecedores, negociar cotas e preços. As preliminares aconteciam não raro durante sessões de sauna. "Uma conversa na sauna, onde as pessoas passam um tempo juntas sem roupa, amolece os ânimos e tudo fica mais fácil", explicaria no escritório de sua empresa no bairro da Mooca. Como Victor, Roberto merecia tratamento de VIP no país que tem dois terços do território, de tamanho igual ao do estado de Goiás, coberto por florestas de coníferas que lhe permitiram montar suas colossais indústrias de madeira e papel. As deferências para a família Civita não eram gratuitas, naturalmente. Quando publicava apenas *O Pato Donald*, a Abril adquiria 5 mil toneladas por ano de papel-jornal, de qualidade inferior. No início dos anos 2000, só a Samab, responsável por 80% de suas encomendas, lhe vendia cerca de 100 mil toneladas por ano de papel de fibra superior, apropriado para revistas. Isso significava um gasto anual de aproximadamente 100 milhões de dólares.

O consumo de papel diminuiria ano a ano com os cortes de cadernos determinados por Maurizio. Nem a *Veja* escapou. Do seu custo fixo, 23% eram com papel, e qualquer economia nesse campo dava bons resultados — mas com evidente reflexo no produto final, pois os leitores, muitas vezes sem perceber de imediato, recebiam uma revista um pouco mais fina e portanto com menor quantidade de matérias. Roberto muitas vezes se enfurecia com essas intervenções, mas para surpresa de Maurizio o diretor de redação Tales Alvarenga se mostraria cooperativo. "Ele me ouvia muito, inclusive em relação ao conteúdo, ia bastante à minha sala, entendeu e acatou as mudanças que precisavam ser feitas", lembraria. "Sei que era uma pessoa de trato difícil, mas eu também sou e acho que foi por isso que nos demos bem." O mesmo não aconteceria na sua relação com o diretor de redação da *Exame*, Eduardo Oinegue.

Em 2004, a revista quinzenal de economia e negócios da editora publicou uma reportagem sobre a frustrada tentativa do presidente da Nestlé no Brasil, Ivan Zurita, de adquirir a fábrica de chocolates Garoto. O Conselho Administrativo de Defesa Econômica (Cade) vetou o negócio, o que não seria bem-visto na matriz suíça. Na mesma matéria, contava-se que uma empresa do executivo, a Agropecuária Zurita, promovera no interior paulista "um dos mais extravagantes e noticiados leilões de gado do país", com a presença de 1200 pessoas e "congestionamento de helicópteros". O texto atribuía a um *headhunter* não identificado o comentário de que esse tipo de superexposição incomodava uma multinacional como a Nestlé, que prezava a discrição. Zurita, um homem de estilo direto, sem meias palavras, como a reportagem descrevia, ligou para Maurizio, reclamou e pediu uma retratação. Maurizio — que na *Exame*, diferentemente do que ocorria na *Veja*, tinha a última palavra — respondeu que não a daria. E não deu. Zurita retaliou. Durante cerca de dois anos, nenhum anúncio da Nestlé seria veiculado em qualquer revista da Abril.

Para Roberto, esse era precisamente o risco decorrente da independência editorial e da separação que pregava entre o conteúdo jornalístico e a publicidade. Já levara trocos semelhantes de montadoras insatisfeitas com o resultado de testes de seus carros na *Quatro Rodas*, de fábricas de alimentos que não gostaram de críticas de *Claudia* e de governos revoltados com denúncias da *Veja*. "Esse é o preço a pagar", ele dizia. Em sua última entrevista para o autor, explicaria:

> O sonho dos vendedores de publicidade do mundo inteiro é que o conteúdo, seja lá do que for, agrade ao seu anunciante. Mas eu sustento que isso, no final das contas, diminui o valor do veículo para o anunciante, porque, se você se preocupar em adulá-lo, perderá sua credibilidade. O leitor perceberá que está sendo enganado, e ele não é bobo.

Maurizio, naquele episódio, tomou a decisão que Roberto provavelmente tomaria. Mas passou a questionar sua própria postura com uma pergunta recorrente: "Será tão importante assim que compensará os prejuízos decorrentes?". Como seu antecessor, Maurizio não viera do mundo editorial, ressalvada a experiência de consultoria na Rede Globo. Morava no Brasil desde os dezesseis anos, quando o pai, um empresário italiano que atuava na construção civil, emigrou pela vontade de mudar de vida. Perderia quase tudo, porque comprou um grande estoque de jacarandá da Bahia para revender na Europa e foi surpreendido com a decisão do primeiro governo militar de proibir a exportação dessa madeira nobre. Estudou no Colégio Dante Alighieri, formou-se em administração de empresas e trabalhou como executivo em algumas empresas até ir para a Booz Allen, onde ficaria catorze anos. "É uma fantasia afirmar que, quando está devendo as calças, você vai falar mal do governo porque é livre", sustentaria. "O que te dá liberdade é ganhar dinheiro e não dever para ninguém." Por isso, ele não acreditava no conceito Igreja-Estado — e dizia isso com clareza para Roberto, o que provocava intermináveis desentendimentos. Na visão de Maurizio, o conflito, cada vez que surgia, deveria ser debatido e resolvido na primeira instância, entre os diretores de redação e a publicidade, sem subir para a decisão de nenhum dos dois. Ele perguntava: "Por que então a gente aceita propaganda do governo? Se queremos ser independentes, não vamos publicar seus anúncios". Foi uma briga sem fim.

Tanto quanto Roberto, Maurizio não gostava do governo do PT. Quando era candidato nas eleições de 2002, Luiz Inácio Lula da Silva aceitou um convite para almoçar no restaurante do NEA. Além de Roberto e Maurizio, estavam presentes diretores da Abril. O ambiente chegou a ficar pesado. Em determinado momento, Maurizio perguntou por que Lula se considerava preparado para ser presidente da República. "Olha, Maurizio, eu vou dizer uma coisa para você", respondeu Lula, segundo a reconstituição do então diretor adjunto Eurípedes Alcântara, presente ao encontro. "Na Caravana da Cidadania, nós fomos do sul até o norte do Brasil. Numa cidade da Bahia, vi uma mulher catando coco, agachada o dia inteiro, com o útero todo arrebentado. Um presidente tem que olhar para isso." Maurizio cortou sua fala: "Então você viajava e por isso está preparado? Podemos dizer que um motorista da Cometa também está em condições de ser presidente?". Houve um mal-estar à mesa, até que o deputado federal Milton Temer, levado para o almoço pelo jornalista Ricardo Kotscho, assessor de Lula, contou uma pequena história. Disse que, quando trabalhava na Abril, no início dos anos 1970, foi preso por suas atividades políticas e levado para o Dops. "O dr. Roberto conseguiu me tirar", afirmou. "É verdade, eu falei com um coronel, mas infelizmente esqueci o nome dele", confirmou Roberto.

Roberto, Maurizio e Lula, já presidente, voltariam a se encontrar no final do ano seguinte, em um jantar na casa do ministro da Casa Civil, José Dirceu, na QL 12 de Brasília. Os homens da Abril foram sozinhos, mas Lula e o anfitrião estavam com as respectivas mulheres. "Roberto fez várias críticas ao governo, eles rebateram e o resto eu honestamente esqueci, porque não gosto de guardar coisas ruins na memória", diria Maurizio. Na saída, José Dirceu deu para cada um quatro charutos cubanos Trinidad Robusto Extra, que ganhara de presente do ditador cubano Fidel Castro. Em 2016, podiam ser encontrados em tabacarias europeias pelo equivalente a cerca de quarenta euros a unidade. Embora fosse um apreciador, Maurizio jamais os fumaria. Não quis dar a razão. Durante uma conversa em Brasília no período em que cumpria pena em regime aberto por sua condenação no processo do mensalão, em março de

2015, José Dirceu afirmou que não se lembrava nem do jantar, nem dos charutos, nem de Maurizio, mas calculava que estivera quatro vezes com Roberto em épocas diferentes.

"Não recordo as datas, salvo que o primeiro almoço, na Abril, foi no início do governo Lula", diria.

> Ele não entendeu bem o que eu queria e ficou fazendo um discurso em defesa da linha da *Veja*, sobre a qual nunca tive a menor ilusão, imaginando que eu fosse atacá-la. Eu só pretendia falar dos nossos objetivos. Em um encontro posterior, ele estava entusiasmado com o crescimento da classe C e me mostrou algumas revistas que lançara para ela, entre as quais uma chamada *Minha Casa*. Houve também uma ocasião em que me recebeu para almoço em seu sítio. Meu objetivo, mais uma vez, era lhe falar do que estávamos fazendo no governo. Confesso que eu estava cansadíssimo e dei uma cochilada no sofá. Mais tarde, tivemos uma conversa em um jantar na casa do ex-ministro João Sayad, na ocasião casado com a Cosette Alves, de quem o Roberto era muito amigo.

Todos esses contatos aconteceram antes do surgimento do mensalão. Foi o que levaria José Dirceu a ser afastado do governo, ter seu mandato de deputado federal cassado, sofrer denúncia do procurador-geral da República, junto com outras 39 pessoas envolvidas no escândalo delatado pelo deputado federal Roberto Jefferson, por crimes de corrupção ativa, formação de quadrilha e lavagem de dinheiro, e finalmente receber a condenação a dez anos e dez meses de prisão pelo Supremo Tribunal Federal. Em agosto de 2015, quando já estava em regime aberto, ele apareceria em um caso muito maior de corrupção, centrado em desvios de recursos da Petrobras, sendo preso na 17ª fase da Operação Lava Jato, batizada de Operação Pixuleco.

José Dirceu diria que Roberto no princípio o subestimava, achando que não tinha preparo intelectual.

> Eu lhe contei que estudei em colégio de padres franceses, tive excelentes professores, li na adolescência os dezoito volumes encadernados do *Thesouro da juventude*, em ortografia antiga, e os clássicos mais importantes da literatura, que meu pai, dono de uma boa biblioteca, comprava mensalmente.

No decorrer dos contatos, ele ficaria com a impressão de que Roberto "era um pouco impulsivo em suas afirmações" e teria lhe dito que em 2010 Dilma Rousseff venceria a eleição presidencial no primeiro turno e que Aécio Neves seria eleito em 2014. "Estava convencido disso, mas errou as duas previsões", comentou. Em pelo menos uma ocasião, Roberto se impressionou com o que José Dirceu lhe expôs. "Ele fala e pensa como se fosse um de nós", disse para Thomaz Souto Corrêa, que ao ouvir a frase voltou a lhe perguntar, como só ele dentro da Abril tinha intimidade suficiente para fazer, se o Papai Noel e o Coelhinho da Páscoa poderiam entrar na sala em que despachavam.

Quando Roberto e Maurizio voltaram de Brasília, porém, Roberto já não tinha ilusões. No voo que os trouxe para São Paulo na manhã seguinte àquele tumultuado jantar de 2003, levando os charutos nas malinhas de mão, concordaram que José Dirceu, não Lula, é que deveria ser o alvo de suas preocupações. "Se ele for o sucessor, estamos fritos", afirmou Maurizio. Roberto pensava a mesma coisa.

Nesse momento, Maurizio já dava as cartas dentro da Abril. Para o desconforto de Roberto, relegado por um período ao papel de observador do jogo, ele dividiu as revistas em duas diretorias gerais. Uma, encabeçada por Jairo Mendes Leal, com o nome de diretoria geral de interesses, englobava todas as publicações, exceto os carros-chefes da casa, *Veja* e *Exame*. A ele se subordinavam o editorial, a publicidade e o comercial. *Veja* e *Exame* ficaram no guarda-chuva da diretoria geral de informações, chefiada por Mauro Calliari. Ex-executivo de vários setores da Abril, ele era formado em administração de empresas, com mestrado em urbanismo, e gostava de dar longas caminhadas solitárias pela cidade. O diretor de redação da *Veja*, que continuava respondendo a Roberto, passaria a participar de uma obrigatória reunião semanal, às terças-feiras, convocada por Calliari, com os diretores e gerentes de ambas as revistas. Eduardo Oinegue, como diretor da *Exame*, ficou portanto subordinado a Calliari, embora Roberto — que o considerava um jornalista competente e de sua confiança — não deixasse de tratar com ele, à revelia de seu chefe direto e do próprio Maurizio.

Como havia essa zona cinzenta, Oinegue se sentiu incomodado. Ele diria que Calliari fez de sua vida "um inferno". Nos primeiros meses de sua gestão, quando estava às voltas com uma matéria complicada de capa, Oinegue foi chamado para uma reunião. Ele respondeu que, em função do fechamento, não poderia ir. "Você não entendeu, Oinegue, não é um convite, é uma ordem", afirmou Calliari. "Olha, eu realmente não tenho como sair daqui", insistiu o jornalista. "Então você vai arcar com as consequências", encerrou o diretor-geral. Irritado, Oinegue lhe mandou um e-mail, com cópia, entre outros, para Roberto e Maurizio, para externar sua indignação pelo ocorrido. Em seguida, foi falar com o vice-presidente de RH, José Wilson Paschoal, e com Maurizio. "Fui demitido", disse para o presidente executivo. "Não, você se demitiu", ele lhe respondeu. Oinegue, que estava havia vinte anos na Abril, seria desligado da empresa e recebeu a indenização que pleiteava.

Segundo Maurizio, essa seria sua única interferência relevante no editorial. "Roberto pretendia mantê-lo de qualquer jeito, porque gostava bastante do seu trabalho", lembraria.

> Eu já havia tido divergências com o Oinegue, que queria carta branca para administrar o orçamento da redação, com o que não concordei. Estávamos quase quebrados e eu não podia privilegiar uma publicação isoladamente. Essas coisas eu não deixava passar. Achei melhor que ele saísse. Roberto subiu pelas paredes. Foi uma das grandes brigas que tivemos.

Seria um momento de grande angústia para Roberto. "Todas as rodadas de cortes foram muito dolorosas para ele, que me perguntava se a Abril não estava sendo destruída com o fechamento de revistas e a perda de profissionais qualificados", diria Pedro Moreira Salles. Não se tratava apenas de diminuir custos e reduzir operações. Na sua cabeça, podia estar acontecendo algo mais grave: "Fizeram uma fogueira e estão queimando os móveis". E se perguntava: "Intervenho e interrompo esse processo?". Chegou à conclusão de que não poderia fazer isso enquanto persistisse o perigo maior — a falência — e resolveu não ultrapassar os limites do contrato que assinara. Para evitar novos desgastes, Roberto começou a sair do país com mais frequência. Em 2002, fez três longas viagens internacionais. Em 2003, seis. Em 2004, ficou 108 dias no exterior. De qualquer lugar em que se encontrasse, ligava ou trocava mensagens com Maurizio para se informar da situação. Às quintas-feiras, no final da tarde, como se estivesse em São Paulo, com o telefone no viva voz, tratava com a direção da *Veja* dos temas da edição da semana que considerava mais relevantes.

Nesse período, ele autorizou Maurizio a encaminhar a venda da participação da Abril no portal Universo Online (UOL). Seis meses depois de ter sido criado, em abril de 1996, pelo Grupo Folha, o UOL uniu-se ao Brasil Online (BOL), da Abril. Ambos haviam sido fundados quase simultaneamente. A fusão foi acertada durante um café da manhã em Londres entre Roberto e Luiz Frias, presidente do Grupo Folha. Frias acompanhava de perto o mundo digital, tinha entusiasmo por tecnologia e acreditava que a internet, ainda restrita e pouco conhecida, poderia proporcionar boas oportunidades de negócio. Evidentemente, ele não podia vislumbrar no que ela se transformaria. Roberto sabia menos do que ele. Dois grupos da Abril trabalhavam separadamente em projetos de internet, sem nenhuma coordenação. Um era liderado por Fatima Ali, que estava de saída da MTV. Durante um almoço com Roberto no restaurante La Cocagne, ela lhe disse que pretendia deixar a emissora. "E o que você quer fazer agora?", ele perguntou. Ela explicou que seu interesse era o que se chamava, à falta de definição mais precisa, de *new media*. "Quero cuidar do eletrônico, do digital", contou. Fatima guardou na memória sua reação: "Ele simplesmente riu de mim". Ao mesmo tempo, o diretor da *Exame*, Antonio Machado, planejava o que seria o BOL, em uma frente à qual Fatima — que faria o primeiro CD-ROM da editora, o do Almanaque Abril — iria se incorporar. "Até o fim do processo sempre houve ciumeiras, pois nunca foi bem resolvido, dentro da empresa, quem fazia o quê", diria Machado. Roberto não se empolgou com tais iniciativas. "Será que eu tenho que entrar?", indagava. "Já estou perdendo dinheiro com a televisão."

No encontro de Londres, Roberto e Frias fizeram uma conta rápida. Juntos, o BOL e o UOL tinham 5 mil assinantes. Eram esses, basicamente, os usuários que acessavam seus incipientes serviços. Não chegavam a representar nem a metade do número de funcionários da Abril. Anos depois da venda para o Grupo Folha, o UOL seria considerado o quinto portal mais visitado do país, atrás dos sites do Google (Google Brasil, Google EUA e YouTube) e do Facebook, e o maior do Brasil. Tinha 50 milhões de visitantes. "A Abril estava muito empenhada em sua operadora de TV por assinatura, seu principal negócio no processo de diversificação de investimentos", disse Frias em um depoimento para o livro *Os bastidores da internet no Brasil*, de Eduardo Vieira. "O Grupo Folha, como havia resolvido ficar de fora da televisão, decidiu entrar na internet. Daí chegamos a um acordo." Diante daquele número de assinantes, achando que era um começo animador para uma novidade praticamente desconhecida, Roberto apresentou de imediato uma proposta: "Cinco mil nós dois? Vamos juntar. Junta já! *Fifty-fifty*, está juntado". Ele recordaria um aspecto da conversa que lhe custaria caro.

> Frias perguntou: "Então o *management* é responsabilidade nossa?". E eu disse: "Claro, pode ficar". E acabou. A conversa durou três minutos. E eu nunca mais me preocupei com o assunto. Não me preocupei com o contrato, com os advogados, com nada, porque não era um assunto que merecia muito tempo.

Um dos conselhos que Roberto ouvira várias vezes de seu pai foi este: "Nunca faça um negócio cinquenta a cinquenta". Em inúmeras ocasiões, ele repetiria: "Eu fiz. E me arrependi". Na verdade, dentro do UOL, o Grupo Folha ficou com 51% das ações preferenciais e 70% das ações ordinárias, que dão direito a voto; a Abril, com 49% das ações preferenciais e 30% das ações ordinárias. Ou seja, o Grupo Folha é que tinha poder para tomar as decisões. O relacionamento entre os sócios seria tumultuado. Roberto queixava-se constantemente de que Frias tomava decisões importantes sem consultá-lo. Em 2003, a Abril vendeu sua participação para o Grupo Folha. "Nos afastamos por uma única razão: não dava para sentar na mesma mesa com Luiz Frias, pois não havia entendimento possível", explicaria Maurizio.

> A Abril não mandava e não era ouvida, o que anulava qualquer vantagem estratégica no projeto. Foi um negócio que nunca me convenceu. Não estava claro qual seria o modelo vitorioso na internet. Na minha gestão, não avançaríamos e gastaríamos pouco. Mais tarde, gastou-se bastante, mas a meu ver sem resultados concretos.

Luiz Frias não quis dar entrevista para este livro.

Os entendimentos entre as duas empresas tampouco prosperaram no impresso. Em 1965, como se narrou anteriormente, a tentativa de se associarem no que seria a *Revista de Domingo*, para ser encartada em jornais, deu errado quando Octavio Frias de Oliveira, *publisher* da *Folha de S.Paulo* e pai de Luiz, desistiu do empreendimento. Passou-se o tempo e, em 1990, Roberto e Luiz pensaram em ressuscitar a ideia. O assunto parecia bem encaminhado até surgirem dois problemas. No final de fevereiro, a *Veja* publicou uma matéria de duas páginas sobre o que chamou de "guerra de extermínio": uma interminavel polêmica, com troca de insultos, entre Caio Túlio Costa, primeiro ombudsman da *Folha* (encarregado de representar os leitores e criticar o diário), e Paulo Francis, correspondente em Nova York e comentarista da Rede Globo. Houve acusações pesadas, que cada um publicou em seu espaço no jornal. Afirmou o ombudsman sobre o correspondente: "Ele não consegue escrever certas palavras em francês, torce citação até de Shakespeare. Confunde juros mensais com juros diários, cita números absurdos sobre a economia brasileira". Uma das respostas de Francis: "Fico imaginando aquela cara ferrujosa de lagartixa pré-histórica se encolhendo às minhas pauladas. Eu sou bom, Caio Túlio é ruim. Eu sou famoso. Ele é obscuro. Eu estou no ápice da minha carreira. Ele é apenas um bedel de jornal".

Na matéria, *Veja* considerou que, como "ambos veem no seu oponente alguém absolutamente incapaz não só de exercer as funções nobres a que se dedica como até para a prática do jornalismo", a *Folha* estaria diante de uma enorme dificuldade para resolver, "já que o ombudsman ou o correspondente de Nova York, ou ambos, estariam enganando os leitores". Em determinado trecho, o diretor responsável de *O Estado de S. Paulo*, Júlio de Mesquita Neto, entrevistado pela revista, desferiu uma agulhada no concorrente: "Um jornal precisa de direção. É responsabilidade da direção fazer com que o leitor não fique atônito diante das opiniões que são publicadas pelo jornal". Logo que *Veja* foi para as bancas, a *Folha* faria um contra-ataque duro. Saiu na coluna "Painel", em forma de notinhas sequenciais, redigidas pelo diretor de redação Otavio Frias Filho, irmão de Luiz, cada uma com títulos curtos:

> *VEJA* — Quem leu a revista *Veja* que circulou ontem deparou com um amontoado de invencionices sobre a *Folha*. A revista tenta pescar nas águas da polêmica entre o ombudsman do jornal e o correspondente em Nova York.
> ENTENDA— A razão é muito clara. Desde a saída de Elio Gaspari do comando da sua redação, a revista *Veja* entrou em decadência. Os substitutos de Gaspari estão atemorizados com o lançamento iminente da revista dominical da *Folha*, em associação com a própria Editora Abril.
> SABOTAGEM — A "reportagem" publicada ontem é mais uma tentativa de sabotagem dentro da própria Abril. O objetivo é impedir o lançamento da nova revista, custe o que custar.
> [...]

NO POÇO — Em tempo: a "reportagem" contra a *Folha* cita uma opinião fora de hora do diretor responsável pelo jornal *O Estado de S. Paulo*. Ele deveria fazer melhor uso dos seus próprios conselhos, já que o seu legado foi a transformação de um jornal outrora pujante num poço de dívidas e numa imitação servil da *Folha* — exceto na independência diante do governo.

Esse foi o primeiro problema. As relações ficaram abaladas, mas o plano da revista permaneceu de pé. Então viria o segundo problema. Roberto e Luiz combinaram de se encontrar no Rio de Janeiro. Como Roberto fizera 25 anos antes, iriam apresentar uma proposta de sociedade para o *Jornal do Brasil*. No dia agendado, 16 de março, saiu o Plano Collor, com o congelamento de depósitos bancários, preços e salários. Morreria ali o projeto.

As malsucedidas tentativas de se associar ao Grupo Folha para fazer uma revista foram, é claro, de proporção muito menor do que o erro da Abril em relação ao UOL. Mas tudo isso já fazia parte do passado — de um passado remoto, no caso do projeto sepultado pelo Plano Collor — quando, em 2004, houve uma reviravolta na situação da empresa. Depois de se dar mal com a televisão e a internet, perder muito dinheiro, endividar-se pesadamente e pôr a sobrevivência da Abril em risco, o que o obrigou a quase sair de cena em sua própria empresa, ele anotara em inglês numa agenda a expressão que usou ao desabafar sobre suas dificuldades com Pedro Moreira Salles: "*Furniture into the fire*", ou móveis na fogueira. Ao lado, observou para si mesmo: "*That's what you get for investing in non-gutenbergian ventures*", algo como "é o que você consegue por investir em empreendimentos de risco não gutenberguianos", em outras palavras, fora do impresso, no qual ele, como dono da banca, sentia-se verdadeiramente seguro. Roberto, porém, logo poderia escancarar novamente seu sorriso. A roda da fortuna voltaria a girar em seu favor.

4 de maio de 2006

Diante das opções de abrir o capital ou arranjar um sócio, Roberto Civita foi atrás da segunda possibilidade. Uma mudança na legislação brasileira permitia, desde 2002, a participação de investidores estrangeiros em empresas de comunicação no limite de 30%. No que ele iria considerar o primeiro lance de sorte em meio à crise que parecia não ter fim, encontrou em julho de 2004 um parceiro de peso: o fundo americano Capital International. A Abril vendeu para essa instituição financeira 13,8% do grupo, em uma transação de 150 milhões de reais. Podia não ser muito diante do volume do endividamento, que atingira 980 milhões de reais, mas já era alguma coisa. No ano anterior, como resultado dos implacáveis cortes e da rigorosa contenção de custos determinados por Maurizio Mauro, o Ebitda da companhia alcançara o valor de 343,3 milhões de reais, cerca de um terço da dívida, significando que, ao contrário do que ocorria em 2001, havia a perspectiva de amortizá-la a médio prazo.

As boas notícias deixaram Roberto eufórico. "Mais de 300 milhões de Ebitda!", exclamou diante de Maurizio. "Mas continuamos devendo bastante", ele baixou-lhe a bola. "Ah, vamos nos divertir… Precisamos gastar um pouco de dinheiro", sugeriu Roberto. Maurizio não aceitou. Roberto precisaria segurar sua ansiedade por mais um tempo. Não demoraria. Em 2005, com a injeção de recursos da Capital, a Abril teria mais um bom ano, e no início de 2006 a receita praticamente igualou o montante da dívida. Do ponto de vista contábil, ela agora podia ser considerada salva. "Assegurada a sobrevivência, os termos do nosso acordo ficaram intoleráveis para o Roberto", contaria Maurizio. Seu contrato iria até novembro, mas em março, oito meses antes do prazo previsto, Roberto decidiu rescindi-lo. Ao ser assinado o distrato, Maurizio o deixaria enraivecido mais uma vez. O motivo, dessa vez, era o montante que precisou lhe pagar. "Quando eu penso na grana que lhe dei...", comentaria com Marília França, ex-gerente do Dedoc que trabalhou durante 41 anos na empresa. Na época, circulou internamente a informação de que Maurizio recebeu, na saída, cerca de 60 milhões de reais. Giancarlo Civita confirmou esse valor. "Sim, ganhei bastante dinheiro", disse Maurizio. "Mas foi menos da metade disso. Não chegou a 30 milhões. Estava no contrato. Nem um centavo a mais." Pelo que havia sido estabelecido, ele teria direito ao equivalente a 1,5% do valor da empresa, que atingira 1,8 bilhão de reais. Ou seja, 27 milhões de reais. Sem contar salários e bônus. "Roberto aceitou tais condições por ingenuidade", interpretou Gianca. "O Roberto não poderia ter se queixado do que me pagou", afirmou Maurizio. "Comigo, ele ganhou quase 2 bilhões de reais de patrimônio."

Maurizio deixaria a editora com uma mágoa. "Jamais ouvi dele uma palavra de agradecimento", lamentou. "Nem dele nem dos filhos. Em nenhum momento reconheceu que precisou de ajuda para salvar o grupo. Foi como se aquele período não tivesse existido." Apesar disso, guardaria do ex-patrão uma imagem positiva. "Ele foi importante pelo que fez pelo país, mesmo de forma às vezes atabalhoada. Sacrificou e arriscou tudo o que tinha. De maneira errada, mas com convicção. É algo que deve ser reconhecido e elogiado." A partir daí, eles almoçariam juntos uma ou duas vezes por ano. Em geral no restaurante La Tambouille, no Itaim, pois Maurizio nunca mais quis voltar ao NEA. "Foram conversas muito boas, tranquilas", recordaria. "A empresa estava salva, eu tinha saído e ele voltava a mandar sozinho. Não havia mais necessidade de discussões."

A Abril ficou viva, mas o preço pago foi alto. Roberto não se cansava de afirmar o quanto se orgulhava da quantidade de talentos que a editora reuniu durante sua história e da capacidade de ter contratado incontáveis profissionais de todas as áreas identificados com os valores que ela defendia. Acabou se desfazendo da maioria.

Em 2001, a Abril tinha perto de 13 mil funcionários, entre repórteres, fotógrafos, produtores, redatores, colunistas, críticos, consultores de moda, desenhistas, cartógrafos, laboratoristas, editores, editores executivos, redatores-chefes, diretores de redação, publicitários, contatos de agência, executivos de conta, vendedores de classificados, secretárias, boys, estagiários, seguranças, bombeiros, contadores, auditores, analistas financeiros, médicos, enfermeiros, advogados, engenheiros, economistas, psicólogos, arquitetos, assistentes sociais, relações-públicas, profissionais de marketing, profissionais de RH, bibliotecários, pesquisadores, preparadores de texto, revisores, checadores, designers, webdesigners, técnicos em informática, infografistas, preparadores digitais, tratadores de imagem, eletricistas, encanadores, pintores, faxineiros, atendentes de leitor, operadores de telemarketing, arquivistas, vendedores de assinatura, cobradores, motoristas, motoboys, porteiros, recepcionistas, cozinheiros, garçons, nutricionistas, compradores, estoquistas, administradores, técnicos em telecomunicação, organizadores de eventos, controladores, distribuidores, entregadores, especialistas em circulação, encarregados de manutenção, controle de qualidade, acabamento e expedição, mecânicos de usinagem, montadores, operadores de dobradeira, de guilhotina, de impressão, de matrizes e de verniz, técnicos de tratamento de efluentes, serralheiros, supervisores, gerentes, diretores de unidades de negócio, vice-presidentes, presidente.

Em 2006, restavam cerca de 5400. Menos da metade.

Naquele ano, dois meses depois da saída de Maurizio, a sorte bateu pela segunda vez na porta de Roberto. No dia 4 de maio, a Abril anunciou oficialmente que a Naspers, maior grupo sul-africano de mídia, passava a ser sua sócia. Ela comprou por 422 milhões de dólares 30% do capital total e 30% do capital votante, no limite, portanto, do legalmente permitido para investidores estrangeiros. Na transação, estavam incluídos os 13,8% antes pertencentes ao fundo Capital International, que se retirou da empresa. A Naspers, com um faturamento anual de 2,2 bilhões de dólares, editava mais de trinta revistas e 25 jornais. Tinha, como a Abril, negócios na internet, na TV paga e na edição de livros. O acordo englobou a holding integrada pela Abril S.A., Editora Ática, Editora Scipione e TVA.

Roberto conseguiu convencer um dos vice-presidentes a assumir o cargo de Maurizio. Não teria os mesmos poderes absolutistas do antecessor, mas ficaria à frente das operações, enquanto ele, Roberto, como presidente do Conselho de Administração, cuidaria da estratégia — embora nem de longe pretendesse abrir mão do papel que finalmente recuperava, o de ser a última instância nas questões que julgasse pertinentes. O novo presidente executivo era o seu primogênito, Giancarlo Francesco Civita, que tinha 42 anos. Ele ficaria no cargo até 2011.

Como filho mais velho, Gianca sempre se sentiu visto pelo pai como seu sucessor. Desde a adolescência, ele o ouvia dizer: "Quero que você seja feliz fazendo o que gosta". Atrás da frase, havia um condicional. Gianca entendeu que ele deixava implícito o seguinte: "... fazendo o que gosta, contanto que seja na Abril, para ajudar a conduzir o legado que a família construiu". Em outras palavras, cabia-lhe a missão de "*carry the flame*", como costumava dizer. Carregar a chama. Ele a seguraria timidamente pela primeira vez aos dezoito anos, em 1982, logo após a cisão da companhia, quando o pai rompeu com seu tio Richard. Foi trabalhar na gráfica, que era a seu ver a área mais moderna e tecnológica do grupo. Não demonstrava nenhuma curiosidade em conhecer o editorial. Política não o atraía. Nem as revistas. Na infância, ganhava do pai álbuns de figurinhas, mas não tinha o trabalho de colecioná-las e trocar as repetidas. Os álbuns vinham completos para ele. Durante a adolescência, ao voltar da escola, assistia na televisão aos seriados *Jornada nas Estrelas* e *Túnel do Tempo*. "Ler era chato para mim", reconheceria. Ele e Titti se divertiam nos fins de semana montando o som em festas de colegas. Gravavam fitas, mixavam e instalavam os equipamentos. Titti tampouco se sentia atraído por livros e revistas.

Gianca permaneceu perto de dois anos na gráfica, estagiando em diversos setores, até se incorporar a um projeto liderado pelo jornalista Júlio Bartolo para implantar na revista *Superinteressante* o primeiro sistema de automação editorial da Abril, que serviria de piloto para a informatização da *Veja*. Encerrado o trabalho, resolveu ir para os Estados Unidos. Entrou na Wharton School, da Universidade da Pensilvânia, na Filadélfia, onde o pai se formara.

Titti estava estudando comunicação na Universidade de Boston. Largou a faculdade no meio do curso para ficar próximo da namorada no Brasil e, quando terminaram, foi fazer ciências políticas na Universidade Columbia, desistindo no último ano. No intervalo das aulas, os irmãos volta e meia marcavam encontro em uma das duas cidades. Certo dia, se reuniram em Nova York para jantar com o avô. Nunca esqueceriam a noite. Quando Victor Civita entrou no restaurante, com uma de suas gravatas vistosas, tiveram um choque. Ele apareceu acompanhado de uma italiana loira e elegante que morava em São Paulo. Só ali descobriram que o *nonno*, sempre um tanto distante dos netos, era um *donnaiolo* como o pai deles.

"Com o tempo, eu aprendi que meu avô só se motivava com paixões", contaria Gianca. "Uma atrás da outra. Dizia que precisava estar apaixonado para operar, para viver como ele vivia, para fazer coisas. Era um grande desgosto para minha avó." Na despedida, tiveram outra surpresa. Em vez de pedir para o motorista de táxi levá-lo com a senhora loira ao Waldorf Astoria, onde costumava se hospedar quando viajava sozinho ou com a esposa, o avô deu o endereço do Hotel Hilton Midtown, que tinha 1985 apartamentos espalhados por 45 andares. "Gianchino, escute o meu conselho", disse Victor, que o tratava com esse apelido, falando no seu ouvido. "Quando você vier para cá com alguém que não seja sua namorada, fique em um hotel muito grande para não correr o risco de ser visto. Ninguém vai encontrá-lo."

Gianca abandonou o curso na Wharton e regressou a São Paulo, onde cursou administração durante seis meses na Fundação Getulio Vargas (FGV) e um ano e meio no Mackenzie. Acabaria se diplomando em comunicação na Escola Superior de Propaganda e Marketing (ESPM). Tentou então o mais difícil: o MBA em Harvard, uma das universidades de maior prestígio do mundo. Foi aceito. Logo que voltou para preparar a mudança, Roberto disse em tom de pilhéria, durante um jantar ao qual Elio Gaspari também estava presente, que o filho conseguira entrar graças a uma professora que teria se apaixonado por ele. Num momento em que Gianca saiu da mesa, Elio disse para Roberto que o comentário que fizera era inadequado. Ele concordou e encerrou o assunto.

Passados trinta anos, ao lembrar daquele jantar, Gianca revelaria que seu pai não estava inteiramente equivocado. "Eu tinha notas boas, mas a verdade é que a entrevistadora se encantou comigo", confessou. "Deu certo porque joguei um charme em cima dela, rolou um clima e eu me vendi muito bem. Na reunião que fazem depois das entrevistas, ela deve ter recomendado minha aprovação." Não adiantaria muito. Nos meses de aula que se seguiram, sentiu-se perdido, sem poder acompanhar a turma da qual, aos 24 anos, era o mais jovem. Como acontecera antes, trancou a matrícula e veio embora. Pensou seriamente em montar uma pousada na praia, mas o pai insistiu para que retornasse à Abril. Encaminhou-o para o setor de planejamento, controle e operações da *Exame*. Aguentou uma semana. Pediu mais uma chance e foi para a Panini, que lançaria álbuns de figurinhas em sociedade com a editora. Demitiu-se em duas semanas. "Cansei, chega!", disse-lhe Roberto. "Afinal, o que você quer da vida? Não aguento mais mais essa sua indecisão. Vou lhe dar uma última chance. Ou dá certo agora ou você está fora."

A última chance era a TVA. Ela começava a sugar os recursos da Abril, mas pela primeira vez na vida Gianca sentiu-se em casa. Conheceu vários setores da emissora e passou para a MTV. Titti já trabalhava lá. "Fiquei como chefe dele", recordaria. Depois da televisão, ele iria para diversos departamentos da empresa. Aproximou-se do pai.

> Ele foi um grande professor e me preparou, deixando que eu fizesse besteira para aprender com meus erros. Andei mais na periferia do que no centro da Abril, talvez porque, inconscientemente, eu não quisesse competir com ele. Sabia que não iria ganhar nunca.

Dentro da empresa, acreditava-se que o destino de Gianca, apesar de sua resistência, terminaria sendo o que Roberto lhe preparava. O prognóstico se tornou mais claro quando assumiu uma das vice-presidências, no final da gestão de Maurizio. "O sucessor natural é você", afirmou o velho amigo de Roberto e na época também vice-presidente Peter Rosenwald. Ambos caminhavam pela praia de Maresias, no litoral norte de São Paulo. "Você não quer?" Gianca respondeu de forma indireta. "Sabe qual é a diferença entre meu pai e eu? Se o Fernando Henrique liga e diz que quer seu conselho, o que faz às vezes, ele pega correndo um avião e vai para Brasília. Fosse comigo, eu falaria, com todo o respeito, que não teria nada para lhe aconselhar."

Em uma de suas conversas com Richard, Roberto explicou por que não aguentaria viver em outro país. Ou mesmo se afastar por longas temporadas, como chegara a acontecer durante parte do mandato de Maurizio. "Aqui os empresários, os políticos e o presidente da República vivem me chamando." O irmão, que normalmente não media as palavras, replicou: "E o que importa esses imbecis te chamarem ou não?". Roberto sorriu. "É que eu gosto", resumiu. "Mas em qualquer lugar do mundo você será sempre o Roberto", afirmou-lhe Richard, para quem poucas coisas eram tão relevantes para o primogênito quanto o poder, o prestígio e a influência que desfrutava. "Adorava contar que tinha apontado soluções para um ministro ou dito para um governador como deveria agir em algum ponto específico. E principalmente ser consultado por Fernando Henrique Cardoso."

Com Fernando Henrique, de fato, como Gianca já exemplificara, o sentimento de Roberto era de profunda admiração, quase reverência. Atendia suas ligações em qualquer circunstância, mesmo se ele o alcançava em um momento em que ninguém admite ser importunado. Foi o que aconteceu no dia 8 de março de 2001, quando anotou em sua agenda depois de receber uma chamada no celular: "*Coitus interruptus: FHC phone call*".

Carnaval de 2004

Todas as sucessões na direção da *Veja* de que Roberto Civita cuidou diretamente foram problemáticas. A mais tumultuada aconteceria em 2004. Ele continuava em conflito com Maurizio Mauro e a Abril negociava a entrada da Capital International no momento em que resolveu criar um novo desenho em torno de suas duas principais revistas. Era o mesmo que cogitara no final dos anos 1980, quando pensou em promover Guzzo a diretor editorial de *Veja* e *Exame*. A tentativa não foi adiante. Agora, decidiu que Tales Alvarenga seria designado para supervisionar as duas publicações, mais *Veja São Paulo* e *Veja Rio*, que já se encontravam sob sua alçada. Ficariam subordinados a ele Eurípedes Alcântara, como diretor de redação da *Veja*, e Eduardo Oinegue, como diretor de redação da *Exame*.

Nada indicava que a divisão funcionaria. Afinal, a participação de Roberto não mudava. Ele continuava responsável pela orientação editorial e política da *Veja*, tratando dela com o diretor de redação, como sempre fizera. Era com ele que seriam discutidos a "Carta ao Leitor", a reportagem de capa e o enfoque das matérias que considerasse mais relevantes, além de sugerir assuntos e ideias para as edições das semanas seguintes. Nesse caso, qual seria o papel do diretor editorial? Ficaria imprensado entre o diretor de redação e o presidente da empresa? Na prática, Roberto promoveu Eurípedes e, conforme os fatos mostrariam, colocou Tales em uma espécie de limbo, pois achava que a revista precisava mais uma vez de uma sacudida.

Logo que Roberto lhe deu a notícia, anunciada como uma promoção, Tales ligou para sua mulher, Tina Alvarenga, que estava fazendo compras no supermercado. "O Eurípedes vai ser diretor da *Veja*", contou. "Como assim? Não estou entendendo", ela se espantou. "Eu também não", ele disse. Mas seria assim mesmo. Era a semana anterior ao Carnaval. Ao final da rotineira reunião de pauta de segunda-feira, Tales se viu forçado a dar ciência da mudança à cúpula da redação. Ele estava em sua cadeira de espaldar alto, à frente de uma bem organizada mesa de trabalho. Em duas poltronas giratórias diante dele sentavam-se, como de costume, Eurípedes, até ali diretor adjunto, e Oinegue, redator-chefe. Os editores executivos e editores ficavam mais atrás, apertados em um sofá ou em cadeiras que apanhavam na redação. Sem citar os seus nomes ou as funções que passariam a exercer, apontou para Eurípedes e Oinegue. Não conseguiu disfarçar a contrariedade. "Na *Veja* vai ficar este aqui e para a *Exame* vai este ali", indicou, surpreendendo a todos tanto com a informação como com a forma de anunciá-la. "Mas nada mudará em relação a mim", prosseguiu. "Vocês continuarão convivendo com minha incômoda presença. Vou manter esta sala e terei outra na *Exame*. Sempre que achar necessário, chamarei os executivos, os editores e os repórteres para falar das matérias." A reunião terminou em silêncio, num clima de constrangimento e perplexidade. Tales cometeria um erro adicional: não avisou previamente ao diretor de redação da *Exame*, Clayton Netz, de sua substituição por Oinegue. Clayton soube da notícia por colegas. Receberia um pedido de desculpas, mas o estrago estava feito. Para completar, Tales reuniu em seguida a equipe da quinzenal para anunciar que caberiam a ele as decisões na revista, enquanto Oinegue — que não estava presente — cuidaria do dia a dia. Ou seja, na cabeça do novo diretor editorial, tudo continuaria mais ou menos igual.

Ao chegar em casa, Eurípedes comentou com a mulher, a arquiteta de interiores Regina Moreira de Alcântara: "Aconteceu um episódio horrível. Estou fora". Ele pretendia se demitir, mas no domingo foi jantar com Oinegue na churrascaria Baby Beef Rubaiyat da avenida Brigadeiro Faria Lima para conversar sobre o assunto. Acertaram que mandariam uma carta para Roberto. Durante o feriado, o texto foi redigido por Oinegue em um sítio que havia alugado no interior do estado e submetido a Eurípedes. "Reduzi o tamanho e cortei tudo o que poderia ser considerado ofensivo", contaria. Em linhas gerais, o documento dizia que os dois não aceitariam o cargo sem a necessária autonomia, que deveriam ser diretores, não gerentes, e que Tales não poderia ocupar uma sala em nenhuma das redações, pois isso lhes tiraria a autoridade. O texto seguiu por e-mail para Roberto.

Na noite da Terça-Feira Gorda, ao voltar de Salvador, onde fora passar a folga de Carnaval, Tales recebeu em casa um telefonema de Roberto, que leu a carta para ele. Ele reagiu dizendo que se sentia traído. Marcaram um encontro para a manhã seguinte. Na sequência, Roberto ligou para Eurípedes. "Li o que vocês escreveram. O Tales está puto. Ele vai se reunir comigo amanhã cedo e depois falará com vocês", disse. "Eu assumo as consequências pelo que escrevemos", respondeu Eurípedes. No dia seguinte, Roberto teve uma conversa rápida com Tales e lhe chamou a atenção pela forma como comunicara as mudanças: "Não é assim que se promove alguém", afirmou Roberto. A segunda conversa foi demorada e extremamente tensa. Eurípedes e Oinegue dariam a mesma versão. Tina confirmaria, em linhas gerais, o clima pesado do encontro. "A coisa desandou", ela resumiu. Tales, assim que desceu do escritório de Roberto, mandou chamá-los e fechou a porta de sua sala. Ficou em pé o tempo todo, dirigindo-se apenas a Oinegue, sem olhar para Eurípedes. "Ele estava enlouquecido e fazia ameaças, me encarando de baixo para cima", lembraria Oinegue, um grandalhão de 1,96 metro, portanto 35 centímetros mais alto do que o chefe. "Você não devia ter feito isso, você é um filho da puta", disse. "Senta, Tales, você está nervoso", pediu Oinegue, tentando acalmá-lo. "Não vou sentar", afirmou Tales. "Fiquei só assistindo, porque ele me ignorava e continuava com os palavrões", recordou Eurípedes. "Eu me considerava fora da revista e começava a pensar no que iria fazer da vida." Em dado momento, Oinegue achou que seria agredido fisicamente. "Se acontecesse, não sei qual seria minha reação."

Quando conseguiu ficar um pouco mais tranquilo, Tales pediu que ambos saíssem dali e convocou os executivos. "O que eles fizeram comigo não se faz", disse para eles. "Com quem a gente faz a reunião de pauta, com você ou com o Eurípedes?", perguntou no final o editor executivo Mario Sabino. "Com o Eurípedes", respondeu. "E com quem a gente fecha?", voltou a perguntar. "Com o Eurípedes."

Diante da situação que havia criado, Roberto convocou uma reunião com Tales e Eurípedes para a sexta-feira, às dezessete horas, em sua sala. "Cada um vai falar e ser sincero, pois do contrário esse encontro não terá sentido", disse Tales, o primeiro a pedir a palavra. "Um executivo de *Veja*, cujo nome não vou citar, afirmou para um amigo meu que eu já não mando mais nada." Roberto o interrompeu: "Tales, você deveria ter se preparado para este momento". Mais uma vez, houve mal-estar à mesa. A conversa terminaria logo depois, sem nenhuma conclusão. Como proposta para estabelecer um "sistema de governança", Eurípedes enviaria para Roberto um texto do jornalista Walter Bagehot, que dirigiu a revista *The Economist* entre 1861 e 1877, sobre a posição que a publicação deveria defender a respeito da relação do rei ou da rainha da Inglaterra com o primeiro-ministro. Segundo ele, o soberano tinha o direito de ser consultado, aconselhar e advertir, mas não a prerrogativa do veto. Roberto concordou que o documento fazia sentido e procurou adotar princípios semelhantes nas reuniões de quinta-feira, que passou a realizar com Tales, Eurípedes e Sabino, que se tornou redator-chefe. Transcorridas algumas semanas, Tales providenciou sua mudança. Foi para uma sala no vigésimo andar, levando seus móveis. A redação da *Veja* ficava no 19º; a da *Exame*, no 18º. Eurípedes concordou em permanecer no cargo.

O clima, porém, não melhorou. Em uma das primeiras reuniões, transferida por Roberto para a antiga sala de Tales, que Eurípedes passou a ocupar, com móveis novos, Sabino citou uma matéria que seria publicada naquela edição. "Fala mais, fala mais, se não eu não sei quantas páginas vamos dar", disse Tales. "Como assim, quantas páginas?", cortou Eurípedes. "Quem decide sou eu, o diretor de redação. Se você quer editar a *Veja*, senta aqui, pô", acrescentou, erguendo-se da cadeira. "Meninos, meninos...", Roberto tentou apaziguar. Sem dizer nada, Tales saiu do recinto, fechando a porta. A partir daí, passou a não ir a todas as reuniões. Quando ia, frequentemente permanecia calado quase o tempo todo.

Por iniciativa própria, Tales resolveu escrever uma coluna política fixa para a revista. A primeira sairia na edição de 21 de abril. Só então, no mesmo número, com dois meses de atraso, as mudanças foram anunciadas por Roberto na "Carta do Editor" (a "Carta ao Leitor" tinha esse nome quando ele a assinava). O título era "Troca de guarda na direção de *Veja*", o mesmo que usara para comunicar a entrada de Mario Sergio no lugar de Guzzo e a de Tales no lugar de Mario Sergio. Foi, provavelmente, fruto de descuido, pois a técnica jornalística recomenda que títulos antigos não sejam repetidos. Essa demora mostrou que Roberto, um tanto inseguro com as consequências de um processo sucessório repleto de confusões, aguardava que os papéis dos envolvidos ficassem claros e a poeira baixasse.

Ele foi surpreendido com a publicação da coluna de Tales Alvarenga. Até abrir a revista, não sabia de nada. Mal acabou de ler, telefonou para ele e lhe disse que deveria ter sido consultado com antecedência. Ainda na época de Mino Carta, não determinara que para uma coluna entrar na revista seria necessária sua prévia autorização? Fora essa, aliás, a gota d'água que provocaria a demissão do primeiro diretor de redação, que decidira entregar por conta própria um espaço na semanal para o dramaturgo Plínio Marcos. Deixou clara sua insatisfação, pois a tal coluna, tendo em vista quem a assinava, poderia segundo ele ser vista como um editorial da revista, algo que lhe competia. Tales fez pé firme e afirmou que, se Roberto o vetasse como articulista, iria se demitir. Acabaram se entendendo e a coluna se manteve durante quase dois anos. "Por um tempo, o Tales ficou meio sem fazer nada, mas quando se descobriu colunista sentiu-se feliz e realizado. Ele adorava escrevê-la", recordaria Tina.

Tales morreu no dia 3 de fevereiro de 2006, aos 61 anos, de complicações pulmonares. Seu cargo foi tirado do organograma por Roberto, que não o substituiu. A revista deu a notícia de seu falecimento em uma página, assinada por Eurípedes. "Sua contribuição a *Veja* é inestimável", escreveu. "Tales destronou o texto acusador e humanizou o tratamento editorial da revista." O necrológio trazia elogios de Roberto, que destacou "sua inteligência, integridade, equilíbrio e sensibilidade" e reconheceu que ele elevara a publicação "a um novo nível de qualidade e sintonia com os seus leitores". Nessa edição, sairia sua derradeira coluna. Terminava com uma pequena amostra de seu pensamento político:

> A América Latina só terá uma oportunidade de sair dessa maré de atraso se abandonar a retórica obsoleta de seus líderes retrógrados [referia-se em especial aos presidentes da Bolívia, Evo Morales, e da Venezuela, Hugo Chávez, mas também citava Lula] e experimentar a convivência com a moderna sociedade capitalista globalizada. Querendo ou não, terá de enfrentar esse desafio, mais cedo ou mais tarde.

Embora em geral estivesse afinado com ela e a defendesse em seus artigos — bem como na edição das matérias durante os quase sete anos em que dirigiu a redação —, Tales não era o responsável pela linha política da *Veja*. A orientação, como acontece nos grandes órgãos de imprensa, cabia ao dono. Desse papel Roberto não abria mão. Dentro de sua moldura ideológica, tratou de estimular críticas e denúncias contra o governo do PT sempre que as considerasse procedentes. Mais até do que Tales e tanto quanto Guzzo, Eurípedes identificava-se com tal ideário e o levou com maior densidade para as páginas da revista.

Os que definiriam *Veja* como uma revista de direita, conservadora e reacionária, para usar a linguagem de boa parte da esquerda, poderiam imaginar que ela fez oposição sistemática ao PT desde o princípio do governo Lula. Um olhar sobre as edições de 2003, quando ele assumiu o poder, mostra uma realidade diferente. Naquele primeiro ano, não foi dada nenhuma capa contra o presidente em início de mandato. Ao contrário. Ele foi apresentado sorridente na edição em que concedeu uma entrevista exclusiva, e sua mulher, Marisa Letícia, mereceu um tratamento simpático, sendo ressaltado que sua "imagem de autenticidade e companheirismo beneficia Lula". Outra capa afagava o escritor Luis Fernando Verissimo, que apoiava abertamente Lula e o PT, com o carinhoso título de "O Bem-Amado". O presidente americano George W. Bush, ao contrário de Lula, mereceria duas capas críticas. Em 2004, numa exceção dentro de sua postura no início do governo petista, a revista iria explorar as repercussões em torno de uma reportagem do *The New York Times*, segundo a qual o consumo de bebidas alcoólicas pelo presidente brasileiro virara "preocupação nacional". Mas houve capas neutras ou positivas com o presidente do Banco Central, Henrique Meirelles, e os ministros mais importantes do governo, José Dirceu e Antonio Palocci.

Tudo mudaria em 2005, com o surgimento do escândalo do mensalão, assunto de quinze capas, onze delas consecutivas. O tom da cobertura política se elevaria ao nível máximo de crítica até então na edição de 10 de maio de 2006. Ela abordava o ato espalhafatoso do boliviano Evo Morales, que comandou pessoalmente as tropas que tomaram uma refinaria da Petrobras em seu país e passou para o controle do Estado toda a indústria do gás e do petróleo. "Lula foi o último a saber que o presidente Morales iria se apossar de propriedades brasileiras na Bolívia e colocar em risco o abastecimento nacional de gás natural", registrou a revista. A imagem escolhida para a capa foi uma das mais agressivas já feitas pela *Veja*. Na montagem, Lula aparecia de costas, com a marca de uma sola simbolizando "o chute no traseiro dado por Hugo Chávez e seu fantoche boliviano", transformando o presidente do Brasil "em mais um bobo da corte do venezuelano". Na sexta-feira, quando a capa seria transmitida para a gráfica, Roberto desceu à redação. Isso dificilmente acontecia. Ele só ia até lá para a reunião de quinta-feira, limitando-se a entrar e sair da sala do diretor. Naquele começo de noite, porém, acompanhado de Eurípedes, foi ao departamento de arte para conferir a capa no computador. "Ele vai ficar puto, não vai?", perguntou ao vê-la na tela. "Ah, sim, todo mundo tem sangue nas veias. Mas nosso negócio não é agradar a ninguém", disse Eurípedes. "Você tem razão. *Go*!", concordou Roberto, dando sua aprovação.

Passados cinco meses, viria outro momento controverso, depois de a *Veja* dar uma matéria sobre o que classificou com ironia de "tremendo sucesso" de Fábio Luís Lula da Silva, o mais velho dos filhos de Lula. Chamado na imprensa de Lulinha, apelido que detestava, ele foi protagonista de um negócio que causaria estranheza. A produtora Gamecorp, da qual era sócio e que tinha um capital de 100 mil reais, vendera parte de suas ações à Telemar por 5,2 milhões de reais. Então a maior empresa de telecomunicações do Brasil em faturamento, a Telemar era concessionária de serviços públicos. Questionado sobre o assunto pela *Folha de S.Paulo*, Lula afirmaria que seu filho estava "subordinado à mesma Constituição a que eu estou". Em seguida fez uma comparação: "Porque deve haver um milhão de pais reclamando: por que meu filho não é o Ronaldinho? Porque não pode todo mundo ser o Ronaldinho".

Veja aproveitou o mote para preparar outra matéria sobre o assunto, dessa vez na capa, que saiu na mesma semana do segundo turno das eleições presidenciais. Lula seria reeleito com 60,83% dos votos, contra 39,17% de Geraldo Alckmin, candidato do PSDB. O título era "O 'Ronaldinho' de Lula", com este sub: "O presidente comparou o filho empresário ao craque de futebol. Mas os dons fenomenais de Fábio Luís, o Lulinha, só apareceram depois que o pai chegou ao Planalto".

Roberto, desde o início, foi contrário à publicação. "Qual é a lógica de arrumarmos um inimigo eterno?", indagou para Eurípedes ao ser informado da pauta. "Não só o Lula, mas a mulher e a família. Qualquer mãe se transforma em uma leoa na hora de defender o filho. Dona Marisa vai nos odiar para sempre." Chegou a lembrar de uma reportagem que a revista dera anos antes sobre a casa que o filho de Fernando Henrique Cardoso havia comprado no litoral da Bahia. "Dona Ruth me ligou enfurecida, parecia uma onça protegendo a cria", disse. Foi então ao ponto: "O que acontece se não dermos?". Eurípedes lhe respondeu: "Se não dermos, vamos varrer a sujeira para baixo do tapete. Lula afirma que o filho é um gênio nos negócios, e sabemos que não é. Não se pode deixar o presidente da República mentir com uma declaração como essa". Roberto não se convenceu. Da mesma forma como não descia à redação para ver antecipadamente a capa, ele poucas vezes lia um texto antes da publicação. Naquela quinta, pediu que a matéria lhe fosse entregue tão logo estivesse pronta.

Voltou com a cópia dentro de uma pasta de papéis que costumava carregar embaixo do braço. Eurípedes estava reunido com os editores executivos quando ele entrou na sua sala. Todos saíram. "A matéria tem pouca coisa nova", disse Roberto. "Tem mesmo, mas precisamos dar", afirmou Eurípedes. "Eu preciso entender. Como *publisher*, preciso entender qual é a lógica de fazermos isso", insistiu. "Primeiro, porque é tudo verdade", argumentou Eurípedes. "Depois, porque ele nos levantou a bola ao comparar o filho com o Ronaldinho. A responsabilidade é minha, inclusive do ponto de vista jurídico." Roberto balançou a cabeça: "Acho um erro, mas, se você entende que a matéria é adequada, eu respeito". Ao encerrar a conversa, fez uma observação que Eurípedes não interpretou como uma ameaça e sim como a forma de o chefe se expressar em uma situação tensa como aquela. "Não vou tirar a capa", disse. "Eu não mudo capa. Eu mudo diretor." Não mudou nenhum dos dois, mas manteria até o fim a opinião de que dar aquela capa fora um equívoco. Não pelas implicações políticas — a revista já publicara e continuaria publicando denúncias explosivas contra o governo, o PT e Lula. Nem pelo risco jornalístico — os fatos descritos, em linhas gerais, estavam corretos e o tema abordado voltaria à tona. A questão central, para Roberto, eram as implicações familiares. Não julgava correto que se tentasse atingir um homem público pelos atos de um filho, por mais que Fábio Luís estivesse enredado em uma transação suspeita e difícil de justificar.

Apesar de percalços como esse, as relações pessoais e profissionais entre eles permaneceriam boas e estáveis. Eurípedes queixava-se apenas do salário. "Roberto não dava aumentos espontaneamente", diria.

> Quando me tornei diretor de redação, escrevi para ele, com cópia para o Tales, que por sinal tinha o mesmo tipo de reclamação, afirmando que eu ganhava como gerente. Ele foi verificar, concordou e me deu um aumento de 20%. Tratou

de valorizá-lo: lembrou que, em um país na época com inflação baixa, era um reajuste de verdade. Foi o único que recebi dele nos nove anos em que fui seu subordinado direto. Só teria outro depois de sua morte.

Se Eurípedes e Tales demonstravam insatisfação com o holerite, José Roberto Guzzo, nos anos em que dirigiu *Veja* e *Exame*, pensava de outra forma: "Eu me considerava um profissional muito bem remunerado". Ele se ressentia de outra coisa. "Roberto era o rei do elogio genérico, mas muito parcimonioso no elogio invididual. Sei que gostava do meu trabalho e dizia isso para terceiros, não para mim. Os elogios que ouvi dele foram raros." Eurípedes, ao contrário, se considerava reconhecido. "Ele era pródigo em me elogiar. Talvez com o Guzzo houvesse uma certa competição, por serem da mesma geração."

Exatamente vinte anos mais velho, Roberto não escondia sua admiração por Eurípedes e em alguns momentos demonstrava por ele um carinho quase paternal. No dia a dia, podia morder e assoprar. Certa vez lhe fez um afago que continha uma crítica: "Eu nunca tive um diretor de redação que fosse tão distanciado de sua equipe em competência". Queria dizer com isso que, sendo centralizador — dificilmente tirava férias longas —, não preparara sucessores. A escolha natural seria o redator-chefe Mario Sabino. Roberto, no entanto, segundo Eurípedes, lhe fazia uma restrição. "Quando discutíamos o assunto, eu defendia o nome de Sabino. Roberto anotava e dizia: 'Gosto dele, é talentoso, mas não tem equilíbrio para ser diretor de redação da *Veja*'. Repetiu isso mais de uma vez." De acordo com Eurípedes, em uma dessas reuniões seu patrão escreveu no papel, ficando com o original e mandando-lhe uma cópia: "Eurípedes acha que é só uma questão de temperamento e ele supera. Eu acho que não".

Seis anos mais moço do que Eurípedes, o paulistano Sabino demonstrava de fato, dentro e fora da redação, um gênio forte. Era reconhecido pelo raciocínio político articulado, pela qualidade do texto e pela capacidade de editar com rapidez reportagens extensas e complexas. Sabia instruir editores e repórteres sobre a linha das matérias, enquanto seu chefe por vezes não se fazia entender de imediato. Fora do jornalismo, escreveu livros de ficção que mereceram resenhas positivas na própria revista e em outras publicações. Entre os blogs autointitulados "progressistas", que ele chamava de "blogs sujos" e que passaram a criticar pesadamente a orientação da *Veja* e sua postura em relação ao PT, tanto Roberto Civita como Eurípedes e Sabino seriam alvo de ataques frequentes. Seus mais conhecidos adversários, que virariam inimigos, eram os jornalistas Paulo Henrique Amorim, Paulo Nogueira e Luis Nassif. Os três haviam trabalhado na *Veja*, em diferentes períodos, e Nogueira tivera uma bem-sucedida carreira na Abril, onde dirigiu a *Exame* e uma das unidades de negócio da empresa. Eles passaram a defender nos sites os governos do PT e a desqualificar seus opositores, em especial o PSDB, e a chamada grande imprensa, tratada por Amorim como "PiG", ou "partido da imprensa golpista". Para Amorim, que se referiu a Roberto como "perdedor" que "menosprezava o Brasil" — isso na ocasião de sua morte —, *Veja* se transformara "num detrito sólido de maré baixa". No entender de Nogueira, a revista "mente, distorce, trapaceia", praticando "gangsterismo editorial". Em um de seus *posts*, registrou que saiu da Abril, em 2006, "frustrado por não ter sido promovido a presidente executivo como tinham me prometido". Já Nassif chegou a classificar Sabino de "truculento, uma espécie de cão de guarda feroz, sem escrúpulos". Sabino respondeu com igual agressividade. Roberto e Eurípedes optaram por ignorar mesmo as ofensas mais virulentas. Segundo Nassif, Sabino "decidiu se valer de Reinaldo Azevedo, blogueiro do portal de *Veja*, contratado e comandado por ele". Antes de entrar na *Veja*, em 1994, Sabino havia trabalhado na *Folha de S.Paulo*, na *IstoÉ* e em *O Estado de S. Paulo*. Fora também editor da revista *Teoria e Debate*, criada pelo Diretório Regional do Partido dos Trabalhadores de São Paulo.

Eurípedes Jaber de Alcântara militou no PT e no grupo trotskista Centelha enquanto estudava jornalismo na Universidade Federal de Minas Gerais, em Belo Horizonte. "Mas atenção: a Centelha foi a UDN dos trotskistas", faria questão de ressaltar. "Eu já era conservador quando era de esquerda." Seu pai, advogado, jornalista e político do antigo PSD, foi prefeito de Rio Paranaíba, no Triângulo Mineiro, onde Eurípedes nasceu. A família se mudou para Barbacena e depois para a capital do estado. Lá, trabalharia em jornais antes de assumir a sucursal da *Veja* por indicação de Alberico de Souza Cruz, editor e futuro diretor da Central Globo de Jornalismo. Passou um ano no cargo. Em 1982, foi chamado para a redação em São Paulo. Mais um ano, Elio Gaspari o promoveu a editor. "Mas não é muito cedo?", perguntou Eurípedes, que tinha 27 anos. "É melhor enfrentar desafios quando você é jovem do que quando você for velho", respondeu o diretor adjunto. Ele havia abandonado a militância política e não se sentia mais identificado com a esquerda.

Sua trajetória na revista foi veloz. Logo se tornaria editor executivo, supervisionando as áreas de economia e geral, mais a *Veja São Paulo*. Em 1994, casado e com duas filhas, iniciou uma temporada de quatro anos como correspondente em Nova York. Foi nesse período que conheceu melhor Roberto Civita, que ia regularmente à cidade. No primeiro encontro, Roberto marcou o horário para saírem juntos do Hotel The Plaza e almoçarem. Preocupado em não se atrasar, Eurípedes chegou com dez minutos de antecedência e ficou aguardando. Quando Roberto desceu ao saguão, apontou para seu inseparável Rolex: "Você não tem que chegar antes nem depois. Tem que chegar na hora". A partir dali, começou a entender o estilo do patrão, que descobriria nele algumas características de formação e personalidade que valorizava, começando com "a sabedoria e a discrição dos mineiros". Ele o considerava dono de um "conhecimento de quase tudo", um "leitor onívoro" e um "dos mais reflexivos e talentosos" jornalistas de sua geração. Em 1998, ao voltar para São Paulo, Eurípedes virou redator-chefe e em seguida diretor adjunto. Seis anos depois, assumiu o cargo de diretor de redação.

Passariam a se reunir, como os três últimos antecessores, duas vezes por semana. Na segunda-feira, após uma rápida apreciação do número que estava circulando, Roberto muitas vezes enfatizava que o Brasil precisava de pessoas otimistas, que acreditassem no país. Ele costumava lhe dizer que os jornalistas, de modo geral, tendiam para o pessimismo e não davam atenção a fatos positivos, privilegiando problemas e não soluções. Enfim, não gostavam de construir, preferindo investir na demolição. Roberto, como de hábito, insistia para que a revista refletisse suas posturas. Aproveitava a conversa para apresentar por escrito pautas futuras. Elas abordavam não apenas sua insistência nas histórias em torno de coisas que deram ou poderiam dar certo, como era de seu costume, mas também o que Eurípedes definia como "sacadas inesperadas". Alguns exemplos, em forma de perguntas que gostaria de ver respondidas: Por que é cada vez menor o número de homens que usam bigode? Como surgiu a tendência da barba por fazer? Por que 30% das pessoas sofrem de apneia? Por que os brasileiros gastam meses e meses nos preparativos do dia do casamento, que não vai durar mais do que algumas horas, e nunca planejam como será sua vida a partir daí? Com que idade as mulheres estão tendo bebês? Que idade tinham no passado ao dar à luz pela primeira vez? Como a cidade paulista de Barretos conseguiu fazer o seu Hospital do Câncer, que considerava fantástico? Como um call center gigantesco mudou o dia a dia dos jovens da periferia do Recife? O Brasil produz mesmo dezoito tipos de café? Quais são as diferenças entre cada um deles?

Sua ênfase, porém, concentrava-se no que definia como temas importantes que *Veja* deveria angular de forma interessante. Por que as armas de fogo matam tanta gente no Brasil? *What's going on? E che facciamo?* Quais são os impostos invisíveis que todos nós pagamos? Por que na Argentina há falta de separação de poderes e de segurança jurídica? Como acabar com o loteamento do Estado no Brasil? "Dez vezes sem juros" é uma mentira que precisamos denunciar.

Insistia em comparações com a realidade de outros países. Martelava nessa tecla: Quantos funcionários públicos existem no Brasil? Qual é a proporção? E nos Estados Unidos? Na Inglaterra? Na Austrália? Tinha obsessão por números, exigindo absoluta precisão. Achava que os jornalistas, na imensa maioria, não sabiam lidar com eles. "As redações estão cheias de analfabetos matemáticos, que padecem de *innumeracy*", afirmava, citando o termo em inglês referente a quem não tem capacidade de entender as quatro operações, médias, percentuais e ordem de grandeza. Chegou a pedir que fosse criado um curso de um mês sobre balanços contábeis para a editoria de Economia.

Nas reuniões, não tinha o hábito de comentar em detalhes as matérias já publicadas. Preferia recortar as páginas, marcar suas observações e enviá-las em envelopes pardos pelo tráfego interno. "Se eu falo, não adianta nada: vocês não tomam nota, entra por um ouvido e sai pelo outro", justificava. Quase toda semana, levava como subsídio para as conversas editoriais de *O Estado de S. Paulo*, que lia com atenção, sublinhando frases, e colunas políticas, em especial a de Dora Kramer, articulista do mesmo jornal. Era leitor e fã de ambos. De modo geral, avaliava os editoriais do *Estadão* — pautados, orientados, emendados e eventualmente reescritos por seu diretor responsável, Rui Mesquita, que morreria no mesmo Hospital Sírio-Libanês cinco dias antes que ele — como irretocáveis na forma e no conteúdo.

Embora usasse em suas frases expressões em inglês, ou fizesse citações em outras línguas, ficava preocupado se uma delas, mesmo quando traduzida, fosse dada na revista sem maiores explicações. Podia exagerar nesse cuidado. Em uma matéria sobre crise energética, afirmou que uma parcela de leitores poderia não entender o significado de "blecaute" e encomendou um pequeno boxe (quadro) para explicar seu significado. Tentava se colocar no lugar deles, como aprendera com o pai desde a época em que os editores de *Claudia* eram lembrados de que deveriam escrever pensando na dona Mariazinha, de Botucatu. Tinha um método para isso. Certa vez, examinou a paginação de uma reportagem sobre negócios considerados suspeitos do senador Renan Calheiros. Na abertura, ele aparecia em uma ilustração no meio de uma plantação de laranjas. A palavra "laranja", como se sabe, era corrente no noticiário político como referência a um indivíduo cujo nome é utilizado por outro na prática de fraudes. "Será que as pessoas vão entender?", indagou para Mario Sabino, com quem despachava na ausência de Eurípedes. Saiu da sala e começou a perguntar para as secretárias e funcionários da área de produção se sabiam o que era um laranja. Como todos sabiam, deu-se por satisfeito.

As reuniões tiveram momentos tensos em 2006. Quase sempre em função da cobertura do mensalão. Eurípedes insistia que a revista tinha que se referir aos envolvidos como membros de uma quadrilha e ser enfática nos artigos. Roberto defendia uma linguagem mais moderada, sem deixar de lado a indignação. Afirmou muitas vezes que a revista exagerava no tom. "O exagero está nos fatos, não nos nossos textos", retrucava Eurípedes. "*We didn't take the moral high ground*", sustentou Roberto em certa ocasião, querendo dizer que a *Veja* precisaria manter uma posição moralmente superior em relação às denúncias e aos acusados. "Ele defendia que deveríamos ficar em um platô, vendo de cima aquela ratatuia [sic] lá embaixo", comentaria Eurípedes no futuro. "Concordo que muitas vezes nosso tom se igualou ao da turma do mensalão, mas sabíamos o que estávamos fazendo. Tudo seria provado e os réus condenados foram para a cadeia." Durante todo o processo, o que não acontecia desde o Caso Collor, Roberto ouviu críticas internas e externas em função da linha da revista. Quando vinham de amigos, políticos ou empresários, ele defendia a postura da publicação — e, depois de filtrá-las, as transmitia para o diretor de redação. Costumava dizer que os leitores esperavam isso mesmo. "Eles querem nossa indignação e ficam decepcionados conosco quando não nos indignamos. A *Veja* tem uma posição clara. Ninguém duvida de como ela se situa." Se a reclamação partia de diretores da Abril, evitava discutir. Simplesmente deixava claro que esse era um assunto de sua responsabilidade, mesmo que não concordasse com algo que fosse publicado.

"Dr. Roberto detestava que gente da casa viesse lhe falar mal da *Veja*", contaria Cleide Castellan, assessora direta por onze anos e responsável pela revisão final dos seus discursos. Em agosto de 2011, a revista publicou uma reportagem de capa sobre José Dirceu, "o poderoso chefão". Contava que "o chefe da quadrilha do mensalão" mantinha um "gabinete" em um dos hotéis de Brasília, onde despachava com políticos e ministros do PT "para conspirar contra o governo Dilma". A matéria trazia fotos dessas visitas no corredor do hotel, obtidas provavelmente das câmeras de segurança, e sobretudo por isso teve repercussão negativa. Cleide estava na sala de Roberto quando ele atendeu o telefonema de alguém, que ela não identificou, queixando-se da reportagem. Quando desligou, Cleide não resistiu e lhe disse: "Acho que desta vez a *Veja* passou dos limites". Estava mexendo em um vespeiro. "Você leu a matéria?", perguntou Roberto, contrariado. "Claro, ou não estaria falando", ela respondeu. "Então você não entendeu. Leia de novo." Cleide nunca mais abriria a boca perto do chefe para falar da revista.

Uma das queixas mais recorrentes que Roberto recebia era justamente sobre a postura da *Veja* nos textos editorializados. Desde seus primeiros anos, a revista dava matérias com tom opinativo, mas a partir do início dos governos do PT, em 2003, elas se tornaram cada vez mais frequentes. Não só ao tratar da política nacional, mas também ao abordar a política internacional, a economia e a cultura. Nas reportagens, em geral enfatizava apenas seu próprio ponto de vista. Normalmente, não abria espaço para os argumentos contrários, o que permitiria que o leitor tirasse suas próprias conclusões. Os grandes jornais procuram separar as duas áreas: o editorial, em página reservada para tal, com a opinião da publicação, isto é, do dono ou dos acionistas; e a reportagem, com a apresentação dos fatos dentro da imparcialidade, equilíbrio e objetividade possíveis. Em semanais de informação — e na *Veja* de modo acentuado —, não havia essa distinção na maioria dos casos. "Quando estamos tratando apenas de fatos e existe mais de uma versão, claro que temos que dar o outro lado", dizia Roberto. "Mas, em termos de opinião, seguimos uma linha. Do contrário, faremos uma revista anódina, sem cor, sem posição. Os leitores sabem o que pensamos. Não preciso agradar a todo mundo."

De outro lado, havia o mais explosivo colunista que a *Veja* já abrigou em suas páginas: o escritor paulistano Diogo Mainardi, que morou boa parte da vida em Veneza. Polemista, provocador, engraçado, inteligente, não raro brilhante, era difícil defini-lo em poucas palavras. Ele inicialmente escrevia sobre cultura e a partir de 2002 tornou-se um articulista político demolidor. Até 2011, quando saiu da revista, cansado de fazer a coluna e empenhado em se dedicar a um novo livro, segundo contaria, fustigou sem tréguas o PT, Lula, as esquerdas e os que identificava com ela. Chamava Lula de "anta" (título de um de seus livros, *Lula é minha anta*). "Sou um conspirador. Um conspirador da elite. Quero derrubar Lula", enfatizou em um de seus textos. "Quero que Lula perca", avisou em outro, pouco antes de sua reeleição. "Lula deveria dar o exemplo e parar de beber em eventos a que comparece", afirmou. "O Brasil é dominado por uma massa de pobres ignorantes. Eles estão decidindo por nós. E estão decidindo muito mal", acreditava. "Estou aqui para falar mal. Meu trabalho é encher a paciência de todos os políticos", definia-se.

Seus alvos incluíam jornalistas como Luis Nassif, Paulo Henrique Amorim, Luis Fernando Verissimo, Zuenir Ventura, Elio Gaspari e vários outros. Certa vez, Diogo comparou Elio à fada Sininho: "Quando a bomba dos piratas está para estourar no colo de Lula, providencialmente aparece Elio Gaspari, batendo as asinhas. Ele carrega a bomba para longe e — bum! — estoura junto com ela, sempre pronto a se sacrificar pela Terra do Nunca". Um dos seus alvos preferidos era Mino Carta. "Sempre que o citei na coluna, associei-o à verba publicitária que o governo Lula destina à *CartaCapital*", disse em um artigo, referindo-se ao semanário, com seu sobrenome, do qual Mino era sócio e diretor. "Mino Carta garante que serve a Lula de graça. Assim como, por muitos anos, serviu a Orestes Quércia de graça. Deve ser angustiante e triste não ser recompensado por tanta serventia." Por causa dos ataques que sofria — e revidava —, Mino rompeu por tabela com o *restaurateur* Rogério Fasano, amigo de infância de Diogo e que se considerava seu sobrinho adotivo. Apesar de menor em tamanho, ameaçou lhe bater. "Determinadas amizades interferem no gosto da comida", bradou Mino, que tinha uma antiga relação com a família Fasano, sobre cuja história escrevera uma obra de encomenda. Ele nunca mais entraria em nenhum dos seus restaurantes, dos quais havia sido cliente fiel. A gota d'água foi um *podcast* veiculado no portal *Veja.com*. Em um áudio de três minutos, Diogo descrevia "Mino" como "um personagem menor, desprezível, batedor de carteiras, asquerosamente pequeno". Mais adiante, dizia que era conhecido "por sua estatura diminuta, por sua falta de escrúpulos e por sua vozinha estridente, repulsiva". Com sua "carinha simiesca", dava um jeito de colocar "a mãozinha peluda para fora da grade e tascar a mão no bolso da gente". Finalmente, esclarecia que "Mino" era um macaco que a escritora norueguesa Åsne Seierstad, autora de *O livreiro de Cabul*, encontrou em um hotel da capital do Iraque e citou na reportagem "101 dias em Bagdá".

Quando lhe perguntavam a respeito das opiniões extremadas do colunista, Roberto voltava a se valer da comparação que fazia desde seus tempos da *Realidade*. Para ele, a revista deveria oferecer um bufê variado para os leitores. "Diogo Mainardi é a pimenta no meio desses pratos", dizia. "É o nosso colunista mais lido. Não é o mais ponderado. Mas acho que acrescenta à *Veja* o extremo da indignação. Ele é lido por isso. A gente precisa ter colunistas como o Diogo. É o canhão solto no nosso convés." Diogo adorou a frase. "Gostei que ele visse minha coluna dessa maneira: sempre disparei para todos os lados", afirmaria anos mais tarde. "Ele respeitava minha autonomia e nunca me mandou recados." Os adversários da *Veja* não acreditavam nisso, mas Diogo Mainardi não era pautado nem por Roberto nem pela direção da revista. Desfrutava de algo incomum na imprensa: total liberdade para escolher temas e escrever — ou falar nos seus *podcasts* — o que bem entendia. Encontrou-se com Roberto uma única vez, segundo ambos. Ele o convidou para um almoço no NEA, em 2001, porque queria conhecê-lo. "Conversamos sobre a Itália e sobre seu sonho bastante estapafúrdio de fazer um dicionário", recordaria, mencionando um vago projeto que Roberto alimentou de organizar em um livro sua "coleção de palavras", o que não levou adiante. Nunca mais se viram.

28 de outubro de 2008

Um dos prazeres de Roberto Civita era comemorar datas redondas. Ele fez isso várias vezes. O cinquentenário da fundação oficial da Abril, em 2000, foi marcado com uma caprichada exposição, no Museu de Arte de São Paulo (Masp), sobre a história da empresa. Para que tudo fosse perfeito, só faltou o número 1 de *O Pato Donald*. O exemplar que existia no Departamento de Documentação da editora havia desaparecido. Nunca se soube o que aconteceu. Constatada a falta, os responsáveis pela mostra foram atrás de colecionadores. Um deles tinha a relíquia e concordou em vendê-la. Pediu 10 mil dólares. Roberto não aceitou pagar. Na falta da original, seria pendurada na parede uma edição fac-similar. Bem mais tarde, a Abril conseguiu adquirir uma autêntica por preço menor para repô-la no acervo.

Em 2007, por ocasião do centenário de nascimento de seu pai, ele promoveu eventos que incluíram o lançamento de um selo oficial dos Correios e uma sessão solene na Sala São Paulo, aberta com a execução de "O trenzinho do caipira", de Heitor Villa-Lobos, seguida de suas árias favoritas. As homenagens culminariam no ano seguinte com a inauguração da praça Victor Civita, ao lado do NEA, junto a um terminal de ônibus e da estação Pinheiros do metrô. No local, malcheiroso e infestado de ratos, existia uma central de triagem e incineração de lixo. A empresa associou-se à prefeitura (durante as gestões de Marta Suplicy e Gilberto Kassab) na reforma e despoluição do terreno. Com apoio de patrocinadores e uma contribuição anual de 2 milhões de reais que a Abril bancaria até 2015, foi criado ali um espaço cultural e de convivência.

Quando *Veja* completou trinta anos, em 1998, houve um jantar no próprio NEA para quatrocentos convidados — do presidente Fernando Henrique e a primeira-dama Ruth Cardoso ao banqueiro Joseph Safra e o empresário Antônio Ermírio de Moraes. Radiante com o prestígio que lhe permitiu reunir uma parte expressiva do mundo político e do PIB brasileiro, Roberto estava tão orgulhoso no papel de anfitrião que citou em seu discurso, de forma simpática, um de seus maiores desafetos. Foi quando recordou a "paciência do nosso inesquecível VC", como se referiu ao pai,

> com o bando de jovens que o jornalista Mino Carta, primeiro diretor de redação da *Veja*, e eu juntamos para fazer a revista e da sua disposição para servir de para-raios às broncas, ameaças, pressões e sanções que caíam sobre a Abril enquanto insistíamos em dizer — ou insinuar — o que não se podia.

Dez anos mais tarde, mostraria o mesmo estado de espírito no quadragésimo aniversário da sua semanal. Foi para ele mais um momento glorioso, a começar pelo resultado comercial. Tudo somado, o número da semana e uma edição especial de quarenta anos, entregues a perto de 1 milhão de assinantes junto com a *Veja São Paulo* (em um raio de cem quilômetros da capital paulista) e a *Veja Rio* (em todo o território fluminense), tiveram faturamento recorde de publicidade: 22 milhões de reais. Em vez de festa, Roberto mandou organizar um evento que durou um dia inteiro. Cerca de quinhentos nomes da vida nacional participaram ou acompanharam painéis com o objetivo de discutir e apresentar propostas para o país. No intervalo dos debates, quatro potenciais candidatos às eleições presidenciais que se realizariam em 2010 — Dilma Rousseff, José Serra, Aécio Neves e Ciro Gomes — discursaram sobre o futuro que vislumbravam para a nação.

Em horas como essas, Roberto sentia seu ego ainda mais inflado. Figuras influentes atendiam a seus convites e, diante delas, não escondia a satisfação por ser o centro das atenções. Para ele, essa era uma das recompensas que buscava por comandar uma empresa como a Abril e ter a *Veja* nas suas mãos.

Ganhar dinheiro, gerar lucros para que a companhia tivesse perenidade e continuasse a crescer — sim, considerava tudo isso relevante, mas não a sua motivação central. Roberto queria, ao mesmo tempo, numa decorrência que via como lógica, ser um ator de destaque na cena brasileira, influenciar as esferas de decisão e ter peso para pregar suas ideias e poder levar a bom termo o que considerava a tarefa que lhe cabia na face da Terra: ajudar o Brasil a melhorar. Havia aí, como em tantos aspectos de sua personalidade, uma boa dose de idealismo misturada com certa credulidade, alguma presunção e uma imensa paixão pelo trabalho que realizava. "Nunca fiz nada na vida somente para ganhar dinheiro. Faço porque acho divertido, porque quero ou porque acho necessário", dizia.

> O ideal é conseguir manter um equilíbrio permanente entre a excelência e a integridade do conteúdo produzido e a saúde financeira da empresa. Estou convicto de que, além de contribuir para o desenvolvimento da sociedade em que vivemos, o jornalismo de qualidade, independente e confiável, pode, às vezes, até ganhar algum dinheiro.

Ele de fato acreditava em tais conceitos. Não estava sozinho. Por que a família Mesquita, por exemplo, se dedicou por gerações ao universo da comunicação, defendendo as bandeiras da liberdade de expressão, do liberalismo, do sistema capitalista, do anticomunismo e dos princípios que apregoava? Não apenas para enriquecer, mas porque também se via imbuída de uma missão e se empenhava em exercer a influência que o jornal *O Estado de S. Paulo* lhe dava. No *Estadão*, esse espírito foi legado de pai para filho, de filho para neto.

Na Abril, foi diferente. Victor Civita era um empresário, um empreendedor, um homem de negócios — e um editor com maior interesse pela cultura e pelas artes do que pela política. Dizia que queria ter uma ideia nova a cada dia e se possível colocá-la em prática, valendo-se de sua intuição, de sua vontade e do seu gosto pelo risco. Era acima de tudo um fazedor. Roberto tinha um interesse menor pelo que chamava de *business*, preferia não se debruçar em cima de orçamentos e, não por acaso, errou mais do que Victor. Desde que voltou dos Estados Unidos, em 1958, imaginava que, com a alavanca das revistas — como o pai lhe acenou para convencê-lo a trabalhar ao seu lado —, poderia dar uma efetiva contribuição para transformar o país em que ambos escolheram viver. *Veja* e *Exame* seriam os instrumentos que utilizou para perseguir seus objetivos. Mas não conseguiu transmiti-los para Gianca, Titti e Roberta. Essa seria a frustração que carregou. Gianca fez dois anos de análise para chegar à conclusão que marcaria sua vida. "Não sou o Roberto Civita, não quero ser o Roberto Civita, sou o Gianca e já fiz o meu papel aqui dentro", descobriria ao deixar a presidência executiva do grupo, dois anos antes da morte do pai. "O Robertão era assim: se você não acha importante o que eu acho, se você não acha legal o que para mim é legal, então eu não estou interessado em saber o que você considera importante ou legal", diria Titti. "Não fazia isso por mal. Era sua natureza. O problema é que, tendo um cérebro incrível, estava tão convencido do seu papel no mundo que, como falava o Jean-Claude Ramirez, ex-marido da Roberta, virou um rolo compressor." Roberta, como Gianca, resolveu com a ajuda da análise o rumo que seguiria. "Por volta de dezessete, dezoito anos, decidi que não entraria na empresa, embora ele tentasse me atrair", lembraria, passadas três décadas. "Eu achava que, se entrasse, ele poderia ser crítico e duro demais comigo. Preferi resguardar a relação com meu pai. Fiz o certo."

Em seu último ano de vida, ainda esperançoso na busca do delfim, Roberto procurou a ajuda da terapeuta familiar Ana Paula Saraiva. Foi uma indicação do cientista político Luiz Felipe d'Avila, ex-diretor da Abril, que lhe contou, durante um jantar com as mulheres, do trabalho que ela realizava com os filhos do empresário Abilio Diniz, seu sogro. "É uma facilitadora da relação entre gerações", explicou. "Há encontros anuais na fazenda do Abilio para falar livremente dos nossos problemas. Lava-se um pouco de roupa suja, mas uma voz de fora ajuda nessas conversas, que, por sua natureza, podem ser difíceis." Roberto, que fazia terapia havia muitos anos, mostrou-se interessadíssimo. Teria vários encontros com ela, em seu consultório, na Abril e em almoços. Como de costume, ele anotava o tempo inteiro o que ouvia. Na ocasião com 65 anos, que não aparentava, a pernambucana Ana Paula tinha cabelos loiros curtos e logo encantou Roberto por falar com ele em inglês. Ela marcou sessões de análise com os filhos, separadamente, e depois com os quatro juntos. Percebeu seu "profundo desejo de ter um entendimento mais fluido e melhor com os filhos" e as preocupações com a sucessão pelo fato de não existir o que batizaram de Roberto 2. "Não era um pai meloso, mas tinha o jeito dele de demonstrar carinho e respeito pelos filhos", perceberia. Nestes, sentiu o peso de uma expectativa muito alta e uma angústia permanente: como poderiam corresponder ao que Roberto deles esperava? Nunca encontraram a resposta.

Talvez nenhuma daquelas datas redondas tenha sido para Roberto maior do que a celebração que planejou para o dia 28 de outubro de 2008. Completava cinquenta anos de Abril. Ninguém da família se aproximara dessa marca. Victor ficara lá quarenta anos. Richard, 26. Toda a sua trajetória profissional e uma enorme parte da vida pessoal estavam indissoluvelmente imbricadas com aquela árvore que encontrara germinada, empenhara-se para fazer frutificar e por pouco não tombara antes que a visse crescer de novo. À sua sombra, conviveu com chefes, colegas, parceiros, incontáveis subordinados, amigos, futuros inimigos, uma das três esposas, Laura, namoradas, amantes. Lembrou deles e convocou Cleide Castellan para lhe dizer o que tinha em mente. Ela percebeu na hora a trabalheira que a esperava.

Cleide chefiava o que ele chamava de *office of the chairman*. Em um espaço de 140 metros quadrados, ao lado da sala de Roberto, que tinha 110 metros quadrados, cinco mulheres davam expediente. "São minhas 'anjas' da guarda, que tanto contribuem para que eu funcione, veja todo mundo que devo ver, fuja de quem não quero ver e apareça na hora certa dos compromissos", afirmava. Roseli Strothmeier, a mais velha, funcionária da Abril desde 1962, já às vésperas de se aposentar, cuidava do seu fichário. Dina de Oliveira, contratada pela Diana, empresa que administra os interesses da família Civita, denominada por Roberto de "*family office*", era encarregada das finanças pessoais. As três tinham salas próprias. Cleide ocupava a maior. Na primeira mesa à direita ficava Jaqueline Arruda Rodrigues, a Jaque, que entrara na editora aos dezoito anos, como recepcionista da presidência, usando uniforme. "Saia verde Abril, na altura do joelho, blusa branca, blazer, meia fina e salto", descreveria ela, que trabalhou 23 anos com Roberto. Na mesa à esquerda, sentava-se Márcia Símola, encarregada dos despachos, da correspondência e da preparação das viagens. Jaque era responsável pela agenda, que imprimia diariamente com lembretes de tudo o que o chefe precisaria fazer, sem esquecer os aniversários, inclusive os dos filhos e netos, estes devidamente identificados com o nome dos pais. O formato não podia mudar: "10 de setembro. Hoje é aniversário de seu neto mais novo Pedro, filho de Titti". Cleide diria que ficou chocada quando viu que tudo isso deveria ser registrado no papel, mas Roberto não admitia que fosse de outra forma, pois não confiava em sua memória para datas — exceto umas poucas fundamentais.

Na primeira de nossas entrevistas, antes de ouvir qualquer pergunta, ele avisou:

> Tenho problema com datas. Nunca me preocupei com elas. Eu sei o ano em que nasci, o ano em que meu pai e minha mãe nasceram. Sei precariamente os anos em que nasceram meus três filhos. Os anos em que casei, mas não as datas. Sei o dia do aniversário da atual esposa. Da segunda, não. Nem da primeira. Apenas que é em janeiro. E sei quando lançamos *Veja*.

Informado dos aniversariantes do dia, Roberto mandava entregar presentes para alguns deles. No quartinho escondido dentro de sua sala, havia um armário com um bom estoque: livros, canetas, vinhos, champanhes e brindes da Abril, estes para clientes. Ele mesmo escolhia o que dar, escrevia o cartão manuscrito e uma das secretárias providenciava o pacote. Para as ex-mulheres, mandava flores. Em geral, rosas amarelas. Para Maria Antonia, tinha o hábito de comprar joias, que selecionava em catálogos. Das viagens ao exterior, trazia lembranças para suas "anjas", na maioria dos casos perfumes ou artigos de maquiagem adquiridos em duty-free. "Foi uma escolha minha", fazia questão de anunciar para cada uma. Quando uma delas aniversariava, avisada pelas demais, ganhava um buquê de flores que ele aparecia sobraçando pela manhã.

No início de setembro, com quase dois meses de antecedência, as cinco se mobilizaram para atender ao pedido de Roberto. Ele achava que seus cinquenta anos de casa iriam se completar no momento certo. Se fosse entre 2001 e 2005, no auge do endividamento do grupo, com Maurizio Mauro na presidência e ele de mãos amarradas, seria complicado fazer qualquer coisa maior do que uma reunião no auditório do prédio, com água, café, balões e um bolinho com velas para soprar. Era um momento de cortes dolorosos e absoluta austeridade. Mas a situação mudara.

Apesar do terremoto que a economia mundial sofria em 2008, a crise encontrou a Abril praticamente saneada. Roberto não tinha qualquer dúvida: caso ela houvesse ocorrido três ou quatro anos antes, a empresa quebraria. A dívida agora estava sob controle. O aporte do fundo Capital International e a entrada da Naspers lhe deram fôlego na hora certa. A abertura de capital, que tentou evitar a qualquer custo, não teve que ser feita. Resistiu às propostas de vender a Ática e a Scipione, que foram as maiores editoras de livros didáticos do país e seriam incorporadas à Abril Educação, nascida em 2007. Nos anos seguintes, o novo braço do grupo teria um enorme crescimento com a aquisição de cursos pré-vestibular e redes de escolas de idiomas, entre os quais o Anglo, a Red Balloon e a Wise Up. Ainda no campo do ensino, mantinha a Fundação Victor Civita, sem fins lucrativos. Ela fora criada por seu pai em 1985 com o objetivo de dar suporte aos professores da educação fundamental em todo o Brasil, aos quais distribuía gratuitamente as revistas *Nova Escola* e *Gestão Escolar*.

Educação, como Roberto aprendeu com o pai, era de um lado algo rendoso. As vendas de livros didáticos e as escolas geravam receitas consideráveis. Para seus herdeiros, seria um excelente negócio. Menos de dois anos após a morte de Roberto, eles venderiam a Abril Educação por 1,3 bilhão de reais (desse total, cerca de 600 milhões foram utilizados no pagamento de dívidas do grupo). De outro lado, significava um investimento estratégico no futuro. Afinal, é de um ensino de bom nível que surgem e se formam leitores. Como pano de fundo, considerava a educação o caminho para que o Brasil um dia se tornasse um país desenvolvido e justo, com oportunidades iguais para todos, conforme dizia de forma recorrente. Junto com o pai, em 1980 — quando a editora completava mais uma data redonda, os trinta anos de sua fundação oficial —, redigiu a missão da empresa. Desde então, ela estaria presente em documentos e em placas de mármore colocadas na entrada de suas sedes. Nas palavras que escolheu, a informação, a cultura, o entretenimento, a educação, a livre-iniciativa e as instituições democráticas do Brasil eram as preocupações centrais da Abril, conforme se contou.

No plano interno, criou o Curso Abril de Jornalismo para formar parte da primeira equipe da *Veja*. Foi o embrião de uma iniciativa homônima lançada em 1984, sob a orientação do jornalista e professor carioca Alberto Dines. A cada ano, desde então, o Curso Abril contou com a participação de uma média de sessenta recém-formados em jornalismo e outras áreas, tornando-se a principal porta de entrada para os jovens que pretendiam ingressar na editora. De lá saíram repórteres, fotógrafos, designers e editores que fariam carreira na casa ou em concorrentes. Muitos deles acabariam se tornando chefes de sucursal, correspondentes no exterior, diretores de redação e executivos do grupo. A aula inaugural era invariavelmente dada por ele. Sua apresentação quase não mudava.

> Vamos começar com duas perguntas simples. Por que esta empresa consegue fazer tantas revistas de boa qualidade? Por que quase todas as nossas revistas ocupam lugares de liderança nos mercados em que atuam? Isso é muito mais difícil de fazer do que parece. É o tipo de coisa que você não encontra em lugar nenhum do mundo: uma editora que tenha tantas revistas líderes do seu setor. Como é que a Abril faz isso, ou fez isso? Qual o segredo? É poder econômico? É habilidade comercial? É marketing? É gráfica? O que é?

Ele apresentava dados sobre a circulação das revistas e os segmentos, praticamente todos, que lideravam. Dava então sua resposta.

> Há mil fatores que entram nessa equação, mas basta você lembrar sempre que a revista é feita para o leitor — não para o anunciante, para o dono, para o governo, para os amigos. Você tem que pensar nos leitores, todos os dias. Enquanto você tiver leitores satisfeitos, o resto será fácil. Quando você não os tiver, o resto será muito difícil. Aliás, impossível.

A partir de 2002, organizaria um seminário de *publishing* para seus executivos. Fazia uma pregação semelhante, contava histórias e dava conselhos. Vá à banca. Siga sua intuição e se coloque no lugar do leitor. Fale olho no olho com um só leitor. A cada semana você tem que surpreendê-lo e seduzi-lo. Conte boas histórias, encante, ensine e divirta sua audiência. Chame as coisas pelos nomes certos. Feito o texto, ler, reler e ler de novo, corrigindo cada nova versão sem dó. Fuja da ordem inversa, da voz passiva, do particípio e do gerúndio como o diabo da cruz. Não tenha amigos na matéria e trate com dignidade os que, eventualmente magoados, nos tratarem como inimigos. Sempre, sem exceções, mesmo sob o fogo do inferno, deixar aberta — ou reabrir, com pé de cabra, se preciso — a porta do diálogo. Faça tudo com paixão. E nunca, nunca mesmo, esquecer que esta é a melhor profissão do mundo.

Sua derradeira iniciativa no campo do ensino seria colocar de pé, com a Escola Superior de Propaganda e Marketing (ESPM), o Curso de Pós-Graduação em Jornalismo com Ênfase em Direção Editorial. Destinado a profissionais que tinham entre dez e quinze anos de experiência em redações, foi realizado em 2011, 2012 e 2013. Era um velho sonho seu. Achava insatisfatórias as faculdades de jornalismo existentes no Brasil e combatia a exigência legal de diploma obtido em uma delas para o exercício da profissão. "Prefiro um curso de pós-graduação para transformar em jornalistas médicos que odeiam sangue, advogados arrependidos, filósofos, engenheiros e economistas", dizia. Quando o presidente da ESPM, José Roberto Whitaker Penteado, aceitou associar-se no projeto, Roberto viajou com ele aos Estados Unidos. Foram conhecer os cursos oferecidos na Columbia e na City University, em Nova York, na Northwestern University, em Chicago, e na Universidade da Califórnia em Berkeley. Na volta, montou o programa com quinze disciplinas que seriam ministradas em oito semanas de período integral. O corpo de professores incluía nomes como o próprio Roberto, Alberto Dines, Thomaz Souto Corrêa, João Sayad, Renato Janine Ribeiro, Ricardo Gandour, Judith Brito e Eugênio Bucci, que dirigiu o curso, entre outros. Foram diplomados, nas três turmas, 79 alunos de São Paulo e de vários estados brasileiros.

Em 2008, enquanto começava a pensar na ideia do curso, Roberto concluiu com indisfarçável felicidade que o pior já havia passado. Deixaria documentado por escrito que aquele foi, para a Abril e para ele, "*the best year ever*", o melhor ano de todos os tempos. Já conseguira vender a DirecTV. Durante a bolha da internet, perdera uma boa oportunidade de vender a TVA, mas sabia que a única saída era se desfazer dela, pois precisava sair do negócio e estancar o sangramento. A TVA reduzira seu pessoal de 1200 para seiscentos funcionários, mas continuava no vermelho. Haveria uma longa espera pela frente, em busca de um comprador, até que a Telefónica apareceu com uma oferta de 1,1 bilhão de reais em 2005. Restava, no entanto, para formalizar a venda, resolver um impedimento de ordem legal: a legislação vigente não permitia que empresas de telecomunicação operassem o sistema de televisão por assinatura. Com a aprovação da Lei nº 12.485, esse impedimento seria contornado. A executiva Leila Loria, que participou das negociações ao lado dos vice-presidentes Sidnei Basile e José Augusto Pinto Moreira, se lembraria das "reuniões intermináveis" para discutir os detalhes da transação em andamento. Elas se realizavam no escritório de advocacia Machado Meier, um dos maiores do Brasil, na avenida Brigadeiro Faria Lima. "As discussões avançavam pela noite e a gente pedia pizza ou comida japonesa para matar a fome", ela contaria.

O negócio havia sido fechado em novembro de 2006, mas não pôde ser homologado. Havia mais um obstáculo jurídico. Faltava a aprovação da Agência Nacional de Telecomunicações (Anatel), reguladora do setor. "Seguiram-se nove meses de agonia", diria Leila, que acompanhava Basile nas conversas em Brasília com o órgão, o Ministério das Comunicações e parlamentares influentes no Congresso Nacional. O presidente do Senado, Renan Calheiros, fez pressões para que a Anatel não batesse o martelo. Em 2007, *Veja* publicara cinco capas em torno do caso que envolvia o pagamento mensal, através de um lobista da construtora Mendes Júnior, da pensão e do aluguel da jornalista Mônica Veloso, com quem Renan tivera uma filha, fruto de romance extraconjugal. A revelação, feita pela revista, seria confirmada pela jornalista. Renan foi o principal alvo das denúncias da *Veja* naquele ano, em que não houve nenhuma capa específica contra o PT. Se a revista dera quinze capas sobre o mensalão em 2005, em 2006 sairiam nove tratando do mensalão, do PT, de Lula e de seu filho Fábio Luís Lula da Silva, todas altamente críticas. Os réus do mensalão foram julgados em 2012 e o assunto voltou a ter maciça cobertura da *Veja* e da grande imprensa brasileira.

Em agosto de 2007, a Anatel aprovou a venda da TVA para a Telefónica. A Abril pagou suas dívidas e, ao invés dos prejuízos que estiveram para levá-la à bancarrota, ficou com um lucro de 200 milhões de reais. Roberto podia agora dirigir uma parte da atenção às comemorações de seus cinquenta anos de Abril. O que pedira às cinco assessoras e secretárias era, ao mesmo tempo, relativamente simples e bastante complicado. Ele queria reunir todas as pessoas com as quais havia trabalhado, em algum momento, mais a família. A lista inicial saiu do banco de dados do RH, do fichário administrado por Roseli Strothmeier, de agendas telefônicas, de Thomaz Souto Corrêa, do *mailing* de Sidnei Basile e Meire Fidelis, na área de relações corporativas, e da memória dos envolvidos na operação. Dina de Oliveira, por exemplo, sabia de cor os nomes completos de inúmeros colegas que, como ela, entraram para a Abril no início dos anos 1970. Roberto nem precisou dar sugestões. Depois de demoradas pesquisas e palpites dos envolvidos, chegou-se a uma lista com quase trezentas pessoas. Cleide se encarregou de entregá-la.

Perguntou se devia colocar Mino Carta, que não estava na relação. Roberto respondeu que não. "E mandou cortar dois nomes, que como Mino haviam sido seus subordinados diretos: Mario Sergio Conti e Fatima Ali", contaria Cleide. "Considerava Mario Sergio persona non grata desde que escrevera o livro *Notícias do Planalto*. Fatima foi vetada, pelo que eu sei, devido à sua gestão na Fundação Victor Civita."

Foram enviados então os convites para 289 pessoas: 102 funcionários, 145 ex-funcionários, dezoito conselheiros e ex-conselheiros, dezoito adultos da família e os seis netos. A comemoração foi realizada com um jantar na Casa Fasano. Roberto incumbiu-se de escolher o menu, a ser servido empratado por garçons com luvas brancas, após o coquetel. Era assim descrito no cardápio impresso colocado nas mesas: risoto com perfume de trufas negras e faisão confitado na entrada; robalo em crosta de pistache com molho de vinho de maçãs e ervas da estação, acompanhado de espinafre *sauté*, como prato principal; *petit gâteau* de limão-siciliano, acompanhado de sorvete de baunilha e calda de frutas vermelhas, de sobremesa; café, chás e *petits fours* servidos na saída. Ele também selecionou as bebidas italianas: 75 garrafas do espumante Di Valdobbiadene Fae', 75 do vinho branco Pinot Grigio Grave 2006 e 75 do vinho tinto Valpolicella Classico Brigaldara 2005. Só o jantar custou 278 698,77 reais.

Depois da exibição de um vídeo, cuja produção saiu por 80 mil reais, com um resumo de sua trajetória na Abril e uma série de depoimentos, Gianca chamou ao palco o diretor de redação da *Veja*, Eurípedes Alcântara, para lhe entregar uma revista. Com o logo da semanal, ela reunia em 28 páginas histórias e curiosidades a respeito de Roberto. Logo no início, havia uma série de cartas que ele recebera ao longo da vida. Uma delas, enviada anos antes por Thomaz Souto Corrêa, parecia resumir o que ele sentira tantas vezes ao longo da carreira:

> *Life is too short to drink bad wines, to smoke many bad cigars!* [A vida é muito curta para se beber maus vinhos, para fumar charutos ruins!] Curta demais também para aguentar gente chata, conversa desinteressante, almoços maçantes, jantares intermináveis, comida sem graça, leitura aborrecida, trabalho estressante, reunião sem sentido, roupa apertada, stress desnecessário, burrice evitável, falta de imaginação, lembranças inúteis, viagem cansativa, noites sem dormir, dias sem emoção, incompetência alheia, arrogância desmedida, ambição infundada. Chega, basta! Que tudo isso suma, desapareça, com mais um truque do

Grande Mágico que nos proporciona os bons momentos da vida. São os votos confiantes, com o carinho e a amizade deste companheiro de tão longa jornada.

Ao ver a capa da revista em sua homenagem, Roberto foi sincero. "Não gostei", disse para Eurípedes, responsável junto com Gianca pela escolha de uma charge para ilustrá-la. "Não sou eu", queixou-se para Thomaz. O desenho dava destaque ao tamanho de seu nariz, das orelhas e dos dentes. Passada a decepção, colocou de lado o exemplar e anunciou aos presentes que não iria ler o discurso que preparara. No lugar dele, resolveu improvisar. Duas passagens surpreenderam os convidados. Uma delas referia-se a seu irmão Richard. Afirmou que tinha gratidão por ele ter construído "a maior gráfica do Brasil e do hemisfério sul", sido um grande apoio e, ao mesmo tempo, o seu "melhor e maior crítico". O que ninguém pensava ouvir foi dito a seguir: "E por ter decidido romper comigo e com VC há 25 anos e assim me dado a oportunidade de desenvolver a Abril como eu queria".

Viria mais. "Estranhamente, estranhamente, tem uma gratidão que vocês nunca imaginariam: ao Benito Mussolini, que nos expulsou da Itália", afirmou, em tom sério, provocando espanto. "Se isso não tivesse acontecido, os Civita e os Alcorso estariam lá ainda", continuou, citando as famílias do pai e da mãe. "E a Abril não existiria, talvez para a felicidade de alguns políticos, mas fora isso acho que temos, nós temos uma pequena dívida com o Mussolini." Ele anotara essa observação na agenda de capa preta em que listou, de forma resumida, alguns dos principais acontecimentos de sua vida como subsídio para um futuro livro de memórias que não chegaria a escrever. Mas jamais a externara. Colocou-a em primeiro lugar numa relação de seis acontecimentos que julgava decisivos na sua história. Ele os atribuía ao acaso e às circunstâncias. Fez o registro exatamente nessa ocasião, como "reflexões no quinquagésimo aniversário da Abril". Escreveu desta forma (com a interpretação do significado entre colchetes):

1. Mussolini/ Hitler —> USA [As perseguições aos judeus determinaram a ida da família para os Estados Unidos às vésperas do início da Segunda Guerra Mundial.]
2. César/ VC —> Brasil [César Civita convenceu o irmão a vir cuidar da Editora Abril em São Paulo.]

3. Graded/ Rice —> Wharton and Journalism at Penn [A escola americana em que estudou em São Paulo e as “três extraordinárias universidades que muito contribuíram para minha formação e minha visão do mundo”, sendo a última delas a da Pensilvânia.]
4. Fernando —> Time Inc. [A insistência do amigo Fernando Casablancas para que, ao se formar, participasse na última hora do processo de seleção de *trainees* da mais importante editora de revistas dos Estados Unidos.]
5. Time Inc. —> *Veja* and *Exame* [Não ter aceitado trabalhar na *Time*, no final do estágio, diante do compromisso do pai de, no futuro, lançarem juntos uma revista semanal de informações e uma de economia e negócios, além da edição brasileira da *Playboy*, que não mencionou aqui.]
6. Rich/ Carlos —> *separation* [A cisão na Abril, em 1982, com o afastamento na sociedade de Richard e de seu primo Carlos Civita.]

Roberto não chorava perto de ninguém, exceto — segundo Richard, conforme se contou — no dia em que sua mãe morreu. Naquela noite, visivelmente, fez força para se controlar. “Estou muito emocionado”, avisou no início do discurso. “Abracei umas trezentas pessoas, reconheci 290 e amei ver vocês todos. Acho que a melhor coisa desse tipo de evento é a saudade gostosa que evoca.” O clima foi de fato esse. Abrilianos que estavam afastados havia anos, décadas, tiveram a oportunidade de se rever. Um deles, Guilherme Veloso, ex-diretor da *Exame* e de assuntos corporativos da empresa, comentaria com seu fino humor: “Cruzei com pessoas que pensei que já estivessem no cemitério. E o pior é que algumas delas olharam para mim com a mesma sensação”.

Os filhos e os amigos mais próximos tinham a sensação de que Roberto se julgava, de certa forma, imortal. Ainda lhe restavam alguns anos pela frente, mas não demoraria a perder essa ilusão. Estava com 72. A Abril, pelas contas oficiais, a caminho dos sessenta. Logo a saúde de ambos daria sinais de sérias complicações.

4 de fevereiro de 2013

Entre 2007 e 2011, a Abril viveu um período de bonança. Para Roberto, nenhum ano seria tão bom quanto o de 2008, aquele que classificou em sua agenda como "*annus* mais *mirabilis*". Não apenas pelos resultados do grupo, o pagamento das dívidas e as datas redondas já mencionadas, mas por um fato que ele colocou no topo da lista, sublinhado e com ponto de exclamação: "*Gianca decides to stay!*". A concordância do filho em permanecer na presidência da empresa lhe deu a sensação de que encontrara finalmente o sucessor. Ela não demoraria a se desfazer.

Em meados de 2009, Gianca o procurou para uma conversa. Foi mais entre o presidente executivo e o acionista principal do que entre o filho e o pai. Gianca lhe disse que a Abril estava arrumada e que os efeitos da crise financeira internacional do ano anterior pareciam sob controle. Apesar disso, vislumbrava dois riscos no horizonte. Um era a queda no volume de publicidade que a indústria da mídia nos Estados Unidos e na Europa começava a sofrer. Outro era que, na visão de Gianca, a Abril, a despeito de ter resolvido seus problemas mais graves, encontrava-se inchada. "Se a publicidade também cair por aqui, como está caindo lá fora, ficaremos em maus lençóis", prognosticou. Roberto em princípio mostrou-se de acordo. Sim, os anúncios poderiam diminuir. Acreditava, porém, que a área digital da editora iria atraí-los e as publicações impressas retomariam o crescimento a médio prazo. A publicidade era uma questão absolutamente central. Vinham dela 65% das receitas da *Veja* (as assinaturas contribuíam com 28% e as vendas avulsas, com os 7% restantes). Sem a rentabilidade e a força da *Veja*, a Abril seria uma empresa pequena e não, como naquele momento, a maior editora de revistas da América Latina. Sozinha, a semanal de informações proporcionava cerca de 60% de seus lucros.

"Precisamos mexer na editora", afirmou Gianca diante desse diagnóstico. Queria dizer com isso que seriam necessários novos cortes de pessoal e de custos, o que significava o fechamento de títulos que não davam dinheiro ou causavam prejuízo. "Não!", foi a resposta curta e enfática que ouviu. "Mas temos que agir e nos preparar para a queda de publicidade", insistiu. "Não quero mexer na editora", repetiu Roberto, que considerava um erro brutal fazer demissões em massa e abandonar segmentos em que atuava. Não passava por sua cabeça entregar fatias de mercado para concorrentes. "Então eu não vou ficar aqui", avisou Gianca. "Foi mais ou menos assim", ele contaria em 2015 ao recordar o encontro.

Gianca passou a pensar na possibilidade de viver no exterior, provavelmente nos Estados Unidos, com a então mulher, a libanesa naturalizada brasileira Alia Carol Maalouf Civita, e os filhos. Foi uma decepção para Roberto, embora Gianca não levasse adiante o plano de se mudar. "A vida inteira o Dé via o Gianca como seu sucessor", diria Roberta. Em um de seus frequentes encontros com a professora Claudia Costin, que dirigia a Fundação Victor Civita, Roberto desabafou que se sentia culpado por quase não ter convivido e brincado com os filhos quando eles eram crianças. Chegava a se perguntar se não estaria pagando o preço por sua ausência. Formada pela Fundação Getulio Vargas, com mestrado em economia, ela na juventude militara em organizações clandestinas de esquerda, o que não os impedia de manter uma relação cordial. Tinham duas afinidades principais: o interesse por educação, área em que suas ideias convergiam, e o judaísmo. "Nós, judeus", ele às vezes mencionava. Claudia descobriria que Roberto, mesmo não sendo religioso, cultivava valores judaicos, como a filantropia e uma visão de princípios bastante forte sobre o que é certo e o que é errado. Chamava-lhe a atenção também a expectativa dele em relação aos filhos, que por vezes considerava um pouco exagerada, numa observação que coincidia com as que haviam sido feitas pela terapeuta Ana Paula Saraiva. Às vezes ele os criticava, mas ela se limitava a ouvir, sem fazer comentários. Não era a única pessoa a agir assim. Durante um despacho com a assessora Cleide Castellan, Roberto faria uma confissão semelhante, sem receber resposta: "Infelizmente, não consegui transmitir minha paixão para eles".

Pela terceira vez em dez anos, Roberto saiu então atrás de um presidente. Não pensava em alguém só para cuidar da operação enquanto ele se encarregaria da estratégia, perfil que inicialmente imaginou para Ophir Toledo. Nem em um executivo que seria investido de plenos poderes para salvar a empresa, papel que, com enorme contrariedade, se viu obrigado a entregar a Maurizio Mauro. O que ele buscava era uma pessoa em quem viesse a confiar a ponto de prepará-lo como possível sucessor. Quando conheceu o paulistano Fábio Colletti Barbosa, achou mais uma vez que havia encontrado o homem certo. Alguns centímetros mais alto do que Maurizio e o próprio Roberto, com uma feição que lembrava a do secretário de Estado americano John Kerry, Fábio estudou na FGV e fez MBA na Suíça. Trabalhou doze anos na área financeira da Nestlé, em São Paulo, nos Estados Unidos e na Europa, passou cinco no Citibank e presidiu por doze o banco Santander no Brasil. Era o tipo do currículo que seduzia o dono da Abril.

Os dois almoçaram juntos algumas vezes na fase de sondagens. Fábio no início se impressionava ao ver que Roberto citava com detalhes o que ele havia lhe dito no encontro anterior. "Não tem nada mais respeitoso", reconheceria. Na verdade, pouco antes de receber convidados como ele, Roberto recorria ao seu fichário digital, com as anotações da última conversa. Das habilidades de mágico que aprendera no período de estudante, ele guardara um ensinamento: nunca revelar os truques. O do fichário não deixava de ser um deles, como Fábio viria a descobrir mais tarde. Outra providência que costumava tomar, quando ia conceder uma entrevista, era pedir para uma das secretárias levantar informações sobre o jornalista que faria a matéria. Ao recebê-lo, podia mencionar de passagem os lugares onde o profissional já trabalhara e duas ou três reportagens que havia feito.

Como aconteceu tantas vezes em sua vida, Roberto logo se impressionou com ele. "Eu lhe falava que o objetivo principal de uma empresa não deve ser maximizar os resultados, mas perpetuá-la", lembraria Fábio. "Ele ficava fascinado com esse conceito." Os diálogos entre os dois continuariam em caminhadas na praia da Baleia, no litoral norte de São Paulo, onde ambos tinham casa ("A minha era alugada", esclareceria Fábio), e em jantares no apartamento da rua Escócia, com cardápio repetitivo: escalopinho ao molho marsala, risoto de açafrão e vinho italiano.

> Expliquei que não teria interesse nenhum em ir para a Abril se não pudesse participar das conversas editoriais. A questão para mim não era tocar a empresa, mas participar do que ela tinha de mais relevante para o país e de sua capacidade de influenciar. Esse era o meu propósito: ajudar e influenciar o Brasil. Eu acredito nisso. Meus carros têm a bandeira nacional.

Os dois, que levavam a sério o que interpretavam como sua tarefa no mundo, não demoraram a se identificar em determinados propósitos. "Se você quer mudar o Brasil, este é o lugar certo", disse Roberto. Em outubro de 2011, aos 57 anos, Fábio Barbosa assumiu a presidência do Grupo Abril. "Acredito que Roberto não via ninguém na família em condições de continuar segurando a tocha, o que para ele era um motivo de angústia", analisaria Pedro Moreira Salles. "Até que surgiu o Fábio. Roberto então se empenhou em formá-lo como um *publisher* e viu nele uma continuidade, ficando reservado aos filhos o papel de acionistas."

Dois meses depois, Roberto viajou com Fábio aos Estados Unidos para lhe apresentar alguns altos executivos da mídia americana. Entre outros, estiveram com Jeff Bewkes, CEO da Time Warner; Laura Lang, CEO da Time Inc.; Neeraj Khemlani, copresidente da Hearst Entertainment; David Carey, presidente da Hearst Magazines; e dirigentes da News Corporation, do Huffington Post e da Condé Nast, com a qual a Abril nunca teve negócios diretos. Fábio ficou admirado com seu prestígio: "Ele era recebido com tapete vermelho em qualquer lugar, com muita deferência". Por sugestão do novo presidente, foram conhecer a sede do Google em Nova York. A visita não estava na agenda, mas foi acertada rapidamente. Por coincidência, Pedro se encontrava na cidade e pediu para acompanhá-los. Foram recepcionados por Margo Georgiadis, presidente do Google para as Américas. Antes de seguirem para o prédio de número 76 da Nona Avenida, junto ao rio Hudson, Fábio e Pedro fizeram uma recomendação: que Roberto não fosse de gravata, acessório que ninguém usa nos escritórios da empresa que revolucionou o universo digital e era dona do website mais acessado do planeta. Ele se recusou a acatar o conselho e vestiu-se com a formalidade habitual. Os três foram às salas de relaxamento em que jovens funcionários jogavam pingue-pongue ou disputavam partidas de videogame no horário de trabalho, olharam os computadores antigos pendurados nas paredes como decoração — tinham sido fabricados havia uns dois anos — e, no resumo de Pedro, falaram "com um montão de gente".

De repente, Roberto fez a cara feia de quem se sente incomodado. Um homem de jeans, camiseta e tênis, que vinha de patins, freou ao lado deles. Era o vice-presidente da área de tecnologia. "Bem-vindo ao mundo digital, Roberto. De agora em diante, será assim", disse Pedro. O executivo de patins lhes mostrou o funcionamento do Google e deu explicações, que deixaram Roberto um tanto intrigado, sobre uma estratégia comercial chamada de *native advertising*, ou publicidade nativa. Em uma postagem ou vídeo sobre cavalos, conforme exemplificou, haveria anúncios sobre selas ou feno, apresentados no mesmo visual do conteúdo. Apesar de levarem a indicação de publicidade, para quem estivesse lendo ou assistindo não seria propaganda e sim informação. Esse era um território que o deixava um tanto inseguro por entender que rompia a barreira entre Igreja e Estado.

Quando saíram de lá, Roberto comentou, enquanto processava aquela avalanche de informações: "Temos que desaprender tudo e reaprender novamente". Mais uma vez, Fábio foi tomado de surpresa. "Nunca imaginei ouvir uma frase semelhante de um senhor de 75 anos." Diante de Pedro, a quem muitas vezes tinha como confidente, deu um suspiro: "Ah, eu queria ter trinta anos a menos... Será tão interessante tudo o que está por vir". O banqueiro retrucou com franqueza: "Interessante, sim, sem dúvida, mas você está sentado sobre um bloco de gelo que vai derreter", referindo-se ao meio impresso. Roberto não se rendeu. "Eu sei, mas é fascinante", afirmou.

A situação da Abril, naquele momento, voltava a se complicar. Como se temia, a publicidade começou a cair 10% ao ano, a partir de 2011, de forma cumulativa. Ao contrário do que Roberto supunha — ou melhor, desejava —, ela não migrou para seus sites da internet. "Os anos de 2011 e 2012 foram muito difíceis, mas isso não aconteceu só aqui dentro", relataria Fábio no início de 2015. "O problema aconteceu no mundo inteiro. No nosso caso, se deu em função de três fatores: a economia brasileira desacelerou, a indústria de mídia como um todo sofreu e a Abril também", continuou. "Quando perdemos receita, tivemos que tomar providências drásticas em relação a custos. Demoramos para fazer isso. O ano em que bobeamos foi o de 2012."

Como Gianca, Titti chamaria a atenção do pai para o mesmo ponto:

> Ele tinha um discurso, afirmando que, nos 25 segmentos de revista em que atuava, a Abril liderava 22. Um dia, eu lhe disse: "A liderança acabou. É líder no quê? Em revistas, não em audiência. Acorda!". Ele nunca acordou. Não queria ter o trabalho de fazer tudo de novo. Era gostoso ficar dominando o meio que ele amava: revista. Não o impresso, não os jornais, não os livros. As revistas. Mas ele não ouvia. E por que a Abril não ganhou com a internet? Porque não fez. Quando quis, não dava mais. *Gone. Game over.*

No início de 2013, a Abril Mídia, que englobava basicamente os negócios editoriais, sem contar a gráfica, a DGB e a Abril Educação, tinha pouco mais de 4 mil funcionários. Fábio calculou que seria necessário demitir 20%, ou cerca de oitocentas pessoas. No final de janeiro, ele se reuniu com Roberto, o consultor Paulo Apsan e alguns executivos da casa para apresentar sua proposta de cortes. Roberto se opôs e insistiu que seria preciso pensar a longo prazo, pois apostava em uma crise passageira. Mas acabou abrindo uma brecha. "Quando eu voltar do Carnaval, a gente retoma esses estudos", concedeu. Só no início de fevereiro, ao participar de um almoço de seu chefe com diretores do Itaú, Fábio entenderia o que ele dissera. "Vou para o Rio de Janeiro e em seguida irei me submeter a uma pequena cirurgia", comunicou ao presidente do banco, Roberto Setúbal. Foi então que Fábio ficou sabendo. Aquele seria o último encontro de Fábio Barbosa com Roberto Civita.

Sempre fascinado com acasos, teria Roberto pressentido, de alguma forma, que seus problemas de saúde poderiam coincidir com as dificuldades financeiras da Abril? É muito difícil responder. Ao menos no discurso, ele mantinha o otimismo em relação às duas situações. Afirmava para os mais próximos que o risco no procedimento médico pelo qual passaria poucos dias depois era desprezível. Contava com uma internação bastante rápida, tanto que agendou ou manteve compromissos para a mesma semana. Acreditava de fato nisso? Possivelmente. Em relação à Abril, estava de fato convencido de que a crise seria passageira e contornável? Talvez. Mas não parecia ter a mesma certeza em termos de longo prazo. Do contrário, não diria o que disse em relação ao seu legado.

PARTE IV
A ÁRVORE DESFOLHADA II

26 de maio de 2013

Aos 76 anos, Roberto Civita era um homem com estatura ligeiramente menor do que a do início de sua idade adulta. Tinha 1,80 metro quando foi estudar nos Estados Unidos. No decorrer da vida, o desgaste natural das cartilagens e a perda da massa muscular, somados ao ganho de gordura, costumam provocar na maioria das pessoas uma diminuição da altura. Foi o que aconteceu com ele, que passou a medir 1,78 metro em seus últimos anos. Apesar disso, continuava chamando a atenção pela envergadura. Se a altura se reduziu um pouco, o peso aumentou bastante. Com vinte anos, pesava 65 quilos. Na idade adulta, ganharia mais trinta quilos. Estava agora brigando para baixar o ponteiro da balança.

Foi uma batalha inglória, que o atormentava. A cada início de ano, anotava na agenda que precisaria emagrecer. Pesava 96 quilos em 1997 e 97 em 1998. Escreveu para si mesmo: "Basta!". E se deu uma ordem: "Tirar barriga. Perder dez quilos. Fazer exercício (*really*!)". Conseguiu baixar para 93 quilos, marca que continuava perigosa para quem levava uma vida no geral sedentária, quebrada apenas com as caminhadas no final de semana na praia ou no sítio. Ele podia ser incluído em grupo de risco cardíaco em razão da genética — o pai morrera em 1990 de um infarto fulminante —, do peso, do estilo de vida e por ter fumado cachimbo compulsivamente por mais de cinquenta anos, embora não tragasse.

Em 1994, com diagnóstico de obstrução na artéria coronária, ele se submeteu a uma angioplastia na Cleveland Clinic, gerida pela Cleveland Clinic Foundation, um dos centros de excelência em cardiologia nos Estados Unidos. Tomou essa decisão depois de levar um susto. Certa noite, sentindo dores no peito, telefonou para o cardiologista Wadih Hueb, que durante quinze anos, juntamente com seu chefe no Instituto do Coração (Incor) de São Paulo, Fúlvio Pileggi, seria um dos médicos de sua confiança. Contou que tivera um dia muito tenso na Abril. Hueb disse que ele deveria ir imediatamente ao Incor. Ao examiná-lo, o médico constatou que sua pressão estava extremamente alta, chegando a 27. Aplicou-lhe uma medicação e determinou que deveria se submeter a uma série de exames no hospital. Os resultados mostraram que uma das artérias apresentava entupimento de 70%. Foi nesse momento que Roberto decidiu ir para Cleveland. Na volta, passou a fazer, regularmente, uma cintilografia, exame por imagem na especialidade de medicina nuclear.

O quadro parecia sob controle em maio de 2010, quando ele viajou para a China, acompanhado de Maria Antonia. Foi por sua conta, sem convite oficial, marcando vários encontros com empresários. "Falei com um monte de gente e não encontrei um único defensor do comunismo", comentou com ironia no retorno. "Desde então, costumo dizer, meio brincando, meio a sério, que há mais comunistas na USP do que na China inteira." No voo que o levou de Shanghai para Paris, ficou quase o tempo todo registrando suas impressões no laptop. Só se levantaria da poltrona de primeira classe da Air France para ir ao banheiro. Ao desembarcar, como a capital francesa continuava a não atraí-lo, fez uma conexão para São Paulo. Maria Antonia seguiu para a cidade do Porto, onde iria se encontrar com uma prima. Ela ainda estava em Portugal quando Roberto lhe ligou para dizer que desde a chegada andava dormindo mal e sentia "algo estranho" que não sabia identificar. Supôs que talvez fosse efeito de jet lag.

Ela já andava preocupada com a saúde do marido. Logo que voltou, marcou uma consulta com o cardiologista Roberto Kalil Filho, que tinha como clientes, entre outras figuras famosas, o presidente em fim de mandato Luiz Inácio Lula da Silva e a futura presidente Dilma Rousseff, que seria eleita cinco meses depois. Maria Antonia disse que estava lá não para ser examinada, mas para falar de Roberto. Fez um histórico de suas internações e problemas circulatórios. "Em caso de necessidade, posso acioná-lo?", perguntou. "Claro, em qualquer dia, a qualquer hora", respondeu Kalil, entregando-lhe um cartão com seus telefones.

No sábado daquela mesma semana, Roberto encontrava-se no sítio, como de costume lendo e anotando a edição da *Veja* que lhe fora entregue horas antes, quando sua perna esquerda começou a inchar de uma hora para outra. Maria Antonia ligou de imediato para o doutor Wadih Hueb, mas não o encontrou. Ele estava fazendo compras na feira e só viu que havia um recado na caixa postal ao chegar em casa. Em seguida, ela localizou Kalil e explicou o que estava acontecendo. "Não conheço o seu marido e não dou consulta por telefone", disse o médico. "Faça ele se deitar, quietinho, e venham para o Sírio", instruiu. "Na segunda-feira?", ela indagou. "Não. Agora. Vamos fazer um ultrassom, com a maior urgência." Kalil confirmou o que já suspeitava: ele tivera uma embolia pulmonar, chamada de embolia cavaleiro, com grandes coágulos formados nas veias profundas da perna. Os coágulos são um agrupamento de plaquetas que provocam um bloqueio nas paredes dos vasos sanguíneos. Entre os fatores de risco estão obesidade, tabagismo, insuficiência cardíaca, faixa etária e imobilidade prolongada — esta provavelmente a causa final, consequência do longo tempo que Roberto passara sentado nos dois voos que fizera, quase sem se movimentar. Com a aplicação de anticoagulantes, as plaquetas começaram a se dissolver. "Havia risco de vida, pois no caso de uma embolia como essa a maioria dos pacientes não sobrevive se não houver rápido atendimento", afirmaria Kalil.

Roberto tomou anticoagulantes durante um ano e parecia mais uma vez ter se recuperado. Em julho de 2011, a medicação foi suspensa. Sentia-se disposto e meses depois resolveu espairecer. Convidou um grupo de casais amigos para passar uma semana com ele e Maria Antonia no Mediterrâneo, a bordo de um iate que alugara. Foram para lá no dia 10 de setembro, com suas mulheres, Thomaz Souto Corrêa, Pedro Moreira Salles, José Olympio Pereira, presidente do banco Credit Suisse no Brasil e colecionador de arte contemporânea, e o diplomata americano Clifford Sobel, que fora embaixador dos Estados Unidos no país entre 2006 e 2009. Embarcaram no porto italiano de Civitavecchia, a cerca de setenta quilômetros de Roma, mas o passeio duraria menos de dois dias. Quando o iate se aproximava do sul da Córsega, depois de passar pela ilha da Sardenha, Roberto sofreu uma nova trombose venosa na perna. Ancoraram em Bonifacio, localidade com menos de 3 mil habitantes. Uma ambulância o levou para um pequeno hospital. Permaneceu uma semana em absoluto repouso. Dali, enquanto o grupo de amigos se dispersava, iria em um jato fretado para Paris, acompanhado de Titti e Eduardo Magalhães, filho de Maria Antonia, que foram lhe dar assistência. Passados uns dias, Roberta viajou para também ficar ao lado do pai. "Ali, provavelmente, se acendeu uma luz amarela para ele", observaria Pedro. "Roberto viu que o corpo estava rateando. A partir daquele momento, a questão sucessória ficou mais clara na sua vida." De fato. Assim que regressou a São Paulo, acertou a contratação de Fábio Barbosa.

Seus problemas de saúde não ficaram nisso. Em 2012, ele se internou no Sírio-Libanês por causa de uma pneumonia. Foi logo debelada. Em seus check-ups semestrais, que passaram a ter a supervisão de Roberto Kalil, constatou-se no mesmo ano algo bem mais perigoso: uma obstrução de 90% na principal artéria do coração, a artéria descendente inferior, como consequência de uma alta taxa de LDL, o chamado mau colesterol. "Seria necessário realizar um cateterismo, o que foi feito de forma muito bem-sucedida pelo dr. Pedro Leme, com meu acompanhamento", relataria Kalil. Em outro exame, o urologista Miguel Srougi diagnosticou um aumento benigno da próstata. Roberto resolveu operá-la em Nova York, com sucesso. Antes, em um exame cardiológico, foi descoberto um aneurisma da aorta abdominal. A reavaliação ficou marcada para janeiro do ano seguinte.

Em uma dessas internações, na qual passou pelo cateterismo, em junho de 2012, o ex-presidente Lula se encontrava na mesma ala do Sírio, no terceiro andar do prédio antigo, o bloco C. Lula passava por um dos exames rotineiros a que se submetia regularmente desde que fora diagnosticado o surgimento de um câncer de laringe, em outubro de 2011. Os dois teriam um rápido encontro no apartamento de Roberto. "Vou no quarto dele para lhe dar um abraço", disse Lula, segundo a versão de Kalil. "Eu avisei o Roberto e fui até lá com o Lula e a dona Marisa", reconstituiria o médico. "Eles conversaram um pouco e eu saí do apartamento para deixá-los à vontade. A visita deve ter durado uns três minutos."

Não houve outras testemunhas. Maria Antonia, naquele momento, dera uma saída do hospital e Roberto estava sozinho.

De acordo com Eurípedes Alcântara, que era diretor de redação da *Veja*, a sugestão da visita teria partido do próprio Kalil. Segundo o que afirmaria ter ouvido do médico, Roberto fez naquela rápida conversa um mea-culpa pela publicação da capa em 2006 sobre o filho do já ex-presidente, "O Ronaldinho de Lula". Ele teria admitido: "A única capa que eu acho que não deveríamos ter dado, e que foi um erro, e deixei sair porque não veto matérias, foi aquela do seu filho".

Lula não aceitou dar entrevista para este livro. Após dois pedidos, mandou uma resposta por e-mail através do jornalista José Chrispiniano, assessor de imprensa do Instituto Lula, no dia 27 de fevereiro de 2015. "O ex-presidente lembra-se sim do encontro, ocorrido quando ele ia ao Sírio para se recuperar dos efeitos colaterais do tratamento contra o câncer", escreveu Chrispiniano. "Ele foi fazer uma visita de cortesia, junto com sua esposa, para uma pessoa com convalescência [sic] grave. Ele não foi nesse ambiente falar de política ou reclamar de reportagem. Quem levantou o assunto da reportagem foi o próprio Roberto Civita." No mesmo e-mail, o assessor lembrou que a visita foi rapidamente relatada no blog do jornalista Luis Nassif, crítico sistemático da Editora Abril, da *Veja* e de Roberto. Nassif se referiu a Roberto como "arqui-inimigo" de Lula. "Vale ressaltar que o ex-presidente não considera Roberto Civita um arqui-inimigo", corrigiu Chrispiniano. "Civita se emocionou com a visita e pediu desculpas pelos ataques a Lula e ao filho", registrou Nassif. "Lula lhe disse para não se emocionar muito para não atrapalhar o tratamento. Kalil viu sinais de ironia no alerta de Lula", acrescentou. Para Kalil, "foi mais ou menos assim", com uma ressalva: "Não é verdade que eu tenha visto sinais de ironia na frase de Lula".

Quando Maria Antonia voltou para o apartamento, Roberto lhe falou da visita que ela havia perdido. O marido lembrou o que previra antes da publicação da capa com Lulinha que lhe causaria tantos incômodos. Na despedida, conforme contou para a mulher, fizera um convite para Lula: que os dois, logo que deixassem o hospital, fossem jantar juntos, como os inimigos italianos que querem se reaproximar, e compartilhassem à mesa uma garrafa de Chianti. Lula concordou, mas o jantar nunca seria marcado.

Passaram-se seis meses. Roberto foi novamente a Nova York para ser examinado. A dilatação da aorta abdominal havia aumentado. Um eventual rompimento — possível, mas não inevitável — seria fatal. Em um quadro como esse, existem três opções para o paciente. A primeira seria simplesmente não fazer nada. Nesse caso, a aorta um dia iria se romper — em uma semana, um mês, um ano, quem sabe em dez ou quinze anos. Ou nunca, caso ele viesse a morrer antes disso por outra causa. As duas demais alternativas implicavam a colocação de um *stent* para segurar a dilatação, o que poderia ser feito com uma cirurgia aberta ou, de forma menos invasiva, através da virilha. Gianca achava que o pai não deveria realizar nenhum procedimento. Titti tinha uma opinião semelhante. Maria Antonia, que leu tudo o que pôde a respeito, acataria a opinião de Kalil de que a colocação do *stent* seria a solução recomendada. "Ela foi a única pessoa que acompanhou toda a discussão técnica, pesquisou inúmeros artigos e referências, com calma, sem correria", afirmou o médico. "Poderíamos ter esperado dez anos?", continuaria. "Sim. Mas havia o risco do rompimento no mês seguinte."

Roberto pesou as opiniões e se convenceu de que deveria receber o *stent*. Por indicação de Kalil e com a concordância do casal, o cirurgião vascular Julio César Saucedo Mariño, que já o atendera na primeira trombose, foi escolhido para colocar a prótese via endovascular, a endoprótese. Ou seja, através da virilha. O dr. Julio César, como era normalmente tratado, um paraguaio de 68 anos que vivia desde os dezessete no Brasil, formou-se na Faculdade de Medicina da USP, onde lecionava. Por ter operado dois de seus antigos chefes, era designado por alguns colegas como "o cirurgião dos mestres" e "o cirurgião dos cirurgiões". Tinha a fama de ser um dos grandes especialistas no país em cirurgias de aneurisma da aorta. Pelos seus cálculos, em 2013 já realizara mais de mil, das quais cem por endoprótese. Essa técnica, tida como altamente segura, foi criada em 1991, na Argentina, pelo cirurgião Juan Carlos Parodi e praticada no Brasil a partir de 1994. Julio César passou a utilizá-la em 2000 e afirmava que, até então, nenhum de seus pacientes a ela submetidos havia morrido.

Combinaram que Roberto iria para o hospital na noite da segunda-feira de Carnaval, 11 de fevereiro, e que a cirurgia seria feita na manhã seguinte.

Na sexta-feira, 8, véspera da viagem ao Rio de Janeiro para assistirem ao desfile das escolas de samba no camarote de *Caras*, Maria Antonia foi sozinha ao consultório de Julio César. Queria lhe fazer apenas uma pergunta: "Doutor, qual é o risco de fatalidade?". Ele respondeu com precisão: "Dois por cento".

Tão logo Roberto se instalou na suíte 1125 do Sírio-Libanês, o médico foi lhe explicar mais uma vez o que seria feito. Como a mulher, ele indagou sobre o risco. Julio César confirmou: "Dois por cento".

Roberto parecia tranquilo e seguro, com a expectativa de ganhar alta em 48 horas. Repetiu para Maria Antonia o que dissera em ocasiões anteriores: "Vivi bem, comi bem, viajei bem e para mim o trabalho sempre foi uma diversão. Acha que quero ficar velho sem poder fazer o que gosto?".

Logo cedo, na terça-feira, ele foi levado da suíte, no 11º andar, para o centro cirúrgico, no primeiro. Maria Antonia, Roberta e seu marido, Jairo Leal, estavam no hospital. A filha se lembraria de que ele usava uma touca azul e brincou, ao passar por ela: "Pooh, você não vai tirar uma foto?". Ela se limitou a rir e desceu para o segundo andar, onde ficava a UTI, para a qual ele seria conduzido no final da cirurgia. Decidiu aguardar, ao lado de Maria Antonia, em uma sala de espera. Dali, terminado o procedimento, viram quando ele deu entrada na unidade de tratamento intensivo.

De repente, houve uma correria. Elas ouviram Kalil gritando enquanto saía da UTI: "Segurem o elevador!". Ficaram chocadas, sem entender o que se passava. Roberta ligou para Jairo, que ficara na suíte: "Desça, não sei o que aconteceu".

Roberto foi novamente transportado para o centro cirúrgico, agora às pressas, com sua maca sendo empurrada por funcionários do hospital. "A distância era de um andar, mas achei que ele não chegaria vivo", diria Kalil, que havia esperado sua chegada na UTI. Ali, em minutos, percebera que havia algo errado. A hemoglobina estava caindo, em um sinal de sangramento. Metaloproteína que contém o ferro presente nos glóbulos vermelhos, a hemoglobina permite a circulação de oxigênio pelo sistema circulatório. Ocorrera a pior hipótese: o rompimento da aorta. "Era uma aorta muito doente", afirmaria Kalil.

> No movimento de pressão para colocar a prótese, a aorta não resistiu. A prótese é pequena, de metal. É introduzida fechada. Abre ao atingir o ponto determinado e gruda na parede do vaso para manter a artéria aberta, que era o objetivo do procedimento. Provavelmente, nesse momento a aorta não aguentou a pressão e foi perfurada.

Diante da constatação da queda da hemoglobina, que revelava o surgimento de hemorragia interna aguda, configurou-se uma situação de emergência. A pressão arterial de Roberto foi quase a zero por zero.

Julio César, que saíra apressado da UTI ao lado de Kalil, agiu com a rapidez necessária. Iniciou imediatamente uma cirurgia aberta. Como na endoprótese, tinha trabalhando ao seu lado três médicos assistentes, todos cirurgiões vasculares, dois anestesistas e uma instrumentadora. Ele cortou com bisturi cerca de 25 centímetros no abdômen e encontrou o ponto de sangramento na aorta. Acima e abaixo desse ponto, estancou a hemorragia com uma pinça vascular metálica. O *stent* flexível de níquel com titânio, que possivelmente causara o rompimento da aorta ao ser colocado, como descreveu Kalil, tinha cerca de três centímetros.

A hemorragia foi muito grande. Durante as três horas e meia em que permaneceu na mesa de cirurgia — ficara perto de outras três na endoprótese —, Roberto precisaria receber vinte litros de sangue. Ou o equivalente a cerca de quatro vezes mais do que a quantidade de sangue que circula no corpo humano.

Viriam mais tarde as consequências frequentemente sofridas por um politransfundido, como é chamado na linguagem médica o paciente submetido a uma transfusão nessa proporção. Sua imunidade caiu a níveis críticos. Haveria na sequência perda de irrigação sanguínea nos rins, no estômago, no intestino e nas pernas, efeito colateral da aplicação de noradrenalina através do soro, medicação obrigatória para manter a pressão arterial. Nas semanas posteriores, os dedos das mãos e dos pés começariam a gangrenar. Ele seria submetido a mais duas cirurgias para a retirada das partes dos órgãos que haviam morrido. Antibióticos poderosos, em altas doses, lesariam seu nervo auditivo. O fato de ser alérgico a antibióticos contribuiu para o agravamento do quadro clínico. Àquela altura, caso se recuperasse, ficaria em cadeira de rodas. Seu cérebro, porém, não foi afetado.

Titti e Gianca voltaram às pressas de Trancoso, onde passavam os feriados de Carnaval. Haviam viajado para lá porque acreditavam que, como o pai dissera, o procedimento seria simples e a internação, rápida.

Ao vê-lo na UTI, Titti teve certeza de que ele não iria se salvar. "Percebi que estava tudo perdido. Pensei comigo: *se fue*, ele não está mais aqui. Chorei muito, porque tive consciência de que perdera meu pai. Um monstro daqueles, com a cabeça que ele tinha... foi tudo embora." No corredor do hospital, encontrou o dermatologista de sua mãe. Ele lhe deu os pêsames.

Gianca manteve alguma esperança nas primeiras três semanas, quando Roberto chegou a apresentar pequenos sinais de melhora e foi removido por breves períodos para o quarto, de onde logo voltaria para a UTI.

> Quando ele fez a segunda cirurgia, depois de um mês, eu havia jogado a toalha. Nem adiantava lhe dirigir a palavra, pois estava entubado. A última vez que consegui de certa forma ouvi-lo, digamos assim, foi quando o colocaram no apartamento. Pelos olhos, percebi que ficou feliz por me ver. Seu amigo Robert Blocker, que veio dos Estados Unidos, estava junto. Ele reconheceu nós dois.

Foi um dos poucos momentos durante toda a internação em que pareceu ter recuperado a consciência.

Os dois irmãos afirmam que não tiveram como saber se houve erro médico. Maria Antonia não atribuiu a morte do marido a qualquer falha no diagnóstico ou nas cirurgias. Até o final, mostrou-se esperançosa. "Ela não queria aceitar a realidade", disse Roberta, que em um determinado dia ouviu do pai um curto comentário sobre a mulher: "*She has no idea*", ele sussurrou. "Não houve erro, houve a fatalidade, dentro do risco do procedimento, conhecido pela família e pelo paciente, devidamente explicado e reexplicado", sustentou Kalil. "A palavra é essa, fatalidade", afirmou Julio César durante uma conversa em seu consultório em frente ao Sírio-Libanês. "Todo o procedimento foi fotografado com raios X e a imagem, transmitida para uma tela ao meu lado, como é praxe na endoprótese", explicou. "Cada momento foi controlado. Se a aorta rompesse durante o procedimento, isso teria sido visto."

O rompimento, de acordo com os dois médicos, pode ter ocorrido no curto espaço de tempo decorrido entre a saída do paciente do centro cirúrgico e sua entrada na UTI.

Para tentar estabelecer algum tipo de comunicação com Roberto, depois que ele perdeu inteiramente a capacidade de emitir qualquer palavra, a filha foi a uma loja de brinquedos, comprou um tabuleiro infantil com as letras do alfabeto e levou-o para o hospital. Foram feitas várias tentativas, mas não dava certo. Até que, no dia em que estava com Blocker, Gianca ficou apontando letra por letra, bem devagar, esperando uma reação. O pai finalmente entendeu, e o filho, falando em inglês, foi armando devagar o quebra-cabeça. Captou pelos seus olhos que ele concordou com a indicação do "g", em seguida o "e", depois o "t". Formou-se uma palavra, o verbo *get*, que poderia ter diversos significados. Pouco a pouco, com paciência, a frase se completou: "*Get me out of here*", me tire daqui.

"Claro, Dé, estamos fazendo de tudo para você sair", respondeu Gianca.

Mas ele estava convencido de que não havia mais nenhuma possibilidade de que isso viesse a acontecer.

Então, na penúltima semana de maio, mais de três meses após a primeira cirurgia, Roberta teve o pressentimento. Ela se viu tomada pela nítida impressão de que o pai queria lhe fazer uma última pergunta. Presente no hospital em todos os dias da internação, assim como Maria Antonia, ela lhe exibia DVDs de documentários da National Geographic e tocava CDs de Bach e Vivaldi, mesmo sem ter certeza de que pudessem ser vistos ou ouvidos. "Às vezes, ele sorria", iria se recordar. Também lia alguns de seus poemas favoritos do americano naturalizado inglês T.S. Eliot, como "The Love Song of J. Alfred Prufrock", que ela lhe declamava pausadamente: "*Let us go then, you and I/ When the evening is spread out against the sky/ Like a patient etherised upon a table*" (na tradução de Ivan Junqueira, publicada em 1981 no livro *Poesia — T.S. Eliot*, da Editora Nova Fronteira: "Sigamos então, tu e eu,/ Enquanto o poente no céu se estende/ Como um paciente anestesiado sobre a mesa").

Além de médicos e enfermeiros, Roberto era atendido por uma fisioterapeuta, um massagista, o acupunturista chinês Jou Eel Jia e vários outros profissionais de diversas especialidades, incluindo a psiquiatria. As despesas hospitalares foram custeadas por seu plano de saúde, mas a conta dos médicos, enviada mais tarde para a família, seria de cerca de 2,5 milhões de reais. À medida que seu quadro se agravava, ele seria visitado, a pedido de Maria Antonia, por rabinos, pelo padre, cantor e escritor Marcelo Rossi e finalmente pelo médium goiano João Teixeira de Faria, conhecido como João de Deus. Este ganhara fama internacional por realizar tratamentos e "cirurgias espirituais" na Casa de Dom Inácio de Loyola, que fundou em Abadiânia, Goiás.

Na segunda-feira, 22 de maio, quando o médium chegou ao hospital, Roberta lhe falou do pressentimento. Ele disse que ela, seus irmãos e Maria Antonia deveriam ir a Abadiânia. Recomendou que se vestissem de branco. Titti não aceitou o convite. Lá, na quarta-feira, João de Deus levou Roberta para sua sala, onde ficaria sozinha, com uma instrução: "Pense muito, pense no seu pai". Ela fechou os olhos, concentrou-se e nesse momento, segundo afirmaria, teve a visão do pai em Nova York. Ficaria lá até sábado, quando voltou a São Paulo, chorando durante toda a viagem. João de Deus também regressou ao hospital e convocou a família para se reunir no apartamento às oito da noite do domingo, 26 de maio de 2013. A edição número 2323 da *Veja* circulava desde a véspera com 142 páginas, 55 das quais de publicidade paga, em uma tiragem de 1 201 631 exemplares.

Uma hora e quarenta minutos depois, ao fim de 104 dias de internação, Roberto Civita morreu. Na semana seguinte, pela primeira e única vez, ele seria a capa da sua revista.

8 de fevereiro de 2013

A última de minhas oito sessões de entrevista com Roberto Civita — e um de seus derradeiros compromissos — foi marcada para a véspera do Carnaval. Aquela sexta-feira era praticamente um feriado, ao menos na Editora Abril, onde poucos foram trabalhar. Ele estava lá, logo cedo, com terno azul-marinho, camisa também azul, de tom claro, e gravata amarela. Mandou que eu entrasse em sua sala alguns minutos após as dez horas, conforme tinha marcado. Parecia tão seguro de si como de costume e me saudou com a cortesia habitual, pedindo que trouxessem água e café. Mais uma vez, sentamos em torno da pequena mesa redonda que usava para reuniões com uma ou duas pessoas, diante do rio Pinheiros, que, 24 andares abaixo, dava a impressão de ser quase límpido. Nada comentou sobre a internação.

Na Quarta-Feira de Cinzas, voltei de minha folga e transcrevi os 120 minutos da gravação. Só então entendi melhor duas coisas que começavam a me intrigar. Até ali, ele procurava seguir o roteiro que combinamos de antemão: falar de suas memórias em ordem cronológica. Estava programado que retomaríamos no ponto em que havíamos parado na entrevista anterior. Nas suas próprias palavras, ele abordara a concepção e a gestação da *Veja*. "Da próxima vez, trataremos do seu nascimento", disse. Eu estava preparado para lhe perguntar sobre isso e calculava que o assunto ocuparia as duas horas previstas.

Mas ele, me interrompendo, tomou a iniciativa de avançar sete anos na narrativa para expor, pela primeira vez na vida com detalhes, sua versão sobre a saída de Mino Carta da direção de revista. Foi relatada nas pp. 236-8. Era um tema que, desde o início, avisara que queria abordar. "Eu nunca respondi direito às mentiras que ele diz a meu respeito há 37 anos", explicara no início do primeiro encontro, sete meses antes. "Falaremos disso quando chegarmos lá. Antes, teremos muita coisa pela frente."

O que o levou a se adiantar na pauta naquela manhã? A tocar em assuntos que não estavam programados, ele que em todas as entrevistas procurava se ater à agenda estabelecida e às questões que eu formulava? E por que — esse foi o segundo e mais importante ponto que ficou claro na transcrição —, sem que lhe fosse perguntado, decidiu discorrer, pausadamente, no que seria a conversa final, sobre o legado que deixaria? Durante perto de meia hora, tornando quase desnecessárias minhas intervenções, fez diante do gravador, de forma articulada, o que pode ser interpretado como um breve testamento.

> Vou deixar, espero, duas empresas importantes: a Editora Abril e a Abril Educação. Elas têm missões e valores claros, com um caminho bem traçado. Se isso for mantido, podem durar mais algumas décadas, meio século, um século. Mas a probabilidade não é muito grande. Se você olhar o que acontece com as grandes empresas mundo afora, poucas sobrevivem muito tempo aos seus fundadores. São absorvidas, vendidas, se fundem e perdem sua identidade. É difícil, especialmente difícil se não houver uma família envolvida, que queira manter a chama acesa.
>
> Continuo achando que nossa função primordial é a responsabilidade primeiro com o leitor e com o país. Antes de qualquer compromisso com o governo, os anunciantes e os acionistas. Isso explica por que nossas publicações são o sucesso que são e lideram seus segmentos. É porque o que fazemos vai ao encontro dos desejos e necessidades deles. Vamos contar a verdade. Vamos ser confiáveis. Vamos ser na medida do possível objetivos.
>
> Nós testamos receitas há cinquenta anos. Não publicamos nada sem testar. Compramos o carro para testar no revendedor, não na fábrica, e o desmontamos inteirinho, há cinquenta anos também. Essa preocupação em fazer direito faz uma diferença enorme no que é mais importante: a nossa credibilidade. Isso é fácil de falar, mas difícil de fazer e mais difícil ainda de manter a longo prazo. Quem vai proteger a empresa de interesses de curto prazo, do dinheiro fácil do

imediatismo, de falta de compromisso com a busca da verdade? É complicado. Esta é minha tarefa agora: fortalecer a instituição e criar mecanismos de governança que permitam que isso possa continuar. Vai depender de minha família, mas não só. Dependerá do sistema de governança. Quem escolhe os conselheiros editoriais? Quem define seu papel? Quem escolhe o diretor de *Veja*? Quem escolhe os diretores de redação das revistas? Essa governança tem que ser menos pessoal e mais institucional. Claro que é sempre gente que vai decidir. Espero que a Abril continue por décadas e décadas.

Perguntei: "Acredita e confia nisso?".

Não. Eu torço. Espero muito que possa continuar assim. Claro que as pontas se juntam em alguma instância, a Igreja e o Estado, o editorial e o comercial. O ideal é que seja lá em cima, na instância máxima. O nosso ofício tem essa característica fascinante: em cada situação, em cada dia, em cada edição, você lida com fatos novos. Quando os interesses entre editorial e comercial se chocam, alguém tem que desempatar. Acho que, a longo prazo, meu desempate tem sido sempre a favor da Igreja, ou seja, do editorial. A área comercial tende a maximizar o resultado a curto prazo, o que pode comprometer a credibilidade no futuro. Temos que partir sempre do princípio de que temos compromisso com o leitor. Não é discurso. É nossa razão de ser.

"Até sexta", disse ao se despedir, sem saber, evidentemente, que nesse dia estaria na UTI, às voltas com a longa luta pela sobrevivência, que não conseguiria vencer.

Epílogo
27 de maio de 2013

Durante o período em que Roberto Civita permaneceu hospitalizado, Fábio Barbosa iniciou o que foi chamado de processo de reestruturação da empresa. "Não dava mais para esperar", explicou. Em três anos, a queda acumulada das receitas da Editora Abril com publicidade havia atingido 40%. Isso significou uma perda de 500 milhões de reais, pelos seus cálculos. Foram demitidas, em uma primeira fase, cerca de oitocentas pessoas. Metade do NEA seria devolvida à Previ e o aluguel anual se reduziu de 40 milhões para 22 milhões de reais. Mesmo com esses cortes, em 2013 o grupo teve um prejuízo de 168 milhões de reais. A crise também abalaria outras empresas de comunicação do país e do exterior, mas a Abril foi atingida em cheio por ela.

Como o grupo não seria mais o único ocupante do prédio, o busto em bronze de Victor Civita, entronizado no saguão durante as comemorações de seu centenário de nascimento, foi removido para o mezanino. Mais tarde, iria para o prédio da marginal Tietê, de propriedade da Abril.

Depois da morte do pai, Giancarlo Civita assumiu a presidência do Conselho de Administração. Como Fábio Barbosa condicionou sua permanência à saída de Jairo Leal, Gianca transferiu o cunhado para a holding Abrilpar. Após alguns meses, Jairo deixou a empresa. Roberta afastou-se dos dois irmãos e só se reaproximou deles ao se separar do marido. Em março de 2015, Fábio Barbosa pediu demissão.

No dia 1º de março de 2016, o publicitário Walter Longo, ex-presidente da TVA, voltou à companhia como presidente do grupo. Ele passou a ocupar o gabinete que pertenceu a Roberto Civita no 24º andar do NEA, rebatizado com o nome original, Birman 21.

Gianca permaneceu como presidente da Abrilpar, holding da família que controla o conglomerado. Titti saiu da operação e continuou à frente do Conselho Editorial. Roberta designou um procurador para representá-la no Conselho de Administração.

Por decisão de Gianca e Titti, Eurípedes Alcântara, na mesma ocasião da recontratação de Walter Longo, deixou de ser diretor de redação da *Veja*. Os irmãos entendiam que a revista deveria manter as linhas básicas de sua orientação política, mas passar por uma reformulação, dando ênfase às plataformas digitais, e concluíram que Eurípedes, que ocupou o cargo por doze anos, não era a pessoa que tinham em mente para realizar a tarefa. Ele foi mantido no Conselho Editorial, que só se reúne ocasionalmente. No arquivo digital de Roberto, os dois irmãos encontraram os nomes de três jornalistas que o pai registrou como possíveis candidatos à futura sucessão de Eurípedes: o gaúcho André Petry, ex-chefe da sucursal de Brasília e ex-correspondente em Nova York; o carioca Lauro Jardim, então editor da coluna "Radar"; e a paulistana Cláudia Vassallo, que dirigia o Grupo Exame. O escolhido foi Petry, único dos três que permanecia na Abril. Ele se tornou assim o sexto diretor da revista em 48 anos. A mudança foi anunciada em uma "Carta ao Leitor", assinada por Gianca, com título praticamente idêntico ao que seu pai usara três vezes na "Carta do Editor": "Troca de guarda em *Veja*" (os anteriores eram "Troca de guarda na direção de *Veja*"). Petry passou a responder para a diretora de conteúdo da Abril, Alecsandra Zapparoli.

Roberto Civita costumava dizer que ninguém sabia precisar o número exato de títulos editados pela Abril. Em 2010, ele calculou que, entre publicações regulares, especiais e *one-shots* (números únicos), o total em determinado momento chegou a 350. Havia no mesmo ano 54 equipes diferentes de redações e 43 sites. Em maio de 2013, quando morreu, o portfólio da empresa reunia 51 títulos.*

Em março de 2016, o número de títulos impressos diminuíra para dezesseis.** Dezessete passaram para a Editora Caras.*** Os demais foram fechados.****

Em janeiro de 2013, o último mês completo em que Roberto esteve no comando da empresa, o número de funcionários do Grupo Abril era de 8435. Destes, 4264 estavam na Abril Mídia, que abrigava todas as revistas, sites e operações jornalísticas da editora. Os jornalistas totalizavam 891 pessoas. Em março de 2016, quase três anos após sua morte, o contingente estava reduzido a mais ou menos a metade: 4427 no Grupo Abril e 2331 na Abril Mídia. Entre eles, 480 jornalistas.

Em fevereiro de 2015, a Abrilpar anunciou a venda da totalidade das ações da Abril Educação para a gestora de fundos de investimento Tarpon. Menos de cinco meses depois, a Abril Educação mudou o nome para Somos Educação, que não utiliza em sua logomarca a árvore-símbolo da Abril.

* *Alfa*, *Almanaque Abril*, *AnaMaria*, *Arquitetura & Construção*, *Aventuras na História*, *Boa Forma*, *Bons Fluidos*, *Bravo!*, *Capricho*, *Casa Claudia*, *Claudia*, *Contigo!*, *Dicas Info*, *Elle*, *Estilo*, *Exame*, *Exame PME*, *Gloss*, *Guia do Estudante*, *Guias Quatro Rodas*, *Info*, *Lola*, *Manequim*, *Máxima*, *Men's Health*, *Minha Casa*, *Minha Novela*, *Mundo Estranho*, *National Geographic*, *Nova*, *Placar*, *Playboy*, *Publicações Disney*, *Quatro Rodas*, *Recreio*, *Runner's World*, *Saúde*, *Sou Mais Eu!*, *Superinteressante*, *Tititi*, *Veja*, *Veja BH*, *Veja Rio*, *Veja São Paulo*, *Vejas Regionais*, *Viagem e Turismo*, *Vida Simples*, *Vip*, *Viva! Mais*, *Você S.A.*, *Você RH* e *Women's Health*. *Veja Brasília* foi lançada onze dias após a morte de Roberto Civita. A Fundação Victor Civita publicava *Gestão Escolar* e *Nova Escola*. Essa lista de revistas deixou de aparecer nos expedientes das publicações da Editora Abril a partir da edição da *Veja* com data de capa de 24 de junho de 2015.

** *Boa Forma*, *Casa Claudia*, *Claudia*, *Cosmopolitan*, *Elle*, *Estilo*, *Exame*, *Mundo Estranho*, *Quatro Rodas*, *Saúde*, *Superinteressante*, *Veja*, *Veja Rio*, *Veja São Paulo*, *Viagem e Turismo* e *Vip*; o *Guia do Estudante* passou a sair em edições especiais; a área de licenças e quadrinhos permanecia operando em abril de 2016.

*** *AnaMaria*, *Arquitetura & Construção*, *Aventuras na História*, *Bons Fluidos*, *Contigo!*, *Manequim*, *Máxima*, *Minha Casa*, *Minha Novela*, *Placar*, *Recreio*, *Sou Mais Eu*, *Tititi*, *Vida Simples*, *Viva! Mais*, *Você S.A.* e *Você RH*.

**** *Capricho* foi mantida apenas em edição digital e a *Playboy*, depois que a Abril encerrou um contrato de quarenta anos com a matriz americana, começou a ser publicada pelo grupo paranaense PBB Entertainment, que comprou os direitos do uso da marca no Brasil.

Dos 26 andares do ex-NEA, a empresa passou a ocupar onze. Foram desativados o restaurante dos funcionários e a lanchonete, que funcionavam no térreo, e o restaurante reservado para os diretores e executivos, o Terraço Abril, onde Roberto dispunha de sala privativa para receber convidados no almoço.

Em uma segunda-feira, 27 de maio de 2013, no dia seguinte à sua morte, Roberto foi velado durante a tarde no Crematório Horto da Paz, em Itapecerica da Serra, na Grande São Paulo. Os filhos lhe colocaram óculos e uma gravata amarela semelhante à que usava na nossa derradeira entrevista. Ao final de uma cerimônia ecumênica, ouviram-se peças de Johann Sebastian Bach, um de seus compositores favoritos, tocadas em volume baixo.

Ele seria cremado. As cinzas ficaram guardadas durante dois anos na casa de sua filha, no Jardim América. No final de 2015, como seu tio Richard fizera com as de Victor e Sylvana, ela as levou para o litoral norte paulista e espalhou-as no oceano Atlântico, pelo qual, 63 anos antes, a bordo do navio *SS Argentina*, ele chegara com a mãe e o irmão ao Brasil.

Notas

Todos os dados sobre os setores financeiro e de recursos humanos da Abril citados no livro, além dos números de circulação, custos e faturamento de suas revistas, foram obtidos através de documentação dos arquivos da editora cedida ao autor.

22 DE MAIO DE 2013 [pp. 13-9]

* Para Roberto Civita no hospital: Roberta Anamaria Civita.

10 DE FEVEREIRO DE 2013 [pp. 20-7]

* Para Jorge Fontevecchia sobre RC: "Um gênio" e "Roberto Civita, *mi maestro*", *Perfil*, 31 maio e 2 jun. 2013.
* Para o Carnaval no Rio de Janeiro: Jorge Fontevecchia.

19 DE FEVEREIRO DE 1950 [pp. 31-7]

* Para o *SS Argentina*: <www.moore-mccormack.com/ss-Argentina-1938/ss-Argentina-1938-Timeline.htm>.
* Para a família Civita na Itália: *La mia vita*, de César Civita.

10 DE OUTUBRO DE 1935 [pp. 38-44]

* Para as famílias Civita e Piperno na Itália: *La mia vita*, de César Civita. Roberto Civita.

* Para a saída dos Civita da Itália: Roberto Civita.

* Para Steinberg e Mondadori em Milão: *La mia vita*, de César Civita.

* Para "espanto e horror" e "Bucareste tropical": *Saul Steinberg: A Biography*, de Deirdre Bair.

7 DE DEZEMBRO DE 1947 [pp. 45-51]

* Para "Viagens intensivas, fluente em inglês": Curriculum vitae de Victor Civita.

* Para Disney: *La mia vita*, de César Civita.

* Para "um horrível formigueiro", "educação em moldes europeus", Buenos Aires, Rio de Janeiro e São Paulo: *La mia vita*, de César Civita.

* Para "Com uma manobra": *La mia vita*, de César Civita.

* Para "A atividade editorial": Contrato de fundação da Editora Abril (Junta Comercial do Estado de São Paulo), 18 dez. 1947, n. 100 325.

12 DE JUNHO DE 1950 [pp. 52-9]

* Para a viagem dos Civita à Europa: Diário de viagem de Roberto Civita, jun.-jul. 1949.

* Para "VC era um homem cosmopolita" e "meu pai não gostou da cidade": Roberto Civita.

* Para São Paulo em 1950: *A capital da vertigem*, de Roberto Pompeu de Toledo.

* Para "Eu tinha 500 mil dólares": *Victor Civita*, de Luís Fernando Mercadante.

* Para "como um gavião em busca da presa" e "inteligente e muito ambicioso": *La mia vita*, de César Civita.

* Para a primeira revista da Abril: *Raio Vermelho*, maio 1950.

17 DE JUNHO DE 1953 [pp. 60-7]

* Para Victor Civita e o judaísmo: *Memórias de um sobrevivente*, de Arnaldo Niskier. Barbara Civita.

* Para "Ei, judeu!": Victor Civita Neto.

* Para "Rob lhe perguntava" e a rivalidade com Roberto Civita: Richard Civita.

* Para "Ele tinha uma inteligência privilegiada": Robert Blocker.

* Para a família Duntuch: Olga Krell.

* Para "A gente ficava de mãozinha dada": Olga Krell.

* Para "gênio da classe": *Year Book*, Graded School de São Paulo, 1953.

* Para "Roberto, como você pode fumar": Roberto Civita.

* Para a Universidade da Pensilvânia: <www.upenn.edu/about/history>.

1º DE OUTUBRO DE 1958 [pp. 68-77]

* Para "Se faltam cinquenta centavos": Richard Civita.

* Para "Foi uma lição de vida para mim": Roberto Civita.

* Para os princípios básicos da apuração e do texto jornalístico: Trabalho acadêmico de Roberto Civita na UPenn, 1957.

* Para "Como se lidera o mercado de revistas": *A Gazeta Esportiva*, 28 jul. 1985.

* Para "Eu tinha uma vontade louca" e estudos em Pensilvânia: Roberto Civita.

* Para "Ele não sabia muito bem o que queria": Fernando Casablancas.

* Para "Não desperdice essa oportunidade" e "Ele finalmente tirou o cachimbo da boca": Fernando Casablancas.

* Para Time-Life e "Aprendi um pouco de tudo": Roberto Civita.

* Para "Você não acha que está na hora de vir para casa", a alavanca e as três revistas: Roberto Civita.

* Para Saint-Exupéry e "Nada, jamais, substituirá um companheiro perdido": Fernando Casablancas, cartão de Natal, 2013.

24 DE AGOSTO DE 1960 [pp. 78-85]

* Para o Hotel Claridge: Roberto Civita.

* Para Sylvana Civita e o "Jornal da moda...": *Manequim*, jul. 1959.

* Para Carlos Civita e Lúcia Curia: Roberto Civita.

* Para população, estradas e frota de veículos do Brasil: IBGE, Ministério dos Transportes e Denatran.

* Para os primórdios da *Quatro Rodas*: Roberto Civita.

* Para "Sabia que Mino pensava em voltar para o Brasil": *Veja*, 13 fev. 1974.

* Para a viagem de Mino Carta e Roberto Civita: Roberto Civita.

* Para "*Quatro Rodas* é só o ensaio de uma coisa nova": José Hamilton Ribeiro.

* Para "*Best double page*": *Realidade: História da revista que virou lenda*, de Mylton Severiano.

* Para "Muitos outros caminhos serão descobertos": *Quatro Rodas*, ago. 1960.

* Para "Aquilo era o nosso *panache*": Roberto Civita.

OUTUBRO DE 1961 [pp. 86-94]

* Para os primórdios da *Claudia* argentina: *La mia vita*, de César Civita.

* Para a relação entre César e Victor Civita: Roberto Civita.

* Para "Eu não tinha muito a acrescentar à revista": Roberto Civita.

* Para Luís Carta, Carmen da Silva e os primórdios da *Claudia* brasileira: Thomaz Souto Corrêa.

* Para "Adolfo era um gênio das relações públicas": *La mia vita*, de César Civita.

* Para a aversão de Sylvana e Victor Civita a alho e cebola e "Para dar um certo gosto aos pratos": Baltazar Munhoz Gonçalves.

* Para Mack Carter, "Quero lhe dar uma notícia ruim e uma notícia boa" e "Sem isso, você não poderá fazer uma boa revista": Thomaz Souto Corrêa.

26 DE MARÇO DE 1962 [pp. 95-9]

* Para "Levantavam minha saia antes da aula": Leila Francini.
* Para "Isso significaria tornar inválido um casamento": George Antunes de Abreu Magalhães.
* Para "Espero que agora você possa": Leila Francini.
* Para "Ele não presta": Leila Francini.
* Para "Entendo que elas possam se apaixonar": Carta de Carlo Civita a Roberto Civita, 26 jul. 1954.
* Para "de quem viveu em um ambiente": Carta de Carlo Civita a Roberto Civita, 26 jul. 1954.
* Para "Agora é tarde, estou apaixonada": Leila Francini.
* Para "Não era com a aparência que conseguia o que queria": Fernando Casablancas.
* Para "Numa festa ou reunião social": Robert Blocker.
* Para "Era uma voz de veludo": Ugo Castellana.
* Para "Dormir juntos antes de casar, naquele tempo" e os primeiros tempos de casamento: Leila Francini.

18 DE MAIO DE 1965 [pp. 103-15]

* Para a reunião da diretoria da Abril sobre publicações em fascículos: Roberto Civita.
* Para "Não é para ler" e "Não concordei com sua opinião": Roberto Civita.
* Para "Sem inovação, não há empreendedores": *Teoria do desenvolvimento econômico*, de Joseph Schumpeter.
* Para a edição de *A Bíblia mais bela do mundo* e "Embora arrogante, pretensioso e difícil": Pedro Paulo Poppovic.
* Para "Roberto foi fundamental nesse processo": Pedro Paulo Poppovic.
* Para "Vivíamos perigosamente" e "ela desce devagar, durante dez semanas": Roberto Civita.
* Para "Se de cara vende cem" e "Você ficou louco?": Pedro Paulo Poppovic.
* Para "Dona Sylvana, em bom português, enchia o saco": Pedro Paulo Poppovic.
* Para "Fui aposentado aos 37 anos": Fernando Henrique Cardoso.
* Para "Meu caro Roberto, faz tanto tempo que nos conhecemos": Cartão de aniversário de FHC a Roberto Civita, 2006.
* Para Jacob Gorender e Idealina Fernandes: Pedro Paulo Poppovic.
* Para "Pois não, quanto os senhores querem?": Pedro Paulo Poppovic.
* Para a produção das primeiras coleções de fascículos da Abril: Pedro Paulo Poppovic.
* Para "Faz, pode fazer" e "Um grupo alemão e outro da Turquia": Roberto Civita.
* Para "O que fizemos foi uma revolução cultural": Roberto Civita.
* Para "Pedro Paulo, foi a melhor época de minha vida": Pedro Paulo Poppovic.

NATAL DE 1965 [pp. 116-22]

* Para o projeto de revista semanal ilustrada e as entrevistas com Júlio de Mesquita Filho e Octavio Frias de Oliveira: Roberto Civita.

* Para "Deixaram o Murilinho e o Patarra competindo": José Carlos Marão.

* Para "Cadê a miséria do comunismo?": *Realidade: História da revista que virou lenda*, de Mylton Severiano.

* Para "Foi como ter levado uma bordoada" e "O que eu faço agora?": Roberto Civita.

* Para "E agora, Patarrinha, o que fazemos?": *Realidade: História da revista que virou lenda*, de Mylton Severiano.

* Para "Foram quase dois meses de angústia": José Carlos Marão.

* Para a reunião no Clube Nacional: *Realidade: História da revista que virou lenda*, de Mylton Severiano.

* Para "Lembro-me de um Luís Carta nocauteado": *Realidade: História da revista que virou lenda*, de Mylton Severiano.

* Para "Tive o privilégio de juntar uma extraordinária redação": *Negócios da Comunicação*, dez. 2009.

* Para "Nossa equipe teve a sorte": *Realidade: História da revista que virou lenda*, de Mylton Severiano.

* Para "Se a gente vender bem": *Realidade: História da revista que virou lenda*, de Mylton Severiano.

12 DE ABRIL DE 1966 [pp. 123-33]

* Para o Brasil em 1966: IBGE.

* Para "um dos mais malucos": "Um sonho jornalístico chamado *Realidade*", de Célia Chaim. *Revista Goodyear*, jul./set. 1991.

* Para "Era uma turma mais intuitiva que estudiosa": *Cicatriz de reportagem*, de Carlos Azevedo.

* Para "Só o Luís Fernando Mercadante, o José Hamilton Ribeiro e eu": José Carlos Marão.

* Para "A redação era um ninho de stalinistas": *Realidade: História da revista que virou lenda*, de Mylton Severiano.

* Para "Mas isso não basta para trabalhar": "Paulinho Patarra, nosso guru", de Mylton Severiano. *Imprensa*, set. 1994.

* Para "*Realidade* foi seu primeiro bebê": Richard Civita.

* Para "Eu estava fazendo a revista e não me preocupava": *Negócios da Comunicação*, dez. 2009.

* Para "A revista seria o resultado da conjugação de muitos talentos": Roberto Civita.

* Para "Vamos resolver democraticamente": Roberto Civita.

* Para "Eu falava para alguns colegas": José Hamilton Ribeiro.

* Para "Embora nem sempre reconhecessem": José Carlos Marão.

* Para "É preciso que se diga, pelo menos aparentemente": *Cicatriz de reportagem*, de Carlos Azevedo.

* Para “Era um puta jornalista”: Juca Kfouri.
* Para a metáfora do *smörgåsbord*: Roberto Civita.
* Para “Eis Roberto Campos” e “Dias da criação”: *Realidade*, abr. 1966.
* Para “Com agradecimentos pela solidariedade”: Dedicatória de Roberto Campos a Roberto Civita em *Lanterna na popa*, 1994.
* Para “As suecas amam por amor”: *Realidade*, abr. 1966.
* Para “Um cavalo de Troia vermelho no Brasil”: *Diário da Noite*, 6 abr. 1966.
* Para “Quando nasceu, *Realidade* era tão bem impressa”: Roberto Civita.
* Para “Brasil tricampeão (foi assim que ganhamos a taça)”: *Realidade*, abr. 1966.
* Para a formação do IVC: Roberto Civita.

RÉVEILLON DE 1966 [pp. 134-46]

* Para “Seria, acima de tudo, virtualmente impossível”: Discurso no jantar comemorativo dos cinquenta anos da Associação Brasileira de Agências de Publicidade (Abap), 6 abr. 2000.
* Para a “Tempestade perfeita” na fundação de *Realidade*: BOL Notícias, dez. 2010. <noticias.bol.uol.com.br/entretenimento/2010/12/18/realidade-re-vista-traz-jornalismo-audaz-de-publicacao-que-marcou-imprensa.jhtm>.
* Para “o espírito da época”: “Uma revista contra os tabus”, *Bravo!*, mar. 2011.
* Para “Pegamos a onda perfeita”: *Realidade: História da revista que virou lenda*, de Mylton Severiano.
* Para “De 1965 a 1968, se fez uma revolução macroeconômica”: “Uma revista contra os tabus”, *Bravo!*, mar. 2011.
* Para “A cada reunião de pauta alguém se apaixonava”: José Carlos Marão.
* Para o cotidiano policial e “O tira”: *Realidade*, jun. 1966.
* Para “Homossexualismo”: *Realidade*, ago. 1966.
* Para a entrevista de Prestes e a nota da redação: *Realidade*, dez. 1968.
* Para Castello Branco e “Este é o Humberto”: *Realidade*, jun. 1966.
* Para Costa e Silva e “Feliz aniversário, seu Artur”: *Realidade*, maio 1966.
* Para Costa e Silva “Sereno, forte política e militarmente”: *Realidade*, jun. 1966.
* Para “Mercadante parece sempre ter acabado de sair do banho”: *Vinte perfis e uma entrevista*, de Luís Fernando Mercadante.
* Para “Brasileiros, *go home*”: *Realidade: História da revista que virou lenda*, de Mylton Severiano.
* Para “ Ele encaixou” : *Realidade: História da revista que virou lenda*, de Mylton Severiano.
* Para “Como Dom Quixote, nós atacamos”: Roberto Civita.
* Para “A juventude diante do sexo”: *Realidade*, ago. 1966.
* Para a nota da redação sobre “A juventude diante do sexo”: *Realidade*, set. 1966.
* Para as cartas dos leitores: *Realidade*, out. e nov. 1966.
* Para “Existe preconceito de cor no Brasil”: *Realidade*, out. 1967.
* Para os frades dominicanos e “Revolução na Igreja”: *Realidade*, out. 1966.
* Para frei Betto e “Colômbia dividida espera o papa”: *Realidade*, ago. 1968.

* Para "Rapaz, não tenho nada a ver": "Paulinho Patarra, nosso guru", de Mylton Severiano. *Imprensa*, set. 1994.

* Para "com diversas correções": Bilhete de Paulo Patarra para Luís Carta, 23 out. 1968.

* Para a carta de d. Helder Câmara: *Realidade*, set. 1968.

* Para a carta de frei Betto: *Realidade*, out. 1968.

* Para "Sou padre e quero casar": *Realidade*, set. 1966.

* Para "a falência do diabo" e "Pobre diabo": *Realidade*, ago. 1967.

* Para "tóxicos: o mundo do vício" e "Ele é um viciado": *Realidade*, maio 1967.

* Para "Esta é a capa": *Realidade: História da revista que virou lenda*, de Mylton Severiano.

* Para "em longa conversa ao pé da lareira": "O trabalho que elas deram", *Realidade*, Suplemento, jan. 1967.

* Para "Nasceu!": *Realidade*, jan. 1967.

* Para "Meus colegas previam": "Uma revista contra os tabus", *Bravo!*, mar. 2011.

* Para "grande, bonita, de corpo imaginado": *Realidade re-vista*, de José Carlos Marão e José Hamilton Ribeiro.

* Para "Essa foto da criança nascendo": "Uma revista contra os tabus", *Bravo!*, mar. 2011.

1º DE OUTUBRO DE 1968 [pp. 147-55]

* Para "Dr. Roberto mandou refazer tudo": Patricia Hargreaves.

* Para "Eu me orgulho de ser mãe solteira", "Confissões de uma moça livre": "Esta mulher é livre", *Realidade*, jan. 1967.

* Para "Entrei em ação": Depoimento de Roberto Civita. *Realidade*, Suplemento, jan. 1967.

* Para o despacho do juiz Artur de Oliveira Costa: *Revista Realidade, 1966-1968*, de José Salvador Faro.

* Para a tortura dos frades dominicanos: Último Segundo "19 jul. 2012. ." <ultimosegundo.ig.com.br/politica/2012-07-19/a-partir-de-d-paulo-mudou-tudo-diz-frei-betto-sobre-apoio-da-igreja-ao-golpe.html>

* Para o despacho do ministro Aliomar Baleeiro: *Revista Realidade, 1966-1968*, de José Salvador Faro.

* Para "Embora tarde demais para salvar a edição": Depoimento de Roberto Civita. *Realidade*, Suplemento, jan. 1967.

* Para "Ao mesmo tempo um anjo e uma fera": José Hamilton Ribeiro.

* Para "Interventor" e "Eles pensavam que meu nome": Milton Coelho da Graça

* Para "Diga para ele que é uma loucura": José Hamilton Ribeiro.

* Para "A Abril não tinha muito controle": José Carlos Marão.

* Para os telegramas da France Presse: *Realidade*, maio 1968.

* Para "Nunca imaginei que fosse sofrer tanto": *Realidade*, maio 1968.

* Para "Olha aqui o que vamos fazer": José Hamilton Ribeiro.

9 DE JANEIRO DE 1968 [pp. 156-61]

* Para "Ungido com o dom da palavra": Raymond Cohen.
* Para o "Projeto Falcão" e "Vamos de 250 mil": Raymond Cohen.
* Para o sorriso de Victor Civita e "Vamos lá": Raymond Cohen.
* Para Mino Carta não "Distinguir um Fusca de uma Mercedes": *O Brasil*, de Mino Carta.
* Para "Eu considerava o Mino o melhor jornalista": Roberto Civita.
* Para "Precaver-se contra a sanha invasiva" e "Os donos da casa aquiesceram": *O castelo de âmbar*, de Mino Carta.
* Para "No início, vigorava mesmo esse acordo" e "Mino tem razão": *Veja sob censura 1968-1976*, de Maria Fernanda Lopes Almeida.
* Para "Eu sentava na redação": *Veja sob censura 1968-1976*, de Maria Fernanda Lopes Almeida.

8 DE SETEMBRO DE 1968 [pp. 162-77]

* Para "Você pensa que minha filha é *coniglia*?" e "Eles ficavam a semana inteira": Leila Francini.
* Para "Minha mãe nos vestia com pijama": Giancarlo Civita.
* Para "Ele não conseguia lidar com criança": Victor Civita Neto.
* Para "Com meu avô Victor": Roberta Anamaria Civita.
* Para "Foi assim a vida inteira": Richard Civita.
* Para a viagem de Roberto Civita e Mino Carta à Europa: Roberto Civita.
* Para "Naquela idade você ainda é meio bobinho": José Roberto Guzzo.
* Para a reunião na revista *L'Express*: Dorrit Harazim.
* Para "Vai ser fácil": Roberto Civita.
* Para "Não copiei o curso": Roberto Civita.
* Para o anúncio do Curso Abril: *Realidade*, out. 1967.
* Para "Eles não sabiam fazer revista": *O repórter e o poder*, de José Carlos Bardawil.
* Para "Vamos ser justos": "O que leva um bom jornalista da vida?", de Mino Carta, ago. 2008.
* Para "O mais seletivo, segmentado, regionalizado": "50 anos de Roberto Civita na Abril", *Veja Edição Especial*, 8 out. 2008.
* Para "A gente vai viajar muito": Dorrit Harazim.
* Para "Nenhum de nós sabia fazer": *3x30: Os bastidores da imprensa brasileira*, de Carmo Chagas, José Maria Mayrink e Luiz Adolfo Pinheiro.
* Para "E a gente não descobria o jeito": *3x30: Os bastidores da imprensa brasileira*, de Carmo Chagas, José Maria Mayrink e Luiz Adolfo Pinheiro.
* Para "Há uma frase recorrente em relação a mim": Roberto Civita.
* Para "É importante dizer que Roberto": Ugo Castellana.
* Para as observações de Roberto Civita sobre a primeira *Veja*: Exemplares de *Veja* n. 0, 1968.
* Para "Por enquanto, são essas": Roberto Civita.
* Para "Roberto considerava o Dedoc": Roger Karman.

* Para "Quem teve acesso a essa coleção de revistas": "Saiba como pensava Roberto Civita, o criador de *Veja*", de Márcio Chaer. *Consultor Jurídico*, 27 maio 2013. <www.conjur.com.br/2013-mai-27/saiba-pensava-roberto-civita-criador-revista-veja>.

* Para "uma fé inabalável no futuro do Brasil": "Certidão de nascimento" da *Veja*, 7 set. 1968.

* Para "Isto é a maior merda que já vi": "A história secreta de *Veja*", de Ulysses Alves de Souza. *Imprensa*, set. 1988.

* Para "Esperávamos uma bomba atômica": Roberto Civita.

13 DE DEZEMBRO DE 1968 [pp. 178-85]

* Para "Quando esse número [o 1] começou a sair": "A história secreta de *Veja*", de Ulysses Alves de Souza. *Imprensa*, set. 1988.

* Para "Rebelião na galáxia vermelha", "Nordeste esconde sua água", "Corrida ao fundo do mar" e "Os grandes mecenas da política norte-americana": *Veja*, n. 1, 11 set. 1968.

* Para "Sim, você pode lançar esse produto": Roberto Civita.

* Para "Cada vez que conseguíamos trazer": "Uma história de *Veja*: Reflexões de um dia de aniversário", de Raimundo Rodrigues Pereira. *Veja*, set. 1973.

* Para "Muitos anúncios internos demos de graça": Domingo Alzugaray.

* Para "Se queremos ser iguais à *Newsweek*": "A história secreta de *Veja*", de Ulysses Alves de Souza. *Imprensa*, set. 1988.

* Para "Eu tinha dois repórteres à minha disposição": "A história secreta de *Veja*", de Ulysses Alves de Souza. *Imprensa*, set. 1988.

* Para "O pior é que nenhum de nós entendia de economia": *3x30: Os bastidores da imprensa brasileira*, de Carmo Chagas, José Maria Mayrink e Luiz Adolfo Pinheiro.

* Para o balanço financeiro do Projeto Falcão: Relatório de Raymond Cohen sobre *Veja*, dez. 1968.

* Para "cerca de 70 mil exemplares": Roberto Civita.

* Para "em números redondos, no início de 1969": Richard Civita.

* Para "O número de Richard é capaz de ser um pouco alto": Raymond Cohen.

* Para a confidência de Paulo Augusto de Almeida a Tão Gomes Pinto: "O dia em que a *Veja* foi ao fundo do poço". Blog Croniquetas. <tgp74.wordpress.com/2014/02/>.

* Para "Eu próprio acreditava que a tiragem era de 40 mil": "*Newsweek* vira manchete paulista?", *Imprensa*, set. 1988.

* Para "Pelas informações verbais que me chegavam": Domingo Alzugaray.

16 DE DEZEMBRO DE 1968 [pp. 186-96]

* Para o transporte da fotografia de Costa e Silva: *O repórter e o poder: Uma autobiografia*, de José Carlos Bardawil.

* Para a visita do coronel da censura: Roberto Civita.

* Para a nota sobre a apreensão da revista: "Nota", *Veja*, n. 6, 25 dez. 1968.

* Para "Edgard de Sílvio Faria jamais baixava as pálpebras": *O castelo de âmbar*, de Mino Carta.

* Para "Agora, o zum-zum de que eu tinha ligações": *Veja sob censura 1968-1976*, de Maria Fernanda Lopes Almeida.

* Para a reunião sobre *Veja* em Higienópolis: Domingo Alzugaray.

* Para a estreia do "Supermercado Millôr": *Veja*, 4 dez. 1968.

* Para os fascículos sobre a chegada do homem à Lua e os anos 1960: Roberto Civita.

* Para a entrevista com Nelson Rodrigues: *Vinte perfis e uma entrevista*, de Luís Fernando Mercadante.

* Para os eventos políticos de 1969: *A ditadura escancarada*, de Elio Gaspari.

* Para "O presidente não admite torturas" e "A violência fora da lei": *Veja*, n. 65, 3 dez. 1969.

* Para "Torturas": *Veja*, n. 66, 10 dez. 1969.

* Para a capa com Haroldo Leon Peres: *Veja*, n. 169, 1º dez. 1971.

* Para "Gosto de resolver tudo em cinco minutos": *Victor Civita*, de Luís Fernando Mercadante.

* Para "Sr. Victor, esta revista está perdendo": Roberto Civita.

* Para "E VC, talvez lembrando aquele compromisso": "Memórias de um editor", *Veja*, 5 jun. 2013.

1º DE OUTUBRO DE 1972 [pp. 197-203]

* Para os jornaleiros calabreses do Rio: Roberto Civita.

* Para "Era o próprio *Godfather*": Roberto Civita.

* Para "*lasciamolo fare il ragazzo*": Roberto Civita.

* Para "Eu conheci vários desses capatazes": Fernando Mathias.

* Para "Seria algo tão complexo, caro e demorado": Roberto Civita.

* Para "Temos que fazer alguma coisa para salvar esta revista": Roberto Civita.

* Para "Eu comprava as listas a preço de banana": Raymond Cohen.

3 DE JUNHO DE 1976 [pp. 204-10]

* Para a censura em *O Estado de S. Paulo*: *Mordaça no Estadão*, de José Maria Mayrink.

* Para o incêndio no edifício Joelma: *Veja*, 6 fev. 1974.

* Para "A volta dos anjos": *Veja*, 27 fev. 1974.

* Para "Homens-demônios": *Veja*, 6 mar. 1974.

* Para as cartas dos jornalistas: "Cartas", *Veja*, 6 mar. 1974.

* Para "A minha resposta foi: 'Realmente agradeço muito'": *A censura política na imprensa brasileira*, de Paolo Marconi.

* Para "Voltou a censura": *Veja sob censura 1968-1976*, de Maria Fernanda Lopes Almeida.

* Para "De ordem superior, levo ao conhecimento de V. Sa.": Ofício do coronel Antônio Lepiane, 7 maio 1974.

* Para "A charge do Millôr provocou a maior indignação": Pompeu de Sousa, comunicado interno da redação de *Veja*, maio 1974.

* Para a charge de Millôr Fernandes: "Millôr e os canais competentes", de Millôr Fernandes, *Veja*, n. 296, 8 maio 1974.

* Para "Acho que, no caso de *Veja*": *Veja sob censura 1968-1976*, de Maria Fernanda Lopes Almeida.

* Para "Sentávamos no sofá e levávamos bronca": *Veja sob censura 1968-1976*, de Maria Fernanda Lopes Almeida.

* Para "Eles jamais registrariam o evento": *Veja sob censura 1968-1976*, de Maria Fernanda Lopes Almeida.

OUTUBRO DE 1973 [pp. 211-20]

* Para "A Daisy Carta me disse que você foi simplesmente maravilhoso": Carta de Roberto Civita a Odillo Licetti.

* Para "extremamente inteligente e sedutor" e a reunião com Richard Deems: Odillo Licetti.

* Para as técnicas de David Brown: *A arte de editar revistas*, de Fatima Ali.

* Para "Chega, ela não quer": Fatima Ali.

* Para "Mas você só fez revistas visuais": Fatima Ali.

* Para a criação de *Nova* e "Eu tratava direto com o Roberto": Fatima Ali.

22 DE DEZEMBRO DE 1984 [pp. 221-8]

* Para "Se você quer ir para a Abril": Laura Taves.

* Para "A senhora não se preocupe": Laura Taves.

* Para "Roberto, a Judith é uma ótima jornalista": Laura Taves.

* Para "Vocês aí, tenham juízo": Laura Taves.

* Para "Estou indo ao Rio e queria convidá-la": Laura Taves.

* Para "Eu o mandei embora de casa": Leila Francini.

* Para "Suas coisas estão ali" e "Eu levei as crianças para lá": Ugo Castellana.

* Para "Como o Rob não queria falar para eles": Leila Francini.

* Para "Sofri profundamente": Giancarlo Civita.

* Para "Tive uma crise forte de choro": Victor Civita Neto.

* Para "Eu não entendia direito o que significava": Roberta Anamaria Civita.

* Para as encomendas de vestidos e "Dona Leila, me desculpe": Ugo Castellana.

* Para o segundo casamento de Roberto Civita: Laura Taves.

9 DE FEVEREIRO DE 1976 [pp. 229-40]

* Para "Como vice-presidente da empresa": Richard Civita.

* Para "excelente jornalista e querido amigo": "Carta ao Leitor", *Veja*, 13 fev. 1974.

* Para "Devemos deixar de fazer uma revista" e "Estamos falando de uma nova revista": Carta de Mino Carta a Luís Fernando Mercadante e José Hamilton Ribeiro, 8 maio 1971.

* Para “surgiram como o único antídoto de seguro efeito contra a subversão”: Mino Carta, “Carta ao Leitor”, *Veja*, n. 82, 1º abr. 1970.

* Para “ficavam sabendo do conteúdo de *Veja* depois”: “Eu sei o que você escreveu ontem”, de Demétrio Magnoli. *Folha de S.Paulo*, 5 abr. 2014.

* Para “Quem viveu comigo aquele momento”: “Uma ideia genial”, de Mino Carta. *CartaCapital*, 16 abr. 2014.

* Para “dirigia a revista com plenos”: “Controle-se, Mino!”, de Demétrio Magnoli. *Folha de S.Paulo*, 19 abr. 2014.

* Para “Na semana passada, a Organização Bandeirante”: “Os rachas do terror”, *Veja*, 1º abr. 1970.

* Para “Em 1975 a *Veja* estava na oposição”: *O repórter e o poder*, de José Carlos Bardawil.

* Para “Por trás do pano, orientando a transição”: *O castelo de âmbar*, de Mino Carta.

* Para “Meados de novembro de 1975”: *O castelo de âmbar*, de Mino Carta.

* Para “Elementar, elementar” e “Dois meses após, a censura acabou”: *O castelo de âmbar*, de Mino Carta.

* Para “Eu me demiti”: “Silêncio em redor de Mino Carta”. Entrevista a Geneton Moraes Neto. *Continente*, 30 nov. 1999. <http://www.revistacontinente.com.br/secoes/artes-visuais/980-a-contenente/revista/literatura/17763-silencio-em-redor-de-mino-carta.html>.

* Para “Mino foi sumariamente demitido”: Richard Civita.

* Para “Só posso lamentar”: “Mino fala”, *República*, n. 49, set. 2000.

* Para “Vamos dar um pulo para a frente”: Roberto Civita.

* Para “De tanto que Rob e eu criticamos”: Richard Civita.

* Para “O nosso pesar pela perda do amigo”: “Carta ao Leitor”, *Veja*, 18 fev. 1976.

* Para “Assim que foi decidida a saída do Mino”: José Roberto Guzzo.

9 DE MARÇO DE 1988 [pp. 241-8]

* Para “*the great free to paid transformation*”: Agenda pessoal de Roberto Civita, 2006.

* Para “Os meios de comunicação de massa não existiriam”: Discurso de RC no IV Congresso Brasileiro de Publicidade, em São Paulo. *O Globo Online*, 16 jul. 2008. <oglobo.globo.com/economia/veja-integra-do-discurso-de-roberto-civita-3609629>.

* Para “Estou pensando em te indicar para o meu lugar” e “Pessoas de fora não entendiam a dualidade”: Guilherme Veloso.

* Para “Foi indiscutivelmente uma área de atrito”: Guilherme Veloso.

* Para “Roberto se empenhou” e “Roberto, da mesma forma que patrão”: Dorrit Harazim.

* Para “Eu ainda acho que, do ponto de vista do editor”: Roberto Civita.

* Para o editorial de Rui Falcão e “Banco do Brasil: O fim de um sonho brasileiro”: *Exame*, 1º abr. 1987.

* Para “Preciso que você dê um jeito nessa revista” e “uma conversa clara e cordial”: José Roberto Guzzo.

* Para “Você acha que é de um jeito”: José Roberto Guzzo.

* Para “a grande porta-estandarte da livre-iniciativa”: *Exame*, 9 mar. 1988.

26 de fevereiro de 1980 [pp. 249-60]

* Para a sucessão do governo Geisel: *A ditadura encurralada*, de Elio Gaspari.

* Para a audiência com Alfredo Buzaid sobre a *Playboy*: *Jornal da ABI*, entrevista concedida em jun. 2010 a Gonçalo Junior e publicada em set. 2013.

* Para a portaria do Ministério da Justiça sobre publicações adultas: *Jornal da ABI*, set. 2013.

* Para "Virou a revista da mulher com a camiseta molhada": "Fizemos um projeto de revista à prova de crítica", *Jornal da ABI*, n. 493, set. 2013.

* Para a portaria da Polícia Federal: Ofício da Divisão de Censura de Diversões Públicas, Departamento de Polícia Federal, 15 set. 1977. Reproduzido em "A censura em 22 flashes", *Jornal da ABI*, set. 2013.

* Para "Mas o Nunes era um homem de lua": Carlos Roberto da Costa.

* Para o primeiro ensaio de Roberta Close: *Playboy*, n. 176, mar. 1990.

* Para o final da censura a publicações adultas: Ofício da Divisão de Censura de Diversões Públicas, Departamento de Polícia Federal, 26 fev. 1980.

* Para "Cortavam títulos, palavras e fotografias": Fatima Ali.

* Para "Demos coisas muito ousadas": Marcia Neder.

* Para "O mundo da mulher lésbica": *Nova*, ago. 1989.

* Para o "foco PT" na *Exame* e o "foco lésbico" na *Nova*: Agenda pessoal de Roberto Civita, 2006.

* Para "Com cinco ou seis anos, ganhei de meu pai": Victor Civita Neto.

* Para "Explicou que mulher tinha útero": Roberta Civita.

* Para "um bom amante": Laura Taves.

* Para "Não sei quantas da Abril": Ugo Castellana.

* Para "Simpática? Sem dúvida": Mensagem de Roberto Civita a Ricardo A. Setti, out. 1996.

* Para "a perniciosidade do comercial" e a denúncia do Movimento Nacional de Direitos Humanos: Carta de Salvino José dos Santos Medeiros. Secretário-Geral do Movimento Nacional de Direitos Humanos, 25 abr. 1996.

* Para "Será bom tomar *muito* cuidado": Comunicado interno da Editora Abril, 7 set. 1996.

* Para "Aos quatro foi morar num palácio": *Neusinha Brizola: Sem mintchura*, de Lucas Nobre e Fábio Fabrício Fabretti.

* Para "O resultado ficou muito ruim": Carlos Roberto da Costa.

* Para "absurdo de medida" e "de todas as formas": *Jornal do Brasil*, 2 fev. 1987.

* Para "Confesso que me arrependo": Carlos Roberto da Costa.

* Para "A revista dá um show de bom gosto": Mensagem de Roberto Civita a Ricardo Civita, ago. 1995.

19 de julho de 1980 [pp. 261-70]

* Para a opinião de Roberto Civita sobre Paris: Fernando Casablancas.

* Para "A França, com o seu culto ao Estado": Pedro de Souza.

* Para "*It's my magazine*" e "*My magazine*": Laura Taves.

* Para "Ai, Dé, tome cuidado": Laura Taves.

* Para a viagem à Olimpíada de Moscou: Roberto Civita, Roberta Anamaria Civita e Dorrit Harazim.

* Para "As pessoas desligam a televisão": *O livro do Boni*, de José Bonifácio de Oliveira Sobrinho.

* Para "Temos um bom restaurante": *Negócios da Comunicação*, entrevista a Inês Pereira, dez. 2009.

* Para o almoço com Marconi Perillo: Eurípedes Alcântara.

* Para o almoço com os dois físicos americanos: Eurípedes Alcântara.

* Para a visita de Luiz Carlos Bresser-Pereira: Thomaz Souto Corrêa.

* Para "Aquela sua decisão de entregar o computador": Elio Gaspari.

* Para o arquivo de encontros e reuniões de Roberto Civita: Roseli Strothmeier.

* Para "Roberto, sabe quem está esperando": Thomaz Souto Corrêa.

24 DE AGOSTO DE 1978 [pp. 271-82]

* Para a rotina de *Veja* e "O que o leitor vai querer ler": "Sábado, 5 da manhã. A *Veja* está quase pronta". Carlos Maranhão, *Playboy*, set. 1988.

* Para "A explicação para a uniformidade do texto": "A história secreta de *Veja*", de Ulysses Alves de Souza. *Imprensa*, set. 1988.

* Para "fazia-se uma rápida autópsia": "A história secreta de *Veja*", de Ulysses Alves de Souza. *Imprensa*, set. 1988.

* Para "Como qualquer outro empreendimento humano": "Carta do Editor", *Veja*, 8 maio 1991.

* Para "ficava entre o altamente improvável e o quase impossível": José Roberto Guzzo, "Silêncio, atraso e tirania", *Veja Especial 45 anos*, 2013.

* Para "viagem a um mundo moralista" e "imenso monastério": José Roberto Guzzo, *Veja*, 29 mar. 1972.

* Para "Havia uns artefatos, aparentemente de ferro": José Roberto Guzzo, "Silêncio, atraso e tirania", *Veja Especial 45 anos*, 2013.

* Para "a coisa mais próxima de uma viagem à Lua": José Roberto Guzzo, "Silêncio, atraso e tirania", *Veja Especial 45 anos*, 2013.

* Para a entrevista com Fidel Castro: José Roberto Guzzo.

* Para "Cuba e o mundo" e "Exclusivo: Fidel fala a *Veja*": *Veja*, n. 462, jul. 1977.

* Para "Pompeu mandou buscar no arquivo". "Entrevista com Evandro Carlos de Andrade — 3". Blog Dossiê Geral, 25 jun. 2011. <g1.globo.com/platb/geneton/tag/pompeu-de-souza>.

* Para "Pompeu de Souza era uma coisa híbrida": José Roberto Guzzo.

* Para a crise militar e a sucessão do governo Geisel: *A ditadura encurralada*, de Elio Gaspari.

* Para a "perplexidade com o afastamento de Almyr": Carta de 46 jornalistas a *Veja* para José Roberto Guzzo, nov. 1977.

* Para "O presidente": *Veja*, n. 388, 11 fev. 1978.

* Para "Como *Veja* não é um jornal": José Roberto Guzzo.

* Para "muitas vezes desrespeitado na edição": Carta dos repórteres da sucursal de Brasília ao diretor de redação de *Veja*, ago. 1978.

* Para "o único propósito de D'Alembert": Comunicado interno da Editora Abril, ago. 1978.
* Para "Não posso aceitar sua colocação": Carta de Roberto Civita a Pompeu de Sousa, 24 ago. 1968.

2 DE FEVEREIRO DE 1983 [pp. 283-96]

* Para o Caso Baumgarten e "O dossiê do jornalista desaparecido": *Veja*, n. 752, 2 fev. 1983.
* Para "Você faz o jornal que quiser": Elio Gaspari.
* Para as reuniões de quinta-feira com a direção da Editora Abril: Roberto Civita, José Roberto Guzzo e Elio Gaspari.
* Para "fascinação por cruzadas": José Roberto Guzzo.
* Para "Você acha que defendo a lentidão": José Roberto Guzzo.
* Para "Eu também sou a favor": José Roberto Guzzo.
* Para a preparação de "O massacre de Volta Redonda": Elio Gaspari e Roberto Civita.
* Para "O desgoverno, somado a uma onda": "Carta ao Leitor", *Veja*, n. 1054, 16 nov. 1988.
* Para "*Veja* era uma revista com excesso de firulas": "Antes de sair, Augusto Nunes fala de *Veja*", *Unidade*, jan. 1986.
* Para "Drogas, pensa-se com frequência": "Carta ao Leitor", *Veja*, n. 699, 27 jan. 1982.
* Para "O mundo de Cazuza está se acabando" e "A luta em público contra a Aids": *Veja*, n. 1077, 26 abr. 1989.
* Para "Tive vontade de vomitar": "Cazuza diz que sentiu vontade de vomitar ao ver a revista *Veja*", *Folha de S.Paulo*, 26 abr. 1989.
* Para "*Veja*, a agonia de uma revista": *Folha de S.Paulo*, 26 abr. 1989.
* Para "um triste espetáculo de morbidez" e "Brasil, mostra a tua cara": *Folha de S.Paulo*, 30 abr. 1989.
* Para "figurões e figurinhas", "houve erupções de irracionalismo" e "Show de intolerância": *Veja*, n. 1078, 10 maio 1989.
* Para a ida de Elio Gaspari e Dorrit Harazim para Nova York: *Notícias do Planalto*, de Mario Sergio Conti.
* Para "Mas é mentira?": "*Roberto's laws of journalism*", nov. 1985.
* Para "não omitir nada daquilo que o público": "Ética no jornalismo", de Roberto Civita, jan. 1986.
* Para o falecimento de Elizinha Gonçalves: Fernando Moreira Salles.
* Para a mudança de diretor de redação de *Veja* e "Mas você só tem esse, Guzzo?": José Roberto Guzzo.

24 DE AGOSTO DE 1990 [pp. 297-302]

* Para "Meus queridos Roberto e Richard": Roberto Civita.
* Para "E minhas joias também" e "Se não conseguirem viver delas": Roberto Civita.
* Para "Pensando melhor, concluí que era um desejo razoável": José Roberto Guzzo.

* Para "O exemplo que fica" e "Ele não vai apenas deixar um vazio": "Carta ao Leitor", *Veja*, n. 1145, 29 ago. 1990.

* Para "Na manhã de sexta-feira passada" e "Entusiasmo até o fim": *Veja*, n. 1145, 29 ago. 1990.

* Para "Não posso dizer que tenho dele uma boa lembrança": "'Tinha a marca dos líderes', diz Sarney", *Folha de S.Paulo*, 25 ago. 1990.

* Para "Thomazinho, faça uma boa revista que o resto virá": Thomaz Souto Corrêa, "'*Ciao*', seu Victor", *Folha de S.Paulo*, 28 ago. 1990.

* Para "Ah, ela não volta mais": Laura Taves.

* Para "Não tenho visto o seu pai": Richard Civita.

* Para "Foi a única vez na minha vida": Richard Civita.

* Para "Isso não aconteceu, Rob": Leila Francini.

* Para "A verdade é que Richard foi um rapaz": Ugo Castellana.

* Para "Não posso, tenho que ir à missa": Eurípedes Alcântara.

* Para "uma animosidade que beirava o ódio": *La mia vita*, de César Civita.

* Para "Rob também jamais me respondeu": Richard Civita.

11 DE SETEMBRO DE 1985 [pp. 303-8]

* Para "É preciso reconhecer que a Abril não tinha a vocação": Roger Karman.

* Para Roberto Civita e a *Vejinha*: Elio Gaspari.

* Para "Roberto, ninguém ganha dinheiro": José Roberto Guzzo.

* Para "burrice" e "É uma maluquice": Elio Gaspari.

* Para "Ideias para uma cidade nova": *Veja São Paulo*, n. 10, 15 nov. 1985.

* Para "Estou desinfetando a poltrona": *Folha de S.Paulo*, 2 jan. 1986.

* Para "Ela evita que os casais briguem": Roberto Civita, "Carta do Editor", *Veja São Paulo 20 anos*, set. 2005.

29 DE SETEMBRO DE 1992 [pp. 309-19]

* Para o anúncio comemorativo do impeachment de Collor: *Folha de S.Paulo*, 1º out. 1992.

* Para "precisava e queria mudanças": Discurso de Roberto Civita na Fédération Internationale de la Presse Périodique, out. 1993.

* Para "O caçador de marajás" e "A guerra ao turbante": *Veja*, n. 1020, 23 mar. 1988.

* Para "Se o plano der certo": "Carta ao Leitor", *Veja*, n. 1122, 21 mar. 1990.

* Para "A economia brasileira, acometida de males": "Carta ao Leitor", *Veja*, n. 1123, 28 mar. 1990.

* Para "Para mim, a grande virtude do governo Collor": Roberto Civita, discurso em almoço de fim de ano com executivos da Abril, dez. 1990.

* Para "Apesar de suas falhas e frequente incompetência": Roberto Civita, palestra na Associação de Dirigentes de Venda — Paraná, em Curitiba, jul. 1991.

* Para “Pedro Collor conta tudo”: *Veja*, n. 1236, 27 maio 1992.

* Para “lepra ambulante”: Eduardo Oinegue, “Dossiê explosivo”, *Veja*, n. 1222, 19 fev. 1992.

* Para “Roberto Civita bancou a publicação”: Paulo Moreira Leite.

* Para “Quando Mario Sergio Conti e eu resolvemos publicar”: Roberto Civita, discurso nas comemorações do trigésimo aniversário de *Veja*, set. 1998.

* Para “quão poucos amigos verdadeiros”: Roberto Civita, discurso nas comemorações do trigésimo aniversário de *Veja*, set. 1998.

* Para o esquema de segurança de Roberto Civita: Vital Santos.

* Para a escolha de modelos de carro por Roberto Civita: Vital Santos.

* Para “No que vai dar a crise”: *Veja*, n. 1241, 1º jul. 1992.

* Para “Não podemos apostar”: *Notícias do Planalto*, de Mario Sergio Conti.

* Para “O livro descreve cenas verdadeiras” e “Um mês e meio depois de publicar”: “Uma comédia surrealista”, de Paulo Moreira Leite. *Folha de S.Paulo*, 26 dez. 1999.

* Para “Não se pode acertar todas”: *Notícias do Planalto*, de Mario Sergio Conti.

* Para “graças ao brilhante trabalho de todos vocês”: Discurso de Roberto Civita em um almoço com jornalistas da *Veja*, 16 dez. 1992.

* Para “Outra área em que gostaria de progredir”: Discurso de Roberto Civita em almoço com jornalistas da *Veja*, 16 dez. 1992.

7 DE MAIO DE 1994 [pp. 320-30]

* Para “A Maria Antônia chegou lá”: “Três momentos e uma obra ou a Maria Antônia chegou lá”, *Veja*, n. 1361, 12 out. 1994.

* Para “Evidentemente, aquela frase devia ser uma referência”: Maria Antonia Civita.

* Para a família de Nhonhô Magalhães: Maria Antonia Civita.

* Para “Você é casada?”: Maria Antonia Civita.

* Para “Divórcio” e “Importante nos darmos um tempo” e “Bom sair do atoleiro”: Agenda pessoal de Roberto Civita, fev. 1995.

* Para “*I don’t want to lie anymore*”: Agenda pessoal de Roberto Civita, 22 mar. 1995.

* Para “*Much love*”: Agenda pessoal de Roberto Civita, 6 set. 1995.

* Para “Aproxima-se, acredito, o dia de pagamento”: Carta de Mario Sergio Conti a Roberto Civita, 16 maio 1994.

* Para “Ele me dava esse espaço”: Edegardo Martolio.

* Para “Você tem meia hora?” e o dossiê Conti: Edegardo Martolio.

* Para Mário Alberto de Almeida e “Matérias elogiosas a determinados políticos”: *Notícias do Planalto*, de Mario Sergio Conti.

* Para “O ministro das boas notícias”: *Notícias do Planalto*, de Mario Sergio Conti.

* Para “Iris Rezende é o único entre os atuais 22 ministros”: “O cacife de Iris”, *Veja*, n. 1068, 22 fev. 1989.

* Para “Iris sempre teve alguma boa notícia”: “O candidato peão”, *Veja*, n. 1141, 1º ago. 1990.

* Para “Há ainda, a respeito de *Veja*”: “O raio X do poder”, *Veja*, n. 1626, 1º dez. 1999.

* Para "Não há nenhuma insinuação": "'Collor se fez em função de jornalistas, não de patrões'". Entrevista de Mario Sergio Conti a Fernando de Barros e Silva. *Folha de S.Paulo*, 26 nov. 1999.

* Para "não é um bom exemplo para as novas gerações": Mensagem de Marco Simões para Roberto Civita, abr. 1991.

* Para "O que tenho a dizer, digo aqui": "A imprensa na berlinda", *O Globo*, 27 nov. 1999.

* Para "Sobre esse personagem e esse episódio": José Roberto Guzzo.

* Para "Como qualquer pessoa": "O raio X do poder", *Veja*, n. 1626, 1º dez. 1999.

* Para "Ele já estava no bar": Edegardo Martolio.

* Para "ex-jornalista": *Caras*, n. 275, fev. 1999.

* Para "uma longa conversa": Agenda pessoal de Roberto Civita, 12 fev. 1997.

* Para "Preferia a fritura": Thomaz Souto Corrêa.

* Para "sinto que sua manifestação de confiança": Paulo Moreira Leite.

* Para "com grande emoção, muito orgulho": Discurso de Roberto Civita na Brazilian-American Chamber of Commerce, 1991.

* Para "As instruções que o Mario Sergio passou": Mario Sabino.

* Para "Noites de brilhantes e caviar": "Noites de brilhantes e caviar", de Eduardo Junqueira e Marcelo Camacho. *Veja*, n. 1520, 5 nov. 1995.

9 DE JUNHO DE 1991 [pp. 331-41]

* Para "Precisávamos encontrar uma fórmula": Roger Karman.

* Para "Você vai colocar essa música de mau gosto": Roger Karman.

* Para "Para Roberto, era uma bobagem": Fatima Ali.

* Para "Eu fazia um pouco de *promo*": Victor Civita Neto.

* Para "O que você, finalmente, vai fazer de importante": Victor Civita Neto.

* Para "Ou você vem me ajudar": Victor Civita Neto.

* Para *Música do Brasil* e "Montamos um grupo de quinze profissionais": Victor Civita Neto.

* Para "Vá agora dar um abraço no seu filho": Peter Rosenwald.

* Para "Ele não assistiu a nenhum dos programas": Victor Civita Neto.

* Para "Tenho uma boa notícia" e "Vamos dar para a Abril uma licença": Roger Karman.

* Para "Não vou pendurar meu dinheiro": Roger Karman.

* Para "Roberto decidiu errado": Fatima Ali.

* Para "Saíram para escalar o pico do Jaraguá": Roger Karman.

* Para a reunião entre Roberto Civita e Roberto Irineu Marinho: Roger Karman.

* Para "Não sei se a metáfora do pico do Jaraguá era precisa": Roberto Irineu Marinho.

* Para "Roberto Civita nos ofereceu uma participação de 20%": Roberto Irineu Marinho.

* Para "Ele acabara de se mudar": Roberto Irineu Marinho.

* Para "O Telecine, sozinho, daria mais lucro": Roberto Irineu Marinho.

* Para "A partir de outubro de 2002, renegociamos": Roberto Irineu Marinho.

* Para "Em termos de televisão, o dinheiro envolvido": Giancarlo Civita.

* Para "Meus queridos: A iniciativa de fazer a TVA": E-mail de Roberto Civita aos filhos, 26 jan. 2013.

* Para "Nos dois meses anteriores, o faturamento da empresa": Walter Longo.
* Para "Dos cerca de trezentos itens de custos": Walter Longo.
* Para "Roberto, temos boas e más notícias": Walter Longo.

25 DE AGOSTO DE 1999 [pp. 342-53]

* Para "Eles não fizeram grandes exigências": Walter Longo.
* Para "A Abril decidiu fechar a *Placar*": Milton Coelho da Graça.
* Para "Com a *Placar*, é a mesma coisa": Milton Coelho da Graça.
* Para "Você então assume e tenta salvar": Milton Coelho da Graça.
* Para "Máfia da Loteria Esportiva": *Placar*, 22 out. 1982.
* Para "Pela primeira vez na vida, li a revista": Juca Kfouri.
* Para o "Velho" e "Pode ir": Juca Kfouri.
* Para "Roberto, você enlouqueceu?": Juca Kfouri.
* Para o empréstimo do avião a Carlos Alberto Kfouri: Juca Kfouri.
* Para "Aquela era a minha missão": Juca Kfouri.
* Para Ricardo Teixeira e "Walter, é o seguinte": Walter Longo.
* Para "Juca Kafúri, preciso falar uma coisa": Juca Kfouri.
* Para "Pelo que entendi, vida que segue?": Juca Kfouri.
* Para "Ele explicou que a TV Globo não permitia": Walter Longo.
* Para "Eu já não trabalhava na Globo": Juca Kfouri.
* Para "Festival de maracutaias na Copa do Brasil": *Placar*, 25 fev. 2016.
* Para "Achei que você tinha entendido": Walter Longo.
* Para "Juca, por que essa matéria": Juca Kfouri.
* Para "Então peça para o RH" e "Fui muito bem indenizado": Juca Kfouri.
* Para "Filho da puta do Juca Kafúri": Juca Kfouri.
* Para "Gosto de suas revistas" e "Você tem que conhecer sua leitora": Luiz Felipe d'Avila.
* Para "Descobri um jeito de transformar": Luiz Felipe d'Avila.
* Para "Neste caso, peço que fique assinalado" e "Com os custos de produção": Thomaz Souto Corrêa.
* Para o perfil de Joseph Safra: José Fucs.
* Para "A matéria está ótima" e a não publicação do perfil: José Roberto Guzzo.
* Para "Nova economia": *Exame*, 25 ago. 1999.
* Para "Jamais recebi uma explicação": Paulo Nogueira.
* Para "O que o Paulo me disse": José Fucs.
* Para "Inútil perder tempo com divagações": Mensagem de José Roberto Guzzo a Roberto Civita, ago. 1990.
* Para "Eu recebia pedidos para incluir algo": "Eu gosto de fazer revista". Entrevista de Roberto Civita a Eduardo Ribeiro, Wilson Baroncelli e Carlos Chaparro, *Jornalistas & Cia*, 26 jul. 2007.

1º DE DEZEMBRO DE 1997 [pp. 354-64]

* Para o Maníaco do Parque e "Fui eu": *Veja*, n. 1559, 12 ago. 1998.
* Para "Guzzo, tenho uma novidade": José Roberto Guzzo.
* Para a reunião em Portugal sobre a sucessão de Conti: José Roberto Guzzo e Thomaz Souto Corrêa.
* Para "Eu resolveria meus problemas materiais": Roberto Pompeu de Toledo.
* Para "Em determinado momento da conversa": Roberto Pompeu de Toledo.
* Para "Você era muito novo": Paulo Nogueira.
* Para "O Mario vai sair": Maria Christina Souza Queiroz de Alvarenga.
* Para "Mas estou quase invertendo": Roberto Pompeu de Toledo.
* Para "Eu sou o diretor adjunto": Maria Christina Souza Queiroz de Alvarenga.
* Para "Mesmo sendo baixinho": Thales Guaracy.
* Para "O Roberto não pode saber disso": Maria Christina Souza Queiroz de Alvarenga.
* Para "Eu sustentava que naquele tempo": Thales Guaracy.
* Para "Guerra dos sexos" e o logotipo da Abril: *Veja*, n. 1579, 6 jan. 1999.
* Para "A *Veja* não existe se não tiver dentes": Mario Sabino.
* Para "uma loucura" e "Vá lá e remonte": Eduardo Oinegue.
* Para "Eles precisavam morrer?": *Veja*, n. 1548, 27 maio 1998.
* Para "show de variedades": *Veja*, n. 1566, 30 set. 1998.

9 DE AGOSTO DE 1996 [pp. 365-72]

* Para "Decidi investir simultaneamente": "Não preciso agradar a todo mundo". Entrevista de Roberto Civita a Cynthia Malta. Suplemento Eu&Fim de Semana, *Valor Econômico*, 16 mar. 2012.
* Para "Fique fora desse jogo": Robert Blocker.
* Para "Roberto, você tem que olhar para os lucros" e "Nunca vi nele a questão do dinheiro": Pedro Moreira Salles.
* Para "Eu sempre digo aos meus filhos": Roberto Civita.
* Para a aposentadoria e o pró-labore de Roberto Civita: Dina de Oliveira.
* Para "*To Rob, long time you don't have a picture*": Dedicatória de Richard Civita em fotografia, 28 ago. 1994.
* Para "com balões, grande jantar": Agenda pessoal de Roberto Civita, 9 ago. 1996.
* Para a viagem com os netos à Necker Island e "Vamos ver quem serão os nossos novos inimigos": Francesca Civita.
* Para "Você sabe o que está acontecendo com o Brasil?": Roberto M. Civita.
* Para "Foi chatíssimo, não entendi nada": Francesca Civita.
* Para "Sempre achei o *nonno* meio misterioso": Pedro Jeha Civita.
* Para "Quando você se apaixonar por uma garota": Daniel Civita Ramirez.
* Para "Preferia que ele tivesse escolhido uma pizzaria": Gabriel Civita Ramirez.
* Para "Fui apresentado ao *nonno* Carlo em Buenos Aires": Mario Lorenzi.

* Para “Descobri muito cedo que não sei inventar”: *Uma rosa para Púchkin*, de Mario Lorenzi.
* Para “Ele não deixou de admirar o Mino”: Mario Lorenzi.
* Para “Sou socialista, mas...”: Mario Lorenzi.
* Para “A amizade entre dois *amici*”: Mario Lorenzi.

4 DE OUTUBRO DE 2001 [pp. 373-82]

* Para “Estamos colocando a nossa arvorezinha”: Leila Loria.
* Para “Esse projeto faz parte dessa grande transformação”: “TV com setenta canais”, *Veja*, n. 1449, 19 jun. 1996.
* Para “Fui ao lançamento da DirecTV”: *Diários da presidência 1995-1996*, de Fernando Henrique Cardoso.
* Para “Almocei aqui no Alvorada com Roberto Civita”: *Diários da presidência 1995-1996*, de Fernando Henrique Cardoso.
* Para “Aquilo não poderia dar certo”: Leila Loria.
* Para “Certo dia, os americanos vieram me dizer”: Roberto Civita.
* Para “Não investirei mais nenhum centavo”: Leila Loria.
* Para “Não havia outra solução”: Leila Loria.
* Para “Roberto errara novamente”: Leila Loria.
* Para “Chegaram a 1 bilhão de dólares”: Leila Loria.
* Para “*Get Abril moving*”: Agenda pessoal de Roberto Civita, 1997.
* Para “*the big question*”: Agenda pessoal de Roberto Civita, 1998.
* Para “*stop: a) telling everyone*”. Agenda pessoal de Roberto Civita, 1996.
* Para “Um novo paradoxo” e “Tentativa permanentemente frustrada”: Agenda pessoal de Roberto Civita, 1998.
* Para “Não era fácil cortar”: Ophir Toledo.
* Para “Não só vice-presidentes”: Ophir Toledo.
* Para “Nunca mais ninguém atrasou”: Ophir Toledo.
* Para “O pessoal do RH me confessou”: Ophir Toledo.
* Para “Vou ter mais tempo para pensar” e “Há tanta coisa para fazer”: “Um futuro sem papel e sem tinta”, *Jornal do Brasil*, abr. 2000.
* Para “Nos encontros do *management team*”: Ophir Toledo.
* Para “O cara estava indignado”: Ophir Toledo.
* Para “Trouxe comigo a prática”: Ophir Toledo.
* Para “Para discutir os *issues*”: Ophir Toledo.
* Para “Ophir nunca entendeu”: Robert Blocker.

9 DE OUTUBRO DE 2001 [pp. 383-99]

* Para “Você odeia seu chefe?”: *Veja*, n. 1724, 31 out. 2001.
* Para “Bom dia, Maurizio, tudo bem?” e “Como assim, tudo bem?”: Cleide Castellan.

* Para “Não posso dizer que sou de fácil convivência” e “Eu achava que a situação da Abril era ruim”: Maurizio Mauro.

* Para “Acima de seis vezes”: Maurizio Mauro.

* Para “Os instintos empreendedores”: Maurizio Mauro.

* Para “O que quero dizer com qualidade de gestão?”: Maurizio Mauro.

* Para “Sem o financeiro debaixo dele”: Maurizio Mauro.

* Para “Eu poderia decidir sozinho”: Maurizio Mauro.

* Para “Ele tentava mudar a relação”: Maurizio Mauro.

* Para “Não, não pode” e “Eu lhe contava tudo”: Maurizio Mauro.

* Para “Gostei muito da cabeça do Maurizio”: Pedro Moreira Salles.

* Para “Foi fundamental a boa vontade”: Maurizio Mauro.

* Para “Eles receberam porque emitimos cheques sem fundos”: Maurizio Mauro.

* Para “Fomos obrigados a protelar pagamentos”: Maurizio Mauro.

* Para “Pedro, será que essa abertura é compatível”: Pedro Moreira Salles.

* Para “Seu Victor queria evidentemente pagar menos”: Martti Soisalo.

* Para “Ele me ouvia muito”: Maurizio Mauro.

* Para “um dos mais extravagantes e noticiados leilões”: “Ele perdeu a Garoto e o sossego”, de Cristiane Mano. *Exame*, n. 816, 28 abr. 2004.

* Para “Esse é o preço a pagar” e “O sonho dos vendedores de publicidade”: Roberto Civita.

* Para “Será tão importante assim”: Maurizio Mauro.

* Para “Por que então a gente aceita propaganda”: Maurizio Mauro.

* Para o almoço com Lula: Eurípedes Alcântara.

* Para “É verdade, eu falei com um coronel”: Eurípedes Alcântara.

* Para o jantar com Lula e José Dirceu: Maurizio Mauro.

* Para “Não recordo as datas”: José Dirceu.

* Para “Eu lhe contei que estudei em colégio de padres” e “Era um pouco impulsivo”: José Dirceu.

* Para “Estava convencido disso”: José Dirceu.

* Para “Ele fala e pensa como se fosse um de nós”: Thomaz Souto Corrêa.

* Para “Se ele for o sucessor, estamos fritos”: Maurizio Mauro.

* Para “um inferno” e “Você não entendeu, Oinegue”: Eduardo Oinegue.

* Para “Fui demitido”: Eduardo Oinegue.

* Para “Roberto pretendia mantê-lo”: Maurizio Mauro.

* Para “Todas as rodadas de cortes”: Pedro Moreira Salles.

* Para o almoço no La Cocagne: Fatima Ali.

* Para “Até o fim do processo sempre houve ciumeiras”: *Os bastidores da internet no Brasil*, de Eduardo Vieira.

* Para “Será que eu tenho que entrar?”: Roberto Civita.

* Para “O Grupo Folha, como havia resolvido ficar de fora”: *Os bastidores da internet no Brasil*, de Eduardo Vieira.

* Para “Cinco mil nós dois?”: *Os bastidores da internet no Brasil*, de Eduardo Vieira.

* Para “Frias perguntou”: Roberto Civita.

* Para “Nos afastamos por uma única razão”: Maurizio Mauro.

* Para Caio Túlio Costa, Paulo Francis e “Guerra de extermínio”: *Veja*, n. 1119, 28 fev. 1990.

* Para a coluna "Painel": *Folha de S.Paulo*, 25 fev. 1990.
* Para "*Furniture into the fire*": Agenda pessoal de Roberto Civita, 2004.

4 DE MAIO DE 2006 [pp. 400-6]

* Para "Mais de 300 milhões de Ebitda!": Maurizio Mauro.
* Para "Assegurada a sobrevivência": Maurizio Mauro.
* Para "Quando eu penso na grana que lhe dei": Marília França.
* Para "Sim, ganhei bastante dinheiro": Maurizio Mauro.
* Para "Roberto aceitou tais condições": Giancarlo Civita.
* Para "Comigo, ele ganhou quase 2 bilhões": Maurizio Mauro.
* Para "Jamais ouvi dele uma palavra de agradecimento": Maurizio Mauro.
* Para "Ele foi importante pelo que fez pelo país": Maurizio Mauro.
* Para "Foram conversas muito boas": Maurizio Mauro.
* Para "Quero que você seja feliz": Giancarlo Civita.
* Para "Ler era chato para mim": Giancarlo Civita.
* Para Victor Civita e a italiana loira: Giancarlo Civita.
* Para "Com o tempo, eu aprendi que meu avô": Giancarlo Civita.
* Para "Gianchino, escute o meu conselho": Giancarlo Civita.
* Para comentário de Civita sobre Harvard: Elio Gaspari.
* Para "Eu tinha notas boas": Giancarlo Civita.
* Para "Cansei, chega!": Giancarlo Civita.
* Para "Fiquei como chefe dele" e "Ele foi um grande professor": Giancarlo Civita.
* Para "O sucessor natural é você": Peter Rosenwald.
* Para "Aqui os empresários, os políticos": Richard Civita.
* Para "*Coitus interruptus*": Agenda pessoal de Roberto Civita, 8 mar. 2001.

CARNAVAL DE 2004 [pp. 407-22]

* Para "O Eurípedes vai ser diretor da *Veja*": Maria Christina Souza Queiroz de Alvarenga.
* Para a reunião de pauta de *Veja*: Reunião testemunhada pelo autor, 16 fev. 2004.
* Para "Aconteceu um episódio horrível": Eurípedes Alcântara.
* Para "Reduzi o tamanho": Eurípedes Alcântara.
* Para "Li o que vocês escreveram": Eurípedes Alcântara.
* Para "Não é assim que se promove alguém": Eurípedes Alcântara.
* Para "Ele estava enlouquecido": Eduardo Oinegue.
* Para "Fiquei só assistindo": Eurípedes Alcântara.
* Para "Se acontecesse, não sei": Eduardo Oinegue.
* Para "O que eles fizeram comigo não se faz" e "Com quem a gente faz a reunião de pauta": Mario Sabino.
* Para a reunião com Roberto Civita e "Cada um vai falar e ser sincero": Eurípedes Alcântara.

* Para a discussão entre Alvarenga e Alcântara e "Meninos, meninos...": Mario Sabino.

* Para "Troca de guarda na direção de *Veja*": "Carta do Editor", *Veja*, n. 1850, 21 abr. 2004.

* Para "Por um tempo, o Tales ficou meio sem fazer nada": Maria Christina Souza Queiroz de Alvarenga.

* Para "Sua contribuição a *Veja* é inestimável": "Uma lição de jornalismo", *Veja*, n. 1942, 8 fev. 2006.

* Para "A América Latina só terá uma oportunidade": "A maré popularesca", *Veja*, n. 1942, 8 fev. 2006.

* Para "imagem de autenticidade e companheirismo": *Veja*, n. 1803, 21 maio 2003.

* Para "O bem-amado": *Veja*, n. 1793, 12 mar. 2003.

* Para "preocupação nacional": "Afasta de mim esse cálice", de Leandra Peres. *Veja*, n. 1854, 19 maio 2004.

* Para "Lula foi o último a saber": "Os líderes e o liderado", *Veja*, 10 maio 2006.

* Para "Ele vai ficar puto, não vai?": Eurípedes Alcântara.

* Para Fábio Luís Lula da Silva, Gamecorp e "Porque deve haver um milhão de pais": "Lula elogia Serra e Aécio e critica Alckmin", *Folha de S.Paulo*, 19 out. 2006.

* Para "O 'Ronaldinho' de Lula": *Veja*, n. 1979, 25 out. 2006.

* Para "Qual é a lógica de arrumarmos um inimigo eterno?" e "Dona Ruth me ligou enfurecida": Eurípedes Alcântara.

* Para "Se não dermos, vamos varrer a sujeira": Eurípedes Alcântara.

* Para a discussão da capa sobre Fábio Luís Lula da Silva: Eurípedes Alcântara.

* Para "Não vou tirar a capa": Eurípedes Alcântara.

* Para "Roberto não dava aumentos": Eurípedes Alcântara.

* Para "Eu me considerava um profissional": José Roberto Guzzo.

* Para "Ele era pródigo em me elogiar": Eurípedes Alcântara.

* Para "Quando discutíamos o assunto": Eurípedes Alcântara.

* Para "Eurípedes acha que é só uma questão": Roberto Civita a Eurípedes Alcântara.

* Para "perdedor" e "menosprezava o Brasil": "Cadê o Policarpo? Cadê o Mino?", de Paulo Henrique Amorim. Conversa Afiada, 25 maio 2013. <www.conversaafiada.com.br/pig/2013/05/27/cade-o-policarpo-cade-o-mino>.

* Para "mente, distorce, trapaceia" e "frustrado por não ter sido promovido": "Roberto Civita (1936-2013)", de Paulo Nogueira. Diário do Centro do Mundo, 27 maio 2013. <www.diariodocentrodomundo.com.br/roberto-civita-1936-2013>.

* Para "truculento, uma espécie de cão de guarda": "Os mais vendidos", de Luis Nassif. Capítulo 14 da série "O caso de *Veja*". Blog do Luis Nassif, mar. 2008 (postagem suprimida). <sites.google.com/site/luisnassif02/osmaisvendidos>.

* Para "decidiu se valer de Reinaldo Azevedo": "Os mais vendidos", de Luis Nassif. Capítulo 14 da série "O caso de *Veja*". Blog do Luis Nassif, mar. 2008 (postagem suprimida). <sites.google.com/site/luisnassif02/osmaisvendidos>.

* Para "Mas atenção: a Centelha foi a UDN": Eurípedes Alcântara.

* Para "Mas não é muito cedo?": Eurípedes Alcântara.

* Para "Você não tem que chegar antes" e "A sabedoria e a discrição dos mineiros": "Carta do Editor", *Veja*, n. 1850, 21 abr. 2004.

* Para "conhecimento de quase tudo" e "leitor onívoro": "Carta do Editor", *Veja*, n. 1850, 21 abr. 2004.

* Para "sacadas inesperadas": Eurípedes Alcântara.

* Para "As redações estão cheias de analfabetos": Eurípedes Alcântara.

* Para "Se eu falo, não adianta nada": Eurípedes Alcântara.

* Para "laranja" e "Será que as pessoas vão entender?": Mario Sabino.

* Para a cobertura do mensalão e "O exagero está nos fatos": Eurípedes Alcântara.

* Para "Ele defendia que deveríamos ficar em um platô": Eurípedes Alcântara.

* Para "Eles querem nossa indignação": "Eu gosto de fazer revista". Entrevista de Roberto Civita a Eduardo Ribeiro, Wilson Baroncelli e Carlos Chaparro, *Jornalistas & Cia*, 26 jul. 2007.

* Para "Dr. Roberto detestava que gente da casa" e "Então você não entendeu": Cleide Castellan.

* Para José Dirceu e "O poderoso chefão": *Veja*, n. 2232, 31 ago. 2011.

* Para "Acho que desta vez a *Veja*": Cleide Castellan.

* Para "Quando estamos tratando apenas de fatos": "Não preciso agradar a todo mundo". Entrevista de Roberto Civita a Cynthia Malta. Suplemento Eu&Fim de Semana, *Valor Econômico*, 16 mar. 2012.

* Para "Sou um conspirador" e "Quero derrubar Lula": "Quero derrubar Lula", de Diogo Mainardi. *Veja*, n. 1916, 3 ago. 2005.

* Para "Quero que Lula perca": "Sem Lula, o mundo é melhor", de Diogo Mainardi. *Veja*, n. 1974, 20 set. 2006.

* Para "Lula deveria dar o exemplo": "Meu conselho ao presidente", de Diogo Mainardi. *Veja*, n. 1846, 24 mar. 2006.

* Para "O Brasil é dominado por uma massa": "Sem Lula, o mundo é melhor", de Diogo Mainardi. *Veja*, n. 1974, 20 set. 2006.

* Para "Quando a bomba dos piratas": "A fada Sininho", de Diogo Mainardi. *Veja*, n. 2014, 27 jun. 2007.

* Para "Sempre que o citei na coluna" e "Mino Carta garante que serve a Lula": "Mino Carta, o grande", de Diogo Mainardi. *Veja*, n. 1983, 22 nov. 2006.

* Para "Determinadas amizades interferem": Rogério Fasano.

* Para "um personagem menor, desprezível": *podcast* Diogo Mainardi, "Mino, um ladrúnculo da pior espécie", 9 nov. 2006.

* Para "Diogo Mainardi é a pimenta": "Eu gosto de fazer revista". Entrevista de Roberto Civita a Eduardo Ribeiro, Wilson Baroncelli e Carlos Chaparro, *Jornalistas & Cia*, 26 jul. 2007.

* Para "Gostei que ele visse minha coluna": Diogo Mainardi.

* Para "Conversamos sobre a Itália": Diogo Mainardi.

28 DE OUTUBRO DE 2008 [pp. 423-35]

* Para "paciência do nosso inesquecível VC": "A dura tarefa de transformar o importante em interessante", de Roberto Civita. *Veja Especial*, 9 set. 1998.

* Para "É preciso sempre levar em conta": "Eu gosto de fazer revista". Entrevista de Roberto Civita a Eduardo Ribeiro, Wilson Baroncelli e Carlos Chaparro, *Jornalistas & Cia*, 26 jul. 2007.

* Para "Não sou o Roberto Civita": Giancarlo Civita.
* Para "O Robertão era assim": Victor Civita Neto.
* Para "Por volta de dezessete, dezoito anos": Roberta Anamaria Civita.
* Para "É uma facilitadora da relação entre gerações": Luiz Felipe d'Avila.
* Para "Profundo desejo de ter um entendimento" e "Não era um pai meloso": Ana Paula Saraiva.
* Para "São minhas 'anjas' da guarda": Discurso de Roberto Civita no jantar comemorativo de seus cinquenta anos na Abril, 28 out. 2008.
* Para a equipe de secretárias e a comemoração dos cinquenta anos de Abril: Cleide Castellan, Dina de Oliveira, Jaqueline Arruda Rodrigues e Márcia Símola.
* Para "Saia verde Abril": Jaqueline Arruda Rodrigues.
* Para "10 de setembro. Hoje é aniversário de seu neto": Jaqueline Arruda Rodrigues.
* Para "Tenho problema com datas": Roberto Civita.
* Para "Vamos começar com duas perguntas simples": Discurso de Roberto Civita na abertura do sétimo Curso Abril de Jornalismo, em 22 jan. 1990.
* Para "Há mil fatores que entram nessa equação": Discurso de Roberto Civita na abertura do sétimo Curso Abril de Jornalismo, em 22 jan. 1990.
* Para "Prefiro um curso de pós-graduação": *Uma escola de jornalismo para o futuro*, de Eugênio Bucci.
* Para "As discussões avançavam pela noite": Leila Loria.
* Para "Seguiram-se nove meses de agonia": Leila Loria.
* Para "E mandou cortar dois nomes": Cleide Castellan.
* Para "*Life is too short to drink bad wines*": Carta de Thomaz Souto Corrêa a Roberto Civita, ago. 2006.
* Para "a maior gráfica do Brasil e do hemisfério sul" e "E por ter decidido romper comigo": Discurso de Roberto Civita na comemoração de seus cinquenta anos de Abril, 2008.
* Para "Estranhamente, estranhamente" e "Se isso não tivessse acontecido": Discurso de Roberto Civita na comemoração de seus cinquenta anos de Abril, 2008.
* Para "reflexões no quinquagésimo aniversário da Abril": Agenda pessoal de Roberto Civita, 2008.
* Para "Estou muito emocionado": Discurso de Roberto Civita na comemoração de seus cinquenta anos de Abril, 2008.
* Para "Cruzei com pessoas que pensei": Cena testemunhada pelo autor.

4 DE FEVEREIRO DE 2013 [pp. 436-42]

* Para "*annus* mais *mirabilis*" e "Gianca *decides to stay!*": Agenda pessoal de Roberto Civita, 2008.
* Para "Se a publicidade também cair por aqui": Giancarlo Civita.
* Para "Precisamos mexer na editora" e a discussão sobre a Abril: Giancarlo Civita.
* Para "A vida inteira o Dé via o Gianca": Roberta Anamaria Civita.
* Para "Nós, judeus": Claudia Costin.
* Para "Infelizmente, não consegui transmitir": Cleide Castellan.

* Para "Não tem nada mais respeitoso" e "Eu lhe falava que o objetivo principal": Fábio Barbosa.

* Para "Expliquei que não teria interesse nenhum" e "Se você quer mudar o Brasil": Fábio Barbosa.

* Para "Acredito que Roberto não via ninguém": Pedro Moreira Salles.

* Para a viagem aos Estados Unidos: Fábio Barbosa e Pedro Moreira Salles.

* Para "Ele era recebido com tapete vermelho": Fábio Barbosa.

* Para "com um montão de gente": Pedro Moreira Salles.

* Para "Bem-vindo ao mundo digital, Roberto": Pedro Moreira Salles.

* Para "Temos que desaprender tudo": Fábio Barbosa.

* Para "Ah, eu queria ter trinta anos a menos": Pedro Moreira Salles.

* Para "Os anos de 2011 e 2012 foram muito difíceis": Fábio Barbosa.

* Para "Ele tinha um discurso": Victor Civita Neto.

* Para "Quando eu voltar do Carnaval": Fábio Barbosa.

26 DE MAIO DE 2013 [pp. 445-54]

* Para "Basta!" e "Tirar barriga": Agenda pessoal de Roberto Civita, 1998.

* Para a viagem à China e "Falei com um monte de gente": Roberto Civita.

* Para "Em caso de necessidade, posso acioná-lo?": Maria Antonia Civita.

* Para "Não conheço o seu marido": Roberto Kalil Filho.

* Para "Havia risco de vida": Maria Antonia Civita.

* Para a viagem ao Mediterrâneo: Thomaz Souto Corrêa.

* Para a "Ali, provavelmente, se acendeu uma luz": Pedro Moreira Salles.

* Para a saúde de Roberto Civita e "Seria necessário realizar um cateterismo": Roberto Kalil Filho.

* Para a visita de Lula a Roberto Civita no Sírio-Libanês: Roberto Kalil Filho e Eurípedes Alcântara.

* Para "A única capa que eu acho": Eurípedes Alcântara.

* Para "O ex-presidente lembra-se sim do encontro": E-mail do Instituto Lula, 27 fev. 2015.

* Para "Arqui-inimigo" e "Vale ressaltar que o ex-presidente": "Lula e Civita: A solidariedade no câncer", de Luis Nassif. Luis Nassif Online, 30 jun. 2012. <jornalggn.com.br/blog/luisnassif/lula-e-civita-a-solidariedade-no-cancer>e e-mail do Instituto Lula, 27 fev. 2015.

* Para "foi mais ou menos assim": Roberto Kalil Filho.

* Para "Ela foi a única pessoa que acompanhou": Roberto Kalil Filho.

* Para "Doutor, qual é o risco de fatalidade?": Julio César Saucedo Mariño e Maria Antonia Civita.

* Para "Vivi bem, comi bem": Maria Antonia Civita.

* Para "Era uma aorta muito doente": Roberto Kalil Filho.

* Para as cirurgias e as condições clínicas de Roberto Civita: Roberto Kalil Filho e Julio César Saucedo Mariño.

* Para "Percebi que estava tudo perdido": Victor Civita Neto.

* Para "Quando ele fez a segunda cirurgia": Giancarlo Civita.

* Para "Ela não queria aceitar a realidade": Roberta Anamaria Civita.
* Para "Não houve erro": Roberto Kalil Filho.
* Para "A palavra é essa, fatalidade": Julio César Saucedo Mariño.
* Para "*Get me out of here*": Giancarlo Civita.
* Para "The Love Song of J. Alfred Prufrock": *Poesia*, de T.S. Eliot. Trad. de Ivan Junqueira. Rio de Janeiro: Nova Fronteira, 1981.
* Para a visita de João de Deus: Roberta Anamaria Civita.

8 DE FEVEREIRO DE 2013 [pp. 455-7]

* Para "Da próxima vez" e "Eu nunca respondi direito": Roberto Civita.
* Para "Vou deixar, espero, duas empresas" e "Não. Eu torço": Roberto Civita.

EPÍLOGO: 27 DE MAIO DE 2013 [pp. 458-61]

* Para "Não dava mais para esperar": Fábio Barbosa.
* Para "Troca de guarda em *Veja*": "Carta ao Leitor", *Veja*, n. 2468, 9 mar. 2016.

Posfácio

Este livro nasceu com um convite de Roberto Civita. No dia 4 de junho de 2012, ele me chamou à sua sala e contou que pensara algumas vezes em escrever suas memórias. Acabou desistindo por falta de tempo e, admitiu, de disposição. Mas voltara a considerar o projeto por insistência da filha. Ele então me perguntou: "Topa fazer comigo?".

Àquela altura da vida, eu estava na Editora Abril havia 42 anos. Passei ali praticamente toda a minha carreira profissional, iniciada em Curitiba, onde fui correspondente das revistas *Placar* e *Veja*. Entrei na recém-lançada semanal de esportes em seu número 1, como colaborador fixo. Eu tinha 22 anos e uma imensa vontade de trabalhar na chamada grande imprensa nacional. Graças à *Placar*, que me chamou para ser repórter em São Paulo — o que devo ao jornalista Jairo Régis, seu diretor de redação na época —, pude realizar o meu sonho. Na *Placar*, eu viraria no decorrer dos anos seguintes editor, diretor adjunto e diretor. Em um intervalo, fui editor assistente da *Veja*. Em outros dois, editor e diretor de redação da *Playboy*. Mais tarde, iria para a *Veja São Paulo* e fiquei à frente da publicação por duas décadas, até ser promovido a diretor editorial do grupo que englobava as *Vejinhas* na ocasião existentes. É o resumo de uma longa trajetória.

Muitos certamente se lembram de uma campanha publicitária da editora com o seguinte slogan: "A Abril faz parte de sua vida". Esses anúncios pareciam falar diretamente para mim. Muito antes de ser seu funcionário, eu era leitor de várias revistas que ela publicava. Parece coisa de gente de encarnação passada, mas recordo mais ou menos bem quando minha mãe levou para casa o número 1 da *Claudia*, em 1961. Numa banca da Boca Maldita da capital paranaense, comprei a primeira edição da *Realidade*, em 1966, e a da *Veja*, em 1968. Embora ninguém seja obrigado a acreditar, vou deixar registrado: a partir do lançamento, li as matérias principais de praticamente cada número da *Veja* semana após semana, gostasse ou não delas.

Na Abril, vivi momentos marcantes de minha trajetória. Foi ali que conheci alguns de meus bons amigos e a mãe dos meus filhos. Perdi companheiros próximos. Aprendi tudo o que sei sobre a profissão que escolhi. Como repórter, cobri nove Copas do Mundo e cinco Olimpíadas. Na *Playboy*, fiz duas dezenas de entrevistas. Ajudei a *Veja São Paulo*, graças a equipes competentes que pude formar, a se tornar, por vários anos, a maior revista da casa depois da *Veja*. Como editor, creio que contribuí, dentro de minhas possibilidades, para a formação de jovens talentos. Alguns deles, para meu orgulho, iriam mais longe do que fui.

O que alguém com essa história poderia responder diante da proposta de Roberto Civita? Aceitei, é claro. Propus que iniciássemos uma série de entrevistas gravadas em que ele lembraria, por ordem cronológica, os acontecimentos relevantes de sua vida. Seria um livro dele. Eu teria o papel de pesquisar, entrevistá-lo, checar e redigir, como ghost-writer. A primeira sessão se realizaria um mês depois. Tivemos seis naquele ano. A sétima foi em janeiro. Sempre numa sexta-feira, durante duas horas, pela manhã. Roberto desmarcou vários encontros nossos, em virtude de compromissos, viagens e, como eu descobriria depois, problemas de saúde — algo sempre tratado com discrição dentro da empresa e conhecido por poucas pessoas. No início de 2013, ele parecia entusiasmado com os depoimentos. Para minha surpresa, mandaria agendar, até o final daquele ano, um total de 37 sessões. Só houve mais uma, a da véspera do Carnaval. Na segunda-feira, ele se internou no Hospital Sírio-Libanês, de onde saiu sem vida.

Com ele, desapareceria o livro de memórias na forma como havíamos planejado. Eu tinha a transcrição de dezesseis horas de entrevistas, um material rico, mas incompleto e insuficiente para publicação. Esperei um tempo e procurei seus três filhos. Meu plano agora era escrever uma biografia não oficial, de minha inteira responsabilidade. Os depoimentos que colhi serviriam apenas como subsídio. Sem a colaboração dos herdeiros, a tarefa seria quase irrealizável. Eu precisava não apenas de suas informações como de documentos da família, autorização para mergulhar no acervo da Memória Abril — criada pelo próprio Roberto — e acesso a outras pessoas da família. Além disso, eu sabia que amigos e figuras próximas não falariam comigo caso os filhos fossem contrários ao projeto. Giancarlo Civita, Victor Civita Neto e Roberta Anamaria Civita, felizmente, acenderam a luz verde e me deram liberdade para trabalhar. Sou imensamente agradecido por isso.

Da mesma forma, sua terceira mulher, Maria Antonia Magalhães Civita, bem como as anteriores, Leila Francini e Laura Taves da Justa, se mostraria cooperativa. Maria Antonia me emprestou literalmente um baú de papéis que o marido guardou por décadas em seu sítio, entre eles cartas do tempo de estudante e agendas anotadas. Seu irmão Richard também colaborou de modo generoso comigo. Foi uma fonte de informações inestimável.

Sem a ajuda deles, o livro não teria sido feito.

Gostaria de dar em especial um muito obrigado a Thomaz Souto Corrêa por todo o seu apoio e por ter examinado comigo, em companhia do historiador Jorge Caldeira, mais de 2 mil livros da biblioteca deixada por Roberto.

Preciso consignar da mesma forma meu reconhecimento a todos os colegas com os quais convivi ou cruzei por quatro décadas nas salas e corredores de quatro diferentes sedes e redações da Abril em que trabalhei (marginal Tietê, rua do Curtume, Edifício Panambi e NEA), sucursais no Brasil e escritórios no exterior. Algo de muitos deles aparece nas impressões que guardo da editora e dos profissionais que tanto contribuíram na sua construção.

Um muito obrigado especial a Cidval Heredia, o Kid, Gabriela Brancaglion Alfonso e, antes deles, Sissi Diksztejn, extraordinários profissionais da Memória Abril. A Bianca Mantovani, por sua dedicação e competência na pesquisa e organização de documentos. A Miriam Lopes, sem a qual eu nunca teria conseguido agendar tantas entrevistas, a Lili Carvalho, que cuida há anos com desvelo de minha vida profissional, e Manoel José da Silva, conhecedor de todos os caminhos de São Paulo. A Cintia Lublanski, Julia Passos, Luiz Schwarcz, Matinas Suzuki Jr., Otávio Marques da Costa, Clara Dias, Lilia Zambon e toda a equipe da Companhia das Letras, que aprendi a admirar. Ao tradutor Federico Carotti e a Érico Melo, responsável pela checagem. A Claudio Ferreira. A Maria Elci Spaccaquerche, que soube me encorajar em momentos difíceis deste trabalho.

E, pela ajuda que me deram em ocasiões diferentes, Adriana Lobalzo, Adriana Regina Socci Barbosa, Alberto Lopes, Alecsandra Zapparoli, Alessandra Blocker, Alfredo Ogawa, Alice Cruz, Anna Mantovani, Antonio Ribeiro, Ariani Carneiro, Arlete Sentinello, Bobby Krell, Carlos Orlando Barbosa, Cátia Furlan, Claudia Ribeiro, Costanza Pascolato, Daniel dos Santos Prado, Daniela Pinheiro, Daniele Ivo, Elenice Ferrari, Ênio Vergeiro, Fábio Altman, Fábio Sucupira, Fabrizio Fasano, Giovana Romani, Ilan Kow, João Rodarte, Jorge Nóbrega, Lauro Jardim, Lucas Anselmo de Oliveira, Luci Lisboa, Lúcia Coli Badini, Marcelo Botta, Marcelo Duarte, Márcia Ventura, Marcos Pereira, Manuela Carta, Maria Rita Alonso, Mário Alberto de Almeida, Mônica Bergamo, Neiva Saraiva, Nirlando Beirão, Patricia Hargreaves, Paul Lesbaupin, Ricardo Amaral, Ricardo A. Setti, Rita Casarin, Rita de Cássia Nevado, Rita Lobo, Rogério Fasano, Roseli Lucena, Sérgio Dávila, Silvia Candal, Solange Rodrigues, Valdécio de Oliveira e Vera Lucas.

Fica aqui também minha profunda gratidão a cada um dos entrevistados que me confiaram suas memórias e tiveram paciência de ouvir minhas intermináveis perguntas.

À minha família, sobretudo minha mãe, meus filhos, minhas netas e meus irmãos.

E à memória de meu pai, minhas avós e minha tia Violeta, que nunca deixaram de me iluminar.

Por último, em nome da transparência, informo ao leitor que seis pessoas, por razões que respeito, se recusaram a ser entrevistadas. São elas: Mino Carta e Mario Sergio Conti, ex-diretores da *Veja*; Rui Falcão, ex-diretor da *Exame*; Luiz Frias, presidente do Grupo Folha; a empresária Cosette Alves; e Daisy Carta, ex-mulher de Mino. Quando precisei citá-los, recorri a fontes idôneas — ao lado de textos que alguns deles escreveram — e me empenhei, como em todo o livro, em buscar a isenção e a verdade factual.

São Paulo, agosto de 2016

Fontes

ENTREVISTAS

Salvo nas exceções registradas com asterico, todas as entrevistas foram realizadas pessoalmente e em sua maioria gravadas.

Alberto Dines
Ana Paula Saraiva
Andrea Abilleira
Angelo Rossi
Antonio Delfim Netto
Baltazar Munhoz Gonçalves
Barbara Civita
Carlos Roberto da Costa
Claudia Costin***
Claudio Ferreira
Cleide Castellan
Daniel Civita Ramirez
Dina de Oliveira
Diogo Mainardi*
Domingo Alzugaray
Dorrit Harazim
Edegardo Martolio
Eduardo Oinegue

Elio Gaspari
Eurípedes Alcântara
Fábio Barbosa
Fatima Ali
Fernando Casablancas
Fernando Costa
Fernando Henrique Cardoso
Fernando Mathias
Fernando Moreira Salles
Francesca Civita
Gabriel Civita Ramirez
George Antunes de Abreu Magalhães*
Giancarlo Civita
Guilherme Veloso
Jairo Mendes Leal
Jaqueline Arruda Rodrigues
Jorge Fontevecchia
José Carlos Marão
José Dirceu
José Fucs
José Hamilton Ribeiro
José Roberto Guzzo
Juca Kfouri
Júlia Tavares
Julio César Saucedo Mariño
Laura Taves
Leila Francini
Leila Loria
Luca Jeha Civita
Lúcia Helena Andrade Oliveira
Luisa Crema*
Luiz Felipe d'Avila
Luiz Inácio Lula da Silva**
Marcia Neder
Maria Antonia Civita
Maria Christina Souza Queiroz de Alvarenga
Marília França
Mario Lorenzi
Mario Sabino
Marta Suplicy
Martti Soisalo
Maurizio Mauro
Meire Fidelis

Milton Coelho da Graça
Odillo Licetti
Olga Krell
Ophir Toledo
Pauli Soisalo
Paulo Moreira Leite
Paulo Nogueira*
Pedro de Souza*
Pedro Jeha Civita
Pedro Moreira Salles
Pedro Paulo Poppovic
Peter Rosenwald
Raymond Cohen*
Richard Civita
Robert Blocker
Roberta Anamaria Civita
Roberto Irineu Marinho****
Roberto Kalil Filho
Roberto M. Civita
Roberto Pompeu de Toledo
Roger Karman
Roseli Strothmeier
Thales Guaracy
Thomaz Souto Corrêa
Ugo Castellana
Victor Civita Neto
Vital Santos
Walter Longo

* Por e-mail
** Respostas enviadas por um assessor
*** Por Skype
**** Por telefone

LIVROS

A revista no Brasil. São Paulo: Abril, 2000.
ABREU, Alzira Alves de; LATTMAN-WELTMAN, Fernando; ROCHA, Dora (Orgs.). *Eles mudaram a imprensa: Depoimentos ao CPDOC*. Rio de Janeiro: FGV, 2003.
ALI, Fatima. *Um momento de felicidade*. São Paulo: Best Seller, 1993.
______. *A arte de editar revistas*. São Paulo: Companhia Editora Nacional, 2009.
ALMEIDA, Maria Fernanda Lopes. *Veja sob censura 1968-1976*. São Paulo: Jaboticaba, 2008.

AMORIM, Paulo Henrique. *O quarto poder: Uma outra história*. São Paulo: Hedra, 2015.

AZEVEDO, Carlos. *Cicatriz de reportagem: 13 histórias que fizeram um repórter*. São Paulo: Papagaio, 2007.

BAIR, Deirdre. *Saul Steinberg: A Biography*. Nova York: Doubleday, 2012.

BARDAWIL, José Carlos. *O repórter e o poder: Uma autobiografia*. Entrevista a Luciano Suassuna. São Paulo: Alegro, 1999.

BLOCH, Arnaldo. *Os irmãos Karamabloch: Ascensão e queda de um império familiar*. São Paulo: Companhia das Letras, 2008.

BRANDÃO, Ignácio de Loyola. *Fabrizio Fasano: Colecionador de sonhos*. São Paulo: Leya, 2013.

BUCCI, Eugênio (Org.). *Uma escola de jornalismo para o futuro: Um legado de Roberto Civita para melhorar a imprensa no Brasil*. São Paulo: ESPM, 2015.

CARDOSO, Fernando Henrique. *Diários da presidência 1995-1996*. São Paulo: Companhia das Letras, 2015.

______. *Diários da presidência 1997-1998*. São Paulo: Companhia das Letras, 2016.

CAROL, Alia. *Destinos deslocados*. Florianópolis: Insular, 2007.

CARTA, Mino. *O castelo de âmbar*. Rio de Janeiro: Record, 2000.

______. *A sombra do silêncio*. São Paulo: Francis, 2003.

______. *O Brasil*. Rio de Janeiro: Record, 2013.

CHAGAS, Carmo; MAYRINK, José Maria; PINHEIRO, Luiz Adolfo. *3x30: Os bastidores da imprensa brasileira*. São Paulo: Best Seller, 1992.

CIVITA, Cesare. *La mia vita*. Milão: Mondadori, 1987.

CONTI, Mario Sergio. *Notícias do Planalto: A imprensa e Fernando Collor*. São Paulo: Companhia das Letras, 1999.

CORRÊA, Thomaz Souto; GRASSETTI, Carlos; CALDEIRA, Jorge. *A celebração de um empreendedor: Victor Civita*. S.l.: s.n., s.d.

DINES, Alberto. *O papel do jornal: Uma releitura*. São Paulo: Summus, 1986.

ELIOT, T.S. *Poesia*. Trad. Ivan Junqueira. Rio de Janeiro: Nova Fronteira, 1981.

FARO, José Salvador. *Revista Realidade, 1966-1968: Tempo da reportagem na imprensa brasileira*. Canoas: Ed. da ULBRA; AGE, 1999.

FELSENTHAL, Carol. *Citizen Newhouse: Portrait of a Media Merchant*. Nova York: Seven History, 1998.

GASPARI, Elio. *A ditadura envergonhada*. São Paulo: Companhia das Letras, 2002.

______. *A ditadura escancarada*. São Paulo: Companhia das Letras, 2002.

______. *A ditadura derrotada*. São Paulo: Companhia das Letras, 2003.

______. *A ditadura encurralada*. São Paulo: Companhia das Letras, 2004.

GOMES, Arnon. *O jornalista mais premiado do Brasil: A vida e as histórias do repórter José Hamilton Ribeiro*. Araçatuba: Eko Gráfica, 2015.

HERZSTEIN, Robert E. *Henry R. Luce: A Political Portrait of the Man Who Created the American Century*. Nova York: Macmillan, 1994.

IVC 25 anos

JUNIOR, Gonçalo. *O homem Abril: Cláudio de Souza e a história da maior editora brasileira de revistas*. Vinhedo: Editoractiva, 2003.

KUCINSKI, Bernardo. *Jornalistas e revolucionários*. São Paulo: Página Aberta, 1991.

LORENZI, Mário. *Uma rosa para Púchkin*. São Paulo: Códex, 2003.
MANZANO, Rodrigo (Org.). *Vintenário: Duas décadas de IMPRENSA em revista*. São Paulo: Imprensa, 2007.
MARCHI, Carlos. *Todo aquele imenso mar de liberdade: A dura vida do jornalista Carlos Castello Branco*. Rio de Janeiro: Record, 2015.
MARCONI, Paolo. *A censura política na imprensa brasileira*. São Paulo: Global, 1980.
MAYRINK, José Maria. *Mordaça no Estadão*. São Paulo: O Estado de S. Paulo, 2008.
MERCADANTE, Luís Fernando. *Victor Civita*. São Paulo: Nova Cultural, 1987.
______. *Vinte perfis e uma entrevista*. São Paulo: Siciliano, 1994.
NISKIER, Arnaldo. *Memórias de um sobrevivente: A verdadeira história de ascensão e queda da Manchete*. Rio de Janeiro: Nova Fronteira, 2012.
OLIVEIRA SOBRINHO, José Bonifácio de. *O livro do Boni*. Rio de Janeiro: Casa da Palavra, 2011.
PILAGALLO, Oscar. *História da imprensa paulista: Jornalismo e poder de D. Pedro I a Dilma*. São Paulo: Três Estrelas, 2012.
RIBEIRO, José Hamilton. *Jornalistas 1937 a 1997: História da imprensa de São Paulo vista pelos que batalham laudas (terminais), câmeras e microfones*. São Paulo: Imprensa Oficial, 1998.
______; MARÃO, José Carlos. *Realidade re-vista*. Santos: Realejo, 2010.
SANTOS, Luiz Borges dos. *Samab, uma história de superação e desafios*. São Paulo: Samab, 2006.
SCARZANELLA, Eugenia. *Abril — Da Perón a Videla: Un editore italiano a Buenos Aires*. Roma: Nova Delphi, 2013.
SCHUMPETER, Joseph. *Teoria do desenvolvimento econômico: Uma investigação sobre o lucro, capital, crédito, juros e o ciclo econômico*. São Paulo, Nova Cultural, 1982. Coleção Os Economistas, v. 3.
SEVERIANO, Mylton. *Realidade: História da revista que virou lenda*. Florianópolis: Insular, 2013.
TOLEDO, Roberto Pompeu de. *A capital da vertigem: Uma história de São Paulo de 1900 a 1954*. Rio de Janeiro: Objetiva, 2015.
Veja 25 anos: Reflexões para o futuro. São Paulo: Abril, 1993.
VIEIRA, Eduardo. *Os bastidores da internet no Brasil: As histórias de sucesso e de fracasso que marcaram a web brasileira*. Barueri: Manole, 2003.
YIDA, Claudio. *Olga Krell: A grande dama da decoração*. São Paulo: Capella, 2014.

JORNAIS

A Gazeta Esportiva (São Paulo)
Diário da Noite (Rio de Janeiro)
Diário Popular (São Paulo)
Folha da Tarde (São Paulo)
Folha de S.Paulo (São Paulo)
Gazeta Mercantil (São Paulo)
International Herald Tribune (Nova York)
Jornal da ABI (Rio de Janeiro)

Jornal da Abril (São Paulo)
Jornal do Brasil (Rio de Janeiro)
Jornal Unidade (São Paulo)
O Dia (Rio de Janeiro)
O Estado de S. Paulo (São Paulo)
O Globo (Rio de Janeiro)
Perfil (Argentina)
The New York Times (Nova York)
Valor Econômico (São Paulo)
Zero Hora (Porto Alegre)

REVISTAS

About (São Paulo)
Abril: Os Primeiros 50 Anos (publicação interna da Abril — São Paulo)
Bravo! (São Paulo)
Caras (São Paulo)
Caros Amigos (São Paulo)
CartaCapital (São Paulo)
Claudia (São Paulo)
Columbia Journalism Review (Nova York)
Época (São Paulo)
Época Negócios (São Paulo)
Exame (São Paulo)
Folio (Nova York)
Forbes (São Paulo)
Fortune (Nova York)
Imprensa (São Paulo)
Informanglo (publicação Anglo — São Paulo)
IstoÉ (São Paulo)
Leitura
Life (Nova York)
Manequim (São Paulo)
Manchete (Rio de Janeiro)
Newsweek (Nova York)
Nossa Árvore (publicação interna da Abril — São Paulo)
Notícias Fincanceiras
Nova (São Paulo)
Placar (São Paulo)
Playboy (São Paulo)
PSC (publicação interna da Abril — São Paulo)
PSC abril net (São Paulo)

Quatro Rodas (São Paulo)
Realidade (São Paulo)
República (São Paulo)
Revista da ANER (São Paulo)
Revista da ESPM (São Paulo)
Revista Marketing Direto (São Paulo)
Serafina (São Paulo)
The Quill (Indianapolis)
The Wire (Londres)
Time (Nova York)
Veja (São Paulo)

INTERNET

Advertising Age. <adage.com/>.
Consultor Jurídico. <www.conjur.com.br/>.
Geneton. <www.geneton.com.br>.
GUERRINI JR., Irineu. *Discos em bancas: Da indústria cultural à guerrilha cultural.* <www.intercom.org.br/papers/nacionais/2007/resumos/R0657-1.pdf>.
Jornalistas & Cia. <www.jornalistasecia.com.br/noticias.htm>.
Knowledge@Wharton. <www.knowledgeatwharton.com.br/>.
Luxner News INC. <www.luxner.com>.
Meio & Mensagem. <www.meioemensagem.com.br/home.html>.
Negócios da Comunicação. <portaldacomunicacao.uol.com.br/>.
Observatório da Imprensa. <observatoriodaimprensa.com.br/>.
Realidade Revista. <realidade-revista.blogspot.com.br/p/sobre-o-projeto.html>.
The Media Business. <themediabusiness.blogspot.com.br/>.

ARQUIVOS

Departamento de Documentação da Editora Abril (Dedoc)
Junta Comercial do Estado de São Paulo
Memória Abril

Créditos das imagens

CADERNO 1

pp. 1, 2, 3, 4 (acima), 8 (acima), 11, 12, 13 (acima), 14, 15 e 16 (acima): Acervo da família Civita.
p. 4 (abaixo): JUCESP.
pp. 5, 8 (abaixo) e 9 (abaixo e à esquerda): Acervo do autor.
p. 6 (acima): Capricho/ Edição 01/ Abril Comunicações S.A.
p. 6 (abaixo e à esquerda): Manequim/Edição 01/ Abril Comunicações S.A.
p. 6 (abaixo e à direita): Claudia/ Edição 01/ Abril Comunicações S.A.
p. 7: Quatro Rodas/ Edição 01/ Abril Comunicações S.A.
p. 9 (acima; abaixo e à direita): Jorge Butsuem/ Abril Comunicações S.A.
p. 10: Lew Parrella/ Abril Comunicações S.A.
p. 13 (abaixo): João Bittar/ Abril Comunicações S.A.
p. 16 (abaixo): Veja/ Edição 1145/ Abril Comunicações S.A.
p. 16 (acima e à direita): Acervo da família Civita.

CADERNO 2

pp. 1, 12, 13 e 14-15: Acervo da família Civita.
pp. 2, 3, 5 (abaixo), 8 (acima) e 11 : Acervo do autor.
p. 4 (acima): Veja/ Edição 699/ Abril Comunicações S.A.
p. 4 (abaixo): Veja/ Edição 1077/ Abril Comunicações S.A.

p. 5 (acima): Veja/ Edição 752/ Abril Comunicações S.A.
p. 6 (acima): Veja/ Edição 1020/ Abril Comunicações S.A.
p. 6 (abaixo): Veja/ Edição 1236/ Abril Comunicações S.A.
p. 7 (acima): Veja/ Edição 1241/ Abril Comunicações S.A.
pp. 7 (abaixo) e 8 (abaixo) : Ed Viggiani.
p. 9 (acima e à esquerda): Veja/ Edição 1955/ Abril Comunicações S.A.
p. 9 (acima e à direita): Veja/ Edição 1979/ Abril Comunicações S.A.
p. 9 (abaixo): Antonio Milena/ Abril Comunicações S.A.
p. 10 (à esquerda): Veja São Paulo/ Edição 01/ Abril Comunicações S.A.
p. 16: Veja/ Edição 2324/ Abril Comunicações S.A.

Índice remissivo

ESTA OBRA FOI COMPOSTA POR OSMANE GARCIA FILHO EM MINION
E IMPRESSA PELA GEOGRÁFICA EM OFSETE SOBRE PAPEL PÓLEN SOFT
DA SUZANO PAPEL E CELULOSE PARA A EDITORA SCHWARCZ
EM SETEMBRO DE 2016

A marca FSC® é a garantia de que a madeira utilizada na fabricação do papel deste livro provém de florestas que foram gerenciadas de maneira ambientalmente correta, socialmente justa e economicamente viável, além de outras fontes de origem controlada.